TIGRE JUAN

Y

EL CURANDERO DE SU HONRA

RAMÓN PÉREZ DE AYALA

TIGRE JUAN
y
EL CURANDERO DE SU HONRA

Edición,
introducción y notas
de

ANDRÉS AMORÓS

---

clásicos castalia

Madrid

Zurbano, 39 - Tel. 419 89 40 - Madrid (10)

Impreso en España. Printed in Spain
por Unigraf, S. A. - Fuenlabrada (Madrid)
Cubierta de Víctor Sanz
I.S.B.N.: 84-7039-361-8
Depósito Legal: M-39.096-1980

SUMARIO

INTRODUCCIÓN CRÍTICA

1) El Fontán

Hay obras literarias que nacen unidas a un lugar. Sin él, no se podrían entender. Como escribió Lawrence Durrell, "una ciudad es un mundo cuando amamos a uno de sus habitantes".

Espero que se me entienda bien: no estoy hablando de localismo, de costumbrismo, de descripciones más o menos próximas a la realidad. Hay algo de eso también, claro, pero en el fondo es otra cosa. El escritor se empapa de un lugar que ama y eso pone en marcha —no sabemos cómo— su imaginación. Luego, pasa al papel esa compenetración sentimental con un lugar amado. Al escribir, no sólo está reflejando, también —sobre todo— lo está expresando, dando vida, salvando del tiempo; en definitiva, lo está *creando.*

Basta de preámbulos difusos. Vayamos, en la medida de lo posible, a los "detalles exactos". *Tigre Juan* y *El curandero de su honra,* la última pareja de novelas largas de Pérez de Ayala, se centran en Pilares, en la Plaza del Mercado. (Subrayo: ése es el centro del estanque en el que ha caído la piedra, abriendo círculos cada vez más amplios.) Es decir, en Oviedo, su ciudad natal, y en la Plaza del Fontán.

Las primeras líneas de la novela nos dan ya la descripción del lugar. Pero no es sólo la descripción: Pérez de Ayala está creando el Fontán. En las páginas de este libro está el Fontán para siempre; como diría el escritor asturiano, con su voluntaria e irónica pedantería, el Fontán visto *sub specie aeternitatis.*

¿Es esto literatura? ¡Claro! ¿Qué va a ser? Pero, además, el Fontán sigue estando ahí, en el centro del viejo Oviedo. El viajero, si ha leído con fervor, ya no visita Oviedo, sino que viene a ver —y encuentra— Vetusta, Pilares. Sale del viejo hotel, el de siempre, después de oír el estallido del carillón. Admira la fachada de la vieja Universidad; se asoma a la plazuela de Riego y mira los escaparates de la librería; da un rodeo para saludar a la Catedral y se asusta un poco de que el Magistral, desde la torre, siga oteando el cuerpo de las chicas que pasan; recorre la Rúa Ruera, tratando de verla desde los dos lados; ve la fachada de San Isidoro, donde se casaron Tigre Juan y Herminia. Y, sin más, desemboca en el Fontán.

La tentación inmediata es pensar: "Esto ya no es literatura; es vida." Tanta es la fuerza de los gritos, los gestos, los colores... Sigue el mercado de productos de la tierra, ahora completado por cacharros de plastiqué, revistas porno atrasadas, casettes, cachivaches para uso de progres o regionalistas... Pero el pez se muerde la cola, en un juego de espejos perfectamente literario; en un lado de la plaza, en la pared, está la lápida con las frases rituales: "La Plaza del Mercado, en Pilares, está formada por un ruedo de casucas corcovadas..." Y no hace falta ser muy sagaz para comprender que, por mucho que lo disimulen los gritos de las vendedoras, esa lápida es la clave —¿el aleph, el cielo de la rayuela?— que está sosteniendo todo el Fontán, y que Oviedo son muchas ciudades, unas encima de otras, pero que todas parten del Fontán, de la plaza que se llena cada mañana, se ensucia a lo largo del día, se riega cada tarde, se queda vacía cada noche, con la luz del farol, el ruido de la fuente y todos los recuerdos que el viajero le quiera añadir.

Pero todo esto —quede muy claro— está vivo, no es arqueología ni siquiera historia de la literatura contemporánea. Es, simplemente, vida cotidiana en el Oviedo actual, y así nos lo muestra, con su agudeza habitual, Juan Cueto Alas:

> En el Fontán se puede contemplar —pero será por poco tiempo— un espectáculo costumbrista digno de figurar en cualquier "Guía Azul" que se precie: charlatanes recitando las virtudes de "las extraordinarias cuchillas suecas que han sido fabricadas en Viena y no han pagado la aduana de Cádiz"; verduleras que todavía utilizan el más cerrado de los bables para cantar a grito pelado las excelencias de sus frutas, generalmente leridanas; gitanos pregonando a los cuatro vientos las artes de la corsetería femenina más chillona y espectacular del mundo; buhoneros que han tenido que admitir el plástico en sus mercancías pero que siguen fieles a la vieja tradición retórica; el olor de los cacahuetes tostados y de las flores recién cortadas; la irrepetible asimetría de los tenderetes; la vendedora de madreñas y botines de caucho; un cura con sotana y un municipal con salacot; pucheros de Faro y el fantasma de Tigre Juan espantando a unos críos que por sus juegos no pueden ser de la E.G.B. Pero dejemos en paz la demagogia poética y digamos solamente que en el Fontán es posible regatear y que el precio no depende tanto de las virtudes del producto como de la capacidad de persuasión de la compradora, pero, casi siempre, de la vendedora. El resto es mera literatura. [1]

Pérez de Ayala había nacido y se había criado a dos pasos del Fontán. No es difícil imaginar sus escapadas infantiles a un escenario tan pintoresco. Antes de *Tigre Juan,* lo ha descrito ya en *Luna de miel, luna de hiel*:

> La Plaza del Mercado: un gran espacio cuadrangular, entre caducas y claudicantes casitas con soportales, que a las horas antemeridianas se colmaba con el aflujo de la aldea, en un ancho hervidero de colores, olores y clamores, los más nimios y acres; toda suerte de carmines, cinabrios, veroneses y gualdas, de las frutas y las hortalizas; los bermellones, cadmios, índigos y morados de las basquiñas,

[1] Juan Cueto Alas: "La vida cotidiana", en *El libro de Oviedo,* Oviedo, eds. Naranco, 1974, p. 36.

> los dengues y los quitasoles labriegos; el aroma balsámico de las yerbas montesinas, el olor fatigoso de los quesos de pimentón, de afuegaelpito y de pata de mulo, vaho de terruño húmedo, husmillo de corraliza y de establo; cacareos de pollos, graznidos de patos, balidos de corderos, ladridos de canes, sones de zanfonía y de cornamusa, risas, sufragios e imprecaciones, la oratoria del sacamuelas, la salmodia de la niña de los romances, la quejumbre del ciego, recitador de crímenes y naufragios. A primera tarde, la plaza se desangraba e iba cayendo en pálido y silenciosa quietud, sin ningún signo de vida. En el aire inerte cerníanse las campanadas de la vecina iglesia de San Isidoro, doblando a Animas. [2]

Es, desde luego, una visión bonita, con su atención a los colores y sonidos, pero el lector de Pérez de Ayala no dejará de percibir el atractivo y la insatisfacción de los esbozos que fraguan, luego, en un logro clásico, definitivo.

Para el que no conozca Oviedo, ¿qué es el Fontán, en definitiva? En un libro reciente, [3] Germán Ramallo Asensio lo define como el "núcleo del Oviedo moderno" y nos da información cumplida, con documentos, planos y fotografías, de su historia. Inicialmente, se trataba de la explanada que surge al desecar una laguna y que se urbaniza en el siglo XVII para convertirse en una típica plaza mayor barroca, trazada a cordel, con las finalidades que entonces predominan:

> poder celebrar las fiestas en los momentos de triunfos de la Monarquía (absolutismo incipiente), fiestas religiosas (postrentismo), fiestas civiles (ciudad y ciudades que toman conciencia de sí) y comercio (excedentes de producción y necesidades del consumo y exportaciones). [4]

[2] Ramón Pérez de Ayala: *Las novelas de Urbano y Simona*, edición de Andrés Amorós, Madrid, Alianza Editorial (El Libro de Bolsillo), 1969, p. 236.

[3] Germán Ramallo Asensio: *El Fontán, núcleo del Oviedo moderno*, Oviedo, 1979.

[4] *Ibidem*, p. 13.

En cuanto a la plaza porticada, el 11 de junio de 1792 se aprobó la construcción de cuarenta tiendas en el centro de la gran explanada. Luego, con sucesivos añadidos, las primitivas tiendas se van convirtiendo en lugar de habitación permanente y la plaza porticada se complementa con los puestos del aire, que aún siguen hoy existiendo.

El Fontán ha poseído también un notable significado en el terreno —como hoy se dice— socioeconómico, como punto en el que coinciden el ámbito rural y el urbano. En la época de Clarín,

> aunque este Oviedo rural era superficial y demográficamente más grande que el urbano, el casco ejercía una atracción poderosa y los ovetenses aldeanos gravitaban sobre la ciudad. El Oviedo urbano estaba sometido a una constante corriente de contaminación campesina que, cada mañana, alcanza su más perceptible intensidad en el mercado del Fontán. Allí acudían los aldeanos de los contornos con sus animales, verduras y frutas y, sin saberlo, injertaban aromas rústicos en el aire ciudadano. Los vendedores de la plaza y las lecheras daban a las señoras ovetenses una diaria lección de ruralismo. A cambio, y prescindiendo del beneficio comercial que obtuviesen, recibían una paralela lección de ciudadanía: se enteraban de los chismes, bulos y noticias que eran la comidilla del día y descubrían los secretos de la ciudad. [5]

Esta encrucijada viva es el clima en el que se abre la novela de Pérez de Ayala. Pero, insistamos en ello, Pérez de Ayala no se limita a hacer costumbrismo. Un rincón entrañable de su ciudad natal le sirve como elemento (uno más, entre varios) para su creación artística. Así, como sintetiza Elías García Domínguez,

> la plaza del mercado pasa a ser la ciudad entera, mediante la concentración en ella de todas las tensiones y contradicciones antes repartidas entre el barrio antiguo y el nue-

[5] Santiago Melón: "Los dos últimos siglos", en *El libro de Oviedo,* ed. cit., p. 73.

vo, entre la ciudad y el campo, entre el pasado y el presente.[6]

El lector de la novela se encuentra también con la fuente, en la Plaza del Mercado:

> En medio de la Plaza, una fuente pública mana y chichisbea, símbolo de la murmuración inagotable. El agua, que sale pura de una cabeza granítica de dragón, rebosa de la taza y circula, cenagosa, entre guijarros y basuras.

Pero esto no es sólo un símbolo universal. En la Plaza, en efecto, existía un *cañu* al que los ovetenses daban un significado muy concreto. Cualquier cronista local nos da la información. Por ejemplo, Juan Antonio Cabezas:

> En un ángulo de esta Plaza estuvo la fuente con frontal de piedra y un *cañu,* que en decir de Constantino Cabal, "además de *cañu* era un símbolo". Estaba la fuente mucho más baja que la rasante de la plaza. Había que bajar varios escalones para acercarse al *cañu,* tubo de hierro a un pie del suelo, que manaba agua abundante. Para beber había que doblar bien el espinazo o arrodillarse en el borde de piedra de una pequeña alberca. Esta incómoda y ridícula postura para beber agua del Fontán imponían los ovetenses, entre bromas y veras, a cuantos forasteros con misión oficial o simples visitantes, daban muestras de pedantería o vana presunción entre los indígenas. Beber en el *cañu* era tanto como ingerir el espíritu y el genio populares de Oviedo, su esencia y su hechizo, que manaban allí, de su gran suelo cretáceo, de su entraña física.[7]

En el mismo año en que se publica la novela, un amigo del escritor, Luis de Tapia, que aparece como Luis Muro en *Troteras y danzaderas,*[8] escribe estos versos:

[6] Elías García Domínguez: "Oviedo en la literatura", en *El libro de Oviedo,* ed. cit., p. 224.

[7] Juan Antonio Cabezas: *Asturias. Biografía de una región,* 2.ª edición ampliada, Madrid, ed. Espasa-Calpe, 1970, p. 49.

[8] Vid. mi libro *Vida y literatura en "Troteras y danzaderas",* Madrid, ed. Castalia (Literatura y Sociedad), 1973, pp. 95-101.

EL CAÑU DEL FONTÁN

Hubo en Oviedo (y mi abuelo
lo contaba con afán)
una fuente a ras del suelo
que era el "Cañu del Fontán"...

Caño de tan bajo trazo
hacía al más alto ser
doblar el recto esquinazo
al inclinarse a beber.

Y tan humilde ejercicio
iba quitando, en verdad,
a muchas gentes el vicio
de su altiva vanidad.
En Oviedo, cuando alguno
por su abolengo o su prez,
presumía, inoportuno,
de mal fundada altivez,
la turba de gente nueva
decía de tal truhán:
Hay que llevalu a que beba
en el Caño del Fontán.

Mas no sé por qué mudanza
que aquel Consejo emprendió,
fuente de tal enseñanza
de Oviedo desapareció.
Y hoy me escriben que yo pida,
en verso, en *La Libertad,*
que vuelva el cañu a la vida
en la ovetense ciudad.

Yo lo pido: y con denuedo
amplío la petición,
no tan sólo a vuestro Oviedo,
sino a toda la nación.

En cada pueblo debía
un bajo caño existir
donde abrevaran hoy día
mil que no quiero decir. [9]

[9] *La Libertad,* 21-II-1926.

La crítica al concepto calderoniano del honor matrimonial se introduce con naturalidad en la novela porque a Tigre Juan le gusta mucho el teatro y participa en representaciones de aficionados que tienen lugar en el Teatro de la Fontana. En efecto, una de las funciones propias de la gran plaza barroca se cumplió al construirse, en el Fontán, la Casa de Comedias. Germán Ramallo nos proporciona numerosos testimonios sobre la historia de ese local teatral; incluye también el proyecto —que no llegó a realizarse— de un tal César Argüelles de construir un nuevo teatro en el centro del solar, rodeado de tiendas y pasos cubiertos, como un centro cultural y comercial.[10] Según el resumen de Juan Antonio Cabezas, quedan

> algunas piedras del que fue Teatro o Casa de Comedias del Fontán, primer coliseo de Oviedo, levantado por acuerdos municipales del año 1666. En 1799, el humilde Corral de Comedias, en el que tenían palco las autoridades y el cabildo, se convirtió en teatro de forma semicircular. Una segunda reforma, en 1849, le dio la suntuosidad debida, con capacidad para seiscientas personas, en cuyo estado se conservó hasta la terminación del teatro nuevo, Teatro Campoamor.[11]

En *La Regenta,* Clarín menciona

> el teatro de Vetusta, o sea *nuestro Coliseo de la Plaza del Pan,* según le llamaba en elegante perífrasis el gacetillero crítico de *El Lábaro,* era un antiguo corral de comedias, amenazaba ruina y daba entrada fácil a todos los vientos de la rosa náutica...

Y Gonzalo Sobejano anota:

> El Teatro o Casa de Comedias del Fontán, en Oviedo; antiguo coliseo al que sucedió, proyectado en 1883 y terminado por iniciativa de Leopoldo Alas (cuando fue con-

[10] Germán Ramallo Asensio: *obra citada,* pp. 66-68 y 77-79.
[11] Juan Antonio Cabezas: *obra citada,* p. 49.

cejal en 1891) el Teatro Campoamor, cuya inauguración tuvo lugar en 1892.[12]

Pérez de Ayala nos habla de la Plaza del Mercado, en Pilares; es decir, del Fontán, en Oviedo. ¿Por qué el nombre de Pilares? Algunas veces se ha señalado —yo mismo— el simbolismo del nombre, que rima bien con Vetusta: los pilares de la tradición, de las viejas costumbres... Pero hay una explicación mucho más concreta.

Al estudiar el arte de Oviedo, Joaquín Manzanares recuerda que

> el gran acueducto de cuarenta arcos, sobre pilares, que abastecía la población con las puras aguas de Fitoria y Bóo, manantiales del monte Naranco, fue demolido por la piqueta municipal en el año 1914; pero, como muestra, se conservan cinco arcos de aquella obra que —planeada y ejecutada por el asturiano Juan de Cerecedo, desde 1565, y en la que, en 1576, trabajaba el Maestro Juan Ruiz de Carrandi— se derrumbó en 1582, habiendo sido de nuevo proyectada y reconstruida por el Fontanero Mayor de Valladolid, Gonzalo de Bárcena, quien la terminó en 1599. Sus numerosos arcos, semicirculares, vistos desde la ciudad, ineludiblemente delante del templo parroquial de San Pedro del Otero, determinaron que éste fuese, en lo sucesivo, llamado San Pedro de los Arcos, nombre que sobrevivió a éstos; y los "pilares" en que se apoyaban dieron su nombre a aquel barrio.[13]

Igual testimonio nos da Juan Antonio Cabezas:

> quedan varios arcos del primitivo acueducto de los Pilares, que sobre 41 arcos de medio punto, levantados en 1599, llevaba a Oviedo un "viaje de agua", que recogía la de las fuentes de Fitoria y Bóo, en la falda septentrional del Naranco, con un recorrido de cuatro kilómetros.[14]

[12] Clarín: *La regenta,* edición de Gonzalo Sobejano, Barcelona, ed. Noguer (Clásicos Hispánicos), 1976, pp. 496-97.

[13] Joaquín Manzanares: "Oviedo artístico y monumental", en *El libro de Oviedo,* ed. cit., p. 157.

[14] Juan Antonio Cabezas: *obra citada,* p. 26.

Literariamente, la cosa tiene alguna mayor complejidad. Pilares es el ámbito imaginario creado por Pérez de Ayala para situar la gran mayoría de sus ficciones: ciudad ideal, mundo literario, simbólica capital de provincia (como Orbajosa u Oleza), ciudad leída (Vetusta, siempre, al fondo), recuerdos de la infancia, raíz permanente, geografía personal...

Elías García Domínguez nos lo aclara con precisión:

> La "muy ilustre y veterana ciudad de Pilares", que es el escenario de la mayoría de las novelas de Pérez de Ayala, apunta desde el principio sin duda, y sin disimulo, a un doble referente: Oviedo, ciudad real y verdadera, por una parte; Vetusta, la "heroica ciudad" imaginaria de *La Regenta,* por otra. Para decirlo de otro modo: en su construcción operan paralelamente dos procedimientos estilísticos: uno, de tradición realista, que postula relación analógica, o al menos homológica, entre un modelo —la ciudad real, en este caso— y el producto literario; otro, que se puede rotular como expresionismo manierista —aquí, "modernismo"— que interpone textos literarios ajenos como vehículo o solución de continuidad entre el propio discurso y el mundo real. De donde pasará a primer plano, según las concretas necesidades de la economía narrativa (o descriptiva), la relación *Oviedo/Pilares* o la relación *Vetusta/Pilares.* [15]

Al escribir la epístola poética a Azorín, en 1906, todavía sigue fiel Ayala al nombre clariniano:

> Te hallas, amigo, ahora, en mi amada Vetusta,
> la noble, la sarcástica, la devota, la augusta.
> Acaso sientes que esta mi ciudad te convida
> en su tácito seno a afincar de por vida. [16]

La nostalgia de *la paz del sendero* va unida, por supuesto, a la crítica —heredera del 98— de la vida pro-

[15] Elías García Domínguez: *obra citada,* p. 218.

[16] *Obras Completas,* tomo II, Madrid, ed. Aguilar (Biblioteca de Autores Modernos), 1964, p. 149.

vinciana, vida muerta, pura repetición sin salida. Como concluye el mismo poema:

> Acaso el mundo tiembla con hondo cataclismo;
> pero aquí, en nuestro suelo, todo sigue lo mismo.
> No ha habido peripecias ni trastueques extraños.
> Creemos que vivimos hace cincuenta años.
> ¿La vida será un sueño, un irreal empeño?
> *Naturaca.* En España, sí, la vida es un sueño. [17]

Especial interés tiene, a estos efectos, el capítulo II, "El retorno", de la novela *Sonreía,* de 1909:

> Cuando pasé por debajo del acueducto romano, es decir, del acueducto que siempre se creía construido por los romanos y no hay tal, cuando pasé, repito, por debajo del majestuoso arco de medio punto, mi corazón latía con fuerza, haciendo eco en las piedras.
>
> ¡Pilares, amado pueblo mío!
>
> Seis años fuera de la patria. Volví, como Ulises, al dulce abrigo de la ciudad nativa, lleno de emoción filial.

Naturalmente, el viajero no encuentra ya nada de lo que esperaba (recordaba) y acaba sintiendo cierto malestar en el estómago:

> Y en concluyendo de comer tomé en mi diestra la copa llena de pérfido vino, y murmuré:
>
> ¡A la salud de Pilares!
>
> ¿A la salud? En aquel punto brotó en mi imaginación habiéndosele requerido a que brindase una libación a la la hosca figura del deán Swift y su voz tronante cuando, habiéndosele requerido a que brindase una libación a la salud de Irlanda, su patria, replicó: "Yo no brindo a la salud de los muertos". Y mi ciudad, en aquel instante, parecía muerta. Parecía, pero no lo estaba. Vivía con una vida microscópica que acaso fuera garantía de felicidad. Y brindé por Pilares, por mis años de estudiante, por las novias de entonces, que habían tenido hijos ya, y sobre todo por las desdichadas que no habían logrado tenerlos. E hice una petición más sobre las que ya había hecho.

[17] *Ibidem,* p. 151.

> Y a seguida brindé por los muertos, por los idos, por las innúmeras hierbas de los campos convertidos en urbe, y las mimosas perfumadas convertidas en humo, y los hombres transitorios convertidos en tiera. E hice otra petición.
> Y fui a dormir la siesta, con la firme convicción dentro del alma de que los numantinos no sentían en tanta medida como yo el amor de la patria.[18]

¿Ironía, crítica de la vida provinciana, afecto permanente? ¿Ciudad dormida, raíz viva, fuente de recuerdos? Todo mezclado, por supuesto, tornasolado, y el lector decidirá qué elemento predomina, en su opinión.

No acumulemos citas sin necesidad. Pilares va a ser, ya, el centro del mundo narrativo de Pérez de Ayala. Recordemos sólo la descripción inicial de *La pata de la raposa*:

> Pilares, la decrépita ciudad, centenario asilo de monotonía y silencio, yacía al sol poniente, más callada y absorta que nunca. De vez en vez, la voz medioeval e imperecedera de las campanas sacudía, como errante escalofrío, la modorra de aquel pétreo organismo. La ciudad parecía respirar un vaho rojizo y grave; sobre el monte Otero que le sirve de respaldar y la ampara contra los vientos del Norte, sobre las praderías y bosques en que está engastada, los ocres y amarillos otoñales imponían su nobleza al verde gayo y frívolo de primavera.[19]

Volvamos ya a *Tigre Juan*. El Fontán es el meollo de Pilares/Oviedo. En un círculo más amplio, los barrios y aldeas cercanas (el Campillín, San Lázaro, el Cristo de las Cadenas), Traspeñas, las estaciones del tren que va a Regium/Gijón, los ritos campesinos de la noche de San Juan, la covada, la bayeta amarilla traída de Pradoluengo, el vino blanco de Rueda... El centro de todos esos radios, cada vez más largos, sigue siendo el Fontán.

[18] *Obras Completas,* tomo I, ed. cit., 1964, pp. 822 y 825.

[19] Ramón Pérez de Ayala: *La pata de la raposa,* edición de Andrés Amorós, Barcelona, ed. Labor (Textos Hispánicos Modernos), 1970, p. 39.

No he querido hacer costumbrismo: ni sabría —no soy asturiano—, ni es ése mi papel. Me he limitado —como casi siempre— a copiar un cierto número de fichas y, creyéndome justificado por su aparente objetividad, a añadir algunos comentarios más o menos disparatados.

Lo que quería decir, al comienzo de esta introducción, es lo que siempre se dice; pero, en este caso, yo lo creo firmemente: *Tigre Juan* y *El curandero de su honra* no se pueden sentir adecuadamente sin haber andado bastantes veces, a todas las horas del día, por el Fontán. Y eso, por supuesto, no les quita un ápice —"un attimo d'amore", diría Modugno— de universalidad.

Todavía hoy, el viajero pedante recorre pensativamente el Fontán, lee al placa, admira la fachada del viejo teatro, curiosea su interior, oscuro y destartalado, no puede evitar el pronunciar en voz alta frases en las que se unen los nombres de Ana Ozores y Herminia, para regocijo de las vendedoras de fabes y frutas. Es decir, sigue pasando de la literatura a la vida, y de ésta a la literatura, y otra vez a la vida... Como siempre.

2) Identificaciones

La creación de los personajes que se mueven en este pequeño mundo tiene también un fundamento real. La imaginación del narrador no actúa en el vacío, sino que opera sobre la base de unas experiencias vividas.

Por eso, los lectores y críticos, sobre todo los más vinculados a la tierra asturiana, intentan descubrir los modelos vivos. Cuando Pérez de Ayala rozaba ya los ochenta años, Juan Antonio Cabezas le preguntó:

> "¿Existió Tigre Juan, sangrador y memorialista?" Y el novelista respondió: "Sólo por fuera. Tigre Juan tuvo su tenderete y cuchitril en el mercado del Fontán. Pero sólo me sirvió de trampolín para disparar la fantasía. Lo demás, su pintoresca retórica, su retorcida madeja psicológica, se la metí yo dentro. El trajinante del Fontán me sir-

vió de arquetipo para desarrollar en una novela satírica o tragicomedia mis ideas de entonces sobre el donjuanismo y el concepto calderoniano del honor." [20]

Treinta años antes, a poco de publicarse la novela, su amigo y discípulo Francisco Agustín lo había apuntado ya:

> Recuerdo que una tarde me leyó expresiones científicas de un viejo libro de Medicina en el que frecuentemente leía el Curandero de Oviedo, y que llegaron a constituir en él frases verbales definidoras o encomiadoras de su arte curativo. [21]

En cuanto a doña Iluminada, el novelista negó su origen real: "Nada. Esa sí que es pura ficción." [22] Sin embargo, existe algún testimonio opuesto; según José Zaloña, por ejemplo, es "doña Bibiana, muy amiga y colega profesional de pañerías del padre de Ramón", abuela del periodista Luis Alberto Cepeda. [23]

Reaparece también en esta novela el personaje prostibulario de Telva les Burres, a quien el lector de Pérez de Ayala conoció ya en *Tinieblas en las cumbres* y *A.M.D.G.* y que el novelista vuelve a mencionar en un cuaderno de trabajo. [24] Entre los papeles del escritor encontré una carta, firmada por un tal Aquilino González, que le decía lo siguiente: "A Telva les Burres no llegué a conocerla, pero la fama de su casa andaba en boca de los chicos del bronce cuando yo tenía veinte años."

Existen, por supuesto, muchas más "tradiciones locales" sobre la base real de los personajes de esta novela. No he querido privar al lector de una mínima informa-

[20] Entrevista con Juan Antonio Cabezas en *España Semanal*, Tánger, 17 julio 1960.

[21] Francisco Agustín: *Ramón Pérez de Ayala. Su vida y obras*, Imprenta G. Hernández y Galo Sáez, Madrid, 1927, p. 211, nota.

[22] *Art. cit.* en nota 20.

[23] José Zaloña: "Recuerdo ovetense de Pérez de Ayala", en *La Nueva España*, Oviedo, 14 agosto 1962, p. 51.

[24] Lo publico y comento en mi artículo "Un cuaderno de trabajo de Pérez de Ayala", que aparecerá en el número de *Cuadernos Hispanoamericanos* dedicado al escritor, Madrid, 1980.

ción, que, sin duda, podría ampliarse. Sin embargo, queda claro, me parece, que ni puedo aportar nada nuevo en este terreno ni le concedo mucha importancia. Como he señalado repetidamente en mi libro *Vida y literatura en "Troteras y danzaderas"*,[25] no me parece demasiado interesante limitarse a colocar, detrás de un personaje de ficción, el nombre de un individuo, si de éste apenas sabemos nada. Lo que sí tendría gran interés es intentar reconstruir en alguna medida el proceso creativo; es decir, reunir abundante información sobre los presuntos "modelos vivos" y cotejarla con el tratamiento literario que el escritor les ha dado: ver qué ha añadido, quitado o sustituido y tratar de imaginar el sentido que tienen todas estas modificaciones, a qué designio estético respondieron.

En todo caso, no lo olvidemos, esto ha sido sólo, según Pérez de Ayala, "el trampolín para disparar la fantasía". Si no recuerdo mal, es exactamente la misma metáfora que, cada uno en su momento, emplearon Gustavo Flaubert y Virginia Woolf.

3) Situación de "Tigre Juan"

En esta misma colección han aparecido ya ediciones anotadas de *Tinieblas en las cumbres* y *Troteras y danzaderas.* En las introducciones a esas dos obras puede hallar el lector la biografía del novelista. No parece oportuno repetirla ahora, pero sí recordar los datos básicos para situar *Tigre Juan* dentro de la vida y la obra de Pérez de Ayala.

Ante todo, recordemos la cronología de sus novelas:

Primera época: autobiografía	*Tinieblas en las cumbres* (1907). *A.M.D.G. (La vida en un colegio de jesuitas)* (1910). *La pata de la raposa* (1912). *Troteras y danzaderas* (1913).

[25] Vid. nota 8.

Transición: *Prometeo. Luz de domingo. La caída de los limones (Tres novelas poemáticas de la vida española)* (1916).

Segunda época: grandes temas
- El lenguaje: *Belarmino y Apolonio* (1921).
- La educación erótica: *Luna de miel, luna de hiel* y *Los trabajos de Urbano y Simona* (1923). (Publicadas luego juntas con el título común *Las novelas de Urbano y Simona.*)
- El donjuanismo y el honor: *Tigre Juan* y *El curandero de su honra* (1926).

Como es bien sabido, en la primera etapa predomina el elemento autobiográfico, pues lo es su protagonista, Alberto Díaz de Guzmán. La crisis de conciencia individual expresa también una crisis española, en conexión con el elemento crítico del modernismo y noventayocho. La segunda etapa, en cambio, se centra en el planteamiento de grandes temas filosóficos o universales.

La mayoría de la crítica ha elogiado especialmente esta segunda etapa, que le hizo obtener fama internacional. Recuérdese, por ejemplo, que Jean Cassou comparó a *Belarmino y Apolonio* con *Don Quijote* y con *Bouvard y Pécuchet.* [26] El epistolario de Pérez de Ayala a su íntimo amigo Miguel Rodríguez-Acosta, que espero publicar en seguida, nos informa, entre otras cosas, de que fue propuesto y estuvo cerca de alcanzar el Premio Nobel de Literatura en tres ocasiones.

Personalmente, sin embargo, he defendido el interés de la primera etapa, porque, en ella, Pérez de Ayala "pone la vida al tablero". Por eso, sus primeras novelas poseen un patetismo y una emoción *romántica,* por decirlo así, que luego se esfuma. Como he escrito en otra ocasión, al acabar su primera etapa, el escritor ha cerrado el ciclo de la auténtica novela, aquella en que él pone en juego

[26] Jean Cassou: *Panorama de la littérature espagnole,* París, 1929.

su propio destino, y ha comenzado a hacer lo que podríamos llamar "productos culturales". Claro que los hace con maestría admirable, precisamente porque ya no le afectan tanto y puede concentrar todas sus dotes en la construcción intelectual. El lector que se percate de la riqueza de simetrías, contrastes, esquemas simbólicos y recursos estructurales de *Tigre Juan,* por ejemplo, comprenderá, en medio de su admiración, a cuánta distancia nos encontramos ya de las narraciones de la primera época, mucho más espontáneas y jugosas. [27]

Tigre Juan aparece en 1926, tres años después de *Las novelas de Urbano y Simona.* Está fechada en Riaza (Segovia), donde el escritor tenía una casa, en septiembre de 1925. Como la anterior, está dividida en dos tomos, que llevan título independiente, pero, por supuesto, se trata de una novela única; no tiene sentido alguno considerar cada uno de los dos tomos por separado.

Esta obra obtuvo el Premio Nacional de Literatura y una amplia resonancia. Dos años después, el 6 de diciembre de 1929, se estrenó en el Teatro Fuencarral de Madrid la adaptación o "síntesis teatral" realizada por Julio de Hoyos. [28] Sin embargo, fue la última novela larga que publicó (y escribió). A ella siguió la novela corta *Justicia,* dentro de la serie "La Novela Mundial", en 1928. [29] A partir de ahí, solamente artículos de periódico, que José García Mercadal se ha encargado de recopilar en sucesivos volúmenes.

A muchos críticos y lectores ha intrigado este silencio. ¿Cuál es su causa? No cabe dar una respuesta única y segura. Por mi parte, he recordado la pereza; las circunstancias biográficas, con cargos públicos, exilio y necesidad

[27] Andrés Amorós: *La novela intelectual de Ramón Pérez de Ayala,* Madrid, ed. Gredos (Biblioteca Románica Hispánica), 1972, p. 395.

[28] Puede leerse en la colección "El Teatro Moderno", dirigida por Luis Uriarte, año IV, núm. 174, Madrid, 22-XII-1928.

[29] Vid. Andrés Amorós: "El prólogo desconocido de *Justicia,* de Pérez de Ayala", en *Boletín del Instituto de Estudios Asturianos,* XXX, enero-abril 1976.

perentoria de ganarse la vida escribiendo artículos periodísticos; algunas críticas adversas; el creciente desánimo por algunas desgracias familiares; la crisis de un cierto tipo de novela... [30]

Ramón Pérez de Ayala había nacido en Oviedo en agosto de 1880. (Escribo estas líneas en los días en que se va a cumplir el centenario.) Al escribir *Tigre Juan,* por lo tanto, tenía cuarenta y cinco años: momento de madurez, pasadas ya las tormentas juveniles. Atrás han quedado el suicidio del padre, que le obliga a abandonar su trayectoria vital y literaria; los años de bohemia madrileña, en que *vive* realmente *Troteras y danzaderas*; los viajes a Estados Unidos y su boda con Mabel Rick; la aventura editorial de la Biblioteca Corona, en unión con su íntimo amigo Enrique de Mesa, patrocinada por Miguel Rodríguez-Acosta. Pérez de Ayala vive de un corto sueldo oficial de bibliotecario y de sus ingresos como escritor: libros y frecuentes colaboraciones en los periódicos. (No se ha subrayado bastante, me parece, que vive la vida azarosa y modesta del escritor español que no ejerce otra profesión.)

A la vez, las páginas de *Troteras y danzaderas* en que conversa Alberto (Pérez de Ayala) con Antón Tejero (Ortega) parecen proféticas. A la hora de *Tigre Juan,* el novelista ha iniciado ya su participación en muchas empresas políticas de signo intelectual, liberal y republicano. Todo esto culminará, como es bien sabido, en la Agrupación al Servicio de la República y los nombramientos como director del Museo del Prado y embajador en Londres. Después, un sentimiento semejante al "No es esto" de Ortega, al exilio en Francia y Argentina, y la vuelta definitiva a Madrid, a la calle Gabriel Lobo, donde muere en 1962, a los ochenta y dos años.

No sabemos mucho sobre el proceso de creación de las novelas de Pérez de Ayala. En las cartas a Miguel Rodríguez-Acosta, por ejemplo, donde no escasean detalles de gran intimidad, casi no habla de sus obras. En una entrevista periodística, describe así su método:

[30] *Obra citada* en nota 27, pp. 386-97.

> Yo siempre, desde que empecé a escribir, tenía el libro que iba a escribir en la cabeza: el argumento, sus anexos y desarrollo. Toda mi obra, en el orden del pensamiento, está montada al aire. [31]

Lo mismo nos confirma su amigo Luis Calvo:

> Todas las novelas las he escrito en un mes cada una. Yo quisiera estar en condiciones de libertad económica para escribir mi próxima novela en el tiempo que fuera necesario, si tardara un año como si tardara dos. Ahora, cuando me decido a escribir, escojo entre mis temas el primero que se me ofrece y quince días antes de empezar —generalmente en el campo o en la playa— me dedico a pasear y a acumular el magnetismo humano de esa novela. Hasta que, saturado de ella, me pongo a escribir. [32]

El estudio de sus manuscritos narrativos —en la medida en que se conservan, naturalmente— viene a confirmar todo esto. Son frecuentes las correcciones estilísticas y tachaduras, tal como he anotado en mis ediciones de las novelas, pero la impresión es de asombrosa seguridad. ¿Sucedería lo mismo con las primeras novelas, de las que no se conserva manuscrito? No podemos saberlo. En general, parece muy claro que Pérez de Ayala escribe rápido, aunque luego perfile un poco más lo escrito; es decir, que su estilo culto y arcaizante no es fruto de una laboriosa elaboración, sino, en él, perfectamente natural y espontáneo.

A la vez, está claro que las novelas de la segunda época tienen la coherencia interna de un tratado filosófico o un teorema. Basta con asomarse un poco a los libros de Carmen Bobes, Sara Suárez o Frances Wyers Weber para comprobarlo y hasta para asustarse un poco: la multiplicidad de interrelaciones y la pluralidad de significados

[31] Conversación con Santiago Córdoba en *ABC*, Madrid, 6 febrero 1958.

[32] Se publicó la entrevista en *ABC* de Madrid en 1926: no he podido localizar la fecha exacta.

pueden devorar un poco la sensación de espontaneidad vital e indeterminación misteriosa. *Tigre Juan,* en concreto, no es —utilizando la terminología popularizada por Umberto Eco— una "obra abierta", [33] sino cerrada y bien cerrada. ¿Demasiado "redonda" y clásica? Cada lector opinará, de acuerdo con su sensibilidad personal, pero ése me parece, desde luego, el riesgo. Por eso he considerado interesante recoger en un apéndice de esta edición, íntgramente, lo que se conserva de un manuscrito anterior a la versión definitiva: el único caso que ha llegado a nosotros en que Pérez de Ayala escribe dos versiones de una novela.

En el manuscrito definitivo se comprueba que el Parergon fue escrito antes que la Coda, y que éste era el orden inicialmente previsto, modificado luego a la hora de la edición.

En una libreta manuscrita, Pérez de Ayala anotó una lista de sus obras, con vistas, probablemente, a la ordenación en las *Obras Completas.* Allí, como he publicado, [34] aparece, junto a otras que no llegaron a publicarse, *El Tigre Juan,* con artículo.

En uno de los ensayos recogidos en el volumen *Ante Azorín,* nos informa Pérez de Ayala de que *Tigre Juan* nació de un momento en que se preguntaba por la crisis de la novela. [35] No es muy raro esto, a mediados de los años veinte, pero sí debe de estar en la raíz de alguna peculiaridad técnica: la doble columna, la añadidura de Coda y Parergon... A la vez, como obra absolutamente pensada y estructurada, es obvio que no podía autorizar el que la recortaran, aunque así se perdiera la posibilidad de una traducción al francés. [36]

[33] Umberto Eco: *Obra abierta. Forma e indeterminación en el arte contemporáneo,* Barcelona, ed. Seix Barral (Biblioteca Breve), 1965.

[34] *Obra citada* en nota 27, pp. 391-94.

[35] Ramón Pérez de Ayala: *Ante Azorín,* edición de José García Mercadal, Madrid, ed. Biblioteca Nueva, 1964, p. 89.

[36] *Ibidem,* p. 42.

En una ocasión, en fin, califica a *Tigre Juan* como "novela satírica o tragicomedia". [37] Pero ésta es una palabra importante, sobre la que habré de volver con más calma.

4) Los mitos

En *Tigre Juan,* Pérez de Ayala une dos temas ampliamente tratados por la literatura: el donjuanismo y el honor. En términos de historia de la literatura española, se trata de unir *El burlador de Sevilla y convidado de piedra,* de Tirso, con *El médico de su honra,* de Calderón. [38] Al fondo de los dos, por supuesto, se encuentra el amor.

Recordémoslo otra vez: estamos en la segunda época, en las novelas de madurez. Pérez de Ayala ha abandonado ya el terreno autobiográfico; sus obras son, ahora, orbes bien definidos, construidos en torno a una idea central (o varias): en cierto modo, algo relativamente semejante a las novelas de tesis. [39]

Honor matrimonial y donjuanismo son grandes temas humanos, de amplitud universal. A la vez, Pérez de Ayala no ha abandonado el terreno de la vivencia social española del amor, que era el de su obra anterior, *Las novelas de Urbano y Simona.*

Como en la comedia clásica española, amor y honor son las dos columnas sobre las que se sustenta la obra. Esta comparación, me parece, no es una pura referencia erudita. Recordemos que la vivencia del amor/honor alcanza una formulación bien precisa y codificada en la literatura de nuestro Siglo de Oro: en parte, como reflejo de usos sociales; en parte, como creación literaria, "porque mueven con fuerza a toda gente" [40] y que no deja de influir sobre el comportamiento colectivo.

[37] Ver nota 20

[38] Así lo expresa en el prólogo a la 4.ª edición de *Las máscaras*: en *Obras Completas,* tomo III, ed. cit., p. 21.

[39] Así lo declaró a Luis Calvo (ver nota 32).

[40] Lope de Vega: *Arte nuevo de hacer comedias,* verso 328.

No es ésta la primera vez que Pérez de Ayala afronta estos dos temas. En cuanto al donjuanismo, el precedente inmediato se halla en varios capítulos de libros de críticas teatrales *Las máscaras,* que reproduzco en apéndice, por su exacta correspondencia con las ideas desarrolladas en esta novela. Allí aparecen, por ejemplo, con la claridad conceptual del ensayo, la oposición Werther/don Juan, su relación con el concepto semita del amor o la insistencia —que tanto revuelo suscitó al ser adoptada y expresada científicamente por su amigo el doctor Marañón— en que don Juan no es el prototipo de la virilidad sino hombre a medias, infecundo.

Varios donjuanes habían aparecido ya en la obra narrativa de Pérez de Ayala: en *Prometeo,* el padre de Marco, donjuán pasivo; en *Artemisa*; en *Padre e hijo*; en *La triste Adriana,* Pachín; en *Las novelas de Urbano y Simona,* la obra anterior, el criado Pentámetro, que conquista fácilmente toda clase de mujeres. Si no me equivoco, al fondo de todos ellos, y muy especialmente de Vespasiano Cebón (el donjuán de *Tigre Juan*) está el recuerdo de Alvaro Mesía, que Clarín imaginó en *La Regenta.*

Tampoco es nuevo el tema del honor en la obra de Ayala. En el libro *La araña,* un apólogo de don Pedro, la "Historia de León y el celoso póstumo" [41] contiene ya todos los elementos de un drama de honor, desmontado irónicamente: la condena radical del adulterio femenino, la esposa halagada por los celos del marido, la obsesión de ser cornudo, el marido que pretende la fidelidad más allá de la muerte... El tema reaparece una y otra vez en las principales novelas: en *Troteras y danzaderas,* Verónica se ríe de la opinión pública y se elogia el valor de despreciarla y casarse con la mujer amada. En *Luz de domingo,* los protagonistas no sólo son ultrajados por los caciques, sino que tienen que luchar —y sucumbir, al final— contra la fuerza terrible de la opinión colectiva. En *Belarmino y Apolonio,* la inteligencia irónica del narrador

[41] *Obras Completas,* tomo II, ed. cit., pp. 1101-1107.

deshace el mito de la pura virginidad física, tan importante en el hombre como en el insecto...

Todo esto, por supuesto, no es pura literatura ni relato de un caso individual, sino que posee una dimensión social evidente y absolutamente voluntaria. Como escribe Maruxa Salgués, en esta pareja de novelas, Pérez de Ayala

> quiere atacar y herir de muerte al decadente don Juan mítico y así liberar a esta sociedad española de la vieja tradición del donjuanismo que va acompañada del exagerado y estrecho concepto del honor calderoniano. Pérez de Ayala, gran admirador de la mujer, quiere mejorar su condición.[42]

Honor calderoniano... Ya en su primera novela, *Tinieblas en las cumbres*, Pérez de Ayala escribía que, para defender el honor familiar, el podre de Rosina "eran tan puntilloso y tan bruto como un padre calderoniano".[43]

¿Qué es, en concreto, lo que ataca Pérez de Ayala? La concepción social del honor, tal como aparece formulada y codificada en los dramas de Calderón. Sin remitirnos a toda la amplísima literatura que existe sobre el tema, limitémonos a resumir esquemáticamente, para los efectos que aquí nos interesan: el honor reside en la opinión de los demás, no en la virtud. Es un bien social, que afecta a toda la familia. La honra familiar, como "vividura" del honor, se hace depender de la virginidad de la mujer, si es soltera, o de su fidelidad matrimonial, si es casada. Basta la opinión, aunque sea inmotivada, para perder la honra. Los casos de la honra se lavan con sangre. La reparación del honor perdido corresponde, en la familia ultrajada, al varón: marido, padre o hermano, pues todos ellos han sido ofendidos. La venganza de sangre será sancionada positivamente por el rey, representante de la autoridad divina, que aprobará la conducta del "médico de

[42] Maruxa Salgués de Cargill: *Los mitos clásicos y modernos en la novela de Pérez de Ayala,* Jaén, Instituto de Estudios Gienenses, 1972, p. 90.

[43] *Tinieblas en las cumbres,* edición de Andrés Amorós, Madrid, ed. Castalia (Clásicos Castalia), 1971, p. 133.

su honra" y, como premio, le hará contraer nuevo y ven tajoso matrimonio.

La crítica contemporánea puede intentar justificar estas nociones desde los puntos de vista que prefiera: histórico, teatral, social, antropológico, puramente literario... El lector que desee hacerse una idea por sí mismo puede lograrlo fácilmente leyendo los grandes dramas de honor de Calderón: *El médico de su honra, El pintor de su deshonra, El mayor monstruo, los celos, A secreto agravio, secreta venganza...*

Subrayémoslo: los conflictos surgen a causa de hacer depender el honor no de la virtud (de cualquier virtud, de cualquier valor estimado socialmente en un momento dado), sino de algo tan mudable e injustificado como la opinión ajena. Es, una vez más, la España del *qué dirán,* a la que preocupa el *parecer* más que el *ser*: la del escudero del *Lazarillo,* limpiándose las migas de la comida que no ha llenado su estómago; la de los espectadores del *Retablo de las maravillas;* la del ama de Benina, que acepta la ayuda de su criada porque no viene de la caridad pública, sino de un imaginario sacerdote...

Tigre Juan, el protagonista de la novela, es un típico español obsesionado por el honor y adorador de don Juan. Reúne en sí todos los rasgos que resumen esta manera de ser. Está obsesionado por el adulterio hasta el punto de aborrecer sombreros y monteras, no le hacen gracia los chistes de cornudos y le gusta incorporar, en las representaciones teatrales de aficionados, el papel de marido calderoniano. Alrededor de él, siempre presente, está la leyenda, el chisme, el "decíase"... Junto a su puesto, en la plaza, mana siempre la fuente del Fontán.

Como en *Las novelas de Urbano y Simona,* los personajes encarnan actitudes viciosas ante las relaciones eróticas que son frecuentes en el temperamento español. Aquí, Tigre Juan posee un verdadero complejo antifemenino:

> Mi mujer, la madre de Dios y ella [doña Iluminada] son las únicas mujeres decentes de que hago cuenta (...) La mujer —exclamaba— es lo más vil de la creación.

Por supuesto, esta misoginia posee raíces mezcladas: deseo, temor... En el fondo, un idealismo absoluto que no acepta la realidad. (Y eso, para el liberal Ayala, es un pecado grave contra la naturaleza):

> Quería creer que las mujeres educadas en villas y ciudades, las señoras singularmente, serían ejemplos perfectos de honestidad femenina.

Pérez de Ayala había leído no pocos libros de psicología. (Ultimamente, J. J. Macklin ha puesto de manifiesto sus conexiones con las teorías de Jung.) Por eso, diagnostica expresamente el trauma infantil de Tigre Juan: la visión del erotismo espontáneo, en su aldea asturiana. Por reacción, eso le ha llevado a concebir un ideal tan elevado que, naturalmente, la realidad no puede satisfacerlo.

Lo mismo le sucedía a doña Micaela, la madre de Urbano, en *Las novelas de Urbano y Simona,* presa del más desaforado idealismo celtibérico:

> Sólo condeno por imposible lo que no debe ser, aunque sea y entre por los ojos (...) Pero todo, todo lo que debe ser, puede ser y tiene que ser. Cuestión de proponérselo.[44]

En el terreno erótico, eso desemboca en una actitud muy fácilmente explicable por el psicoanálisis:

> Micaela era, antes que nada, inteligencia; y como la inteligencia, al revés del sentimiento y la imaginación, es simplificadora, Micaela había asentado un teorema: "todos los hombres son unos asquerosos".[45]

No parece sufrir traumas semejantes Tigre Juan. Sin embargo, es un español exagerado que coloca a la mujer en un altar —su mujer, la Virgen y doña Iluminada— o la desprecia como prostituta —todas las demás, se supone—, sin quedarse nunca en el término medio de la

[44] *Las novelas de Urbano y Simona,* ed. cit., p. 42.
[45] *Ibidem,* p. 37.

realidad. Y este complejo antifemenino, como ha mostrado agudamente Alberich,[46] es el fundamento típicamente español del donjuanismo que Tigre Juan profesa como una religión.

No cree Tigre Juan en la capacidad intelectual de las mujeres: "Muéstrenme la primera mujer que de cejas arriba almacene endentro algo de provecho, si no es vanidad y trapacería." Por lo tanto, le niega la libertad para el amor: "Pues que Dios les negó mollera, niégueseles voluntad; y obedezcan." Y eso desemboca en un programa que parece hecho a propósito para suscitar la irritación de nuestras feministas: "Ante todo, enseñarle a obedecer, que a esto se reduce la educación de las mujeres." En cambio, Colás, el portavoz del autor, hace una defensa de la libertad de la mujer ante el amor que parece continuar la línea clásica de los erasmistas.

Todas estas creencias las lleva a la práctica Tigre Juan en su relación con Herminia: la ama apasionadamente, pero no se le ocurre tener en cuenta para nada su libertad. El círculo social le apoya, por supuesto; así, Herminia llega a la boda sin haber consentido libremente. La única puerta que le dejan abierta es la huida.

Tigre Juan concibe el amor como una posesión. El novelista ha encontrado un símbolo feliz para hacer plástica esta manera de pensar: el brazalete que regala a Herminia su enamorado lleva la inscripción "Soy de Tigre Juan". No se trata sólo, claro está, de su opinión individual, sino de una mentalidad tradicional, ampliamente extendida y corroborada por la sociedad. Aquí, todo el círculo de parientes y amigos contribuyen a poner en la muñeca de Herminia esta pesada cadena. Lo curioso es que la perspectiva contraria, la del donjuán Vespasiano, también insiste en este amor posesivo, provocando la reacción de Herminia: "Quieres que sea tuya, sin derecho por mi parte a que seas mío. Mucha libertad: ninguna igualdad." Con la precisión de una demostración científica, el nove-

[46] J. Alberich: "Sobre la popularidad del *Tenorio*", en *Insula*, núm. 204, Madrid, noviembre 1963.

lista nos muestra que en el fondo del amor posesivo (honor calderoniano o donjuanismo) está el problema de la consideración de la mujer.

Tigre Juan siente realmente el amor, pero lo ve en términos posesivos: "no concebía el amor sino como derecho viril de propiedad exclusiva". En cambio, doña Iluminada nos ofrece el ejemplo contrario, el de un amor que no busca la posesión y que es feliz sólo por el hecho de amar: "Ya que no sea yo feliz, séalo usté, y una parte me tocará a mí."

Todo esto va unido a una concepción mítica de la virilidad que excluye como vergonzosas las manifestaciones sentimentales, consideradas femeninas. El protagonista de la novela es un español hirsuto que presume de su rudeza: "rezongó, en tono que pretendía ser alardoso: —Nunca acerté a dar un beso."

Amor posesivo, desprecio de la mujer, falta de respeto a su libertad, inhibición sentimental... Herminia duda, como cualquier psicólogo, si ese amor del que hablan no será más que una secreta guerra de los sexos. Todo esto desemboca en una catástrofe matrimonial, una más:

> Una vida de abstención comunicativa y de silencio ininterrumpido le tenía ya en trance de caer enfermo o de dar en loco rematado (...) Herminia jamás había dejado de interponer, entre ella y Tigre Juan, un aislador (...) Herminia había decidido mantenerse con el alma vuelta de espaldas a Tigre Juan.

Cabe llegar a preguntarse si todo esto no es irremediable, si no será, acaso, que "en el alma del hombre y de la mujer hay una última diferencia irreductible".

Herminia rompe, con su huida, todo este edificio conceptual. ¿Qué debe hacer Tigre Juan? El código del honor le marca muy claramente su obligación: la venganza de la sangre. Se ha producido la situación tan esperada: el protagonista va a ser "médico de su honra" en su vida, no sólo en las tablas del teatro de aficionados.

"Et pourtant", canta Aznavour: y, sin embargo..., Tigre Juan no actúa, en la novela, conforme a lo previsible, sino que incumple todas las normas, tantas veces proclamadas, de su código de creencias. ¿Por qué? Por supuesto, porque el escritor no pretende defender ese concepto del amor posesivo. Pero no está escribiendo un ensayo, sino una novela. Por eso, su crítica del honor calderoniano no es algo teórico, predeterminado, sino que se deduce con naturalidad implacable del relato, teniendo en cuenta las condiciones de sus protagonistas: en eso consiste el arte del narrador.

Planteado el conflicto, Tigre Juan no va a actuar calderonianamente, como un *médico* de su honra, sino sólo como un *curandero.* Es una típica ironía ayalina: no empleará la terapéutica ortodoxa, académica, sino otra que él mismo se ha de inventar, de acuerdo con las circunstancias del caso, y que puede estar más cerca de la naturaleza.

No se trata, una vez más, de una decisión *a priori,* ni de algo inmotivado. La agudeza crítica de Pérez de Ayala va desmontando, uno por uno, todos los supuestos de la concepción que antes vimos.

Ante todo, el autoritarismo suele suponer poca inteligencia: "Por nada del mundo hubiese sufrido él que Herminia se viese a solas con otro hombre; y, sin embargo, acuciaba ahora a Vespasiano a que fuera a verse en secreto con ella." Como en *El celoso extremeño,* de nada sirve guardar a la mujer, si ella no quiere guardarse. Las precauciones pueden (suelen) producir resultados contrarios. En Pérez de Ayala, como en Cervantes, los errores, en cuanto pecados contra la naturaleza, siempre se pagan; sin necesidad de justicia humana o divina, la naturaleza siempre los castiga, de modo implacable. En el caso de Herminia, como en los de sus hermanas Ana Ozores y Emma Bovary, "lo que ella quería desatinadamente era perderse".

Herminia se ha escapado con el donjuanesco Vespasiano. ¿Qué papel se espera desempeñe Tigre Juan? Por supuesto, el de médico de su honra. Pero, enfrentado con una situación vital, concreta, el rígido código del honor se revela no sólo injusto sino inútil, sin sentido, y salta hecho pedazos. Enamorado de verdad, Tigre Juan comprende que el amor no es posesión sino deseo del mayor bien para otra persona, respeto a su singularidad inalienable: "Sea antes yo burlado, con tal que ella viva." Podría añadir: viva y sea feliz. Así, puede aceptar que el amor es respeto a la libertad de otro ser.

Y todo esto no sólo es más generoso o más enamorado, sino, tajantemente, más real. Un campesino filósofo se lo muestra a Tigre Juan, con una ironía que recuerda la cervantina:

> Ello es que alma y cuerpo siguen siendo de ella sola; tan fato es querer mandar del todo en el su cuerpo como en la su alma. Lo mejor es dejarlas que dispongan ellas de lo suyo. Si al cabo lo han de hacer, por mucho que las vegiles.

Comprende Tigre Juan que el donjuán no es el hombre perfecto, como él pensaba, y que el culpable de la huida de Herminia es él mismo. Advierte entonces que el honor, tal como él lo concebía, era egoísmo, amor de sí propio:

> A juzgar por tus anteriores pensamientos e intenciones, lo que sientes no tanto es amor a Herminia cuanto amor de ti mismo, amor propio y orgullo necio, pues te ha sacado de quicio el miedo a que opinen mal de ti.

Llegado a este punto, Tigre Juan siente la inanidad de hacer depender su honor de la opinión ajena, no teme ya el qué dirán. Advierte que el honor, si es que existe, ha de consistir en algo totalmente diferente, vinculado sólo al ámbito de la conciencia individual. Por eso exclama, con triunfal retórica:

> ¿Qué honor más honroso que amar de esta suerte, desafiando la pública deshonra? (...) El mundo entero no es capaz de deshonrarme. Yo me he deshonrado...

Así, el conflicto no se plantea en términos de deber moral o social, sino sólo de amor. Y, recordando las frases de Shakespeare que recitaba como actor aficionado, afirma, en fin, que sólo el amor da sentido al mundo: "Tan pronto como dejo de amarla, el mundo se convierte en caos."

En la raíz de este proceso, que he descrito de modo, a la vez, farragoso y obvio, están tres nociones típicas de Pérez de Ayala que me interesa no dejar de mencionar, ya que el riesgo es sólo aburrir definitivamente al lector y darle el impulso decisivo para que abandone la lectura de este prólogo. Me limitaré a enumerarlas escuetamente:

1) Pérez de Ayala subraya siempre la importancia de la educación para el amor, refiriéndose concretamente al hombre y la mujer españoles. Así se puede ver, sobre todo, en su obra anterior, *Las novelas de Urbano y Simona.*

2) Sus personajes son desgraciados porque actúan de modo inadecuado, a causa de los prejuicios erróneos de que la sociedad —la familia, la Iglesia, el Estado— les ha imbuido. Cuando, con sufrimiento, comprenden su equivocación y se convierten a los verdaderos valores,[47] renacen a una nueva vida en la que pueden ser más felices.

3) El honor calderoniano era un caso más de inautenticidad vital. Ese es el gran enemigo de Pérez de Ayala: todas las actitudes que supeditan el instinto natural a cualquier clase de convencionalismo social o de abstracta ideología sobrepuesta. Para el escritor, el amor es algo *natural* y debe conformarse a la naturaleza. El problema grave —que Pérez de Ayala no resuelve claramente, a mi modo de ver— consistirá en lograr unos sentimientos naturales a la vez que auténticamente educados ("urbanos", usando el nombre de su protagonista anterior), sin caer en lo espontáneo salvaje ni en el convencionalismo mixtificador.

[47] Puede aplicarse aquí la teoría de René Girard: *Mensonge romantique et verité romanesque,* París, eds. Grasset, 1961.

En esta novela, expresa Pérez de Ayala con indudable fortuna artística algunos mitos: el donjuanismo, el honor... Maruxa Salgués llama también la atención sobre el de la Bella y la Bestia.[48] Pero todo esto, en mi opinión, forma parte de un vasto proyecto, que comparte con sus compañeros de la generación de 1914: la "pedagogía de sensibilidad estética y ética, base indispensable de una eficaz reforma política".[49] *Tigre Juan* es obra que está enraizada en Asturias (en el Fontán, simbólicamente) y de trascendencia universal; a la vez, si no me equivoco, muy vinculada a los problemas españoles, a la reforma de la sensibilidad del varón y de la mujer de nuestro país.

¿Hasta qué punto lo consigue? Entremos aquí en el terreno —menos científico todavía que el anterior, si ello es posible— de la pura opinión personal. Sin embargo, no me parece honesto hurtarla al lector, valga por lo que valga.

Creo que Pérez de Ayala es muy brillante y certero en lo negativo: la crítica del donjuanismo y el honor tradicional, calderoniano. Mucho más discutible es la salida positiva que señala: la paternidad. De su maestro Clarín, el autor de *Su único hijo,* debe de venirle a Pérez de Ayala el papel trascendente que le concede, en lo que coincide con su más cercano maestro y amigo Unamuno. Para Matas, esta obra es "el drama de la paternidad",[50] mucho más que otra cosa. En el poema que cierra la Coda, la paternidad de Tigre Juan se proyecta cósmicamente en la del Creador de todo. En el Epistolario a Miguel Rodríguez-Acosta se comprueba, una vez más, su creencia en que la mujer realiza plenamente su destino con la maternidad.

[48] Maruxa Salgués: *obra citada* en nota 42, pp. 99 y ss.

[49] Víctor García de la Concha: "Pérez de Ayala y el compromiso generacional", en *Los Cuadernos del Norte,* año I, núm. 2, dedicado al centenario de Pérez de Ayala, Oviedo, junio-julio 1980, p. 39.

[50] Julio Matas: *Contra el honor. Las novelas normativas de Ramón Pérez de Ayala,* Madrid, ed. Seminarios y Ediciones (Hora H), 1974, p. 122.

No es extraño que estas ideas resulten irritantes, hoy, desde una perspectiva feminista. Así le ocurre a Sara Suárez Solís, en un artículo polémico, con el que no comulgo en su totalidad, pero que plantea por primera vez, quizá, interesantes cuestiones:

> Pérez de Ayala, que tanto y tan finamente pensó y meditó acerca de problemas de la sociedad española (que trató, por ejemplo, de fustigar el donjuanismo en su *Tigre Juan*), ¿cómo pudo ser tan indiferente ante la situación de la mujer de su tiempo, y de todos los tiempos? ¿Influyó su relación con su madre?, ¿su matrimonio con una extranjera?, ¿su educación en un colegio de religiosos sólo para hombres? El hecho está ahí, pero las causas parecen difíciles de desentrañar. Le preocuparon todos los problemas que afectaran a los hombres, a la sociedad, a las naciones, pero esa mitad de la humanidad que son las mujeres nunca merecieron una revisión. Sin duda, para él fueron el segundo sexo, marginal y al servicio del primero y sólo el primero merecía reforma y progreso.[51]

En efecto, sabemos poco de la relación de Pérez de Ayala con su madre y con su esposa, ni de su vida sentimental, en sentido amplio. ¿Qué nexo une al frecuentador de "troteras y danzaderas" con el escritor de sereno clasicismo? No creo, sin embargo, que podamos acusarle de desinterés por la situación de la mujer en España. Por ejemplo, ya he recordado otra vez un artículo casi olvidado entre sus numerosos libros de ensayos, donde escribe esto:

> Las tres etapas genéticas de la emancipación de la mujer son: Primera, emancipación económica; segunda, emancipación moral e intelectual; tercera, emancipación política. El mundo civilizado se halla ya en la tercera. En España estamos aún en la prehistoria de este movimiento.[52]

[51] Sara Suárez Solís: "El antifeminismo de Pérez de Ayala", en *Los Cuadernos del Norte,* núm. citado en nota 49, p. 51.

[52] Artículo "Eva" en *La Tribuna,* Madrid, 7-XI-1913. Ahora, en *Tabla rasa,* Madrid, ed. Bullón, 1963, p. 44.

Enfocando el tema con el debido criterio histórico, me parece indudable que la crítica del honor que realiza esta novela tiene un valor positivo para la educación de la sensibilidad española. ¿Podrá extrañarnos que, vistos desde hoy, los remedios positivos que propone nos parezcan insuficientes?

Cuando releo la historia de la pulsera que regala a Herminia su enamorado, con la inscripción "Soy de Tigre Juan", no puedo por menos de pensar que Pérez de Ayala ha acertado en el diagnóstico de la enfermedad social pero no en la medicina que propone. La solución a esto, me parece, nos la da, hoy, un hermoso poema de Agustín García Calvo, popularizado por la voz de Amancio Prada: "Libre te quiero (...) / ni de Dios ni de nadie / ni tuya siquiera." Pero pedirle eso a Pérez de Ayala, en 1925, quizá sería demasiado.

5) La novela

Los mitos, la educación para el amor, la reforma de la sensibilidad española... Todo esto —y muchas otras inquietudes intelectuales— plasma en una historia que se nos cuenta. Sin pretender análisis muy amplios, quiero llamar la atención del lector sobre algunas peculiaridades del relato.

Como es habitual en él, Pérez de Ayala utiliza de modo consciente las ventajas que le proporciona la técnica del narrador omnisciente. Como en los cuentos de Virginia Woolf, leemos lo que piensan dos personajes (doña Iluminada y Tigre Juan) y lo que están hablando, obteniéndose así un verdadero "cuarteto" de voces. El narrador conoce y nos informa de los sentimientos íntimos de un personaje (por ejemplo, Tigre Juan se ha enamorado de Herminia) antes de que él mismo sea consciente de ellos. Nos revela, en fin, lo que un personaje quiere expresar realmente cuando está diciendo otra cosa: "'¡Ay, Vespasiano, amigo envidiado; nunca tanto te eché de menos!' Tigre Juan quería decir: 'nunca tanto eché de menos ser como tú. Ser, como a Tigre Juan se le figuraba que Vespasiano era: irresistible." En la misma línea, a muchos críticos ha llamado la atención —y no todos lo han comprendido adecuadamente— el hecho de que Pérez de Ayala parezca corregir a sus personajes: "Ahora mismo, a Herminia se le estará cayendo la cara de vergüenza. (Tigre Juan pensaba, sin darse cuenta: estará conmovida, saturada de dulce rubor; tal vez se le han humedecido los ojos.)."

En cierta medida, vuelve ahora Pérez de Ayala a un tipo de narración relativamente tradicional. Hemos hablado ya de los lugares y lo mismo cabría hacer con el tiempo interno de la novela: según Macklin, sucede hacia 1890 (recuérdense las menciones a las guerras coloniales) y la acción narrada se extiende a lo largo de unos dos años.

En toda su carrera literaria demostró Pérez de Ayala una verdadera afición por los nombres propios significativos. ¿Se puede achacar esto a intelectualismo, a humor irónico cervantino, a influencia de su admirado Galdós? No lo sé, pero lo indudable es que este procedimiento se da desde su primera novela hasta la última.

En *Tinieblas en las cumbres,* por ejemplo, Rosina se opone a Barros; el inglés Yiddy se llama en realidad Adam ('tierra roja') Warble ('gorjear'), es decir, un símbolo general del hombre que intenta disfrutar de los dulces sabores de la vida. La novela, en fin, aparece bajo el seudónimo ("entre alejandrino y subterráneo", dijo Andrenio, y todos los críticos lo han repetido) Plotino Cuevas, como alusión irónica al "indecente vicio de metafisiquear y neoplatonizar" de que se acusa su autor. En *Troteras y danzaderas,* los nombres que disimulan a los personajes reales pueden ser simples juegos (Halcón-ete = Azor-ín), pero también suponen una crítica muy directa: Maeztu aparece como Mazorral. En *Prometeo,* la amada se llama Perpetua, nombre "muy bello y significativo". [53] En *Belarmino y Apolonio,* la mujer del protagonista se llama Xuana la Tipa; abreviadamente, Xuantipa, para reforzar el talento socrá-

[53] Ramón Pérez de Ayala: *Prometeo. Luz de domingo. La caída de los limones,* 2.ª edición, Madrid, ed. Renacimiento, 1924, p. 47.

tico de su marido. La solterona está evidentemente Quemada y su galanteador es un Novillo a quien por su edad llaman de mote Buey, pero que no llega a la categoría de toro. Etcétera.

En *Tigre Juan*, al protagonista, una vez operada la benéfica revolución de que nos da cuenta el relato, no le importaría que le llamaran "Juan Cordero, y a mucha honra". Este cambio de nombres podría resumir bien la novela. En realidad, él se llama Juan Guerra Madrigal. La edad y el respeto determinan que a veces le llaman lo que constituye su ideal en la vida: don Juan. En cuanto al resto, "pareja nada compatible de apellidos que, como perro y gato, sorprende ver juntos y concordes", significa la lucha de contrarios que existe en su interior y que Ayala, amigo siempre de dualismos y contrastes, suele poner de manifiesto. O, como diría Belarmino con su peculiar léxico, ése es "el desnudo de su beligerancia".

Del mismo modo, la protagonista se llama Buenrostro, en alusión que recuerda el apellido del cura de *Belarmino y Apolonio,* don Guillén Caramanzana. El donjuán de provincias es Vespasiano Cebón, con la doble alusión de este nombre a la Roma de la decadencia y a la carne fofa, bien cebada. En cuanto a doña Iluminada, es el personaje que ilumina y conduce toda la trama novelesca, y aparece siempre unida a imágenes de luz y tinieblas; como es "viuda de Góngora", F. W. Weber ha visto con agudeza una posible alusión al poeta culterano y sus famosas "dos épocas". [54]

Utiliza también Pérez de Ayala el recurso de la enfermedad por causas psicológicas, igual que hacía su maestro Galdós. Lo mismo podía verse, por ejemplo, en *Las novelas de Urbano y Simona,* referido a la protagonista. Es algo unido a la idea —con resonancias paulinas, pero convertida "a lo humano"— del "hombre nuevo", de la muerte del hombre antiguo. O, como ya hemos visto desde otra

[54] Frances Wyers Weber: *The Literary Perspectivism of Ramón Pérez de Ayala,* Chapel Hill, The University of North Carolina Press, 1966.

perspectiva, de la conversión del personaje al mundo de los verdaderos valores, una vez superados los convencionalismos sociales que le hacían desgraciado. Así podría resumirse el destino del protagonista: "¡Pobre Tigre Juan! Acabóse ayer. ¡Pobre Tigre Juan!"

En ocasiones, se interrumpe el relato para dar lugar a un diálogo puramente teatral, con mención de los interlocutores y acotaciones sobre su actitud: así, el diálogo de Tigre Juan y Nachín, en la noche de San Juan, dentro del relato a doble columna. Se trata de un procedimiento habitual en Pérez de Ayala (recuérdense, por ejemplo, el capítulo IV de *A.M.D.G.* y el último de *Belarmino y Apolonio*), que la crítica ha explicado por el carácter de sus novelas. Así, Julio Matas las califica de novelas dramáticas, [55] usando la terminología de Muir, y J. J. Macklin concreta, entre otros rasgos, que las conversaciones son a menudo sinónimo de la acción y que el personaje puede actuar de nuevo su propio drama, y es entonces cuando entiende la verdadera naturaleza de su papel. [56]

A Pérez de Ayala le gusta, con frecuencia, concentrar la acción psicológica en momentos clave, centrales, que determinan toda la existencia, forzando al personaje a una elección de consecuencias trascendentales. (Así, el párrafo inicial de *Las novelas de Urbano y Simona.*) Suelen concretarse en una conversación entre dos personajes que sostienen perspectivas opuestas. Doña Iluminada, por ejemplo, "tenía ante sí el umbral del destino y, sobrecogida de incertidumbre, no osaba adelantarse hacia él". Así, según Livingstone, en el relato de Ayala, se unen lo lírico y lo dramático. [57]

[55] Julio Matas: *obra citada* en nota 50, p. 225.

[56] J. J. Macklin: "Myth and mimesis: the artistic integrity of Pérez de Ayala's *Tigre Juan* and *El curandero de su honra*", en *Hispnic Review,* vol. 48, núm. 1, winter 1980.

[57] León Livingstone: "The theme of the 'paradoxe sur le comédien' in the novels of Pérez de Ayala", en *Hispanic Review,* Philadelphia, vol. XXII, núm. 3, julio 1954, pp. 208-24. Otro excelente artículo del mismo crítico, aplicable también a Pérez de Ayala, es "Interior duplication and the problem of form in the modern spanish novel", en *PMLA,* LXXIII, 1958.

El relato propiamente dicho concluye con el poema que expone los sentimientos de Tigre Juan sobre la vida, después de haber nacido su hijo: entonces, su conciencia se funde en "la conciencia cósmica". La vida aparece como un camino cuyo destino no conocemos, y Dios es el ingeniero que lo ha trazado. Reaparecen los temas de la mortalidad, el de dónde y adónde vamos. La paternidad supone que somos los hijos, el sueño de Dios. Todo se resuelve en un canto final a la vida, superadora de contrastes, y a Dios, manadero del agua de la vida. La novela, así pues, concluye *poemáticamente.*

No extrañará esto al lector de Pérez de Ayala. Una de sus obras maestras [58] se subtitula, precisamente, *Tres novelas poemáticas de la vida española.* ¿Qué significa esto? Como he señalado en otra ocasión, [59] lo "poemático" es la intensificación, en una sola historia, de lo que aparece disperso por el mundo. Es el doble plano individual y general, realista y simbólico. Alude este adjetivo a la función estructural concreta de los poemas: resumidora, anticipadora, distanciadora, generalizadora, simbolizadora. Lo poemático es también la síntesis, la abstracción, dejar la anécdota en lo que no sea significativo. Recordemos las palabras del propio Ayala:

> Creo que la poesía es el punto de referencia, y como si dijéramos el ámbito en profundidad de la prosa narrativa. Muchas y enfadosas descripciones naturalistas ganarían en precisión y expresividad si se las cristalizase en un conciso poema, inicial del capítulo. [60]

La "novela poemática" supone, en definitiva, disponer libremente, mediante este rótulo, de las amplias libertades que reclama la novela intelectual, al margen de la

[58] *Obra citada* en nota 53.
[59] *Obra citada* en nota 27, pp. 288-89.
[60] Ramón Pérez de Ayala: "Alegato pro domo mea", en *Poesías Completas,* Buenos Aires, 1942, p. 14.

estricta observancia del realismo. Es decir, algo perfectamente comparable a la "nivola" unamuniana.

Cuando me preguntan por qué no es más popular Pérez de Ayala, suelo referirme a varias posibles causas: complejidad mental, ironía, sentido histórico, adhesión a un tipo de novela que era vanguardista en los años veinte... Y también, desde luego, al lenguaje. Ayala, sin duda, es un gran artista del lenguaje, pero eso puede perjudicar la eficacia comunicativa de sus relatos. Más aún, quizá en Ayala el estilo —no sólo el lenguaje— está en conflicto permanente con la novela, como ha señalado hace poco Elías García Domínguez en un espléndido artículo.[61] Personalmente me gusta insistir en que hay muchos tipos de novela y que el problema no es exclusivo suyo, sino que, en gran medida, se plantea de modo semejante, por ejemplo, con Gabriel Miró y Manuel Azaña, unidos a él por tantos motivos de cronología y sensibilidad.

Me parece indudable que el estilo arcaizante,[62] casticista y muy culto de Pérez de Ayala constituye hoy un obstáculo, más que un atractivo, para la mayoría de los lectores. En efecto, la sensibilidad del lector medio puede ir hoy, claramente, por otros caminos. (Dejemos al margen el tema de cuál es el lector medio y si le interesan, básicamente, los premios literarios y los *best-sellers.*)

Procuremos evitar las simplificaciones. El lenguaje de Pérez de Ayala es mucho más variado y complejo de lo que suele creerse.[63] Desde *Tinieblas en las cumbres,* su primera novela, se complace irónicamente combinando registros lingüísticos muy alejados. Pocas veces puede observarse esto con más claridad que en *Tigre Juan,* la novela

[61] Elías García Domínguez: "El estilo contra la novela", en *Los Cuadernos del Norte,* núm. citado en nota 49, pp. 52-58.

[62] Recuérdese el estudio de Guillermo de Torre: "Un arcaizante moderno: Ramón Pérez de Ayala", en *La difícil universalidad española,* Madrid, ed. Gredos (Campo Abierto), 1965. páginas 163-200.

[63] Así lo muestra, por ejemplo, el reciente libro de José Manuel González Calvo: *La prosa de Ramón Pérez de Ayala,* Salamanca, Ediciones de la Universidad, 1979.

que muchos consideran más sencilla entre las suyas. El lector —si es que alguno existe— que tenga la paciencia de leer las notas que he puesto a esta edición comprobará fácilmente la riqueza y complejidad del léxico.

Existen cultismos, desde luego, y arcaísmos librescos, pero colocados junto a flagrantes vulgarismos. El uso de términos dialectales asturianos no es sólo un elemento costumbrista, sino que, como ha mostrado Dolores Anunciación Igualada Belchi,[64] obedece a funciones literarias plurales y nada simples. Todos los personajes tienen su propio estilo, que sirve para caracterizarlos; en el fondo, este perspectivismo lingüístico es la base de la composición contrapuntística.[65] Con el peculiar lenguaje de don Sincerato, además de un ejercicio de virtuosismo literario, Pérez de Ayala expresa la desazón lingüística, que ya había encarnado en el personaje del indiano (en *La pata de la raposa*), y, sobre todo, en Belarmino.

Sigue fiel Ayala a su hábito de usar términos propios del lenguaje místico para el amor humano. En *Tinieblas en las cumbres,* por ejemplo, hallamos "inefable inconsciencia", "anonadábase en éxtasis", "con unción en los tuétanos", "balbucir", "devota veneración", "emanación asfixiante", "maravilloso fluido", "cristalizada eternidad"..., junto a paráfrasis directas de Santa Teresa y San Juan de la Cruz. En *Troteras y danzaderas* se comenta la historia de una prostituta con párrafos tomados de *Las Moradas.* En *Las novelas de Urbano y Simona,* ésta siente que va a tener un hijo: "Se llevó las manos a las sienes. Parecía como si fuera a perder el sentido. A seguida, una como resplandeciente sonrisa le saturó el pecho y se le trasvasó a los labios..." Etcétera.

En la novela que ahora nos ocupa, al ver a Herminia, "Tigre Juan quedó cambiado en otro hombre distinto".

[64] Dolores Anunciación Igualada Belchi: "La lengua vulgar dialectizante en *Tigre Juan* y *El curandero de su honra,* de Ramón Pérez de Ayala", en *Boletín de la Asociación Europea de Profesores de Español,* año XI, núm. 19, Madrid, octubre 1978, páginas 67-81.

[65] F. W. Weber: *obra citada* en nota 54.

Así como el alma de Urbano no era sino la idea del cuerpo de Simona, así nuestro personaje

> quedó suplantado en su ser interior o inconsciente por otro ser ajeno: el de Herminia. Y ya de allí adelante no fue él en sí mismo, sino que Herminia fue del todo en él.

Nótese la cercanía con el éxtasis o bodas místicas que producen la unión transformativa, igual que hemos visto repetidas veces (Rosina y Fernando, Urbano y Simona...) en la obra de nuestro autor.

En general, Ayala suele emplear una frase amplia, culta, clásica, de apariencia muy trabajada. (Aunque el análisis de sus manuscritos revela que en él era natural.) Como señala Elías García Domínguez, no deja que las cosas hablen por sí mismas sino que "las dispone ya convenientemente ordenadas, organizadas y cargadas de sentido, y troqueladas en forma definitiva y memorable".[66] Pero eso no supone, siempre, usar el amplio período clásico.

Me ha interesado señalar una serie de casos en los que el autor deja su habitual perspectiva omnisciente y adopta un punto de vista objetivo, seco, de escueta mención de los hechos, que produce efectos artísticos de gran intensidad dramática. Así, en *Prometeo,* cuando va a nacer el niño, en vez de retóricos encarecimientos, se nos da esto:

> En el seno de la alcoba nupcial comenzaron a levantarse múltiples ruidos sigilosos: jadeos, pasos, carraspeos, sollozos.
>
> Marco se precipitó en la alcoba. La comadrona lavaba al recién nacido. Era una criatura repugnante, enclenque, el cráneo dilatado, la espalda sinuosa. Prometeo.[67]

El caso más llamativo, quizá, es el relato de la violación, episodio central de *Luz de domingo,*[68] ejemplo de pura narración en la que —de acuerdo con el ideal de

[66] Elías García Domínguez: *artículo citado* en nota 61, p. 53.
[67] Ed. cit. en nota 53, pp. 79 y 80.
[68] Ed. cit., pp. 127-30.

Azorín— el autor se limita a contar una cosa después de otra. Lo mismo sucede con la noticia del asesinato, en *La caída de los limones*:

> Merlo se despidió. Al día siguiente, la viuda de Candelero y su hija aparecieron en su casa asesinadas, cosidas a puñaladas. La hija tenía veintisiete heridas, y presentaba señales evidentes de haber sido forzada. En la casa se encontraron el abanico de enea, el bastón y otros objetos que pertenecían a Merlo. El sereno declaró que había visto a Merlo salir de la casa, cerca de la media noche.[69]

No faltan ejemplos de lenguaje en *Tigre Juan*. Utiliza, por ejemplo, un monólogo interior de frases cortas y muchas exclamaciones para expresar las vivencias de un alma en los momentos de mayor borrasca, a veces en el insomnio:

> ¡Bah! Inútil. Es irreparable. Colás me aborrece ya. Lo he maldecido. Las amarras están cortadas. Perdido para siempre. ¡Hijo mío! ¡Pobre Tigre Juan!

Para los momentos clave de la obra sabe Pérez de Ayala echar mano de la objetividad narrativa más implacable, que haga resaltar el violento "pathos" emocional. Esto es lo que hace el protagonista cuando le dicen, con grandes alharacas, que su esposa ha huido con otro:

> Tigre Juan se desligó de la vieja, la restituyó con suavidad al suelo, dio media vuelta, descendió las escaleras, retornó al mercado, recogió y envolvió su puesto del aire y quedó mirando a Nachín de Nacha, el de las monteras; todo ello despaciosamente, concienzudamente, con manos y pies seguros; sin alterarse un solo instante.

El novelista usa, como motivos musicales que se repiten una y otra vez, palabras-clave que resumen toda la trama

[69] Ed. cit., p. 240.

y que se desarrollan y explican largamente: *apocalipsi* (sic), *juicio final, querer, mentira/verdad, engaño/ilusión...* [70]

Lo más característico, sin embargo, quizá sea la unión habitual de popularismos con cultismos y arcaísmos. Y algo que me interesa subrayar de modo muy especial, porque muchos no lo ven: cuando Pérez de Ayala es pedante —y lo es a veces, sin duda—, suele serlo de modo totalmente consciente y autoirónico. El que no sepa comprenderlo y apreciar este peculiar sentido del humor se quedará, irremediablemente, al margen de sus obras.

Aunque he pretendido evitarlo hasta ahora, se ha colado alguna vez en mi argumentación un término bastante manido, el de "novela intelectual". Resulta inevitable, ya, ocuparse un poco de él, con referencia a esta novela. Mi libro de conjunto sobre el novelista se titula precisamente así: *La novela intelectual de Ramón Pérez de Ayala.* [71] No supone eso ninguna novedad especial, desde luego, pero me parece que ese calificativo le cuadra mejor que otros. Y añadía, entonces, algo que quiero seguir recordando: no tengamos un concepto demasiado estrecho de lo intelectual. Para que una novela lo sea no es esencial que discuta problemas muy elevados. Lo fundamental es que la visión del mundo que nos dé sea amplia, inteligente, sabia, compleja; y, como consecuencia casi inevitable de todo ello, irónica ante muchas pequeñeces de nuestra vida. [72]

Pues bien, varios rasgos concretos de *Tigre Juan* nos remiten a la cualidad intelectual de las obras de Pérez de Ayala. Así, el relato que se construye sobre un marco literario. En *Las novelas de Urbano y Simona* estaba presente el recuerdo del *Dafnis y Cloe,* de *Hermann y Dorotea,* del *Emilio,* de Cervantes (*Los trabajos de Persiles y Segismunda*), de la estructura narrativa del cuento de

[70] F.. W. Weber: *obra citada* en nota 53, pp. 79-82.

[71] Vid. nota 27.

[72] Andrés Amorós: *Introducción a la novela contemporánea,* 4.ª edición, Madrid, eds. Cátedra, 1976, p. 137.

hadas, de Calderón, de Dante (*La vida nueva*), del *Novellino*...

Del mismo modo, la historia de Tigre Juan y Herminia tiene detrás, por supuesto, a Tirso y Calderón, pero también a Clarín, Shakespeare, la *Biblia, la Celestina, Don Quijote*... En las notas a esta edición hallará el lector alguna información sobre ello. Y, muchas veces, este cuadro literario está desquiciado voluntariamente, con intención irónica.

Para Pérez de Ayala, las obras literarias son también vida e influyen activamente sobre la vida como un elemento cargado de gran potencia activa y dinámica. En este caso, se trata de la representación de *El médico de su honra,* tan ligado al núcleo central de la novela, que viene a mostrar, además, el poder fascinador del teatro sobre una imaginación juvenil, igual que en la lectura que escucha Verónica en *Troteras y danzaderas.* La que aquí asiste a la representación y se identifica con la protagonista es la joven Carmina. Los antecedentes están bien claros: *La Regenta* y *Madame Bovary.* En el momento de mayor crisis emocional, Tigre Juan prorrumpe disimuladamente en frases tomadas de la obra de Calderón y del *Otelo.* Aquí, como en *Un drama nuevo,* la literatura coincide con y se hace experiencia vital.

Los personajes de la novela poseen una singularidad psicológica bien delineada; son, dicho en términos sencillos, "muy humanos". Pero, a la vez, representan fuerzas e ideas que actúan en contraposición. Así lo vemos claramente en este párrafo:

> Doña Iluminada representaba una electricidad positiva respecto de Vespasiano, electricidad negativa. Doña Iluminada era la esterilidad desengañada y resignada, que no siendo de provecho en sí resuelve emplear su energía inútil en beneficio ajeno. Vespasiano era la esterilidad insumisa, que se engaña a sí propia y pretende engañar a los demás, desviviéndose en hacer pasar el libertinaje como exceso genesíaco, derroche de potencia y voluntaria renuncia a la fecundidad.

Del mismo modo, los tres personajes que sueñan con Herminia representan, a la vez, tres aspectos del amor: la servidumbre (Colás), la evasión (Vespasiano) y la virilidad dominadora (Tigre Juan).

Después de presentar a los personajes, Ayala plantea el tema del honor mediante un diálogo dramático entre dos personajes que piensan de manera opuesta: Tigre Juan defiende apasionadamente el donjuanismo y el honor calderoniano. Su sobrino Colás es un personaje-conciencia, que sirve al autor como definidor de los demás y de la situación, además de ser portavoz de sus ideas: en este caso, con lógica implacable demuestra lo absurdo de ese código del honor. El diálogo es importante como planteamiento de la cuestión y Pérez de Ayala lo publicó como artículo, antes de aparecer la novela, en la *Revista de Occidente.* (En las notas a esta edición incluyo las variantes de ese artículo con relación al texto definitivo.) El argumento parece de bastante peso para los que hablan de novela-ensayo.

Pero el presunto intelectualismo no se reduce a eso, por supuesto. A lo largo de toda la obra de Pérez de Ayala nos encontramos con toda una serie de "coloquios superfluos" o "capítulos prescindibles". Estos adjetivos, por supuesto, hay que entenderlos con la debida ironía. En realidad, creo, suelen ser los más necesarios, los menos prescindibles. Alude Ayala al hecho de que puedan parecer superfluos al lector vulgar de novelas, sólo preocupado por *lo-que-va-a-pasar-al-final.* No es extraño que Julio Cortázar haya escrito brillantes burlas de este tipo de lectura porque él mismo ha empleado, en *Rayuela,* esta técnica de los "capítulos prescindibles" como medio de dar la significación básica del conflicto, al margen de las convenciones argumentales. Mediante el empleo de este recurso, Pérez de Ayala se sitúa junto a todos los grandes narradores que, en nuestro siglo, han intentado "abrir" la novela para expresar con un poco más de justeza la complejidad de lo vital.

En *Tinieblas en las cumbres,* se trataba del coloquio entre Yiddy y Alberto, que sirve para que este último ponga en cuestión toda su vida pasada.[73] En la primera edición de *A.M.D.G.*, al comienzo del capítulo dedicado a los Ejercicios Espirituales existía esta nota, que luego fue suprimida:

> El apartado I de este capítulo es una desviación de la trama novelesca. Lo escribí, porque no sería posible entender el carácter y alcance de la influencia jesuítica sin dedicar alguna atención a los ejercicios de San Ignacio. *El lector puede pasarlo por alto* y leerlo a modo de epílogo. Si lo pongo en este lugar es por consideraciones de orden cronológico.[74]

En *La pata de la raposa,* se trata del capítulo IV de la primera parte, que incluye esta nota previa: "El autor aconseja al lector que deje de lado este capítulo y vuelva sobre él, si así le place, en concluyendo la novela."[75] El segundo capítulo de *Belarmino y Apolonio,* "Rúa Ruera vista desde dos lados", famoso por ser un notable ejemplo de perspectivismo literario, es también un capítulo prescindible:

> El lector impaciente de acontecimientos recorra con mirada ligera este capítulo que no es sino el escenario donde se va a desarrollar la acción.[76]

No nos sorprenderá, después de todo esto, que la narración propiamente dicha concluya, en *El curandero de su honra,* con el poema que antes mencioné, y la siguiente nota: "Aquí termina la historia de Tigre Juan y curandero de su honra." Pero quedan todavía cincuenta páginas: una última parte de la novela titulada "Parergon", un nuevo capítulo prescindible:

[73] *Tinieblas en las cumbres*, ed. cit., p. 245.
[74] Ramón Pérez de Ayala: *A.M.D.G.,* Madrid, Biblioteca Renacimiento, 1910, pp. 138-39.
[75] *La pata de la raposa,* ed. cit., p. 72.
[76] *Belarmino y Apolonio,* edición de Andrés Amorós, Madrid, ed. Cátedra (Letras Hispánicas), 1976, p. XX.

> La trascripción de estos coloquios hubiera constituido materia superflua para el común lector de historias. Sin embargo, en atención al lector exigente y curioso de la historia interna, se reproduce en este Parérgon (o documento accesorio) lo más importante y característico de aquellos coloquios.

Para Matas, se trata de un error, porque aclara demasiado.[77] Puede ser cierto desde el punto de vista de la estricta economía narrativa, pero tiene un sentido muy claro, me parece, dentro de la novela intelectual. Este capítulo incluye una conversación final entre Colás y Tigre Juan que me parece esencial para la comprensión de esta novela (y de toda la obra de Pérez de Ayala).

La novela, como ya sabemos, apareció dividida en dos tomos. El primero (*Tigre Juan* propiamente dicho) se divide en dos partes. El segundo, en cuatro. Cada una de las partes o capítulos lleva un título musical: adagio y presto; presto, adagio, coda y parergon.

La denominación musical de estas partes, que pudo parecer revolucionaria en su época, nos suena hoy a algo conocido y relativamente pasado. Sin embargo, para ser justos es preciso no perder el sentido histórico. Lo que hace Pérez de Ayala es intentar superar la tradicional estructura lineal o dramática (planteamiento-nudo-desenlace) de la novela. Es decir, una búsqueda de considerable interés, perfectamente legítima y que, si no produjo hallazgos definitivos, sí amplió indudablemente el horizonte narrativo. Una búsqueda —no hay que olvidarlo— plenamente válida en Europa en la fecha de esta novela (1926).

Dentro de eso, camina Ayala por la vía que se ha popularizado con el nombre y el ejemplo de Aldous Huxley que, en su gran novela *Contrapunto,* sobre todo, intenta trasladar a la narración estructuras musicales:

> Musicalizar la novela. No a la manera simbolista, subordinando el sentido a los sonidos, sino en gran escala, en

[77] J. Matas: *obra citada* en nota 50, p. 155.

la construcción. Meditar sobre Beethoven: los cambios, las transiciones abruptas.[78]

Bien entendido que no se trata aquí de una copia o influencia, sino de una tentativa común. Como dice Eugenio de Nora,

> Huxley, catorce años más joven, publica su primera novela, *Crome Yellow (Los escándalos de Crome)* en 1921, y sólo a partir de 1928 —*Contrapunto*— alcanza verdadera resonancia europea.[79]

Personalmente he podido añadir dos datos. En lo que se conserva de la biblioteca de Pérez de Ayala no hay libros de Huxley. Por otro lado, he hallado entre sus papeles y voy a publicar un cuaderno,[80] fechado a partir del 11 de julio de 1928; es decir, casi tres años después de haber acabado la novela. En su contraportada aparece esta nota: "Leer: Courteline, *La nuit d'Orage* de Duhamel, Pitigrilli, Stendahl (sic), Huxley". Así pues, parece poder deducirse de esto que, probablemete, Ayala no conocía al autor inglés en el momento de escribir esta novela.

Creo que este intento se debe, sin necesidad de más influencia, al deseo de renovación propio del novelista intelectual, dotado de muy amplia curiosidad (en su biblioteca dominan ampliamente los libros filosóficos y científicos sobre las novelas contemporáneas), que intenta abrir nuevos caminos.

En cuanto a la eficacia estética del procedimiento, he de decir que me parece sólo relativa. No veo del todo, leyendo la novela, la intrínseca necesidad de titular musicalmente sus diversas partes, aunque el fiel discípulo Francisco Agustín se empeñe en demostrarlo.[81]

[78] Traduzco de la edición francesa de *Contrapunto,* París,, eds. Plon, 1963, p. 343.

[79] Eugenio de Nora: *La novela española contemporánea,* tomo I, Madrid, ed. Gredos (Biblioteca Románica Hispánica), 2.ª ed., 1963, p. 511.

[80] Vid. nota 24.

[81] Francisco Agustín: *obra citada* en nota 21, pp. 224-25.

El rasgo técnico más llamativo de esta novela es la famosa división de las páginas en dos columnas, en el adagio del segundo volumen. Aquí sí tenemos, desde luego, una justificación o necesidad interna. Ha huido Herminia del hogar conyugal y el novelista quiere mostrar la profunda unidad de las vidas de los dos esposos, incomprensibles ya la una sin la otra aunque ellos no lo sepan y aunque no estén juntos:

> Cada una, por sí, sería, en lo sucesivo, defectuosa del resto de su caudal, vivo y ausente. Ni Tigre Juan ni Herminia, a partir de aquel punto, podrían entender el sentido de su propia vida. Nadie pudiera tampoco, a no ser elevándose hasta una perspectiva ideal de la imaginación, desde donde contemplar a la par el curso paralelo de las dos vidas.

El razonador Ayala se cuida muy bien de justificar su innovación. La metáfora elegida es la clásica de la vida como río (la misma de su libro de poemas *El sendero andante*). Por eso, a partir de ahí, las dos columnas que dividen verticalmente las páginas llevan estos títulos: "Así fluía la vida de Tigre Juan", a la izquierda, y "Así fluía la vida de Herminia", a la derecha. Se trata, por lo tanto, de visualizar, a la vez, la transitoria separación y la profunda unidad de los dos esposos. Cuando los dos se reúnen, la tipografía vuelve a ser la habitual.

No me extrañaría que Pérez de Ayala hubiera recordado la clásica expresión "vidas paralelas" y hubiera tratado de llevarla realmente a la práctica. El problema estético fundamental es el de si las dos columnas poseen un auténtico paralelismo interno. Para el lector medio, es dudoso, aunque existan en las dos columnas idénticas palabras-clave que conducen la narración. La persona que se limite a *leer* la novela —no a analizarla con lupa— quizá no lo perciba. Tigre Juan y Herminia siguen caminos muy distintos, hablan con diversas personas, etc. Pero, en la noche de San Juan, los dos se sienten profundamente solos al ver cómo todos los demás —y todos los elementos del mundo— se unen por amor. Dentro de cada uno de ellos, sin que lo diga claramente el autor, se adivina que crece el recuerdo del otro. Por medio de unos diálogos, las dos columnas se acercan hasta confluir.

El momento clave de la novela se produce cuando Tigre Juan y Herminia vuelven a encontrarse. Todo (carácter, historia pasada, aficiones teatrales) empuja a Tigre Juan a matar a la esposa adúltera. Pérez de Ayala subraya este "clímax" demorando toda una página su resolución:

> El tiempo había detenido también su andadura; si pasaba era como si no pasase. Todos permanecían en una estática relación trágica; grupo escultórico de un paso de Semana Santa, que perpetuase diferentes escorzos, inestables y patéticos.

Y así —repito— durante una página, estirando el momento, prolongando desmesuradamente el efecto de suspensión. Otra vez y por muy breve espacio —solamente dos páginas— se abren las dos columnas, que, esta vez, sí son claramente paralelas: los dos piensan lo mismo y sienten de modo idéntico, desde perspectivas opuestas. Así pues, es en este segundo caso —que no suele ser mencionado— cuando culmina la utilización artística del procedimiento de las dos columnas. Un procedimiento que, sin estar plenamente logrado ni lograr descendencia, sí merece, por su interés y novedad, un puesto en la historia de nuestra novela.

La crítica ha enjuiciado esto de modo muy variado. Para algunos, se trata de una novedad sólo tipográfica, no de fondo,[82] de un primor técnico innecesario.[83] Pero el mismo que escribió esto recuerda el procedimiento y lo utiliza, años después, con otra finalidad estética, en *La saga/fuga de J. B.*:[84]

[82] César Barja: *Libros y autores contemporáneos,* Madrid, 1935, p. 465.

[83] Gonzalo Torrente Ballester: *Panorama de la literatura española contemporánea,* tomo I, 2.ª edición, Madrid, 1956, p. 295.

[84] Gonzalo Torrente Ballester: *La saga/fuga de J. B.,* Barcelona, ed. Destino, 1977; vid., por ejemplo, las págs. 78-79.

Pérez de Ayala recurre a ese procedimiento para resolver el problema que plantean a todo novelista los hechos simultáneos. Yo, para dar dos versiones distintas de los mismos hechos. [85]

León Livingstone lo pone en relación con el deseo de alcanzar la profundidad narrativa, de acuerdo con lo que discutió Ayala en el segundo capítulo de *Belarmino y Apolonio* sobre la necesidad de una visión bidimensional. [86] Para Matas, se trata de algo justificado en principio pero que es imposible, no funciona. [87] De hecho, en la edición de *Obras Selectas* no había columnas paralelas: primero se daba la historia de Tigre Juan y luego la de Herminia. [88] Weber lo pone en relación con el carácter teatral de la novela. [89] Para Baquero Goyanes, se trata de un procedimiento más, bastante plástico, de mostrar paralelismos y contrastes; o mejor, la correspondencia de dos vidas que, pese a la aparente divergencia, acabarán por mezclarse. [90] Macklin, en fin, precisa que, más que un intento de presentar la simultaneidad, lo que quiere el narrador es crear "a sense of unity in disunity". [91]

¿Cómo se leen estas páginas? La pregunta, de apariencia muy simple, no deja de tener importancia. No cabe —me parece— creer en la posibilidad de una lectura simultánea. Lo que hará el lector es, naturalmente, leer primero una columna y luego otra, *en cada página.* Esto último es lo más importante. Normalmente, no leeremos pri-

[85] Andrés Amorós: "Conversación con Gonzalo Torrente Ballester sobre *La saga/fuga de J. B.*", en *Insula,* núm. 317, abril 1973.

[86] León Livingstone: "Interior duplication...", citado en nota 57, p. 405.

[87] J. Matas: *obra citada* en nota 50, p. 155.

[88] *Obras selectas,* prólogo de Néstor Luján, Barcelona, ed. AHR (Summum), 1957.

[89] Weber: *obra citada* en nota 54, p. 37.

[90] Mariano Baquero Goyanes: "Contraste y perspectivismo en Ramón Pérez de Ayala", en *Perspectivismo y contraste. (De Cadalso a Pérez de Ayala),* Madrid, ed. Gredos (Campo Abierto), 1963, p. 199.

[91] *Obra citada* en nota 56, p. 30.

mero toda la historia de Tigre Juan (la mitad de cincuenta y seis páginas) y luego toda la historia de Herminia (la otra mitad), sino que iremos realizando "cortes" transversales en la lectura. Un lector mínimamente curioso, además, tratará de comprobar si existe alguna relación entre las dos columnas: paralelismo o contraste, cercanía de situaciones o repetición de palabras. De este modo, se multiplica realmente la posibilidad de "lecturas" de la novela y, con ello, su capacidad de sugestión. La riqueza estructural de la novela se potenciará con las simetrías, concordancias, reflejos y ecos de las dos columnas. Sobre todo, se obtendrá una profundización del sentido al leer por segunda vez una columna, después de haber leído la otra. Nos encontramos, creo, ante una clara anticipación de procedimientos que ha empleado magistralmente Cortázar en *Rayuela.*

El novelista ve el mundo como guerra y coexistencia de contrarios. Los contrastes se dan en la naturaleza, pero, sobre todo, en la "dúplice alma" del hombre.[92] La conciencia inteligente es la que sabe percibir todos los aspectos contradictorios de la realidad para intentar conciliarlos en una visión armónica. De aquí surge tanto su perspectivismo literario como su ideal de clasicismo. Las novelas de Pérez de Ayala, en su segunda época, contienen, desde su título, mútliples alusiones a dualismos y contrastes.[93] No escapa a esto *Tigre, Juan,* construida sobre una tupida trama de simetrías, personajes que se oponen, situaciones duplicadas, diálogos dramáticos, contrapuntos lingüísticos, tendencias contrarias, paralelismos... El protagonista —recordémoslo de nuevo— se llama Guerra Madrigal.

La separación de Tigre Juan y Herminia se produce en la noche de San Juan. Pérez de Ayala ha elegido esta noche para explotar toda su carga folklórica y literaria, con su lirismo naturista, al servicio del relato. En concreto, lo que ven los personajes es que los elementos con-

[92] *Obras Completas,* ed. cit., tomo II, p. 276.

[93] Véanse, sobre todo, los libros, ya citados, de Mariano Baquero Goyanes y Frances Wyers Weber.

trarios, el agua y el fuego (protagonistas de dos de sus *Senderos* poéticos) se reconcilian por una vez. En esta noche en la que todo tiende, con ecos platónicos, al restablecimiento de la unidad perdida, Tigre Juan y Herminia descubren su profunda, indestructible unidad.

El narrador intelectual concibe el relato como una tragicomedia.[94] En *Las novelas de Urbano y Simona,* calificaba su obra de "situación bufopatética" y "tragedia bufa"[95], que provoca risa mezclada con piedad y cariño. (Igual que las tragedias grotescas de Arniches, que tanto defendió Pérez de Ayala en *Las máscaras.*) El protagonista de sus narraciones resulta ser, básicamente, un héroe tragicómico.[96] No faltan afirmaciones de este tipo dentro del texto de *Tigre Juan,* y mis notas a esta edición lo subrayan reiteradamente. En unas declaraciones a J. Díaz Fernández, con motivo del estreno de la versión tetral, dice que la concibió como drama,[97] y en otra ocasión la califica formalmente de "novela satírica o tragicomedia".[98]

Al novelista asturiano le fascinaba el teatro. (Lo mismo sucede a sus personajes, en *Tinieblas en las cumbres, La pata de la raposa* y el propio *Tigre Juan.*) Todo el mundo recuerda su libro de críticas teatrales *Las máscaras,* pero no tanto sus intentos dramáticos. Mientras corrijo pruebas de esta edición, mi colega el profesor Macklin ha tenido la amabilidad de enviarme el texto, que acaba de localizar, de una obrita juvenil de Pérez de Ayala, escrita en colaboración con Antonio de Hoyos, *Un alto en la vida errante,* que se estrenó en el Teatro Campoamor de Oviedo en 1905.[99]

[94] Vid. Mariano Baquero Goyanes: "La novela como tragicomedia: Pérez de Ayala y Ortega", en *Perspectivismo y contraste,* ed. cit. en nota 90, pp. 161-170.

[95] Ed. cit., pp. 56 y 79.

[96] Pueden verse mis estudios críticos: *La novela intelectual...,* ed. cit., pp. 218-22, y, sobre todo, *Vida y literatura en "Troteras y danzaderas".*

[97] *El Sol,* Madrid, 12-XII,1928.

[98] Vid. nota 20.

[99] Vid. mi nota 48 en esta edición de la novela.

El 6 de diciembre de 1928 se estrenó en el Teatro Fuencarral de Madrid *Tigre Juan,* "síntesis teatral" de la novela del mismo título, realizada por Julio de Hoyos, que se publicó poco después.[100] No es éste el momento de realizar un minucioso cotejo, pero sí quiero apuntar algunos detalles concretos de la adaptación teatral: sitúa la acción en la época actual. Suprime personajes secundarios, como la Generala Semprún. Inventa nuevas escenas, para sintetizar la acción o incorporar los antecedentes. (Así, es Vespasiano el que cuenta la historia pasada con Engracia.) Resume los largos discursos entre Tigre Juan y Colás. Hace explícitas cosas sólo sugeridas en la novela; por ejemplo, en una escena entre doña Mariquita y Herminia. Incorpora a las acotaciones frases literarias de Pérez de Ayala que sólo sirven para la lectura, no para la representación. Fuerza un poco la acción para concentrarla en un lugar: no es verosímil, por ejemplo, que Tigre Juan se entere del desdén de Herminia y amenace a su familia precisamente en casa de ellos. Las entradas y salidas se suelen justificar con el cómodo expediente de que hay que cuidar el puesto de Tigre Juan. La acción se reparte en cuatro jornadas. Las dos primeras corresponden a la primera parte de la novela, pero sin que haya aparecido todavía Vespasiano. En la jornada cuarta, se intenta reflejar, a lo lejos, el ambiente mágico —luces y canciones— de la noche de San Juan. (No sabemos qué recursos escénicos utilizaría el director para sugerirlo.) La obra concluye con el relato propiamente dicho: reconciliación definitiva de Tigre Juan y Herminia. Se suprime, por supuesto, la técnica de la doble columna (hoy, quizá, se hubiera intentado un escenario múltiple, con acciones paralelas), así como la Coda y el Parergón.

La crítica teatral fue sólo discreta. Por ejemplo:

> Acaso Tigre Juan no debió ser llevada a la escena. Pero, ya en trance de acometer la labor, Julio de Hoyos la ha dado término con toda la fortuna que permiten las

100 Vid. nota 28.

escasas posibilidades de representación dramática contenidas en la novela.[101]

El público que desconozca la novela encuentra en la obra escénica emoción legítima y aliento humano. Los que conozcan la obra de Ayala encontrarán algo empequeñecidos a los personajes.[102]

El novelista aprobó sin reservas la versión escénica de Julio de Hoyos y declaró su propósito —que nunca cumpliría— de escribir más obras para el teatro.[103] En la entrevista con J. Díaz Fernández que antes mencioné[104] dice que prepara las siguientes obras de teatro: *El Emperador y la abadesa, La asunción de doña Filomena, Una comedia vuelta del revés o El hombre que perdió su primavera, La boda de Calibán,* una obra en monólogo de un solo personaje y otra obra en que hablan sin parar dos mujeres sentadas en una mesa.

Profundamente ligado al espíritu de la Institución Libre de Enseñanza, concede Ayala una importancia decisiva a la educación. Me extraña que no se señale esto más a menudo, pues la preocupación educativa es esencial para entender sus ensayos y sus relatos: *Tigre Juan* incluido, por supuesto.

La raíz de esto es la denuncia acerba de la moral social: "El sistema de las ideas morales, en la mayoría de los hombres, es una malla de prejuicios tejida laboriosamente por la tradición multisecular."[105] Por supuesto, no le resulta difícil a un espíritu crítico como el de Pérez de Ayala encontrar monstruosidades y sinsentidos en la moral social que predomina en nuestro país. Su crítica está planteada

[101] "La Semana Teatral", en *Estampa,* Madrid, 11-XII-1928.

[102] Crítica de "Santorello" en *Espectáculos,* Madrid, 16-XII-1928. (Debo estas dos críticas a la amabilidad de Ricardo Cepeda Argüelles.)

[103] Entre los papeles del escritor se encuentra alguna otra adaptación de *Tigre Juan,* que le enviaron, en fecha posterior, para su aprobación.

[104] Vid. nota 97. Lo recojo en mi libro *La novela intelectual de Ramón Pérez de Ayala,* ed. cit., p. 391.

[105] *Obras Completas,* ed. cit., tomo III, p. 647.

desde el culto a la naturaleza, subrayando los abismos que existen entre la moral social y la moral natural:

> La moral universal, puesto que es natural, no exige extremado rigor ni es susceptible de ser apresada en las ordenanzas de un reglamento. Sus sanciones son inmanentes, inevitables. Tan superfluo es dictar preceptos de moral natural como publicar un edicto diciendo a qué hora ha de salir el sol (...) Lo esencial en el orden de la moral natural no es lo coactivo, sino lo libre; no tanto formular desde fuera preceptos obligatorios cuanto hacer llegar personalmente al conocimiento de ellos, bien por experiencia afectiva, bien por experiencia imaginativa. [106]

Y, en otro texto básico, contrapone las dos morales:

> Luego hay dos morales humanas: una interior y otra exterior, una de conciencia y otra social, una de la intención y otra del acto. [107]

De ahí se deduce un tipo de novela que, entendiéndolo adecuadamente, en sentido amplio, tendremos que calificar de educativa y moralizante. Tigre Juan parte da una concepción equivocada y ha de sufrir el necesario correctivo de la realidad para alcanzar las auténticas normas de comportamiento. [108] Ha de *convertirse* en un *hombre nuevo.* Esos son sus *trabajos,* como los de Urbano y Simona. La historia de Tigre Juan, dice Macklin, es "an archetypal drama of recognition worked out through a web of personal relationships and social attitudes"; [109] es decir, un proceso de comprensión, de descubrimiento. En términos más generales, un itinerario espiritual, un *viaje al fondo de la noche,* en busca de sí mismo.

[106] En *El ombligo del mundo,* en *Obras Completas,* tomo II, p. 844.
[107] *Obras Completas,* ed. cit., tomo III, p. 249.
[108] Matas: *Obra citada* en nota 50.
[109] *Art. cit.* en nota 56, p. 19.

Con esfuerzo y dolor, Tigre Juan logrará deshacer la red de prejuicios absurdos que la sociedad le había inculcado. Entonces, según Pérez de Ayala, se abrirá ante él (lo mismo que ante Urbano y Simona, ante cualquiera de los españoles) la posibilidad de una vida más feliz. *Incipit vita nuova.*

6) LIBERALISMO

El parergón o documento accesorio que cierra la novela es, entre otras cosas, una proclamación tajante de liberalismo. El lector de la obra anterior de Ayala lo conocía ya bien. Recordemos, por ejemplo, los versos finales de *El sendero andante,* que resumen adecuadamente todo su ideal literario y vital:

> Todo es necesario y preciso;
> pero todo a su tiempo debido
> y cada cosa en su sitio;
> ....
> ¿Totalidad? Sueño imposible. Harmonía. Apuntad a ese [hito,
> lo justo y lo harmonioso, uno y lo mismo.[109 bis]

El primer deber del hombre inteligente, según eso, es aceptar

> la oculta, permanente e inviolable voluntad de la naturaleza, a la cual hemos de obedecer, so pena de caer ridículamente o de perecer miserablemente.[110]

Para Ayala, eso se llama, en literatura, clasicismo; en política, liberalismo. De ahí su creencia en la bondad del liberalismo político, afirmada radicalmente, por ejemplo, en un trabajo sobre "El liberalismo y *La loca de la casa*". Citemos una frase terminante:

[109 bis] *Obras Completas,* ed. cit., tomo II, p. 208.
[110] *Ibidem,* p. 465.

> Todos los pueblos, en el curso normal de su existencia, ejercitan lo que los ingleses llaman el *selfgovernment;* se gobiernan, mal que bien, a sí propios, con independencia de sus gobernantes, los cuales son tanto mejores cuanto menos estorban el espontáneo desarrollo de la nación. [111]

Claro que, más que confirmar el talante liberal de Pérez de Ayala, conviene matizarlo. La frase anterior cobra su verdadero sentido si la completamos con esta otra: "¡Igualdad! ¡Igualdad! Por eso, paradójicamente, la forma más eficaz de abstención del Estado es la intervención", [112] precisamente para garantizar la justicia y la autenticidad en el libre juego de las fuerzas sociales.

Así llega a formular una defensa absoluta del intervencionismo cultural y económico:

> En cambio, era absurda (y así lo ha demostrado la historia) la inhibición del Estado en materia económica y cultural (liberalismo manchesteriano, siglo XIX) sino que *su intervención en estos dos hemisferios del contenido político constituyen su deber primordial.* [113]

En lo mismo insistirá en un discurso que pronuncia en Londres, siendo embajador, en diciembre de 1932: "la bobería de esa doctrina etérea que es el liberalismo del siglo XIX". [114]

Añadamos que, en un artículo en *El Sol* (4 de septiembre de 1930), defendió Ayala la eficacia de una economía socializada, [115] y en otro en *El Heraldo de Aragón* [116] llega a afirmar: "en el socialismo y en el comunismo está almacenada la energía potencial del futuro próximo". Para ser

[111] En *Política y toros,* en *Obras Completas,* ed. cit., tomo III, p. 713.

[112] *Ibidem,* p. 836.

[113] *Ibidem,* p. 1038.

[114] Ramón Pérez de Ayala: *Amistades y recuerdos,* Barcelona, ed. Aedos, 1961, p. 314.

[115] *Ibidem,* p. 253.

[116] *Ibidem,* p. 232. No podemos dar la fecha del artículo porque la omite el editor del libro.

justos es preciso añadir que Ayala repudió el comunismo muchas veces, a lo largo de su obra, y que se interesó por él desde sus tiempo de estudiante universitario en Oviedo hasta los de embajador en Londres.[117]

Como se ve, el liberalismo de Pérez de Ayala es muy *sui generis* y representa —según la acertada distinción de Gregorio Marañón, su gran amigo— más un talante espiritual que un credo político. Más fácilmente se comprenderá esto si tenemos en cuenta que ese liberalismo está unido a algunas de sus convicciones y dogmas estéticos más arraigados.

La afirmación de Ayala puede parecer absurda, si no sabemos situarla en el conjunto de su pensamiento:

> En rigor, y *tomando el espíritu liberal en su más extensa acepción,* novela y drama son las dos maneras que tiene de manifestarse dentro del arte literario. No hay dechado, ni obra excelente, ni siquiera artística, en estos dos géneros, si no está inspirada por el espíritu liberal y en él embebida.[118].

Para Ayala, lo propio de la buena literatura es la "creencia en la justicia que a cada cual asiste de ser como es, y el respeto a todas las maneras de ser, esto es, espíritu liberal".[119] La auténtica emoción literaria brota del enfrentamiento entre actitudes que, cada una desde su peculiar perspectiva, poseen su razón de ser. Esta será la cualidad que encuentre en el *Otelo,* en una famosa escena de *Troteras y danzaderas.* El llama "melodrama", en cambio, a la obra en la que alguno de los caracteres no alcanza el desarrollo pleno de su personalidad, sino que está torcido y violentado para servir con facilidad a los

[117] Entre sus libros se conserva una traducción inglesa de *El Capital,* con introducción de G. D. H. Cole (London, Dent and Sons, 1933).

[118] Conferencia sobre "El liberalismo y *La loca de la casa*", incluida en *Las máscaras,* en *Obras Completas,* ed. cit., tomo III, p. 51.

[119] *Ibidem,* p. 53.

propósitos del autor. Defiende Ayala, así pues, que los *malos* de una obra, si es que existen, no deben ser fantoches o personajes de pacotilla, sino *malos* excelentes, justificables estética y humanamente.

Desde el punto de vista del autor, esto exige la objetividad, pero no el distanciamiento sino la simpatía cordial por cuanto existe. En el fondo, esto es lo característico del escritor (en *La pata de la raposa* ha insistido en ello) y, en general, del hombre inteligente. [120] Nuestra grandeza consiste en ampliar nuestra conciencia comprendiendo el mayor número posible de vidas ajenas:

> La más elevada comprensión o intelección de la vida supone una más sutil y cabal penetración de la motivación o causación íntimas en aquellos individuos que, a primera vista, nos parecieron cómicos o risibles, por virtud de lo cual dejarían de provocarnos la befa y nos moverían a simpatía, piedad y amor. [121]

Este es el auténtico humorismo, para Ayala, que supone la verdadera y profunda seriedad. Para nuestro autor, comprender es sentir misericordia: un atributo divino.

De esta manera, el liberalismo de Pérez de Ayala resulta ser una actitud básica, que se extiende a todas las esferas de la actividad humana y llega a alcanzar una dignidad y hondura religiosas. En definitiva, supone inteligente tolerancia, o, si se prefiere, es una caridad que nace del pesimismo. A la exposición de esa manera de ver el mundo dedica Ayala el final de su última novela, *El curandero de su honra.*

Ese diálogo final vuelve a exponer los temas del honor/amor, desde una doble perspectiva. Habla primero Tigre Juan, aclarando lo que es el verdadero honor (sentido de la propia responsabilidad) y la verdadera libertad (potestad de obligarse). El honor supone fidelidad para con uno mismo. El amor nace del deseo, pero le sobrevive. El ma-

[120] *Ante Azorín,* ed. cit. en nota 35, p. 202.
[121] *Ibidem,* p. 198.

trimonio es válido como hermoso ideal, aunque no llegue nunca a realizarse.

Interviene luego Colás, ese portavoz de su autor, al que "le reporta un placer delicado ponerlo todo a prueba, porque de todo dudo". Colás siente "el hechizo de todo lo irrazonable", como el inteligente don Sabas Sicilia, en *Troteras y danzaderas*. Es muy importante el discurso vitalista de Colás: la vida es un absurdo delicioso. Y lo más absurdo es que tenemos inteligencia. El saber es irracional. Pero sabemos que vivimos. Y no podemos por menos de vivir irracionalmente.

Ya en su primera novela, *Tinieblas en las cumbres*, había afirmado Pérez de Ayala: "la vida es compleja, ondulante y multiforme, como dice un autor, y la naturaleza humana es insondable.[122] Según eso, la actitud propia del hombre inteligente es admirarse ante la complejidad, observarla con afán y tratar de escudriñar la secreta ley que rige sus diversas formas. Si el observador, además de conciencia, posee el don de la expresión, tendremos ya al novelista: por eso escribe Pérez de Ayala. De ahí, también, su liberalismo, entendido como respeto básico a todas las formas de vida que existen en la realidad: "Lo que es vivo no obedece en cada caso a otra razón que su razón de ser."

Distingue Ayala, como Ortega, entre ideas y creencias: se conoce lo que no se vive; lo que es vivo, se vive. La razón es mostrenca, las ideas vivas son lo mío, intransferible. Hay que distinguir entre la Razón con mayúscula, abstracta, universal, y la razón de ser de cada criatura viva; es decir, lo que podríamos llamar —con Ortega— su razón vital.

Respetar la complejidad de lo real supone aceptar la multiplicidad de las perspectivas. Y, al margen de cualquier dogmatismo, eso implica una visión radicalmente irónica. Ya vemos qué profundo sentido tiene para Pérez de Ayala el perspectivismo, que no es sólo un juego óp-

122 *Tinieblas en las cumbres*, ed. cit., p. 242.

tico o una pura técnica narrativa.[123] Entre otros muchos ejemplos, recuérdese el final del capítulo IX de *Troteras y danzaderas,* con la exposición de cuatro puntos de vista (tres adultos y un niño) sobre la misma escena; y añade irónicamente: "sería interesante conocer el punto de vista de Sesostris",[124] el galápago. Y, por supuesto, el segundo capítulo de *Belarmino y Apolonio,* "Rúa Ruera vista desde dos lados".

Raciovitalismo, perspectivismo e ironía desembocan necesariamente en la tolerancia:

> El hombre es tanto más inteligente en la medida que acierta a *justificar* fuera de sí, en los demás hombres, el mayor número de vidas individuales, el mayor repertorio de razones de la sinrazón, la cantidad más extensa de irracionalidades.

Y, para nuestro autor, el artista representa la culminación del hombre inteligente, por su especial capacidad para expresar la conciencia de este mundo:

> Así como el hombre es más artista en la medida que acierta a sentir y hacer sentir, o sea, expresar, con la mayor intensidad, su irracionalidad, su vida propia, y otras irracionalidades y vidas ajenas, cuantas más mejor, que viene a ser como multiplicar para los demás hombres las dimensiones y goce de su respectiva vida, la de cada cual.

Esta es la definición final y definitiva que nos da Pérez de Ayala de la literatura.

Con su habitual clarividencia, doña Iluminada hace una proclamación definitiva del liberalismo que se podría inscribir como resumen de todo el pensamiento de Pérez de Ayala:

123 Vid. los libros básicos citados en nota 93.

124 Ramón Pérez de Ayala: *Troteras y danzaderas,* edición de Andrés Amorós, Madrid, ed. Castalia (Clásicos Castalia), 1972, p. 117.

> Lo blanco y lo negro existen y entrambos son verdad. *Dejemos a cada cual con su verdad, siempre que sea de buena fe, aunque nuestra verdad sea más noble y más bella.*[125]

El que quiera comprender bien al novelista, debe esforzarse por retener estas palabras.

Y Tigre Juan corrobora el liberalismo con esta frase rotunda: "He aquí mi dictamen: debemos ser tolerantes para luego poder ser justos."

Me ha interesado subrayar el liberalismo de Pérez de Ayala porque el final de *El curandero de su honra* es uno de los textos básicos para comprenderlo; además, porque no es sólo una convicción teórica sino que *determina* realmente, en la práctica, las peculiaridades de su oficio literario.

Por un azar histórico, la conversación final de Colás y Tigre Juan resulta ser algo así como la despedida de un novelista. Desde nuestra perspectiva actual, sabiendo que ya no escribió más novelas, nos parece oír las frases conmovedoras de Cervantes: "Adiós, gracias; adiós, donaires; adiós, regocijados amigos; que yo me voy muriendo, y deseando veros presto contentos en la otra vida."

Lo que nos dice Pérez de Ayala está claro: tolerancia; liberalismo; perspectivismo; ironía. Desdoblándose en Colás y en Tigre Juan se cierra el círculo del hombre inteligente, del escritor liberal Ramón Pérez de Ayala.

Desde joven, el escritor asturiano no se hizo ilusiones; le ha caracterizado, siempre, la lucidez pesimista. (En mi introducción al Epistolario de Pérez de Ayala con Miguel Rodríguez-Acosta me ocupo un poco más de su evolución, en este terreno.) Sin renegar de ella, ahora, quizá, ha comprendido el sentido que tiene aceptar la vida, con todas sus contradicciones. Concluye así Tigre Juan su largo discurso: "¡Oh, vida! ¡Oh, vida!" Y Colás le responde: "¡Oh, vida! ¡Oh, vida!" Así, sin calificativos, sin más literatura. Pero

[125] El subrayado es mío.

el lector puede recordar unos versos del poema que servía para concluir el relato, unas páginas antes:

> ¡Don divino de la vida!
> Vivir. Vivir. Arrobo supremo.
> ¡Qué placer el de la vida!
> La vida, ¡qué sufrimiento!
> Gozar... Penar... Vivir.

Es la misma conclusión que expresaba, con su peculiar lenguaje, Belarmino: "El tetraedro [el todo] es un sueño. Sólo es verdad el amor, el bien, la amistad." [126]

7) Otra vez el Fontán

La novela —lo hemos visto— da forma artística a algunos mitos universales: el donjuanismo, el honor, la Bella Durmiente... Pero, a la vez, está enraizada en un ambiente concretísimo: Pilares, la vieja Plaza del Mercado, llena de gritos, colores y olores.

La resonancia universal de los grandes temas podría conducir a la deshumanización de los personajes, reduciéndolos a marionetas rígidas en manos de su creador. Algunos críticos han opinado que así sucede. Para Reinink, en la segunda época, "los protagonistas no son sino abstracciones provistas de un mínimo de materialidad humana, portavoces de las meditaciones filosóficas de Ayala". [127] Y Barja concreta más, opinando que Tigre Juan es demasiado símbolo. [128]

No me parece que esto sea justo. Por el contrario, para Julio Matas, esta novela supera a todas las suyas por el afinado ajuste entre el símbolo y su contexto real; en ella,

[126] *Belarmino y Apolonio,* ed. cit., p. 300.

[127] K. W. Reinink: *Algunos aspectos literarios y lingüísticos de la obra de don Ramón Pérez de Ayala,* La Haya, Publicaciones del Instituto de Estudios Hispánicos, Portugueses e Iberoamericanos de la Universidad Estatal de Utrecht, 1959, p. 41.

[128] César Barja: *obra citada* en nota 82, p. 459.

Pérez de Ayala usa los resortes psicológicos tanto como no hacía desde la primera época, y eso da a su obra una mayor vitalidad.[129] El protagonista es, indudablemente, uno de los personajes más logrados de toda la galería de sus criaturas: a la vez, un símbolo y un hombre de carne y hueso.[130]

El uso de símbolos y mitos no disminuye aquí el realismo. Lo ha explicado bien J. J. Macklin: la técnica básica que emplea aquí Ayala consiste en elevar la experiencia del personaje a un nivel más alto que lo normal, enlazándolo con los niveles mitopoéticos del ser humano. Así, los símbolos y mitos permiten al hombre trascender su situación inmediata y ver su vida en relación con una realidad más amplia, pero esta novela representa el caso en que Pérez de Ayala se acerca más a la síntesis de lo real con lo literario.[131]

El propio narrador lo explicó claramente, en alguna ocasión: lo que él pretende presentar son seres vivos que posean, a la vez, un valor simbóilco, no símbolos convertidos en personajes artificiosos:

> Cuando una cosa se nos da con realidad acusada enérgicamente, adquiere un valor de símbolo para todas las cosas de la misma especie. Este es el procedimiento más eficaz del simbolismo artístico. El procedimiento inverso, de extremar un concepto y luego infundirlo en una individualidad de ficción, me parece, además de falso, peligroso.[132]

Y, en una entrevista recuperada hace poco:

> Hay quien opina que mis personajes son harto intelectuales y raciocinantes, encierran un sentido nítido y frisan en el símbolo; de donde resultan poco humanos, poco verdaderos, poco comunes, poco convincentes. Claro que

[129] J. Matas: *obra citada* en nota 50, pp. 150-54.
[130] Maruxa Salgués: *obra citada* en nota 42, p. 88.
[131] J. J. Macklin: *art. cit.* en nota 56.
[132] *Obras Completas,* ed. cit., tomo II, p. 84.

estos calificativos no se compaginan entre sí. Un personaje raciocinante tiene grandes pretensiones de ser convincente; cuando menos aspira a serlo. Lo intelectual no es lo más común, concedo; no se tropieza uno con un Hamlet a la vuelta de cada esquina. ¿Hemos de negar por eso el carácter de real o verdadero a lo intelectual? En cuanto al mito y al símbolo, si no son manifestaciones esencialmente humanas, yo no sé lo que son. El espíritu de cada hombre, aun del más rudo, no se alimenta sino de media docena de mitos y símbolos elementales, así como su estómago no se sustenta sino de media docena de sustancias bioquímicas. ¿Puede alguien negar que los personajes de Shakespeare, discursivos y cerebrales, raciocinantes y elocuentes, son íntegramente vivientes? [133]

En definitiva, creo que hay que aplicar a esta novela lo que Marcel Bataillon escribió de *Belarmino y Apolonio*: "Se hace injusticia a este libro si se quisiera encerrarlo en una fórmula abstracta." [134]

En el fondo, al hablar de novela intelectual se suele pensar, automáticamente, en frialdad y deshumanización. Es un tópico al que me he opuesto repetidas veces, subrayando su vitalismo, la humanidad apasionada de los conflictos que presenta, el lirismo tragicómico, la sabia ironía... Como afirma José María Martínez-Cachero, la carga ideológica puede forzar en alguna medida a los personajes, pero de ningún modo los deshumaniza. [135] Por eso, sencillamente, Tigre Juan sigue siendo una presencia viva, que no se limita a los eruditos, en Asturias, en esa Pilares/Vetusta que ha contribuido a crear para siempre.

La crítica sobre Pérez de Ayala ha avanzado mucho, indudablemente, en los últimos años. Sin embargo, me

[133] Andrés Gelabert: "Viendo la lluvia con Pérez de Ayala", en *Los Cuadernos del Norte,* núm. citado en nota 49, p. 25.

[134] Marcel Bataillon: "*Belarmino y Apolonio*", en *Bulletin Hispanique,* XXIV, 1922, núm. 2, pp. 189-91.

[135] José María Martínez Cachero: "Prosistas y poetas novecentistas. La aventura del ultraísmo. Jarnés y los 'nova novorum'", en *Historia General de las Literaturas Hispánicas,* vol. VI, Barcelona, ed. Vergara, 1968, p. 407.

temo que, algunas veces, el recuento de paralelismos, simetrías y símbolos oscurezca un poco la ironía entrañable. Por eso, sin ningún costumbrismo rancio, repito lo que dije al comienzo de esta introducción: hay que volver al Fontán para entender lo que significan Tigre Juan y Pilares, para acechar la sombra inquieta de Ana Ozores, para oír los gritos de las vendedoras, beber agua en el nuevo cañu, recordar las representaciones de La Barraca, mirar pegatinas autonómicas y revistas pornográficas, oler las frutas y hortalizas y ver cómo va cambiando la plaza a lo largo del día, mientras suenan las horas y nos asusta el estallido del carillón de la Escandalera. Como canta Georges Brassens, con letra de Poul Fort: "Plus de trois fois, dans un seul jour, / content, pas content, content."

He realizado esta edición en 1980, como contribución al centenario de Ramón Pérez de Ayala. Concluyo este prólogo —tan largo, tan farragoso, tan incoherente— el día en que se cumple exactamente el aniversario del nacimiento: 9 de agosto de 1980. Quiero dedicarlo, con todo cariño, a todos los que, a lo largo de los años, me han acompañado al Fontán.

ANDRÉS AMORÓS

NOTICIA BIBLIOGRÁFICA

Se conservan dos manuscritos distintos de esta novela, los dos incompletos.

Un fragmento de la primera parte, con variantes, apareció previamente en la *Revista de Occidente* (1925, VII, pp. 129-145) bajo el título "Sobre las mujeres, el amor y Don Juan. (Fragmentos de un coloquio.)" A pie de página, se incluía esta nota: "Estos fragmentos pertenecen a una novela inédita, titulada *Tigre Juan.* En el presente coloquio novelesco las ideas son efundidas dramáticamente por dos personajes de opuesto temperamento y textura espiritual distinta. Viejas opiniones del autor acerca de estos asuntos, amor y donjuanismo, pueden hallarse en sus dos volúmenes de ensayos, *Las Máscaras.* Tales de estas opiniones coinciden por suerte con ciertos principios y conclusiones expuestos con arte magistral por el Doctor Marañón."

Las principales ediciones son las siguientes:

Tigre Juan, Madrid, ed. Pueyo, 1926. Obras Completas de Ramón Pérez de Ayala, XVIII, 246 pp., y *El curandero de su honra. (Segunda parte de Tigre Juan),* ibidem, *O.C.*, XIX, 270 pp. Fechadas conjuntamente en "Riaza (Segovia), septiembre, 1925".

Ibidem, 5.ª ed., 1928, 246 y 270 pp.

Ibidem, 1930, 246 y 270 pp.

Buenos Aires, ed. Espasa-Calpe (Austral, núms. 198 y 210), 1941.

Ibidem, 1944.

Ibidem, 1946 y 1947.

Madrid, ed. Novelas y Cuentos, núms. 973 y 1029, 28-I-1951.

Incluida en *Obras selectas,* prólogo de Néstor Luján, Barcelona, ed. AHR (Summum), 1957.
Barcelona, ed. Vergara (Círculo de Lectores), 1962, 300 pp.
Buenos Aires, ed. Espasa-Calpe, etc., 1965 y 1966.
Incluida en *Obras Completas,* recogidas y ordenadas por J. García Mercadal, Madrid, ed. Aguilar (Biblioteca de Autores Modernos), tomo IV, 1969, pp. 549-798.
La Habana, eds. Huracán, Editorial de Arte y Literatura, Instituto Cubano del Libro, 1975, 348 pp.

Traducciones:
Tiger Juan and El curandero de su honra, trans. and introductory essay by Walter Starkie, London, Jonathan Cape, 1933.
Tiger Juan, with a note by the translator Walter Starkie, New York, ed. Macmillan, 1933.
Tiger - Juan, till svenska av Anna Lamberg Wahlin, Stockholm, Hugo Gebers Forlag, 1935. (Incluye también, al final, la nota de Walter Starkie.)
Edición con prólogo, notas y registro alfabético del Dr. C.F.A. Van Dam, El Haya, ed. G.B. Van Goor Zonen, 1940.
Giovanni Tigre, romanzo, versione dallo spagnolo di Carlo Boselli, Milano, ed. Garzanti (collana Vespa, Scrittori Stranieri), 1942.
João Tigre y *Curandeiro de suo honra,* tradução de Rogerio Perez, Lisboa, Parceria Antonio María Pereira, 1933 y 1935, 173 y 165 pp.

BIBLIOGRAFÍA SELECTA

El lector de esta colección dispone ya de las bibliografías incluidas en mis ediciones de *Tinieblas en las cumbres* y *Troteras y danzaderas.*

La bibliografía más completa sobre Pérez de Ayala, por el momento, es la reunida por Pelayo H. Fernández en su libro *Estudios sobre Ramón Pérez de Ayala* (Oviedo, Instituto de Estudios Asturianos, 1978).

Me limito aquí, así pues, a indicar algunos estudios que tienen relación con esta novela, así como algunas obras de referencia y las ediciones de Pérez de Ayala que he utilizado para preparar esta edición. A todo ello me remito cuando, en el prólogo o las notas, cito abreviadamente un autor o un título.

A) Sobre "Tigre Juan" y "El curandero de su honra"

Agustín, Francisco: *Don Juan en el teatro, en la novela y en la vida,* Madrid, ed. Páez, 1928.

Alarcos Llorach, Emilio: "Una traducción holandesa de Pérez de Ayala", en *Cuadernos de Literatura Contemporánea,* Madrid, 1942, núms. 5-6, pp. 318-9.

Andrés Alvarez, Valentín: "El Ramón asturiano", en *ABC,* Madrid, 7 de agosto de 1962.

Beardsley, W. A.: reseña en *The Saturday Review of Literature,* Nueva York, 15 de mayo de 1926.

Codman, Florence: "On *Tigre Juan* by Ramón Pérez de Ayala", en *The Nation,* Nueva York, núm. 137, julio de 1933.

Dobrian, W. A.: "Development and evolution in Pérez de Ayala's *Tigre Juan*", en *Literature and Society*, University of Nebraska Press, 1964, pp. 187-201.

Entrambasaguas, Joaquín de: *Las mejores novelas contemporáneas*, tomo VII, Barcelona, ed. Planeta, 1965.

Franco, Luis: "Oviedo y Pérez de Ayala", en *El Español*, Madrid, 25 de marzo de 1944.

Gómez de Baquero, E.: reseña en *El Sol*, Madrid, 13 de mayo de 1926.

Igualada Belchi, Dolores Anunciación: "La lengua vulgar dialectizante en *Tigre Juan* y *El curandero de su honra*, de Ramón Pérez de Ayala", en *Boletín de la Asociación Europea de Profesores de Español*, año XI, núm. 19, Madrid, octubre de 1978, pp. 67-81.

Luján, Néstor: *Obras selectas de Ramón Pérez de Ayala*, Barcelona, ed. AHR, col. Summum, 1957.

Macklin, J. J.: "Myth and Mimesis: The Artistic Integrity of Pérez de Ayala's *Tigre Juan* and *El curandero de su honra*", en *Hispanic Review*, vol. 48, núm. 1, Winter 1980, pp. 15-37.

Newberry, W.: "Three Exemples of the Midsummer Theme in Modern Spanish Literature: *Gloria, La dama del alba, El curandero de su honra*", en *Kentucky Romance Languages*, Lexington, núm. 21, 1974, pp. 239-59.

Posada, Adolfo: "De mis recuerdos: El *Tigre Juan* o Don Juan el tigre", en *La Nación*, Buenos Aires, 25 de enero de 1942.

"Pulgarín": reseña en *Asturias*, Buenos Aires, enero-febrero de 1929.

Salgués Cargill, M., y Palley, J.: "Myth and Anti-myth in *Tigre Juan*", en *Revista de Estudios Hispánicos*, Alabama, VII, núm. 3, octubre de 1973, pp. 399-416.

Santorello: reseña en *Blanco y Negro*, Madrid, 16 de diciembre de 1928.

Zuazagoitia, J. de: "Tres entes de ficción: Pepet, Alejandro Gómez y Tigre Juan", en *El Sol*, Madrid, 9 de mayo de 1926.

No he podido consultar las tesis doctorales de María Dolores Rajoy (Univ. de Santiago de Compostela) y Thomas Paul Feeny (Univ. de Virginia). Por especial amabilidad de su autor, he podido leer el libro que dedica a este par de novelas J. J. Macklin y que aparecerá dentro del año 1980 en Londres.

B) Sobre Pérez de Ayala en general, incluyendo algún estudio sobre esta novela

1) *Libros dedicados a Pérez de Ayala*

Agustín, Francisco: *Ramón Pérez de Ayala. Su vida y obras,* Madrid, Imprenta de G. Hernández y Galo Sáez, 1927.

Amorós, Andrés: *La novela intelectual de Ramón Pérez de Ayala,* Madrid, ed. Gredos (Biblioteca Románica Hispánica), 1972.

Amorós, Andrés: *Vida y literatura en "Troteras y danzaderas"*, Madrid, ed. Castalia (Literatura y Sociedad), 1973.

Concha, Víctor G. de la: *Los senderos poéticos de Ramón Pérez de Ayala,* Universidad de Oviedo (*Archivum,* XX), 1970.

Derndarsky, Roswitha: *Ramón Pérez de Ayala,* Frankfurt, ed. Vittorio Klostermann, 1970.

Fernández, Pelayo H.: *Ramón Pérez de Ayala: tres novelas analizadas,* Gijón, 1972.

——: *Estudios sobre Ramón Pérez de Ayala,* Oviedo, Instituto de Estudios Asturianos, 1978.

Fernández Avello, Manuel: *Pérez de Ayala y la niebla,* Oviedo, Instituto de Estudios Asturianos, 1970.

——: *El anticlericalismo de Pérez de Ayala,* Oviedo, Gráficas Summa, 1975.

González Calvo, José Manuel: *La prosa de Ramón Pérez de Ayala,* Salamanca, eds. Universidad, 1979.

González Martín, Vicente: *Ensayos de literatura comparada italo-española. La cultura italiana en Vicente Blasco Ibáñez y en Ramón Pérez de Ayala,* Salamanca, eds. Universidad, 1979.

Matas, Julio: *Contra el honor. Las novelas normativas de Ramón Pérez de Ayala,* Madrid, ed. Seminarios y Ediciones (Hora H), 1974.

Pérez Ferrero, Miguel: *Ramón Pérez de Ayala,* Madrid, Publicaciones de la Fundación Juan March (Monografías), 1973.

Rand, Marguerite C.: *Ramón Pérez de Ayala,* Nueva York, ed. Twayne, 1971.

Reinink, K. W.: *Algunos aspectos literarios y lingüísticos de la obra de don Ramón Pérez de Ayala,* El Haya (sic), Publicaciones del Instituto de Estudios Hispánicos, Portugueses e Iberoamericanos de la Universidad estatal de Utrecht, 1959.

Salgués de Cargill, Maruxa: *Los mitos clásicos y modernos en la novela de Pérez de Ayala,* Jaén, Instituto de Estudios Gienenses, 1972.

Solis, Jesús Andrés: *Vida de Ramón Pérez de Ayala,* ed. autor, 1979.

Urrutia, Norma: *De* Ttroteras *a* Tigre Juan. *Dos grandes temas de Ramón Pérez de Ayala,* Madrid, ed. Insula, 1960.

Wyers Weber, Frances: *The Literary Perspectivism of Ramón Pérez de Ayala,* Chapell Hill, University of North Carolina Press, 1966.

2) *Estudios sobre Pérez de Ayala en libros de conjunto*

"Andrenio": *Novelas y novelistas,* Madrid, 1918.

——: *El renacimiento de la novela en España,* Madrid, 1924.

Aub, Max: *Discurso de la novela española contemporánea,* México, El Colegio de México, 1945.

Balseiro, José A.: *El vigía,* Madrid, 1928.

Baquero Goyanes, Mariano: *Perspectivismo y contraste. (De Cadalso a Pérez de Ayala),* Madrid, ed. Gredos, col. Campo Abierto, 1963.

——: *Estructuras de la novela actual,* Barcelona, ed. Planeta, 1970.

Barja, César: *Libros y autores contemporáneos,* Madrid, 1935.

Bosch, Rafael: *La novela española del siglo XX,* Nueva York, ed. Las Américas, 1970.

"El Caballero Audaz": *Galería,* tomo II, Madrid, eds. ECA, 1944.

Chabás, Juan: *Literatura española contemporánea (1898-1950),* La Habana, 1952.

Domingo, José: *La novela española del siglo XX,* Barcelona, ed. Labor (Nueva Colección Labor), 1973.

García Mercadal, José: "Prólogo" a *Obras completas de Ramón Pérez de Ayala,* tomo I, Madrid, ed. Aguilar, Biblioteca de Autores Modernos, 1964.

——: "Una amistad y varias cartas", prólogo a: R. Pérez de Ayala: *Ante Azorín,* Madrid, Biblioteca Nueva, 1964.

Mañach, Jorge: *Visitas españolas (Lugares, personas),* Madrid, ed. Revista de Occidente, 1960.

Martínez Cachero, José María: "Prosistas y poetas novecentistas. La aventura del ultraísmo. Jarnés y los 'nova novorum'", en *Historia general de las literaturas hispánicas*, vol. VI, Barcelona, ed. Vergara, 1968.
Meregalli, Franco: *Parole nel tempo. Studi su scritori spagnoli del novecento*, Milán, ed. Mursia, 1969.
Muñiz, María Elvira: *Historia de la literatura asturiana en castellano*, eds. Ayalga, Salinas (Popular Asturiana), 1978.
Nora, Eugenio de: *La novela española contemporánea*, vol. 1, 2.ª ed., Madrid, ed. Gredos, Biblioteca Románica Hispánica, 1963.
Shaw, Donald: *La generación del 98*, Madrid, eds. Cátedra, 1977.
Sobejano, Gonzalo: *Nietzsche en España*, Madrid, ed. Gredos, Biblioteca Románica Hispánica, 1967.
Suárez, Constantino: *Escritores y artistas asturianos*, edición y adiciones de José María Martínez Cachero, tomo VI, Oviedo, Instituto de Estudios Asturianos, 1957.
Torre, Guillermo de: *La difícil universalidad española*, Madrid, ed. Gredos, col. Campo Abierto, 1965.
Torrente Ballester, Gonzalo: *Panorama de la literatura española contemporánea*, 3.ª edición, Madrid, ed. Guadarrama, 1965.

3) *Artículos*

Cabezas, J. A.: "Entrevista con Pérez de Ayala", en *España semanal*, Tánger, 17 de julio de 1960.
Campbell, Brenton: "The Esthetic Theories of Ramón Pérez de Ayala", en *Hispania*, L, 3, septiembre 1967.
——: "Free Will and Determinism in the Theory of Tragedy: Pérez de Ayala and Ortega y Gasset", en *Hispanic Review*, 37, 1969.
Córdoba, Santiago: "Entrevista" en *ABC*, Madrid, 6 de febrero de 1958.
Cueto Alas, Juan: "La cuarta persona del singular. El humor literario: dos ejemplos asturianos", en *El Urogallo*, Madrid, núm. 16, 1972.
Díaz Fernández, J.: "Entrevista", en *El Sol*, Madrid, 12 de diciembre de 1928.
Embeita, María: "Dos problemas de abulia: *La voluntad* y *Tinieblas en las cumbres*", en *La Estafeta Literaria*, núm. 365, marzo 1967.

Fabian, Donald L.: "Action and idea in *Amor y pedagogía* and *Prometeo*", en *Hispania,* XLI, 1, marzo de 1958.

——: "The Progress of the Artist: a major theme in the early novels of Pérez de Ayala", en *Hispanic Review,* XXVI, 2, abril de 1958.

——: "Pérez de Ayala and the Generation of 1898", en *Hispania,* XLI, 2, mayo de 1958.

——: "Bases de la novelística de Ramón Pérez de Ayala", en *Hispania,* XLVI, 1, marzo de 1963.

García Domínguez, Elías: "Epistolario de Pérez de Ayala", en *Boletín del Instituto de Estudios Asturianos,* Oviedo, 1969, núms. 64-65.

Livingstone, León: "The Theme of the 'Paradoxe sur le comédien' in the novels of Pérez de Ayala", en *Hispanic Review,* XXII, 3, julio de 1954.

——: "Interior Duplication and the Problem of Form in the Spanish Novel", en *PMLA,* LXIII, 1958.

Matus, E.: "El símbolo del segundo nacimiento en la narrativa de Pérez de Ayala", en *Estudios Filológicos,* Valdivia, 5, 1969.

Romeu, R.: "Les divers aspects de l'humour dans le roman espagnol moderne: III: L'humour trascendental d'un intellectuel", en *Bulletin Hispanique,* IX, 1947.

Sallenave, Pierre: "La estética y el esencial ensayismo de Ramón Pérez de Ayala", en *Cuadernos Hispanoamericanos,* Madrid, núm. 234, 1969.

——: "Ramón Pérez de Ayala, teórico de la literatura", en *Cuadernos Hispanoamericanos,* Madrid, núm. 244, 1970.

Serrano Poncela, Segundo: "La novela española contemporánea", en *La Torre,* Puerto Rico, año 1, núm. 2, abril-junio de 1953.

Shaw: "On the ideology of Pérez de Ayala", en *Modern Language Quarterly,* Washington, tomo 22, 1961.

Zamora, C.: "La concepción trágica de la vida en la obra novelesca de Pérez de Ayala", en *Hispanófila,* XLII, 1971.

——: "Homo impotens and the vanity of human's striving: two related themes in the novels of Pérez de Ayala", en *Revista de Estudios Hispánicos,* V, 1971, núm. 3.

——: "La angustia existencial del héroe-artista de Ramón Pérez de Ayala: la caducidad de la vida", en *Boletín del Instituto de Estudios Asturianos,* 83, septiembre-diciembre 1974.

——: "La negación de la praxis auto-creadora en la novelística de Ramón Pérez de Ayala", en *Boletín del Instituto de Estudios Asturianos,* 92, 1977.

C) ALGUNAS OBRAS DE REFERENCIA

Cabezas, Juan Antonio: *Asturias. Biografía de una región,* 2.ª ed., Madrid, ed. Espasa-Calpe, 1970.

Cossío, José María: *Los toros. Tratado téccnico e histórico,* Madrid, ed. Espasa-Calpe, 1951.

Cueto Alas, Juan: *Guía secreta de Asturias,* 2.ª ed., Madrid, ed. Al-Borak, 1976.

——: "La vida cotidiana", en *El libro de Oviedo,* eds. Naranco, 1974, pp. 302-328.

García Domínguez, Elías: "Oviedo en la literatura", en *El libro de Oviedo,* ed. cit., pp. 208-226.

Lapesa, Rafael: *Historia de la lengua española,* 8.ª ed., Madrid, ed. Gredos (Biblioteca Románica Hispánica), 1980.

Martínez Alvarez, Josefina: *Bable y castellano en el concejo de Oviedo,* ed. Universidad de Oviedo, 1967.

——: "El bable en el concejo ovetense", en *El libro de Oviedo,* ed. cit., pp. 356-372.

Rato, Apolinar y Ramón: *Diccionario Bable,* Barcelona, ed. Planeta, 1979.

Seco, Manuel: *Arniches y el habla de Madrid,* Madrid, ed. Alfaguara, 1970.

Sobejano, Gonzalo: notas a su edición de *La regenta* de Clarín, Barcelona, ed. Noguer (Clásicos Hispánicos), 1976.

Zamora Vicente, Alonso: *Dialectología española,* 2.ª ed., Madrid, ed. Gredos (Biblioteca Románica Hispánica), 1967.

Varios autores (Emilio Alarcos Llorach, Eloy Benito Ruano, Carlos Cid Priego y Francisco Quirós Linares): *Asturias,* Barcelona, ed. Noguer-Fundación Juan March (Tierras de España), 1978.

Diccionario de Historia de España, 2.ª ed., Madrid, ed. Revista de Occidente, 1968.

Diccionario de la lengua española de la Real Academia Española, 19.ª edición, Madrid, ed. Espasa-Calpe, 1970.

Enciclopedia Universal Ilustrada, Barcelona, Hijos de Espasa, s. a.

D) Ediciones de obras de Pérez de Ayala que se han utilizado

Tinieblas en las cumbres, edición de Andrés Amorós, Madrid, ed. Castalia (Clásicos Castalia), 1971.

A.M.D.G. La vida en un colegio de jesuitas, Madrid, ed. Pueyo, 1931.

La pata de la raposa, edición de Andrés Amorós, Barcelona, ed. Labor (Textos Hispánicos Modernos), 1970.

Troteras y danzaderas, edición de Andrés Amorós, Madrid, ed. Castalia (Clásicos Castalia), 1972.

Prometeo. Luz de domingo. La caída de los Limones. Novelas poemáticas de la vida española, Madrid, Imprenta Clásica Española, 1916.

Belarmino y Apolonio, edición de Andrés Amorós, Madrid, ed. Cátedra (Letras Hispánicas), 1976.

Las novelas de Urbano y Simona, edición de Andrés Amorós, Madrid, Alianza Editorial (El Libro de Bolsillo), 1969.

Para todos los demás libros, *Obras Completas,* Madrid, ed. Aguilar (Biblioteca de Autores Modernos), 1964-... Se han publicado cuatro volúmnes.

Al corregir pruebas, añado una referencia: el número de la revista *Los Cuadernos del Norte* dedicado a Pérez de Ayala en su centenario (año I, núm. 2, Oviedo, junio-julio 1980), que he utilizado ya en mi Introducción.

NOTA PREVIA

Al realizar, en el año del centenario de Ramón Pérez de Ayala, esta nueva edición de su conocida novela, he buscado sobre todo tres cosas:

1) Reunir en un solo tomo, que puedan leer con facilidad los estudiantes, las dos partes de la novela, absolutamente inseparables.

2) Ofrecer un texto fiable, incluyendo las variantes, que pueden interesar a los estudiosos.

3) Anotar ampliamente la novela, de acuerdo con el criterio, que he seguido ya en mis anteriores ediciones, de considerar a Pérez de Ayala un clásico contemporáneo.

En este caso, he tenido la fortuna de poder estudiar, por primera vez, los dos manuscritos, que se conservan incompletos. El tipo de papel y de letra no dejan lugar a dudas sobre lo que las variantes ya nos indican: no se trata de una pura corrección estilística sino de dos versiones sucesivas de la novela, que debieron de ser completas, aunque no hayan llegado así a nosotros. Por lo que sabemos, es la única vez que Pérez de Ayala hizo eso. Según cree recordar su hijo Eduardo, debió de realizar la primera redacción en Madrid, durante el curso, y luego escribió la versión definitiva durante el largo veraneo en Riaza.

He tomado como texto base la primera edición, corrigiendo algunas erratas indudables que han pasado de edición en edición. A la vez, he incorporado en nota las variantes y tachaduras del manuscrito definitivo, así como las variantes del texto publicado en *Revista de Occidente.*

De la primera versión manuscrita no cabría dar idea adecuada registrando algunas variantes, pues, aunque el relato sea básicamente el mismo, la estructura sintáctica suele ser muy distinta. Por lo tanto, he decidido incluir los fragmentos que se conservan como Apéndice II: «Una versión primitiva de la novela.»

Según eso, el lector de esta edición, si tuviera la paciencia necesaria para tan árida labor, podría apreciar quizá cinco momentos sucesivos en la redacción del texto definitivo:

1) La versión primitiva, hasta ahora desconocida (Apéndice II).
2) Las variantes del artículo de *Revista de Occidente.*
3) Palabras tachadas en el manuscrito definitivo.
4) Variantes del manuscrito definitivo.
5) Palabras y frases incorporadas al libro, que no figuran en el manuscrito; sin duda, se trata de añadidos que hizo Pérez de Ayala al corregir los pruebas.

No sé si esta abstrusa enumeración habrá aclarado un poco el trabajo que he hecho. En todo caso, para no abrumar demasiado al lector, todas las notas de variantes van colocadas después de la novela, como Apéndice I, pues sólo pueden interesar a algún erudito implacable.

Es bien sabido que las ideas que exponen los personajes de esta novela sobre el amor y el donjuanismo se corresponden ampliamente con las expresadas por su autor en el libro de críticas teatrales *Las máscaras.* Me ha parecido oportuno ofrecer también al lector, como Apéndice III, estos textos ensayísticos.

A pie de página van, pues, solamente, las notas que suponen alguna aclaración o comentario. En todo caso, demasiadas, sin duda. He procurado aclarar el léxico, especialmente los términos cultos, vulgares y asturianos. Algún lector juzgará ociosas estas aclaraciones. Me disculpo con las palabras de mi admirado amigo Gonzalo

Sobejano, en su magnífica edición de *La regenta*: «Ruego al lector no tome por pedantería la inclusión de algunas aclaraciones que fácilmente puede encontrar cualquiera en su diccionario, incluso manual: a todos nos ocurre conocer muchas veces el significado de un término o de una alusión, pero sin la precisión requerida en el instante de la lectura, y no siempre hay un diccionario al alcance.»

Para estas notas, he usado ampliamente los principales estudios sobre la prosa de Pérez de Ayala; sobre todo, los de Reinink y González Calvo. Para los asturianismos, además, me han sido muy útiles los libros de Lapesa, Zamora Vicente, Josefina Martínez Alvarez y Rato.

Ofrezco también algunos intentos de localizar episodios y referencias topográficas. Como no soy asturiano, ruego indulgencia para mis errores y agradeceré cualquier rectificación.

Para aligerar las notas, ya de por sí demasiado pesadas, suelo reducir la referencia a lo indispensable (el nombre del autor o el título de la obra y la página), remitiéndome a la ficha completa que doy en la bibliografía.

Me ha interesado —y divertido, claro, que ya es una justificación— señalar frecuentes paralelismos, estilísticos o de fondo, con pasajes de otras obras de Pérez de Ayala. También incluyo en nota algunas cosas que a muchos lectores parecerán absurdas, si no impertinentes. Concédame el beneficio de creer que no lo hago por pedantería (consciente al menos). Son, simplemente, los recuerdos deshilvanados que cualquier lectura suscita.

El trabajo de realizar esta edición anotada no tiene otro origen que el fervor de un lector que sigue disfrutando al leer a Pérez de Ayala y que, por eso, desea comunicar a otros lectores su entusiasmo y, si es posible, ayudarles un poco a entender mejor la novela.

En todo caso, el problema de las notas excesivas o impertinentes tiene fácil solución: prescindir de ellas y leer solamente la novela. Si algún lector descubre ahora *Tigre Juan* y lo lee con gusto, la finalidad de esta edición estará cumplida de sobra.

A. A.

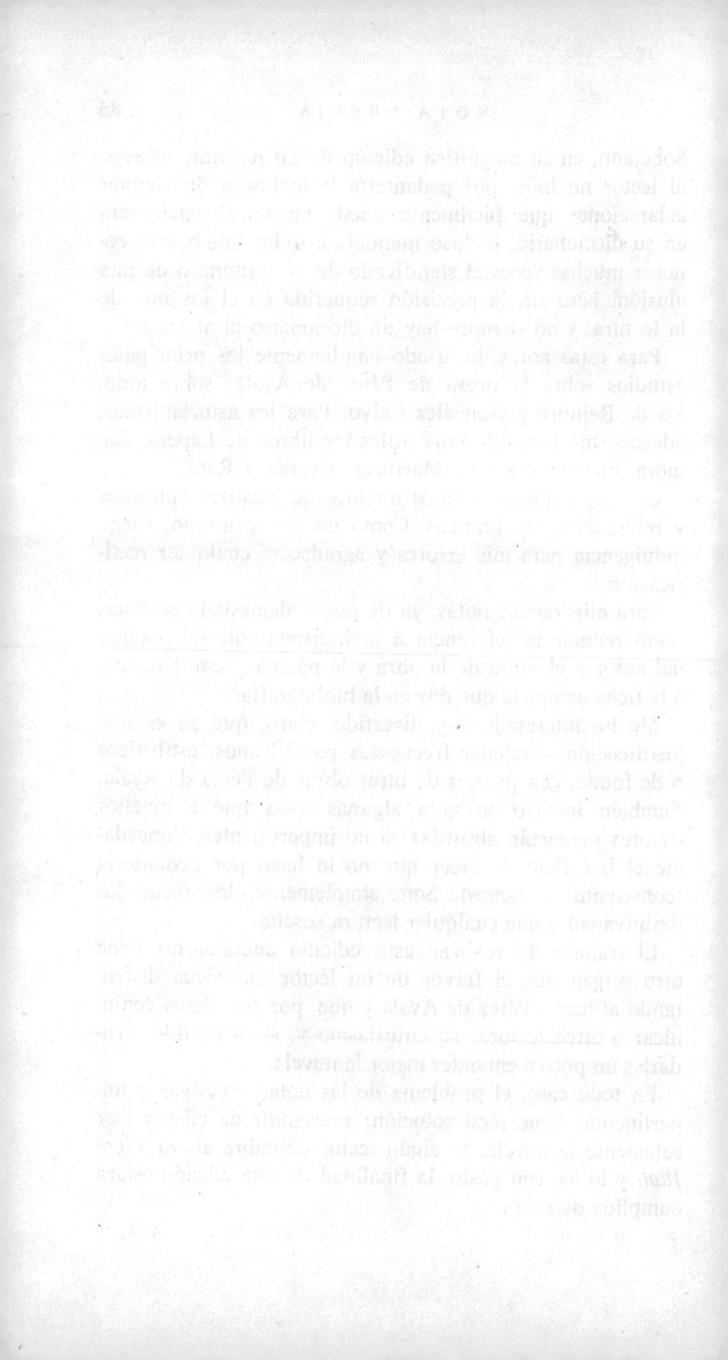

OBRAS - COMPLETAS - D -
RAMÓN PEREZ-D-AYALA
VOLUMEN - XVIII
TIGRE - JUAN
TOMO I
NOVELA
EDITORIAL PUEYO

ADAGIO

LA plaza del mercado,[1] en Pilares,[2] está formada por un ruedo de casucas corcovadas, caducas, seniles.[3] Vencidas ya de la edad, buscan una apoyatura sobre las columnas de los porches.[4] La Plaza es como una tertulia de viejas tullidas[5] que se apuntalan en sus muletas y muletillas y hacen el corrillo de la maledicencia. En este corrillo de viejas chismosas se vierten todas las murmuraciones y cuentos de la ciudad.[6] La Plaza del Mercado es el archivo

[1] Plaza del Fontán.

[2] Oviedo. Es también el título de uno de sus libros juveniles. (Puede verse en *Obras completas,* I, pp. 861-923.)

[3] "Con el sonido velar sordo logra Ayala efectos lingüísticos felices, en ocasiones paronomásicos" (González Calvo, p. 203).

[4] En homenaje a Pérez de Ayala, el Ateneo de Oviedo colocó una lápida, en la Plaza del Fontán, en febrero de 1969, con estas primeras frases de la novela.

[5] Son habituales en Pérez de Ayala estas descripciones humanizadas. Recuérdesen, por ejemplo, unos párrafos del famoso capítulo "Rúa Ruera, vista desde dos lados": "Tú mismo has dicho que las casas se amontonan, se empujan; buscan el abrigo de la catedral. Sí; parece que las casas están dotadas de volición y de movimiento. Cada una tiene su personalidad, su alma, su fisonomía, su gesto, su biografía. Una medita, otra sueña, otra ríe, otra bosteza" (en mi edición de *Belarmino y Apolonio,* p. 100).

[6] En la primera página de la novela, la descripción introduce el tema de los chismes, fundamental para una obra que critica al honor concebido como opinión común. Así lo señala Matas: "La figura de Tigre Juan se nos introduce, pues, en medio de la plaza del mercado de Pilares, como parte integrante de un modo de

histórico de Pilares. La historia íntima de las familias se conoce allí al pormenor; así los sucesos del día, apenas consumados, y aun en vías de gestación, como la suma innúmera de hechos que pertenecen al antaño. Nada hay que se haya olvidado. El caudal histórico, embalsado en este pequeño recinto, es historia viva, narración oral, que va circulando de boca en boca y de una en otra generación. No hay, en la ciudad, hogar tan arcano cuyas interioridades no sean averiguadas, referidas y glosadas en este corrillo de viejas fisgonas. El secreto, aun el más púdico, de cada hogar se escapa por la cocina en derechura al mercado. Una casuca con dos ventanas, tuerta de una de ellas, que se la cubre, como parche de tafetán, una persiana verde, y la otra chispeando de malicia alegre, a causa de un rayo de sol crepuscular, y con la boca del único balcón torcida en mueca cazurra, parece que acaba de dar alguna nueva noticia sabrosa. Otra de las casas, o de las viejas, a quien la pesadumbre de años y desengaños [7] hace apática frente a las picardías del mundo, se alza de hombros desdeñosamente. Otra vieja, en señal de escándalo, eleva al cielo los brazos esqueléticos y tiznados, que son dos chimeneas. Las demás viejas se encogen sobre sí y componen raros visajes, riéndose con fruición disimulada. En medio de la Plaza, una fuente pública [8] mana y chichisbea [9], símbolo de la murmuración inagotable. El

---

vida donde la opinión colectiva es la autoridad más respetada" (p. 129).

[7] La reiteración musical subraya la inevitable conexión de los dos conceptos.

[8] Existió en la realidad una fuente, a la que Ayala da aquí un valor simbólico, acorde con el sentido general de la descripción. Para Matas, el agua de la fuente es la honra, la opinión común.

[9] González Calvo lo señala como ejemplo de derivación verbal, construida por Ayala a la vista de modelos como *runrunear, balbucear, chichear, chararear* y otros más habituales (p. 69). *Chichisbeo* es voz de origen italiano: 'galanteo, obsequio y servicio cortesano asiduo de un hombre a una dama' (Academia, p. 409). Inicialmente significó, de modo onomatopéyico, 'susurro' o 'bisbiseo', tal como lo usa Pérez de Ayala. (Sobre el fenómeno histórico del chichisbeo o cortejo, vid. Carmen Martín Gaite: *Usos amorosos*

agua, que sale pura de una cabeza granítica de dragón, rebosa de la taza y circula, cenagosa, entre guijarros y basuras.

Pues este corrillo, que todo lo sabe, apenas ha conseguido apresar un husmillo,[10] vago e incierto, de la vida y milagros de Tigre Juan.

Todo en redor de la Plaza del Mercado, al fondo de los soportales, hay tiendecillas angostas y profundas: la mayor parte, establecimientos de tejidos catalanes;[11] luego, abacerías, carnicerías, talabarterías, alguna cerería, comercios de paquetería al detalle. Lo más del tiempo, estas tiendecillas permanecen sumergidas en reposo y mudez, huecas, negras, como nichos, vacíos aún, en un muro de cementerio; salvo jueves y domingos, días de mercado, que desde la hora prima de la mañana la Plaza comienza a borbollar con espumosa muchedumbre de puestos del aire, con toldos de lona agarbanzada, al modo de un campamento o una flota de galeones a toda vela.

El puesto de Tigre Juan se distinguía de los demás por varias particularidades. No estaba situado en el hueco central de la Plaza, sino en un ángulo, entre dos columnas cuadradas de granito; mitad bajo los porches, mitad en abertal.[12] Era un puesto permanente: todas las horas del día y todos los días del año. En vez de toldillo de lona, como los demás, poseía a manera de un caparazón, acoplado con tres enormes paraguas de varillas de ballena, regatón de bronce y puño de asta; uno, morado, color del

---

del dieciocho en España, Madrid, ed. Siglo XXI, 1972, especialmente pp. 5-21.)

[10] En la prosa de Pérez de Ayala, "con el sufijo -illo, los ejemplos son lo suficientemente elocuentes como para pensar en funciones que van más allá de la simple disminución, sin que ello suponga supresión de la idea de empequeñecimiento" (González Calvo, p. 43).

[11] El padre de Pérez de Ayala tuvo un comercio de tejidos y él mismo, al sobrevenir la quiebra familiar, tuvo que negociar con sus proveedores catalanes.

[12] *En abertal*: 'Dícese del campo o finca rústica que no está cerrada con tapia, vallado ni de otra manera' (Academia, p. 4). Lo incluye Rato como voz bable.

estandarte de Castilla; otros dos, rojo y gualda, los tonos del pabellón nacional. No se sabe si la selección de colores era obra del acaso o alarde de patriotismo. Por fuera de los paraguas se alineaban, con zig-zag de baluarte, unos cestos formidables o maconas, [13] abarrotados con diversidad de leguminosas y granos: garbanzos de Fuentesaúco, lentejas y titos mejicanos. judías del Barco, maíz argentino y de la tierra, guisantes, castañas pilongas, avellanas. Algún barril, además, con sardinas arenques prensadas, que se desplegaban adheridas unas a otras, en hechura de semicírculo, semejantes a un abanico de plata sobredorada, desvaída. Había también unos cajones, convertidos en estantería, con libros usados; y un comodín de muchos cajoncitos, rematado en pupitre, donde campeaban dos plumas verdes de ganso, espetadas en un tintero frailuno de loza azul. Por último, de uno de los paraguas colgaba un cartelón, con este anuncio:

TIGRE JUAN

MEMORIALISTA, AMANUENSE Y SANGRADOR

Escríbense [14] *epístolas y misivas para las aldeanas y criadas con novio o deudo en Cuba y Ultramar. Solicitudes y últimas voluntades. Cambios de moneda estranjera. Negócianse letras de cambio. Libros de lance. Testos y novelas de alquiler. Amas de cría a elegir. Las mejores nodrizas. Especialidad en esta industria. Leche garantizada. Médico ho-*

[13] Rato lo da como masculino: 'Gran canasto de cabida de cuatro a seis fanegas de grano, que sirve para depositar éstos y recoger las espigas en el campo, y se construye con un tejido de ripias de castaño o de avellano' (p. 169).

[14] "...es rasgo pertinente aun empleando el registro fino, estos pronombres suelen posponerse al núcleo verbal, al revés que en castellano" (Josefina Martínez, p. 368). Ya no lo señalaré más.

meopático. [15] *Consulta gratis; melecinas* [16] *económicas. Tinturas, extractos y atenuaciones del propio cosechero. Consejos sobre el régimen de purgas y sangrías. Cuatro perronas* [17] *el consejo. Más baratura no cabe. El que no sepa leer pregunte a Tigre Juan lo que dice esta relación.*

Tigre Juan, de cintura arriba, iba vestido a lo artesano: camisa sin corbata, almilla [18] de bayeta amarilla, que le asomaba por el chaleco, y éste de tartán a cuadros. De cintura abajo [19] se ataviaba como un labriego de la región: calzones cortos, de estameña; polainas de paño negro, abotonadas hasta la corva; medias de lana cruda y zuecos de haya, teñidos de amatista, con entalladuras ahuesadas. Andaba siempre a pelo. [20] Su pelambre era tupido, lanudo, entrecano, que casi le cubría frente y orejas, como montera pastoril de piel de borrego. Al hablar, que enarcaba o fruncía las cejas con metódico ritmo y rapidez, este recio capacete piloso resbalaba, de una pieza, hacia adelante y hacia atrás, como lubrificado, sobre la

[15] En medio de las bromas, Pérez de Ayala introduce un elemento importante para el sentido de la novela: el médico homeopático es el que cura aplicando, 'en dosis mínimas, las mismas sustancias que en mayores cantidades producirían al hombre sano síntomas iguales o parecidos a los que se trata de combatir' (Academia, p. 716). Eso hará Tigre Juan con respecto a su honor matrimonial. Por eso no será un "médico de su honra", sino un "curandero".

[16] En el bable que usa Ayala hay casos de equivalencia acústica de *l* por *d* (Reinink, p. 135).

[17] La perrona era la perra grande o moneda de diez céntimos, frente a la perrina o perra chica, moneda de cinco céntimos.

[18] *Almilla*: 'Especie de jubón, con mangas o sin ellas, ajustado al cuerpo' (Academia, p. 67).

[19] Varios críticos han subrayado el carácter simbólico de esta descripción: Pérez de Ayala suele ser amigo de dualismos y contrastes. (Véase Baquero Goyanes.)

[20] Aparece en seguida el detalle significativo que luego se aclarará: Tigre Juan, obsesionado por el honor, no quiere adorno alguno en la cabeza.

gran bola del cráneo. También al hablar se le agitaban, en ocasiones, las orejas. En el pescuezo flaco, rugoso, curtido, avellanado y retráctil, tan pronto largo de un palmo como enchufado entre las clavículas (al encogerse de hombros suprimía el cuello), estaba espetada, afirmada, la testa con rara energía, mostrando, en una manera de altivez, el rostro cuadrado, obtuso, mongólico, con mejillas de juanete, ojos de gato montés y un mostacho, lustroso y compacto, como de ébano, que pendía buen trecho por entrambas extremidades. Su piel, así por la entonación como por la turgencia (piel jalde, tirante, bruñida), parecía de cobre pulimentado. Cuando una emoción fuerte o el humor de la cólera, que tal vez le domeñaba, se le subían a la cabeza, la dura cara de cobre se ponía broncínea, verde cardenillo, como si, de súbito, se oxidase con la acidez de los sentimientos.[21] La faz, bárbara e ingenua, de Tigre Juan, guardaba cierta semejanza con la de Atila.[22] Esta similitud la había descubierto Colás, un sobrino que criaba consigo y a quien pagaba los estudios para hacer de él un caballero. Cursando Colás la Historia Universal en el Bachillerato, le

[21] Reinink ha estudiado "la rica y variada escala cromática que tanto realza la expresividad de la obra ayalina" y que se manifiesta a veces en fórmulas de impresionismo o expresionismo lingüístico (cap. IV).

[22] A Pérez de Ayala le gustan estas humorísticas imágenes para describir a sus personajes, sobre un fondo clásico. Recuérdese que doña Micaela tenía el "perfil aguileño y enjuto, muy parecido al de Dante" (*Las novelas de Urbano y Somona,* mi edición, p. 22).

El procedimiento no es nuevo, desde luego. Pérez de Ayala puede haberse inspirado en Galdós, su maestro. Recuérdese, por ejemplo: "Los que quieran conocer su rostro, miren el de Rossini, ya viejo, como nos le han transmitido las estampas y fotografías del gran músico, y pueden decir que tienen delante al divino Estupiñá (...). Mauricia *la Dura* representa treinta años o poco más y su rostro era conocido de todo el que entendía algo de iconografía histórica, pues era el mismo, exactamente el mismo, de Napoleón Bonaparte antes de ser primer cónsul" (*Fortunata y Jacinta,* en *Obras completas,* V, 4.ª ed., Madrid, ed. Aguilar, 1965, pp. 39 y 234). En Pérez de Ayala, la ironía se hace más patente.

enseñó a su tío una estampa, del libro de texto, que representaba a Atila, con un gran casco militar, guarnecido de dos tremendos cuernos de carabao [23] o cosa así, a un lado y otro de la visera; y le dijo, con muchachil candor:

—He aquí tu retrato.

Tigre Juan verdeció, a tiempo que murmuraba:

—Menos esas enormidades en las sienes, rapaz—. Reprimida la sorpresa, como siempre estaba ganoso de instruirse, preguntó al sobrino: —¿Quién fue este gentil guerrero?

—¡Arrea! [24] Batallador más que el Cid de Vivar. De las sus [25] victorias campales perdióse la cuenta. Hombre espantable. Bebía el vino en una calavera, que no en cuenco ni taza. ¡Las turcas que agarraría!... [26] Comía la carne en crudo, luego que la ablandaba metiéndola al cabalgar debajo de la silla del caballo. Por cierto que donde el corcel de Atila asentaba la uña no volvía a nacer hierba. Por jactancia, decíase «azote de Dios», y este título conserva en la Historia.

Mucho lisonjeaba a Tigre Juan la semejanza, siquiera externa, con aquel salvaje caudillo. Luego de haber escuchado, con celado contentamiento, a su sobrino, replicó, campanudo:

[23] Citando al carabao, Pérez de Ayala introduce la primera referencia al ambiente de Filipinas, como si reprodujera la reacción de su personaje. (Luego sabremos que allí vivió su tragedia conyugal.)

[24] Las interjecciones, onomatopeyas y voces expresivas, en la obra de Pérez de Ayala, han sido estudiadas por Reinink (cap. III) y González Calvo (pp. 108-118).

[25] Uno de los leonesismos más generales, extendido por toda la zona del dialecto: uso de artículo con posesivo tónico (Lapesa, p. 487).

[26] Recuérdese lo que dice don Medardo en *La pata de la raposa*: "¿Sabes, hija mía, lo que es una borrachera, un *lavabus,* como le dicen a la merluza, a la turca, a la mica, a la papalina, a la curda, esos señoritos, que mil veces se lo he oído en el Círculo?" (*O.C.*, I, p. 287). No aparecían tantos sinónimos en las dos primeras ediciones (vid. mi edición anotada, p. 107).

—Por lo que me refieres, el amigo Atila era un galán de pelo en pecho, las bragas bien atacadas, [27], como Cristo nos enseña y a mí me place. [28]

—Eso de las bragas no lo sabré decir yo; el texto no lo menciona.

—Es omisión; pero se supone. No estoy del todo acorde con el morrión y la cornamenta que se encasquetaba. Estrafalario antojo. Imagino que no era casado. Tampoco apruebo blasonar de azote de Dios. ¡Cuidadito, rapaz, cuidadito! Dios dejóse azotar una sola vez, de los judíos, en Jerusalén. ¿Ejemplo de mansedumbre? ¡Pataratas! Para escarmiento de incrédulos y sacrílegos. Y si no, ven acá. ¿Qué pasó después? De Jerusalén no quedó piedra sobre piedra, y el cochino pueblo de perros circuncisos fue aventado y disperso como arena estéril.

Era Tigre Juan un hombre alto y sobremanera enjuto. Siempre se le veía en su puesto del aire. Apenas dormía. Levantábase con el alba y salía al campo a recoger hierbas de virtud medicinal. De vuelta a las siete de la mañana, erguía en la plaza su tinglado y no se retiraba de allí hasta las siete de la tarde, que se encerraba a elaborar menjurjes y pildorillas. Al posar en la vecina iglesia de San Isidoro [29] el Angelus meridiano, una criada viejísima, tuerta y con jeta de bruja, *la Güeya* [30] de apodo, le traía

[27] Segunda acepción de *atacar*: 'atar, abrochar, ajustar al cuerpo cualquier pieza del vestido que lo requiere' (Academia, p. 136).

[28] Pérez de Ayala introduce humorísticamente el ideal varonil que Tigre Juan profesa.

[29] Es la iglesia que está junto al Fontán. Se empezó a construir a comienzos del siglo XVII como iglesia y colegio de los jesuitas. Se atribuye al círculo de Juan Gómez de Mora. Responde al esquema típico de las construcciones jesuíticas. "En la actualidad se conoce bajo la advocación de San Isidoro, debido a que cuando la expulsión de los jesuitas en el año 1767, se trasladó allí la parroquia de igual nombre, destruida posteriormente, que se asentaba en la actual plaza del Paraguas" (Cid Priego, pp. 268-270). A Micaela, de chiquilla, las damas catequistas "la conducían todas las mañanas a la sacristía de San Isidoro, donde la adoctrinaban para la primera comunión" (*Las novelas de Urbano y Simona,* pp. 35-36).

[30] *Güeyu* (asturianismo): 'ojo' (Rato, p. 150).

al puesto un humeante pote de barro vidriado, que Tigre Juan colocaba entre las rodillas y de él comía despaciosamente, con cuchara de boj. A las nueve de la noche solía tomar, en pie, un refrigerio frugal, y en concluyendo, luego que el sobrino le leía por encima un diario de Madrid, iba a jugar naipes, no más de dos horas, a la tienda de una señora conocida.

Como Tigre Juan era epítome de habilidades y centón de conocimientos, acudían a su puesto gentes las más heterogéneas e inesperadas: estudiantes, a empeñar libros a principio de curso y a comprarlos en vísperas de examen; señoras grávidas en busca de nodriza; criadas de servir, a que las escribiese un mensaje para el cortejo ausente; solteronas en vinagre, que no se ahitaban de leer folletines; sacerdotes obesos y reumáticos, por probar eso de la homeopatía; cobradores de banco, a recoger las letras ultramarinas que Tigre Juan había negociado; labriegos solapados, en consulta de toda laya, así en lo tocante a la salud como a litigios y pleitos que sin cesar entre sí traían, y, finalmente, la parroquia de su negocio de granos. Teníasele en reputación de rico y avaricioso, si bien se le alababa el rasgo liberal de dar carrera a un sobrino pobre. La claridad y honradez de su vida desde que años atrás, lo menos veinte, había plantado su tenderete en la Plaza, eran proverbiales. Con todo, inspiraba a los convecinos invencible y no oculto recelo, quizá a causa de sus orígenes misteriosos, tal vez por su traza hosca y su carácter insociable, que le habían valido el *alias* de Tigre Juan. Su verdadera filiación era Juan Guerra Madrigal, pareja nada compatible de apellidos que, como perro y gato, sorprende ver juntos y concordes. No obstante el apodo, algunos amigos, de los muy contados y no menos leales que tenían, propalaban a todos los vientos que, en el fondo, era un bragazas. Es lo cierto que, inopinadamente, le acometían arrechuchos de frenesí, los cuales, con el discurrir de los años, iban espaciándose y amenguaban de intensidad. Aunque no se le conocía si no por el mote, no era raro que al dirigirse a él le llamasen don

Juan,[31] por urbanidad y deferencia a su edad, ya madura. Pero jamás se supo de este don Juan trapicheo alguno, ni siquiera se le sorprendió mirando a una mujer con ansia o insinuación. Sin embargo, a pesar de sus cuarenta y cinco años y de su temerosa y huraña catadura, o quizá por este mismo, despertaba en no pocas mujeres una especie de curiosidad invencible, mezcla de simpatía y atracción; que es propio de la naturaleza femenina inclinarse hacia lo fuera de lo común y perecerse por lo temible o misterioso.

Con el tiempo, Tigre Juan fue acostumbrándose al remoquete y lo aceptó como apelativo apropiado. Es de presumir que le envanecía verse comparado nada menos que con un tigre, síntoma probable de no estar muy seguro de su fiereza.

Aparte de la traza visible, el mote de Tigre Juan se apoyaba en fundamentos varios: unos, nebulosos, deleznables; otros, bastante sólidos. A los primeros pertenecían los rumores,[32] o mejor leyenda, que corría como válida, acerca de la prehistoria de Tigre Juan, antes de su advenimiento a la Plaza del Mercado. Decíase que era viudo y había asesinado a su primera mujer; quiénes aseguraban que simplemente por hartazgo de matrimonio; otros, que como sanción de una ofensa al honor conyugal. Añadíase que este asesinato, o lo que fuese, había acontecido sirviendo Tigre Juan al rey, en las islas Filipinas. Pero la causa ocasional del apodo residía en sus periódicos arrechuchos de cólera, así como en el carácter sostenido y modo de conducirse de Tigre Juan. Era taciturno y ponderoso. Estando a solas en su puesto se le veía quieto y amodorrado, con soñolienta pereza de caimán. Desperezábase y bostezaba despaciosamente, tediosamente, ruidosamente, como un gran felino o un canónigo obeso. Ya por su aspecto un tanto estrambótico, ya por su larga dejadez y ensimismamiento, ya por la tentación a que induce el peligro dudoso,

[31] Primera alusión al donjuanismo, tema básico de la novela.
[32] Enlaza con el tema de la opinión, que abre la novela.

ello es que mocetes y chiquillos, a pesar del renombre medroso de Tigre Juan, hallaban solaz en hostigarle con cuchufletas y gritos a distancia. Tigre Juan, entornados los párpados, tardaba en darse por enterado. Los mofadores, envalentonados, iban aproximándose. Hasta que, agotada la paciencia, saltaba, en una especie de paroxismo. Cuando sus adversarios eran jovenzuelos talludos, los perseguía un trecho, con una cuerda de cáñamo, enderezando los zurriagazos a las posaderas, y a quien alcanzaba por delante le imprimía de recuerdo verdugones para una semana. Al ahuyentar a la chiquillería empleaba otra táctica. Les arrojaba, como si los apedrease, castañas pilongas, avellanas, nueces o garbanzos tostados, de los que él despachaba.[33] Más que ataque parecía rebatiña. Los niños rodaban por el suelo, disputándose los proyectiles. Tigre Juan caía entonces sobre el grupo, se apoderaba de un niño o dos, los más guapotes y gordinflones, los traía al puesto y los guardaba prisioneros, mirándolos ardientemente, de hito en hito.[34] Los niños temblaban, como en cautividad de un ogro, lo cual no les impedía roer silenciosamente garbanzos y castañas, la mirada de reojo.

—Míos sois, granujas —rezongaba Tigre Juan, con voz cavernosa—. Comed, comed ahora, eso sí. Bastante tiene el preso con perder su libertad, y no que de añadidura se le mate de hambre. Cebaros he[35] bien, con nueces y castañas, como pavo de Navidad. Y al cabo, tiernos ya y espu-

[33] Otro caso de esa ley de constrastes que es básica en el personaje Tigre Juan.

[34] Aparece por primera vez el tema de la obsesión por la paternidad, fundamental en esta novela y, en general, en Pérez de Ayala. Y en su maestro Clarín, autor de *Su único hijo* (vid. la edición crítica de Carolyn Richmond, Madrid, ed. Espasa-Calpe, col. Selecciones Austral, 1979).

[35] Asturianismo. "En el bable que Pérez de Ayala pone en boca de sus personajes rústicos, las más de las veces se forma el futuro como en castellano. Hay, sin embargo, unos pocos ejemplos de su composición antigua y hasta algún caso con interposición de un pronombre y complemento" (Reinink, p. 143).

mosos, que el cebo os rebase el papo, mmm... os engullo; así, mmm...[36]

Y Tigre Juan se abrazaba violentamente con uno de los niños; lo aproximaba a su boca y mejillas; restregaba su hirsuto cuero contra el tierno rostro; fingía dar grandes dentelladas a la criatura. Los niños se desataban en llanto. Tigre Juan, aquejado de ciega nostalgia de paternidad, adoraba a los niños. Todo aquello pretendía que fuesen chanzas graciosas y evidentes. Se esforzaba en susurrar palabras mimosas y dulcificar el acento; pero, no le salían sino expresiones torvas y un rugido bronco,[37] con lo cual concluía enrabiscándose de veras consigo mismo y al parecer, a su pesar, con los chicuelos:

—¡Qué ricos sois, qué sabrosos! ¡Cómo me gustáis! ¡Os hincaré el diente! Mmm... Sabéis a leche recién ordeñada. Oléis como las matas del monte. Babiecas, ¿por que berreáis? Acabáronse las lágrimas, que no las sufro. Ea, largo de aquí.

Los niños, pasado el susto, volvían al siguiente día, solicitados por el incentivo del riesgo y de las castañas pilongas.

Tigre Juan tenía muy pocos y muy buenos amigos. Uno de éstos era Nachín de Nacha, el de las monteras, viejo ladino y muy terne. Venía a la plaza, desde el Campi-

[36] En esta misma novela, Pérez de Ayala transcribe también esta onomatopeya así: *mm, m.* La comenta González Calvo (p. 115).

[37] Un caso más del dualismo de Tigre Juan; en general, de las dificultades de la expresión. León Livingstone lo han aclarado muy bien, aplicando el tema de la "paradoja del comediante", de Diderot: los más teatrales no son los más sensibles; el que siente mucho, se expresa con dificultad. Es tema esencial, entre otras obras, de *Belarmino y Apolonio*; donde anticipa ya una explicación del donjuanismo: "Hay una paradoja del dramaturgo: la misma que Diderot llamó paradoja del comediante. La emoción no se comunica, sino que se provoca. Para provocar una emoción hay que mantenerse frío. Hacen llorar los actores que saben fingir el llanto. Los que lloran de veras, hacen reír. Lo mismo con el dramaturgo. La dramaturgia creó el tipo del hombre que provoca amor en todas las mujeres, porque él finge amar, pero a ninguna ama: don Juan" (p. 306).

llín,[38] aldea en los aledaños de Pilares, jueves y domingos, días de mercado. Rasando con el puesto de Tigre Juan, instalaba su armatoste de madera, semejante al caballete de un tejado, cubierto de clavos en ambas vertientes, de donde pendían las monteras aldeanas, de paño y velludo negros. Nachín de Nacha solía referir sin fin de hechicerías y supersticiones labriegas. Tigre Juan, después de escucharle suspenso y reconcentrados, las reprobaba, como alucinaciones de gente pagana e ignorante, si bien le quedaba dentro cierto reconcomio y desazón de lo sobrenatural. También contaba Nachín rusticidades, befas y picardías, reales o fingidas, las cuales Tigre Juan celebraba con risotadas de timbre metálico; y nunca sino entonces se le oía reír. A no ser que el protagonista del chascarrillo fuese un marido cornudo; y en este caso a Tigre Juan se le encapotaba el ceño y le temblaba la barbilla. Platicaban otras veces de política. Cuando la Gloriosa,[39] Juan y Nachín habíanse hallado par a par arrastrando por las calles de Pilares el busto tetierguido[40] y pecaminoso de doña Isabel II. Nachín de Nacha perseveraba todavía en sus pujos revolucionarios. Tigre Juan, con la experiencia de los años, castigado por la vida y gracias a la meditación, según declaraba él, había ido formando, para su uso particular, un sistema político, el cual se reducía a una especie de dictadura ejercida sobre la plebe por los hombres más ilustrados y honestos. A este régimen de gobierno lo denomina él: "generalato de la mollera".[41]

[38] *El Campillín*: en el arco sudeste del más viejo y tradicional casería ovetense se sitúa esta plazuela popular, con su antiguo rastro (Cabezas, p. 99). En sus inmediciones nacieron, entre otros, el dibujante Sirio y el profesor Martínez Cachero.

[39] La Revolución de 1868, que destronó a Isabel II. (Puede verse el volumen colectivo *La revolución de 1868. Historia, pensamiento, literatura;* ed. Clara Lida e Iris Zavala, Nueva York, 1970.)

[40] Señala el gran interés de esta composición González Calvo (p. 31). Recuérdense dos casos cercanos: "Y ella pasaba imperturbable, testierguida" (al final de *Pilares,* en *O.C.*, I, p. 920). "Arostegui, tetinhiesto y solemne" (*A.M.D.G.*, p. 233).

[41] Concede gran importancia a esta expresión González Redondo, como símbolo de la actitud de los intelectuales liberales hacia

—Con veinte años de vieyura * más que tú sobre los llombos **, manténgome en mi parecer como de zagal, que deprendí a discurrir a mi talante. Mentira parece cómo cambiaste tú de ideas,[42] Xuan[43] —exclamaba Nachín de Nacha, atusando con socarronería la guarnición de terciopelo de una de las monteras.

Replicaba Tigre Juan:

—Mentira parece que tú, tan despabilao, no arrepares en la almendra de la cuestión. No tuve ideas endenantes,[44] ni las tienes tú agora. Luego de mucho atender y cavilar, téngolas en conclusión. Lo que tú piensas y aquello que yo pensé, no es otra cosa sino refuelgo[45] y fantesías. ¿Entiéndesme?

Tigre Juan atemperaba su lenguaje a la inteligencia, estado y estilo del interlocutor. Con las personas educadas, procuraba hablar por lo retórico. Con Nachín de Nacha, el aldeano, empleaba voces y giros del dialecto popular.[46] Proseguía:

1926. Por eso titula así uno de los apartados de su libro *Las empresas políticas de Ortega y Gasset* (Madrid, ed. Rialp, 1970, p. 132).

[42] "Si hubiese cambiado de ideas, tal vez habría cambiado también de expresión, como Tigre Juan, porque el cambio supone una evolución, el abandono de la actitud conservadora y, consecuentemente, de una forma de hablar propia de un contexto social más reducido —el dialecto— para adoptar la lengua estándar, más o menos culta, pero al fin general, como la que habla Tigre Juan". Así, la lengua vulgar desempeña aquí una función caracterizadora y de contraste" (Dolores Anunciación Igualada Belchi, p. 69).

[43] Cita esta palabra Lapesa como ejemplo de [š], resultado asturiano de las antiguas [ž] y [š], escritas *g, j* y *x* (p. 488).

[44] Igual forma en *Exodo,* incluido en *Bajo el signo de Artemisa*: "hemos de murirnos todos endenantes" (*O.C.*, II, p. 969).

[45] *Refuelgo*: 'refulgencia, reflejo' (Reinink, p. 147).

[46] Muchos críticos han comentado estas frases como explicación de los asturianismos; por ejemplo, González Calvo (p. 107). D. A. Igualada las compara con una afirmación de Martinet. Cabría verlas también, de modo más general, como ideal estilístico de Ayala y como justificación ante los que le censuraban —igual que antes a Valera— que sus personajes populares hablaran demasiado bien.

* Vejez.

** Lomos.

—Haga cada uno lo debido, so pena de la vida. La mujer que falta al marido es como soldado que deserta en el frente de batalla. Entrambos juraron; entrambos perjuros. Juicio sumarísimo y cuatro tiros por la espalda.

Tan pronto como Tigre Juan tocaba, de soslayo, cual si le quemase, este asunto del adulterio, que era, por los indicios, su obsesión, cerraba con ahinco los ojos, como por no ver algo frente a sí, para los demás invisible. Luego los abría desmesuradamente, las pupilas desenfocadas, como si la desagradable visión la llevase dentro y huyese de ella. Repetía:

—Haga cada uno lo debido, so pena de la vida. Yo haré lo que me cumple. Si no lo hago, oblíguenme a garrotazos. Esta es mi Constitución, artículo primero y único: un país, como una familia, gobiérnase con esto, con esto y con esto —y se arreaba un manotazo sobre la frente, una puñada en el bíceps del brazo derecho y otra en las costillas, del lado del corazón; con los cuales quería sugerir la inteligencia, el trabajo y el sentimiento del honor, sinónimo para él de bravura.

Era un fanático del deber y del honor, los cuales mencionaba a cada paso, sirviéndose de citas clásicas, en verso.[47] El teatro le entusiasmaba.[48] Pertenecía a una sociedad de aficionados, *La Talía Romántica,* que se congregaba algu-

[47] Los novelistas intelectuales, como Pérez de Ayala (y Clarín, su maestro), suelen incorporar como materia de sus narraciones la experiencia vital que supone para sus personajes el contacto con las obras literarias. Recuérdense, entre tantos ejemplos posibles, la fascinación de Urbano al asomarse al mundo de la novela, con *El final de Norma,* de Alarcón (*Las novelas de Urbano y Simona,* p. 123) y la de Verónica, al oír la lectura de *Otelo,* en *Troteras y danzaderas* (pp. 149 y ss.).

[48] Pérez de Ayala tuvo afición al teatro desde joven. Sabemos que en 1904 estrenó en Teatro Campoamor de Oviedo una adaptación de *La intrusa,* de Maeterlinck, y al año siguiente, en el mismo teatro, *Un alto en la vida errante,* escrita en colaboración con Antonio de Hoyos. (No se conocen textos de estas obras.) Años después, posee importancia su libro de críticas teatrales*Las máscaras* (Madrid, ed. Renacimiento, 1971). Llegaron a estrenarse adaptaciones teatrales de *Tigre Juan* (en 1928) y *A.M.D.G.* (1931).

nos sábados por la noche, en el teatro de la Fontana,[49] a ensayar dramas y comedias, y allá de Pascuas a Ramos daba representaciones para las familias y amigos de los socios. Tigre Juan solía incorporar, por propia elección, el personaje de marido calderoniano, que, sólo a causa de una sombra, quizás vana y ligera, de infidelidad, inflige *motu proprio* pena capital a la esposa, como en "A secreto agravio, secreta venganza", y el "Médico de su honra", sus dos obras predilectas.[50] Y había que verle, como poseso de sacrosanta misión, con qué dignidad justiciera remataba los uxoricidios escénicos. Producía congoja casi convulsiva en ciertas señoras del público, de quienes se cuchicheaba deslices e irregularidades.[51] Estas excitables damas, aferrándose al brazo del apacible consorte, le bisbisaban al oído: "La mansedumbre de San José nos valga. ¿Habrá bárbaro? Cierta soy que asesinó a su mujer, si no a varias. ¡Criminal sanguinario! ¡Barba Azul! Gracias sean dadas al Todopoderoso, que me tocó marido cuerdo. ¿Ves a lo que conduce fiarse de apariencias engañosas y lenguas pérfidas

[49] Es el mismo teatro mencionado en *La Regenta* (edición de Gonzalo Sobejano, Barcelona, ed. Noguer, col. Clásicos Hispánicos, 1976, pp. 496-497).

[50] Igual afición tenía don Víctor en *La Regenta*: "Siempre había sido muy aficionado a representar comedias, y le deleitaba especialmente el teatro del siglo XVII. Deliraba por las costumbres de aquel tiempo en que se sabía lo que era honor y mantenerlo. Según él, nadie como Calderón entendía en achaques del puntillo de honor, ni daba nadie las estocadas que lavan reputaciones tan a tiempo, ni en el discreteo de lo que era amor y no lo era, le llegaba autor alguno a la suela de los zapatos. En lo de tomar justa y sabrosa venganza los maridos ultrajados, el divino don Pedro había discurrido como nadie (...), don Víctor nada encontraba como *El médico de su honra*" (ed. cit., pp. 143-144).

[51] Al presentar como elemento narrativo el efecto que causa asistir a una representación teatral, creo que Ayala recuerda el capítulo XVI de *La Regenta,* en que Ana Ozores siente la fascinación del *Tenorio*. En medio de la rutina provinciana, el teatro supone la irrupción de lo fantástico y maravilloso, que hace revivir todas las apetencias de aventura enterradas hace tiempo. Así lo vemos ya en *Tinieblas en las cumbres* y en *La pata de la raposa.*

o temerarias? ¡Ay, Señor! .Cierra, marido, las orejas a la calumnia."

Nachín de Nacha era el amigo añejo y cotidiano. Tigre Juan sentía afectuosidad hacia él, pero no podía menos de reconocer su condición demasiadamente rústica. Su amigo preferido y venerado, en cuya proximidad Tigre Juan se transportaba a una especie de gozoso embobamiento, era un tal Vespasiano Cebón, [52] trashumante Tenorio de menor cuantía, gran parlanchín, viajante de sedas y pasamanería, que llegaba a Pilares con su muestrario y sus narraciones fantásticas dos o tres veces al año, y cada vez demoraba una quincena.

De los habitantes de la Plaza del Mercado, la persona a quien Tigre Juan más estimaba y respetaba era doña Iluminada, viuda de Góngora. [53] Con el marido de esta señora, muerto algunos años atrás, Tigre Juan había llevado ya buena amiganza. El puesto de Tigre Juan estaba en el porche de la casa donde la viuda tenía su tienda de telas; fronteros tienda y puesto, apartados entre sí cosa de cuatro metros, la anchura del soportal. Desde el puesto se abarcaba el interior de la tienda, reducida y llena de fuliginosidad. Al fondo de la tienda, detrás del mostrador, estaba la viuda, vestida de luto; la cara, blanca de papel; los ojos, con una velatura de tristeza, proyectados hacia el vacío o hacia el ayer. Aun en las horas más altas del día, se escondía allí un manantial de tiniebla que difluía y colmaba el ámbito del tenducho. Tigre Juan interpretaba este fenómeno como noche voluntaria, ordenada y presidida por la luna del cándido rostro de la dueña, en voto de duelo perpetuo.

[52] Otro nombre significativo, con su doble alusión a la Roma de la decadencia y a la carne fofa, bien cebada. Al fondo de esta figura es fácil ver al Alvaro Mesía de *La Regenta.*

[53] Otro nombre significativo, como personaje que ilumina y conduce toda la trama novelesca y que aparece siempre unida a imágenes de luz y tinieblas. Weber subraya los rasgos simbólicos de la luz, la considera "novelista ayudante" y ve una alusión a las dos épocas (luz y tinieblas) de la poesía de Góngora (pp. 34 y 93). Matas señala su carácter de coro y eco de la voz del autor (p. 135).

"¡Ay, qué mujer!", pensaba Tigre Juan. "Sin cesar adolorida por el difunto. El mucho padecer púsole la color talmente un armiño. Mi madre, la Madre de Dios y ella son las únicas mujeres decentes de que hago cuenta.[54] Aunque viuda, ¡mal año pal pecao!, paréceme, no sé por qué, casta azucena, como si en jamás de los jamases se hubiera casado ni probado varón. Cuando la miro, sin querer, ocúrreseme decir entre mí: Santa Iluminada, virgen y mártir."

¡Cuán ajeno estaba Tigre Juan de sospechar que aquella su disparatada ocurrencia era la verdad misma, el gran secreto dramático de la viuda de Góngora!...[55] Dos colores contiguos, aun los más discordantes, se modifican mutuamente de modo sutil y etéreo, empapándose cada cual con las vibraciones silenciosas que el otro irradia. Así sucede también con la vecindad constante de las almas; hay un influjo o saturación recíprocos, que se manifiestan como adivinación inconsciente. Cerca de veinte años llevaban doña Iluminada y Tigre Juan contemplándose, sin advertir en ello, a lo largo del día; respirando cada uno la inefable atmósfera espiritual del otro. Tigre Juan se sentía como de cristal frente a los ojos estáticos de doña Iluminada. Estaba seguro que la viuda leía dentro de él todos sus pensamientos, como escritura clara, y que le veía, de bulto y en forma sensible, todos sus sentimientos. Todos, excepto el rescoldo de un recuerdo abrasador, que el propio Tigre Juan guardaba, bajo la ceniza de innumerables días grises, en el escondrijo más oscuro del corazón, esforzándose, sin cejar, en ahogarlo; pues él también ocultaba un secreto dramático. Salvo este arcano entrañable, en lo demás Ti-

[54] En *Las novelas de Urbano y Simona,* Pérez de Ayala señala cómo la fijación a la madre puede ser un obstáculo, en la vivencia social española, para la plenitud erótica: don Leoncio "sustentaba su breve y vergonzante vida espiritual en varios puntales o supersticiones nobles: una de ellas el culto de idolatría por la madre, en abstracto" (p. 9). El donjuanismo es, aquí, la otra cara de esta moneda.

[55] Pérez de Ayala utiliza habitualmente las ventajas del narrador omnisciente para hacer comentarios irónicos sobre sus personajes.

gre Juan vivía en la certidumbre de que la viuda, con sólo mirarle, le pasaba de claro y le escudriñaba la interioridad del ánimo. Y sin embargo, él, por su parte, creía a la viuda impenetrable, o quizás huérfana de toda otra idea o emoción como no fuese la nostalgia del esposo desaparecido. Pero, cuando en mientes se le antojaba llamarla "santa Iluminada, virgen y mártir", Tigre Juan estaba adivinando inconscientemente la historia íntima de la viuda, tanto o más que la viuda le pudiera adivinar a él su pensar y su sentir. De casada, la de Góngora había padecido, hora tras hora, la asfixia mortal del sediento que se hallase en un yermo enjuto, con un cántaro a la mano, pero un cántaro vacío. Aceptó su destino con opaca resignación, y poco a poco, por gradaciones insensibles, fue apagándosele la sed. No dejaba de querer al marido, don Bernardino Góngora, que lucía saludable y atrayente gordura, como algunas aves de Bayona, y por gordo era dulce y manso.[56] No eran hombre y mujer, sino dos socios bien avenidos. En el caso de doña Iluminada y don Bernardino, la virginidad de entrambas partes era absoluta, de orden físico.[57] En el orden espiritual, la virginidad de los esposos subsiste siempre, o casi siempre, aun en los matrimonios más fieles y unidos.[58] En el alma del hombre y de la mujer hay una última diferencia irreducible. Hombre y mujer encierran dos universos esencialmente herméticos, in-

[56] Otro "cebón" (como Vespasiano), que no alcanzó la plena virilidad.

[57] Recuérdese lo que dice la duquesa en *Belarmino y Apolonio*: "¡Qué risa! Hablas de la virginidad como los niños hablan de las hadas o como las personas mayores hablan de tesoros escondidos. Tú que eres un sabio naturalista, ¿qué me dices de la virginidad de los insectos? ¿Qué me dices de la virginidad del *draco furibundus*? !Ay, Facundo! Tú, como vives en las Batuecas, no te has enterado de que el mismo valor tiene la virginidad entre cristianos que entre insectos" (p. 225). Anotaba yo allí que, según Pérez Ferrero, la escasa importancia de la virginidad física la leyó en Buffon (p. 80).

[58] Es típico de Pérez de Ayala este paso de un caso concreto a la generalización ensayística, que interrumpe el relato. (No señalaré todos los ejemplos en esta obra.)

comunicables e ininteligibles entre sí, al modo de dos pedernales, que por muy en tangencia que se hallen no dejan de permanecer aislados. Sólo al choque emiten una chispa; esta chispa es la generación [59]. Don Bernardino consideraba, o fingía considerar, aquel matrimonio nulo como lo natural y corriente en el mundo. Jamás, ni por asomo, intentó a solas con su mujer explicar, y menos justificar, la extrañeza de la situación;antes bien, le repetía a cada triquitraque [60] que el matrimonio mejor constituido debe ser como una sociedad mercantil, establecida con el fin de vivir más cómoda y económicamente [61] y hacer prosperar una tienda de géneros catalanes al por menor, por aquello de que más ven cuatro ojos que dos. Don Bernardino superaba en veinticinco años corridos a doña Iluminada. Como era cumplido y obsequioso para su mujer, ésta le correspondía con gratitud y piedad. Pero, ya por entonces, doña Iluminada comenzó a interesarse por Tigre Juan, aunque, como mujer honesta y de temperamento tranquilo, cuidaba de resistir a su inclinación. No podía por menos de parangonarse y oponer en cotejo a su marido, todo linfa y grosura, con Tigre Juan, todo nervio y tendón. Ante sus ojos contrastaban de continuo, casi palpablemente, la fo-

[59] En *Luz de domingo,* después del agravio surge la duda sobre la verdadera paternidad del hijo, y el capítulo termina con la gozosa exclamación: "¡su hijo!" (p. 147).

[60] "El uso frecuente de la voz *triquitraque* no sólo obedece a la predilección del autor por formaciones apofónicas, sino también a la incontestable sugestión onomatopéyica que el vocablo hace en el lector. En todo caso, *triquitraque* posee un gran poder expresivo y así se explica el que Ayala lo emplee muy a menudo, sea como sinónimo de 'a cada instante', sea como equivalente de 'petardo'" (Reinink, p. 105).

[61] Sobre la mercantilización de la moral sexual y la familia en la burguesía decimonónica, pueden verse dos trabajos de José Luis Aranguren: el libro *Moral y sociedad. La moral social española en el siglo XIX* (Madrid, ed. Cuadernos para el Diálogo, 1965, p. 119) y el trabajo "Erotismo y moral de la juventud" (en el volumen colectivo *El amor y el erotismo,* Madrid, ed. Insula, col. Tiempo de España, 1965, pp. 17-33).

fura de uno frente a la erección[62] del otro. "¿Qué sucedería —se preguntaba doña Iluminada, en algún lapso de desvarío pecaminoso e hipotético— si engañase a Bernardino? Nada. Si Tigre Juan fuese mi marido, y le engañase, me mataría."[63] Y sollozaba, con añoranza de otra forma de martirio más emocionante que el sórdido suplicio a que estaba condenada.

De viuda fue enamorándose más y más de Tigre Juan; amor de fantasía y sin esperanza, pero amor absoluto, que le causaba, en los paladares del alma, un lenitivo de anestesia o embriaguez, y en el rostro aquella expresión hierática de éxtasis.[64] Su amor desesperanzado era potencialmente heroico; hubiera realizado por él toda manera de heroicidad, concluyendo en el sacrificio, que es la heroicidad mayor.

Conceptuaba a Tigre Juan dechado y arquetipo de cualidades masculinas. Conocía su aversión a las mujeres, que ella bien veía no ser otra cosa que una confusión de amor ciego y de pavura, a causa de algún desengaño cruelísimo, de seguro; y pronosticaba, para sí, que, por virtud de esta engañosa aversión y en puridad desapoderada angustia de amor, Tigre Juan concluiría casándose, acaso a destiempo y malamente, pero jamás con ella, como no sobreviniese un milagro divino. Esta fe en lo absurdo y providencial era la única vislumbre de amanecer en la noche perpetua de la viuda de Góngora.

Doña Iluminada frisaba apenas los cuarenta. Producía mezclada impresión de juventud y de marchitez.[65] Según los días, según las horas, según su estado sentimental, así avejentaba como rejuvenecía algunos años. Su cándido rostro tenía, como el de la luna, crecientes y menguantes,

[62] El novelista juega con el doble sentido del vocablo para subrayar la virilidad de Tigre Juan, en contraste con el marido de doña Iluminada.

[63] La vivencia social española del amor-honor es aceptada como atractiva también por la mujer.

[64] Rasgo estilístico muy frecuente en Pérez de Ayala es emplear términos procedentes del lenguaje místico para expresar lo erótico.

[65] Un caso más de contraste, en el interior del propio personaje.

plenitudes y ausencias;[66] tan pronto emanaba un a modo de resplandor de plata como se hundía y borraba en el seno de sombra.

Colás, que era muy despejado y observador, definía, para su tío, a doña Iluminada, así:

—Es una señora joven y a la vez es una cosa vieja. Pensando en el cuento de la Bella Durmiente del Bosque,[67] discurro a este tenor. La Bella Durmiente, luego de dormir cien años, era, al despertar, una hermosa doncella de quince abriles, como al caer dormida. Pero no podía por menos de ser una cosa vieja de ciento quince años; algo deslustrada de fuera, con cierto olor a moho.[68] El alma y los órganos del cuerpo serían niños todavía, si se quiere; pero, a mí no me digan, el barniz de la piel, por fuerza estaría ajado, después de tanto tiempo. El uso es el que destruye las cosas y el desuso las mantiene en su ser. Bueno. Mas no por desusadas dejan las cosas de hacerse antiguas. Doña Iluminada se me antoja que está sonámbula o en sueño cataléptico, no sé desde cuándo. A veces sale del trance con ojos pasmados. Es joven y es vieja, a ratos. Pero, al fin mujer, su corazón no puede permanecer ocioso indefinidamente.

Estos comentarios, un tanto retorcidos, los inventaba Colás, hombre ya de dieciocho años, estudiando el cuarto de Leyes. Era a la sazón un mozo espigado, cenceño; brazos largos, de gorila; las coyunturas de los huesos, en rodillas, codos, muñecas y nudillos, saledizas, nudosas; desmadejado de miembros; los movimientos, habitualmente tardos, y de pronto, vivaces, nerviosos, como sacudidas galvánicas. Dejábase unas barbas primerizas y deslavazadas, color estopa. Los ojos, pequeños y azules: dos flores

[66] Recuérdese que *Las novelas de Urbano y Simona* se dividen en cuatro partes: cuarto menguante, cuarto creciente, novilunio y plenilunio.

[67] Subraya la importancia de este mito en la novela (junto a los de Don Juan y el honor) Maruxa Salgués.

[68] Junto al mito, Pérez de Ayala nos da siempre la visión irónica.

de lino. Boca indecisa, de contemplativo. En la callada reclusión de su cráneo andaban sin cesar a la escaramuza ideas punzantes, arbitrarias y dispares, como los floretes en un asalto. Su imaginación era sobremanera plástica y corpórea, panorámica y arriscada, como un paisaje montaraz por cuyos riscos brincaban diseminados sus antojos y fantasías, como rebaño de cabras silvestres. Era propenso al entusiasmo y asimismo al tedio. Ahora se enardecía; luego se descorazonaba. Tomaba decisiones irreflexivas y le entraban arrepentimientos súbitos. Poseía raras aptitudes musicales y gimnásticas. Tocaba la ocarina, el acordeón y otros instrumentos insólitos, que él mismo aderezaba con vasos, con tarugos, con cencerros. Silbaba a dos voces. Percutiendo las uñas sobre los dientes, ejecutaba unas melodías afónicas, de xilófono que se oyese pared por medio. Daba volteretas en el aire; andaba sobre las manos con tanto desembarazo como en dos pies; se contorsionaba, hasta remedar una rana, y avanzaba así a saltos. Tigre Juan se deleitaba con todas estas gracias. Colás era su amor, su delicia.

—Hijo mío —decía Tigre Juan, queriendo insinuar una sonrisa plácida, que se malograba, como de costumbre, en un visaje adusto— juraría que tu padre o tu abuelo han sido titiriteros vagamundos... [69]

En acabando de hablar, Tigre Juan comprendía, demasiado tarde, que había suscitado una cuestión peligrosa. Colás preguntaba:

—¿Trató usté a mi padre? ¿Le conoció usté?

Tigre Juan, la cabeza gacha y la epidermis verdegueante, [70] murmuraba:

—No.

—Pero sabrá usté quién fue mi padre.

[69] El atractivo de este mundo lo refleja Pérez de Ayala en su primera novela, *Tinieblas en las cumbres.*

[70] "El verde es el color que en Ayala tiene mayor variedad de matices" (González Calvo, p. 33). Señala ejemplos de *verdemar, verdinegro, verdeoscuro, verdiazul, verde-cinabrio, verde-dragón, verde-lorito, verde-remanso...*

Tigre Juan, por excusar una respuesta precisa, solía introducir una castaña pilonga en la boca, como que la rumiaba. Contestaba tartajeando, a medias palabras:

—Claro... Pues no faltaba más... Bien... Lo principal es que para todos los efectos, de cariño y de *cónquibus,* o séase, los cuartos, yo soy, digo, afánome en ser, tu padre solícito. Serás un caballero. ¿No estás contento?

—Sí que lo estoy, y agradecido, ¡vive Dios! Tiene usté razón. Lo pasado, pasado, y allá penas. No me importa de dónde vengo. Y digo más: tampoco me importa a dónde voy. Esto es lo que me place, vivir flotando, de aquí acullá. Ya ve usté: no sé si mi padre fue titiritero; pues a mí me gustaría serlo. Rodar por los caminos. Cada día nuevos semblantes: en el cielo, en la tierra, en los hombres. Extranjero para todos; todos extranjeros para mí. Divertir al paso a los viejos y a los niños, con música, saltos y juegos de manos...

—Calla, calla, rapaz. Que no te siga oyendo. Concluirás por revolverme la cólera y enfadarme de veras. ¡Hase visto chifladura! Volar a todos los vientos, como fleco de vilano... Quédese para los mendigos y desheredados. El hombre cabal, como árbol de provecho, ha de echar raíces en el suelo, cuanto más recias, mejor, y dar flor, fruto y sombra...

Vivía Tigre Juan sosegado porque Colás no andaba en galanteos ni persecuciones de mocitas, conforme sería propio en su edad. Aunque, pensándolo mejor, hubiera preferido que le gustasen todas, señal de no estar encaprichado por una sola. Si acaso Colás experimentaba ya las iniciales y absorbentes emociones del amor único, el señorío de sí, para el disimulo, era indicio de que no perdía la cabeza. Al menos Tigre Juan no se había percatado de ningún síntoma alarmante, salvo que a menudo le veía aislarse en una envoltura de melancolía densa, como debajo de una capa parda; pero éste era achaque connatural en él, ya en las épocas de su niñez y pubertad.

—Es que he nacido con la psicología del insatisfecho; no es floja desgracia —explicaba Colás a su tío, sin que éste acertase a comprenderle del todo.

Colás [71] parecía rehuir la cercanía de las mujeres. En cambio, cuando hablaba de la mujer, en abstracto, se extasiaba y profería expresiones de caballeresca veneración. [72] Tigre Juan (en quien, tocante a las mujeres, andaban mezclados algunos borbotones de la sangre de Otelo con algunos retoños del pensamiento del misógino Eurípides) se había propuesto corregirle de este vicio sentimental, que, a su juicio, conducía a los más desdichados extravíos, desolaciones, ruinas y fieros males. Tratando este tema, Tigre Juan reproducía la elocuencia (y aun grandilocuencia) desabrida y frenética de los profetas bíblicos.

—La mujer —exclamaba— es lo más vil de la creación. Falsa costilla de la humanidad, la arrancó Dios del cuerpo noble del hombre, para, de este modimanera, enseñarle que la debe mantener siempre apartada de sí, como todo lo que es de condición flaca y engañosa, cuyo es símbolo y encarnación la mujer. El género humano acércase hasta Dios por el hombre; abájase hasta la serpiente, que es el diablo, por la mujer. Penetrarás esta diferencia si lees atento la Santa Biblia, dictada por el Eterno; [73] y no hay tu tía. [74] El Paraíso no se perdió antaño sólo por Eva. Piérdese cada minuto del día y de la noche por la mujer. Sin ella, este valle de lágrimas tornaríase nuevo Paraíso. Escucha la experiencia, Colasín, hio [75] mío. Huye de la mujer

[71] Aquí comienza la versión previa publicada en *Revista de Occidente.*

[72] Recuérdese lo que dice Clarín del grupo de librepensadores que son amigos de don Carlos: "Eran de esos hombres que casi nunca han hablado con mujeres. Esta especie de varones, aunque parece rara, abunda más de lo que pudiera creerse. El hombre que no habla con mujeres se suele conocer en que habla mucho de la mujer en general" (*La Regenta,* ed. cit., pp. 160-161).

[73] Pérez de Ayala fue, hasta sus últimos días, un gran lector de la Biblia: varias ediciones y comentarios de la Sagradas Escrituras estaban al alcance de su mano, desde la butaca donde pasaba la mayor parte del día.

[74] La misma expresión usa don Recaredo, en *El ombligo del mundo*: "Cuando ella lo dice, no hay tu tía. Marcharáse" (*O.C.,* II, p. 808).

[75] El asturianismo sería *fio* (o *fiu*). Así lo escribe Pérez de Ayala en *El raposín*: "Vete y dile a Pachu del Duerne que los sus

como de Bercebú.[76] ¡Jesús, Jesús! Arreniego. Culiebras[77] venenosas todas ellas. ¡Lagarto! ¿Qué mujer hay de fiar? Como la culiebra muda de camisa, así mudan ellas de intención, y de cara, y de hombre. Ninguna se mueve sino de bajo apetito, por la codicia del ochavo y por celo, entre sí, de ver cuál luce más ínfulas y majencia.[78] ¿Conocerélas yo, hijo? ¡Harto estoy de contarte lo de Traspeñas![79] Otra vez a contártelo voy. De allí bajan cuantas nodrizas yo aquí, en Pilares, acomodo; todas solteras, que es para los amos lo más descansado en este oficio, y maestras en el arte de la crianza, por el mucho ejercicio que de él tienen hecho. Traspeñas es monte bravo, apartado del trato de gente urbana, donde Cristo dio las tres voces; lugar de ganadería caballar y vacuna, que por aquellos vericuetos pacen y triscan libremente, hasta que las reses, así de pezuña como de uña, están en edad de rendir provecho. Pues así como en aquel apartamiento montaraz hay parada, para las yeguas; semental, para las vacas, y garañón, para las pollinas, así también hay de lo uno y de lo otro para las mozas del contorno, las cuales son totalmente, sin denigrar, burras de leche. Viven pastores y zagalas amontonados, entreverados, sin rey ni roque, como gentiles. Pierden las mozas la honestidad, no por enamoriscadas e inocentes, sino por industria y de propósito, para luego bajar a la

---

fíos son hermanos de los tuyos" (*O.C.*, I, p. 1008). Lo que leemos aquí puede ser errata o compomiso con la grafía castellana.

76 Pérez de Ayala suele emplear humorísticamente deformaciones fonéticas de palabras cultas para caracterizar una lengua escasamente cultivada (González Calvo, pp. 92 y ss.).

77 Diptongación por asturianismo. Del mismo modo, don Recaredo le pregunta a Melania, en *El ombligo del mundo*: "¿Dó apeteces escurrirte, *culiebra* descontentadiza?" (*O.C.*, II, p. 808).

78 Pérez de Ayala usa también este sufijo en otros derivados: *golferancia, boyancia, rozagancia*... (González Calvo, p. 66).

79 Mucha crítica ha subrayado cómo el conocimiento de lo que hacen las mozas de Traspeñas ha dado lugar, en Tigre Juan, a una verdadera fobia antifeminista. Según Juan Antonio Cabezas, en el concejo de Proaza, "la carretera recorre otros pueblos del concejo, cada uno en su valle que separa del anterior y del posterio run estrecho desfiladero: así Caranga, Serandi, Bandujo, Traspeña..." (p. 156).

ciudad y hacer granjería de la crianza del hijo ajeno, en casa rica, poniendo la ubre a rédito. Y en concluyendo de amamantar un señoritín, suben de prisa al risco y hácense de nuevo embarazadas con el primero que topan. El dinero que ganan van guardándolo a buen recaudo. El matrimonio legal aborrecen. Los hijos que paren abandónanlos en breñas y brañas, a que los socorra una cabra, con más dulces entrañas que ellas; o bien los tiran y hunden en el negro buraco [80] del torno del Hospicio, como el navegante que arroja al agua lastre inútil por prosperar más aína. [81] Creeráslo o no lo creerás, hijo; pero así es, de pe a pa, sin quitar ni poner. Lo que te cuento yo lo vi de allí mismo con estos ojos; no es que me lo hayan contado. A diario lo veo, además, como tú lo puedes ver. Bástete con preguntar a la primera moza que llegue de Traspeñas solicitándome colocación, pues soy, como sabes, su agente exclusivo, y ella te responderá paladinamente, sin rubor ni repulgos, como si te recitase un romance de caballerías, en lo cual, cosa que me pasma, son muy diestras. Y más te digo. Las mujeres todas, en Pilares, en Roma, en Pequín, en Nínive y en Babilonia, son de la propia levadura y voluntad que las mozas de Traspeñas, sólo que el freno del bien parecer y el temor del látigo de la afrenta, ya que no les corrijan las mañas, pues esto, porque Dios lo dipuso así, no está en el poder humano, oblíganlas a ser cautas y a que no hagan de las suyas si no es por lo encubierto y a cencerros tapados. ¡Guárdate, Colás, de ellas, que, de lo contrario, miserias sin fin te auguro!

En la invectiva contra las mujeres y dialéctica antierótica, Tigre Juan era inagotable. Colás, por lo común, le oía sin replicar, con gesto respetuoso y de resistencia pasiva,

[80] *Buraco*: 'Agujero en la tierra, en la madera o en cualquier otra cosa' (Rato, p. 82). Lo usa también Ayala al final de *Luna de miel, luna de hiel*: "Los buracos do se esconde la plata vieja sábelos ella" (p. 176).

[81] *Aína*: Arcaísmo libresco frecuente en todas las épocas de Pérez de Ayala (González Calvo, p. 124). Por ejemplo: "Súbase, señorito, y vamos aína" (*La pata de la raposa,* p. 64). "Aína, aína, retira mi postura" (*El ombligo del mundo,* en *O.C.,* II, p. 819).

como quien no se convence, pero no se atreve a declararlo.

Colás acostumbraba, después de la cena, leer en voz alta, para su tío, un diario madrileño. En cierta ocasión ocurrió en Madrid un crimen pasional muy sonado, Tigre Juan hizo que su sobrino le leyese la información periodística de punta a cabo, sin omitir palabra. A medida que avanzaba la lectura, tío y sobrino iban excitándose visiblemente, aunque cada cual a impulsos de reacciones contrarias.[82] De tiempo en tiempo, Tigre Juan pronunciaba secas glosas aprobatorias. Colás tragaba un buche de saliva y, después de una pausa, proseguía leyendo.

Por primera vez, entre tío y sobrino, se entabló un diálogo de esencia dramática.[83] Los dos personajes, de opuesto temperamento y textura espiritual distinta, al efundir sus ideas en palabras, proyectaban la figura de su alma como un cuerpo su sombra. Eran dos sombras inconciliables, chocantes, cargadas de contrarias acciones, latentes y necesarias, en estado potencial.[84] Aunque la superficie del diálogo fuera pulida y cortés, se agitaba en el fondo de cada cual fuerte animosidad hacia su interlocutor; agresiva desazón que había de perdurar algún tiempo, a modo de turbiedad sentimental.

Se trataba de un joven de buena familia que, en plena calle y a tiros por la espalda, había matado a una antigua novia, en vísperas de casarse con otro. A raíz del crimen, luego de estar detenido y desarmado el asesino, el pueblo, denostándole, intentó arrojarse sobre él y castigarle de

[82] Una vez más, Pérez de Ayala presenta los efectos de la lectura sobre un personaje, que se identifica apasionadamente con lo que lee o escucha, como Verónica al oír *Otelo* (vid. nota 47).

[83] Rasgo habitual en las novelas de Pérez de Ayala; por ejemplo, en el capítulo IV de *A.M.D.G.*, en el entremés cómico del poeta y la portera que inicia *Troteras y danzaderas,* en el último capítulo de *Belarmino y Apolonio*... Es uno de los elementos que configuran "la novela como tragicomedia" (Baquero Goyanes). Para Matas (p. 225) se trata de "novelas dramáticas", según la terminología de Muir.

[84] A J. Matas, esta discusión le recuerda los debates poéticos a favor y en contra de la mujer de fines de la Edad Media (p. 149).

obra. El, por conjurar el riesgo, gritaba con persuasiva convicción: "¡No me ofendáis indefenso! ¡Eso no es caballeroso! ¡Hice lo debido! ¡Era una infiel! ¡Yo no podía vivir sin ella!"

Tigre Juan descargó un puñetazo sobre la mesa, y gritó:

—¡Lo debido...!

Iba a continuar hablando, pero Colás arrugó entre sus manos el periódico, lo despidió lejos, se puso en pie y rompió a decir, con voz tartamuda de vehemencia:

—*¡Estoy indefenso!...* ¿Y ella? ¿Llevaba, acaso, armadura de acero, o trabuco naranjero bajo el sobaco? *¡Eso no es caballeroso!...* ¿Lo es, por ventura, asesinar por detrás a una mujer? *¡No podía vivir sin ella!...* ¿Por eso la matas? ¡Donoso remedio! Ahora que no vive es, sin duda, cuando vivirás siempre en su compañía... [85] No podías vivir sin ella... Pues haberte matado tú, o haberte alistado para Cuba o Filipinas, a que te matasen allí de una manera honrosa. ¡Cobarde, cobarde, cobarde! A todos los asesinos de mujeres agarrotaba yo en el acto. Apuesto que con no más de media docena de lenguas fuera del gañote se acababa para *in eternum* esta ralea de españoles [86] pundonorosos y valientes.

—¡Calla, Colás, calla! Por Dios te lo suplico. Tú sí que me estás matando —sollozó Tigre Juan, ahogándose; la piel lívida, color de ceniza.

Colás acudió a su tío:

—¿Qué le sucede? ¿Se siente mal?

—Nada, hijo. No es nada —murmuró Tigre Juan, recobrándose—. Siéntate. Hablemos serenamente. No tienes razón.

[85] Aunque al final de la novela proclame su fascinación por el absurdo de lo vital, Colás, aquí, representa —como su creador— la voz de la razón que reduce al absurdo los prejuicios sobre el honor.

[86] Nótese que no se trata de una discusión en abstracto, sino con muy directa aplicación a nuestra patria. En este sentido conecta esta obra con *Las novelas de Urbano y Simona,* de la que he escrito que es "una especie de 'libro de buen amor', en fin, para uso de los españoles del siglo XX" (Nota de Presentación a mi edición citada, p. 15).

—¿Que no tengo razón? Pero, ¿aprueba usted el crimen de ese miserable?

—Lo apruebo. Lo aprobará la sociedad. La sociedad obedece a razones más poderosas que la débil y obcecada razón de un hombre particular, como es la tuya. La sociedad se compone de hombres. De hombres, ¡fíjate bien!, puesto que de mujeres solas no podría haber sociedad, ni civilización, ni progreso. Las mujeres son un estorbo en la sociedad. Peor todavía: son la perdición de la sociedad, siendo, como son, la perdición de los hombres.[87] ¿Cómo podría valerse la sociedad contra ese peligro constante, si no es conteniéndolo por el escarmiento, de vez en cuando? ¿Te figuras lo que sería la sociedad, de no sacrificar tal cual vez una de esas bestias malinas,[88] para las cuales no hay doma posible?; digo las mujeres. ¡Ay, hijo! Entonces, todas ellas serían prostitutas sin visera y ningún hombre se atrevería a caminar con la cabeza levantada, como aseguran que así reina la disposición de las costumbres en algunos países corrutos de fuera; y no poco sé yo de eso. Por lo cual, la sociedad, en justicia, absolverá a ese joven. Ya lo verás.

—Una sociedad de hombres cobardes y mal educados.[89]

[87] La expresión se da también en una conocida canción popular: "La perdición de los hombres. / La que miente cuando besa. / Yo... soy... ésa."

[88] No hace falta verlo como asturiano (como hace Reinink, página 131). El uso vulgar suprime habitualmente uno de los elementos de cualquier grupo culto conservado en romance. En esta pareja de novelas hallamos también *corrutos* (unas líneas más abajo), *sinificar, inorancia, ditamen, enima...* (González Calvo, p. 92). Un conocido político español, en sus discursos, pronunciaba "los *intelectuales*".

[89] La educación es tema esencial en toda la obra narrativa de Pérez de Ayala, desde *A.M.D.G.* hasta el final. Y, en especial, la educación para el amor. Sus personajes (Tigre Juan, lo mismo que Urbano) sufren a consecuencia de los prejuicios sociales causados por la educación habitual en nuestro país; cuando, mediante un esfuerzo personal, logran liberarse de esos prejuicios, alcanzan la deseada armonía y la felicidad.

—Pues ¿peco yo de blanco o estoy mal educado? La educación, poca o mucha, que tengo, de nadie la recibí, sino que, cavilando honradamente, yo mismo me la fui haciendo. Préciome de que es buena, razonable y útil, para mí y para el prójimo.

—Así lo entiendo yo también, y no es lisonja. Usté, tío, hace excepción, y no hay tacha que ponerle.

—No tanto, rapaz; no tanto. Póngome yo muchas. Y, ¿quién, como yo, está al tanto de mis fealdades e imperfecciones, aquí dentro, muy adentro? Ni la propia doña Iluminada, con sus ojos de lechuza adivinadora, que todo lo traspasan, me ve tal cual soy. Tigre, sí, tigre; bien lo proclama al vulgo, que no yerra. Aunque oprimido y a medias domesticado, tigre soy y seré hasta que muera. No hagas concepto demasiado alto de mí.

Colás sonrió amablemente de esta jactancia, que nunca conseguía tomar en serio, a pesar de la temible fama del tío y de sus arrechuchos de cólera destructora, que presenció tales veces, aunque todavía no había sido él la víctima. Replicó:

—No hablaba de usté; antes de los otros hombres con quienes dondequiera tropiezo. En mi sentir, están mal educados, no tanto en las maneras como en los principios que profesan acerca de lo que debe ser la verdadera hombredad.[90] Para ellos, el hombre más hombre es don Juan.

—Claro, claro, claro.

—Entonces, yo no soy hombre. Y, si no se me enoja, añadiré que usté tampoco lo es, pues nunca le he visto encalabrinado detrás de unas faldas, ni tengo noticia de que haya burlado mujeres.

—En ese respetive, razón tienes, y bien que me pesa.

—Si le pesase sinceramente, no sería como es.

[90] Recuérdese lo que dice don Leoncio, en *Las novelas de Urbano y Simona*: "Aunque sin ilustración, yo sostengo que el criterio y la manera de educación que, tanto la Iglesia como la Sociedad, nos obligan a aceptar, en lo tocante al amor, están mal, están mal, están mal" (p. 256).

—Más prevalece en mí la mala voluntad contra ellas que la buena voluntad de burlarlas para castigo y equitativa venganza de sus burlerías. Siempre seremos los hombres los burlados, y de aquí, como lo sabemos, nuestro encogimiento y temblor al llegarnos cerca de ellas. Sólo don Juan es bastante bizarro para a todas acometer; bastante gallardo, para a todas enamorar; bastante sutil, para burlar a todas.

—Y a la que no se rinde, ¡pum!, un tiro por la espalda; sanción legítima a tamaño desacato. Porque, ¿habráse visto crimen más execrable que ese de que una mujer no corresponda al amor o no se doble al capricho de un hombre? El criminal no es él, no; ella lo ha sido. El es ejecutor, *motu proprio,* de la justicia eterna.

—Siempre —continúo Tigre Juan, absorbido y arrastrado por la corriente enérgica de su propio discurso y sin detener la atención en los sarcasmos de Colás, como hombre que va río abajo, arrollado y envuelto en agua poco profunda y estrepitosa, que no advierte las risas con que desde las márgenes celebran su precipitación—, siempre seremos los hombres los burlados, los traicionados, los escarnecidos. Don Juan, por designio divino, es el vengador de todos los demás hombres infelices. Tentado estoy de sostener y pregonar a los cuatro vientos (y si hubiese herejía, en el tribunal de la penitencia me arrepentiré y sobre picota abjuraré mi error) que don Juan Tenorio es el segundo redentor de los hombres, guardadas las reverendas distancias, pues el primero, Jesucristo, fue Dios tanto cuanto hombre; así como don Juan no es nada más que hombre; eso sí, hombre entero. Jesucristo nos redimió del pecado original, cometido por Eva, la primera mujer, y por culpa de ella hubo de bajar a la tierra a recibir muerte afrentosa de cruz. Don Juan nos redime de otro pecado sin cesar repetido por todas las posteriores mujeres, así como el de Eva fue el original; y éste es el espantoso pecado de ridículo, que aunque ellas cometen el pecado, el ridículo cae de plano sobre nosotros. Gracias a don Juan, al cual nunca tributaremos las merecidas alabanzas, el ridículo y la irrisión revuelven sobre la mujer, de donde proceden. Voy más lejos; tengo a don Juan por hombre que raya en santidad, pues todas sus aventuras, más se dijeran trabajos, que lleva a término, antes por caridad, penitencia y deber para con los demás hombres, que por afición. Habrás visto en la función de teatro que sube al Cielo en definitiva, rodeado de nubes y ángeles.[91] Conque por algo será. Maravíllame, hijo mío, cómo el Papa, que es hombre e infalible, no ha exaltado todavía a Don Juan a los altares; cosa que no sería de chocar si fuese papisa en vez de papa, como ya hubo alguna. ¿Tienes algo que refutarme? —concluyó Tigre Juan, sacudiendo las orejas y con enfático ademán de condescendencia, lleno de confianza en lo inexpugnable de sus razones.

—Si usté me lo permite...

—Ea, ¿pues no...?

—Digo que si no hubiera donjuanes más o menos donjuanes, la mujer no podría burlar al hombre. Quien burla al hombre no es la mujer, sino otro hombre: Don Juan.

—¡Ja, ja, ja! Me haces reír, alma de cántaro. Un Don Juan no nace de madre sino con grandes espacios y de higos a brevas, cuando Dios quiere, porque ya las cosas de tejas abajo andan por extremo confusas, a causa de los enredos de las mujeres. Entonces envía Dios uno de estos redentores. ¿De dónde sacas que la mujer, para engañar a un hombre, necesita un Don Juan que la fascine? No, hijo, no. La mujer engaña por engañar, cuando quiera y con quien quiera. No es que la seduzcan; ella seduce a aquel que se le pone a tiro, y si no lo consigue, éntrale rabia y siéntese humillada. Burlados son siempre los hom-

[91] Al final del *Don Juan Tenorio,* de Zorrilla, la acotación dice así: "Cae don Juan a los pies de doña Inés y mueren ambos. De sus bocas salen sus almas, representadas en dos brillantes llamas, que se pierden en el espacio al son de la música. Cae el telón." Y en la escena anterior: "Las flores se abren y dan paso a varios angelitos que rodean a doña Inés y a don Juan, derramando sobre ellos flores y perfumes, y al son de una música dulce y lejana se ilumina el teatro con luz de aurora" (ed. de José Luis Varela, Madrid, ed. Espasa-Calpe, col. Clásicos Castellanos, 1975, pp. 173 y 174).

bres, marido y amante, supuesto que el amante sea uno solo; pues en tanta medida y proporción burla la mujer al marido con el amante, como al amante con el marido. ¿Tienes algo más que decir ahora?

—Digo, y pondría una mano en el fuego, que usté, en lo más oscuro del pecho, o en lo más claro, no cree nada de eso que achaca a las mujeres.

—Respóndeme si tengo o no razón, y déjate de si lo creo o no.

—Con todo miramiento, respondo que no tiene razón.

—Pues persuádeme. He de agradecértelo. No apetezco otra cosa que pensar bien de la gente. Y ya ves, hasta la fecha, la vida me enseñó a ser mal pensado con media humanidad; aquella que se viste por la cabeza.

—No es menester persuasión para echar de ver lo evidente. Como la aguja imantada se endereza hacia la estrella polar, así el hombre fatalmente es atraído por la mujer. Si en su derrotero embiste con algún bajío o escollo, no es culpa de la estrella. Hay que mirar arriba y abajo también.

—Hijo; has usado palabras singularmente significativas. Si como has dicho, el hombre embiste, acaso, hijo, no negarás que es por culpa de la mujer. Y si se estrella, será por su mala estrella; que la mala estrella de un hombre es una mala mujer.

—Chanzas a un lado, con no menor evidencia se echa de ver que entre Don Juan y las mujeres andan trocados los papeles. No es que engañe a las mujeres; esa es una mixtificación que él mismo urde y propala. Ellas solas se engañan, habiéndole tomado por muy hombre, como corre en la leyenda que el propio Don Juan se ha formado; y luego, de cerca, viene a parar en que eso de la hombredad es una fábula. He leído bastantes libros que cuentan la vida de Don Juan. En ninguno de ellos se dice que haya tenido siquiera un hijo.[92] ¿Me quiere usté decir por qué este gran farsante no pudo fecundar una sola mujer, con

[92] Colás es, aquí, absolutamente, el portavoz de las ideas de su creador. Conpárese con lo que dice en *Las máscaras.*

todo y haber pasado su tiempo en intentarlo, probando con el más surtido linaje de prójimas, desde la princesa altiva a la que pesca en ruín barca,[93] quienes, con otro hombre cualquiera, sin nada de Don Juan, fueron fecundas?

Tigre Juan se santiguó ante aquellas opiniones inauditas. Titubeó luego, un instante, si había de retirar la palabra al sobrino. Pero optó por seguir oyendo hasta dónde llegaba en su aberración de juicio. Continuó Colás:

—No es que Don Juan se canse en cinco minutos de cada mujer y al punto la abandone. Sale escapado, eso sí, por dos razones; cuándo una, cuándo otra. Primera: que ha fracasado en no pocos casos, y antes de que se le descubra, o anticipándose a que la mujer le desprecie, se larga primero, para curarse en salud; así la mujer queda corrida de sí misma, figurándose no haber sido del agrado de Don Juan, y por no dejar traslucir la íntima vergüenza le guardará el secreto, o acaso contribuya a que cunda tan infundada leyenda, refiriendo de él extraordinarias facultades y proezas amorosas. La segunda razón, y la más corriente, consiste en la desgana o indiferencia efectiva de la carne, junto con la apetencia ilusoria de la fantasía; por donde, a fin de estimular el deseo, necesita el incentivo de lo vario, lo nuevo y lo poco. Ocurre con éste como con todos los apetititos materiales; por ejemplo, el del estómago. Una persona de buen diente se conforma con un solo plato en abundancia, del cual repite tantas veces como el cuerpo se lo pide; así como el verdadero hombre es el que ama seguido, y sin cansarse de ella, a una sola mujer.

—Ese ditamen —interrumpió Tigre Juan— lo suscribo.[94]

[93] Cita del *Tenorio,* en su segundo cartel: "Aquí está don Juan Tenorio / y no hay hombre para él. / Desde la princesa altiva / a la que pesca en ruina barca / no hay hembra a quien no suscriba" (ed. cit., p. 29).

[94] Nótese que el narrador no es imparcial con los interlocutores. Lo que tiene Tigre Jun es una fascinación ante el donjuanismo, más que un sistema coherente de creencias.

—Pero, el que exige diversidad de golosinas, y va picando de una en otra, que todas, con algo más que catarlas, le repugnan, y lo poco que come es forzándose, a costa de fastidio y trasudores, ese tal no cabe duda que anda mal de apetito; así como el hombre no muy hombre va de mujer en mujer, con la esperanza, siempre fallida, de que la siguiete será más de su gusto y le mantendrá encendido el deseo. Se me dirá que Don Juan es un peregrino de la belleza; que allí donde descubre una apariencia o vestigio de hermosura se precipita a apoderarse de ellos; y siendo belleza relativa o defectuosa, como todas las de este bajo mundo, se desanima y decepciona. ¡Sofismas y arbitrariedades tudescos! La belleza sólo es belleza pura en cuanto no mueve el deseo de posesión. Un cielo radiante, la montaña, el mar, el canto de las aves, ¿son cosas hermosas? Pues yo no sé de qué manera se puedan poseer. Lejos de nosotros poseerlas, ellas nos poseen y arrebatan. Decimos *¡una hermosa fruta!*, y se nos hace la boca agua, pensando en comérnosla; pero no es que aludamos a la pura belleza, sino al agrado de la sensualidad, pues si en efecto aludiésemos a su belleza no nos la comeríamos, por conservarla en su estado, como no nos comemos una hermosa flor. Cuando Don Juan dice *¡hermosa mujer!*, lo dice como de una fruta; no expresa su admiración por la belleza, sino el apetito, en la imaginación, de dar agrado a su sensualidad, débil o gastada. Si nos enamorásemos de una mujer únicamente por su belleza de cuerpo o bondad de alma, este amor sería un amor puro, un amor platónico. Y así como Don Juan, o sus imitadores y devotos, antes que verse rechazado o no correspondido públicamente de una mujer, a quien dice amar, se considera en el deber de matarla, como chiquillo mal educado, que negándole el disfrute de una cosa la destruye, antes que otro la posea, así el buen amador, el fino amador, nada pide, nada recuesta [95] de la

[95] La alusión al mundo del amor cortés ha traído consigo este arcaísmo literario. *Recuestar*: 'demandar o pedir' (Academia, página 1116). Como es sabido, la recuesta es una de las manifestaciones preferidas de la poesía cancionaril (cfr. Francisco López

amada, sino que le consienta adorarla y contemplarla en silencio. Y si le respondiese que no quiere verlo ni dejarse ver de él, no pudiendo vivir sin ella, él es el que se mata.

—Bonito papel, como hay Dios. Y, ¿quién es ese amador tan majo? ¿Dónde o cuándo lo hubo?

Colás narró entonces la historia, amores, dolores y trágico acabamiento del joven Werther.

—Por lo que me cuentas —glosó Tigre Juan— ese barbilindo de Berte era cabalmente un *babayo* *; y la tal Carlota, necia y lagarta, como todas.

—Era un hombre.

—Magnífico, rapacín, magnífico. En suma, que Don Juan no era un hombre.

—No, señor.

—Pues, ¿qué era, Colás? Resuélveme ese enima.

—Ya lo dije: un niño mal educado, que llega a la edad madura sin hacerse hombre. Eso, en el caso más favorable para él. Ocasiones hay en que el calavera Don Juan de carne y hueso que por caso nos es dado conocer y tratar, más parece un...

—¿Un qué? Dilo.

—No me atrevo.

—Vaya, dilo, y no me tengas así suspenso.

—Un afeminado.

—¡Ja, ja, ja! No esperaba esa salida. Es lo que me quedaba por oír. Vamos, ¿un mariquita?

—Un Periquito entre ellas, que viene a ser lo mismo.

—¿Y a mí que el mariquita, de pies a cabeza, en dentro y de fuera, se me representaba ese cobardote y lloricón de Berte? Y ahora que reparo: ¿quién es el Don Juan de carne y hueso que tú conoces y tratas?

—No hay para qué apuntarle con el dedo.

—¿Cómo que no? Es mi mandado.

Estrada: *Introducción a la literatura medieval española,* 4.ª edición renovada, Madrid, ed. Gredos, col. Biblioteca Románica Hispánica, 1979, pp. 396-397).

* Idiota baboso.

—Usté lo sabe como yo. No puede ser sino uno. A usté le he oído, hasta la saciedad, que el tal era Don Juan redivivo.

—¿Vespasiano, quieres insinuar? Muchacho: ¿estás en tu sano juicio? ¿Has perdido toda moderación y cordura? ¿Osado eres en mis barbas? ¿Vespasiano, afeminado? —dijo Tigre Juan, con sacudida voz, el acento todavía indeciso entre la ironía y el enojo.

—A mí, al menos, con aquellos ojos lánguidos, aquellos labios colorados y húmedos, aquellos pantalones ceñidos, aquellos muslos gordos y aquel trasero saledizo, no puedo impedir que me parezca algo amaricado... Tiene anatomía de eunuco —declaró Colás, que no había levantado los ojos, a fin de representarse mejor en la memoria sensitiva la corporeidad ausente del aludido Vespasiano.

—Basta. Hasta aquí llegó Cristo con la cruz, y de aquí ni un paso más —rugió Tigre Juan, entiésandose y martilleando con el puño en la mesa. Después de un silencio dejó caer hasta el esternón la cabeza, e imprimiéndole pausada oscilación de arriba abajo, suspiró:

—Me has dado una puñalada so la tetilla izquierda. No se te oculta que Vespasiano es mi mejor amigo...

—¿Vespasiano el mejor amigo de usté; o usté de él?

—Tanto monta.

—Don Juan no es amigo de nadie —anotó el contumaz sobrino.

—¿Te ensañas en herirme? ¿Me hostigas? —murmuró Tigre Juan, con mirada ingenua e implorante. Y encrespándose de pronto:

—¿Me acosas? Cuidado, rapaz, cuidado...

—Perdón, tío. La herida fue inintencionada, o, por mejor decir, bienintencionada. Deseo la felicidad de usté más que la mía propia. De mis aprensiones no soy señor; ellas me señorean.[96] Y, ¿quién no las tiene? Prefiero sacarlas fuera, en presencia de usté, que no, hipócrita, callármelas. ¿Me perdona?

[96] Pérez de Ayala pone en boca de su personaje este juego conceptual que sería más propio del estilo del narrador.

—Pues si que no... Apresiones... Bien dijiste. Te curarás, si Dios quiere. Yo he de asistirte, que soy curandero acreditado.

—¡Ay! ¡Ojalá!

El diálogo polémico y sentimental entre tío y sobrino se prolongó tanto aquella noche, que a Tigre Juan se le hizo tarde para ir a jugar naipes, como de costumbre, en la tienda de pasamanería de doña Mariquita Laviada. Se retiró al austero lecho, con presagios en el corazón de que el largo remanso de beatitud en que, pese a ciertas ráfagas de iracundia como nubes de verano, cada vez más raras, vivía estancado durante algunos lustros, andaba próximo a su término y comenzaba a despuntar en la línea de lo venidero un período de turbulencia y adversidades.

Pocas noches después, concluida la cena, que era la sazón de los paliques familiares, Colás había colocado ante sí una ringla de vasos, todos diferentes de forma, tamaño y grosor, adquiridos por Tigre Juan en almonedas y baratillos. Abstraído y los ojos borrosos, tocaba el *Vals de las olas,* golpeando con el mango de un tenedor sobre los vasos. Interrumpióse de súbito, y con arranque estupendo, de los suyos, preguntó de tenazón [97] a su tío:

—¿Por qué no se casa usté con doña Iluminada?

Oyendo esto, Tigre Juan quedó paralizado. Tardó bastante en persuadirse que tenía delante a Colás y que aquellas palabras inconcebibles hubieran salido verdaderamente de sus labios. ¡Qué barbaridad! Tanto valía que le propusieran casarse con Santa Ursula o con la Osa Mayor. Para Tigre Juan, doña Iluminada estaba casi desprovista de existencia corpórea; era como un fuego fatuo, ingrávido y vagamente luminoso, temblando en la frontera del más allá, sobre la sepultura invisible del marido difunto.

Colás insistió en el proyecto matrimonial.

Tigre Juan no acertaba a articular la voz. Se puso verde. Bufaba. Estiraba y encogía el elástico pescuezo, rugoso y

[97] *De tenazón*: 'Aplícase a lo que de pronto ocurre o se acierta' (Academia, p. 1253).

térreo como piel de paquidermo. Estas señales anunciaban la inminencia de una de sus cóleras. Crispó los puños, cerró los ojos, soltó varios tacos y al fin balbució:

—Por deslenguado, he de arrancarte la lengua.

Colás estaba avezado a presenciar flemáticamente las irritaciones de su tío; sobremanera explosivas, pero, por lo regular, momentáneas. Al escucharle ahora aquella chistosa amenaza, y aprovechando que Tigre Juan mantenía los ojos cerrados, se sonrió. Su sonrisa era patética y enigmática.

—Ella le quiere a usté, sin embargo —dijo Colás, naturalmente, como si respondiese qué hora era o hablase de la cotización en mercado de los granos secos.

—No quiere sino a su marido. Es mujer honrada y no comete adulterio —rugió Tigre Juan, con un hervor en la base del pecho.

—El marido murió hace años.

—Viuda honrada, el hoyo de la cabeza del marido siempre en la almohada. [98]

—Ella le quiere a usté, sin embargo —reiteró Colás, con expresión grave y triste—. De edad son ustedes tal para cual, en buena proporción. Si no mozalbetes, tampoco vejetes. Aun pueden tener familia.

Tigre Juan adelantaba los brazos convulsos, como si a tientas intentase tapar la boca a Colás, o apretarle la garganta, que no continuase hablando.

Colás añadió, inalterable:

—Un día; mañana, pasado, eso Dios lo sabe, se queda usté solo. Me muero, o me extravío. Se queda usté solo. ¿Quién, como doña Iluminada, para quererle, acompañarle, cuidarle? En esta casa hace falta una mujer. ¿No la echa usté de menos?

[98] Tigre Juan es amigo de estos refranes y proverbios "para justificar, sentenciar o corroborar ciertos hechos o ideas en momentos determinados. Es una nota más de color local, imprescindible como medio de caracterización" (González Calvo, p. 87). Ya no lo volveré a comentar.

¿Quedarse sin Colás? ¿Colás, muerto o desaparecido? ¿Qué quería dar a entender Colás? Aquí, Tigre Juan abrió los ojos; dos brasas que se apagaron al pronto, como regadas de agua. Abrió la boca ;una cavidad lóbrega, habitada por un silencio mortal, lo mismo que entonces lo eran su corazón y su pensamiento. De la lengua se le desprendió, más que una palabra, un espectro de palabra:

—¿Solo?

—¿Quién es dueño de sí? —monologó Colás—. Vamos a donde el destino nos empuja. Inútil resistir. Soy fatalista.

—Yo no, reconcho [99] —dijo Tigre Juan, encontrando su voz y dando una patada en los tablones del tillado, como por mejor asentar en suelo firme. Al apoyarse en lo que era principal soporte de su carácter, el sentido del deber, volvía a ser el mismo hombre de siempre y a gobernar sus pensamientos—. Según eso, los renuncios, las traiciones, los pecados no lo serían tales. ¿Irresponsables todos los gandules? No. No. No. El culpable sufra la pena. Tu pecado se llama ingratitud.

—Si culpa y pena fuesen como vestidos de quita y pon. De los hombros te cuelgo hábito de penitencia y desnudo quedas de culpa... ¡Qué estupidez! Si el castigo lavase el pecado, o lo corrigiese siquiera... [100] Ingratitud... Ingratitud... La víctima soy yo, si acaso.

—¿Víctima tú? ¿De quién? ¿No te quiero como a la niña de mis ojos?

—No hablaba de usté. Queja no tengo; sí mucha obligación. De lo que sea amor de hijo a padre, me basta con saber que el hijo más amante no me saca ventaja, sin ser yo hijo de usté.

Y después de una pausa, doblando hacia atrás, en círculo, la conversación, hasta el punto de partida, con el

[99] Tigre Juan vuelve a emplear esta exclamación en la narración a doble columna. De acuerdo con la tradición de la novela del siglo XIX (de su maestro Galdós, por ejemplo), en la obra de Pérez de Ayala son frecuentes las exclamaciones eufemísticas: *caracho, me cisco en, riñones, toño...*

[100] La moral natural que profesa Pérez de Ayala deshace racionalmente la concepción mecánica de la penitencia.

acento a la sordina como eco de las anteriores palabras, concluyó:

—Reflexione lo que en un principio le he dicho.

Tampoco aquella noche Tigre Juan salió de casa a jugar naipes. No pudo conciliar el sueño. Revolvíase en su camastro humilde, zarandeada la imaginación a merced de un tumulto de pensamientos y emociones chocantes. Con premura y azoramiento se fugaba de una idea desagradable, volviéndole la espalda de la conciencia, e iba a tropezar con otra que igualmente le amedrentaba y repelía. Así en todas las direcciones del horizonte de la mente, como si hubiesen puesto asedio a su espíritu ansiedades y zozobras largo tiempo sumisas, amordazadas, y ahora rebeldes de pronto.[101]

"Sin ser yo hijo de usté", había dicho Colás, con palabras pletóricas de sentido. Tigre Juan adoraba en el mozo. Pero cuanto más le amaba, tanto más se le hacía sensible un interior vacío anhelante, no susceptible de colmar; como si este amor se sustentara en vano fundamento, no de otra suerte que un edificio sin base amenaza desplomarse en la medida que más se levanta. Aquella oquedad interior y falta de firmeza en el cimiento de su vida no era sino la necesidad y exigencia tácita de un hijo auténtico, un hijo de su carne. Doña Iluminada, con ademán profético, solía llamar a Colás "el hijo del aire". Hijo del aire... Un día nefasto —Colás acababa de decirlo— el viento reclamaría sus derechos de paternidad; el muchacho se le disiparía para siempre en la lotananza, raptado, como celaje liviano, en brazos del viento. La cordial y turbia hambre de un hijo, y el terror, disfrazado de odio, por la mujer, de natural perverso, como la serpiente, habían desviado a Tigre Juan de la paternidad real hacia la paternidad ilusoria. Un padre no hubiera hecho más que Tigre Juan por Colás; cierto. ¿Por qué lo había hecho? Por cobardía de su sole-

[101] Es frecuente, en las novelas de Pérez de Ayala, que los personajes monologuen, a veces en soliloquios retóricos, y el autor añada acotaciones escénicas sobre cómo lo hacen (Weber, p. 36). Ya no lo volveré a comentar.

dad; por egoísmo. ¿Le era acaso Colás deudor de gratitud? Todas las especias gratas, aromáticas, sabrosas o picantes, con que Tigre Juan sazonaba y decoraba el parvo manjar cotidiano de su existencia, provenían de Colás; aquel arbusto silvestre, trasplantado a la oscura estrechez de su hogar. ¿No estaba, pues, acrecentadamente pagado de sus solicitudes para con el mozo? Por su parte, Colás, ¿qué le debía a él? Ni siquiera era sobrino suyo, aunque de esto el propio interesado, ni nadie en la vecindad, tenían atisbo, a no ser que doña Iluminada, desde su penumbra sagaz, colindante entre el mundo de la materia y el del espíritu, lo hubiera adivinado quizás. Colás, ¡maravillosa suerte!, había nacido libre, como su padre el aire, allá cerca del cielo, en las fragosidades de Traspeñas. Era hijo de un amor instantáneo e irresponsable de naturaleza; no se podía averiguar quién lo había engendrado. Quizá la educación más feliz y apta para él hubiera sido la no educación, la selvática libertad.[102] Y Tigre Juan lo quería guardar secuestrado, como si fuera posible aclimatar un águila en un sotabanco o incluir el huracán en un odre. El tronco retiene a la rama. Pero Tigre Juan no era el tronco, ni Colás su vástago.

"Aún puede tener familia", le había dicho Colás, poco antes. Sin duda. Mas era menester el concurso femenino. Y, ¿dónde hallar la fuerte mujer bíblica, honrada y segura?[103] Aquejaba con frecuencia a Tigre Juan el anhelo inconfesado de una esposa. Aquella noche, rebulléndose desazonado, hubo de ser sincero consigo mismo: le faltaba, en la piel y en el corazón, ese contacto de mujer que produce el más dulce escalofrío. Apenas, en un momento de abandono de la voluntad y pérdida del dominio de sí, hizo esta confesión íntima, cuando saltó del camastro, cayó de rodillas, y, dándose de puñadas en los ojos, murmuraba

[102] Tema frecuente en Pérez de Ayala: la defensa de la educación en libertad, conforme a la naturaleza.

[103] El elogio bíblico de la mujer fuerte cierra el *Libro de los Proverbios* (cap. XXXI, vs. 10-31): "Una mujer fuerte, ¿quién la encontrará? / Por cima de las perlas está su valor", etc.

roncamente. Creyó ver primero una gran mancha roja, y luego un negror poblado de estrellitas rutilantes: "Aún bramas por la mujer, insensato, como ciervo sediento por el manantial.[104] ¿No te hartaste de ignominia con una sola vez para mientras alientes? ¿No eres aún escarmentado ni avisado? Señor de justicia, Señor de misericordia: ciégame. No quiero ver, no quiero ver. Hora es de ciegue. Tómame en cuenta lo padecido y bien obrado. Por tu gracia benigna acordé que ya no veía; que todo lo tenía olvidado. Y vuelvo a ver... rojo, rojo, todo rojo... Estoy asomado a un río de púrpura transparente. ¿Qué hay allí en el fondo? ¿Es una persona ahogada? Unos ojos abiertos, abiertos, que me miran y me condenan. No quiero ver, no quiero ver. Soy inocente. Señor, tú bien lo sabes. Ciégame. Ciégame. Todo se va ya borrando, ennegreciendo. Beso el suelo, Señor, en acción de gracias y rendimiento. Ya vuelve a ser de noche en mi alma, con lluvia de estrellas. Señor: ciégame antes que tal vea otra vez." Al acostarse de nuevo, clareaba, a través de una lucerna, la luz del alba. Ahora, Tigre Juan pensó que dentro de un rato volvería a encontrarse bajo la pupila inquisidora y penetrativa de doña Iluminada. Este pensamiento, junto con la memoria reincidente de la conversación casera mantenida la noche anterior con Colás y su consejo detestable de tomar a la viuda por esposa, le recrudecieron el desasosiego. Doña Iluminada solía leerle detrás de la frente —cavilaba Tigre Juan— tan distintamente como si deletrease en gruesas mayúsculas de cartel de párvulos: *p-a, pa; m-a, ma.* ¿Le daría hoy a doña Iluminada por ponerse a leer en el fuero interno de Tigre Juan los cruentos caracteres y rasguños que en el cerebro le habían impreso durante la noche sus vergonzosas ideas? Sentíase todo turbado. Esta turbación recóndita se le exteriorizó con señales manifiestas cuando, armando su tenderete a las siete de la mañana, hubo de saludar a la viuda. A veces, tenía en sueños una estrafalaria pesadilla: que, sin saber cómo, había salido

104 "Como el cirvo anhela las corriente de agua, así mi alma anhela a ti, oh Elohim" (Salmo 42).

de casa en paños menores y en traza tan bochornosa se hallaba a la vista de todos los del mercado. Ahora sentíase como si estuviera peor que en paños menores, *in puribus naturalibus,*[105] en cueros, como un recién nacido.

No se calmó al avanzar el día. Estaba atormentado, como en un potro. Ni siquiera le quedó el ánimo dispuesto para atender y reflexionar sobre lo que más le afectaba y más le dolía: el posible abandono de Colás.

A media tarde, unos chicuelos vineron a darle vaya, de lejos:

Barba Azul,
Tigre Juan:
mataste a tu muyer,
enterrástela en el desván.

Tigre Juan les disparó pilongas y avellanas con más rabia que de costumbre. Aprisionó a tres chiquillos y los mantuvo cautivos buen rato. De tanto en tanto los estrujaba con arrebato; y los ojos, gatunos, le reverberaban como de vidrio o de fiebre. La de Góngora le llamó:

—Deje ya a esa *reciella* * de rapacinos. ¡Cuitados! Ellos, ¿qué entienden si usté lo hace por bien? Venga acá. Tenemos que hablar un momentín.

Tigre Juan penetró en el tenducho, con actitud de reo.

—Si esos mocosos fueran hijos de usté, ¿verdad? Resignación y esperanza. El porvenir reserva grandes novedades. Siéntese, haga el favor. Algo raro le pasa hoy, camarada. —Camarada era el epíteto más acariciador con que la viuda obsequiaba a Tigre Juan. Repitió—: ¿qué es ello,

* Muchedumbre bulliciosa.

105 Con frecuencia se ha tachado a Pérez de Ayala de pedantería por la introducción de citas clásicas. Así lo hizo, por ejemplo, Max Aub (*Discurso de la novela española contemporánea,* México, El Colegio de México, 1945, pp. 68-69), que lo retrató también con poca simpatía en su novela de clave *La calle de Valverde.* Sin embargo, no se suele subrayar lo que aquí vemos: el cultismo aparece junto al popularismo, con un efecto de perspectivismo irónico

camarada? Apuesto que cosas de Colás. ¿Acierto? Hijo del aire. ¿Qué ventolera le ha dado? El no tiene la culpa. Cuando sopla el cierzo, y sopla porque Dios lo dispone, los árboles inclinan la cabeza para no romperse. Hagamos otro tanto. Vamos a ver. Colás ha tenido un palique enfadoso con usté. Y a lo mejor, o a lo peor, le dijo...

—¿Usté sabe...? —barbotó Tigre Juan, empantanándose en sus aprensiones, como rana asustadiza que se zambulle en una charca cenagosa.

—¿Qué he de saber? Pero como a ese mocito todo le entra con ardor... y andaba tan atortolado por la rapaza...

—¡Recristo! [106] —exclamó Tigre Juan, estirando el pescuezo, como hombre que emerge del agua y respira fuerte. Por la cara, abrillantándosela, le chorreaban, superpuestos y mezclados, la sorpresa y el alborozo.

—¿Ahora se desayuna usté?

—¡Concho! ¡Recristo! ¿Pues no soy jumento? Al fin percibo. Claro está. Colás quiere casarse. ¿Por qué no me lo dijo llanamente el muy zampatortas? [107]

—Psss... Falta de atrevimiento.

—¿No le conoce usté desde que era no mayor que un gorgojo? [108] Ese galán se atreve con Maceo [109] y con el obispo. Todo estriba en que se le meta en la chola. [110] ¿Casarse?

[106] La misma exclamación empleará Tigre Juan al ver volver a Colás de la guerra. La usa también Travesedo en *Troteras y danzaderas* (p. 311). Y Francisquín, en el poemas "Coloquios", en *La paz del sendero* (*O.C.*, II, p. 115).

[107] También Urbano es calificado, con afecto irónico, de "zampatortas", en *Las novelas de Urbano y Simona,* y Simona se ofende: "¿Cómo zampatortas? No le consiento esa palabrita" (p. 96). Pérez de Ayala emplea otros compuestos de este tipo (verbo más complemento) frecuentemente en la creación de apodos: *soplamocos, engañabobos, cagatintas, rascatripas, inflapavas...* (González Calvo, p. 34).

[108] *Gorgojo*: 'Insecto coleóptero'. Figurado y familiar: 'persona muy chica' (Academia, p. 670).

[109] Antonio Maceo (1848-1896) fue uno de los principales jefes de la insurrección cubana. Al morir en combate, en Punta Brava, en España se creyó ver extinguida, con él, la rebelión.

[110] Más adelante, en la narración a doble columna, dirá Nachín de Nacha: "Agacha la chola, que te escancie el agua por el co-

Muy mozo es entodavía. Abomino de las mujeres. Quise persuadirle que, siguiendo mi ejemplo, él abominase también, y así demoraríamos juntos, sin manzana de discordia, el uno para el otro, como padre e hijo, en santa paz y compaña. ¿Qué cosa mejor? Pero, lo que ha de ser, ha de ser. Bien me lo dijo él mismo anoche: "Inútil resistir." En este particular, ¿qué remedio sino ceder, que es mal menor? Muy mozo es entodavía. Llegada la oportunidad, no me opondré. Cásese en buena hora y bendito sea Dios. No por eso habrá de abandonar mi casa, sino que me traerá una hija de más. Y luego, al año de la boda... ¿Explícome? ¡Reconcho! ¿Quién es la moza? ¿Vecina nuestra?

—Paso, don Juan, no se remonte. Tenemos que hablar y usté desvaría. De que Colás anda atosigado de amores, algo y aun algos [111] conozco. ¿Quién no? El amor sigue la condición del humo, que no cabe mantenerlo tapado, [112] y además, que, por dicha, luego se desvanece, aunque no siempre. Usté, con el humo ante las narices, no le ha dado en el olfato una vaharada siquiera.

—Concedo que olfato y narices no son dones míos salientes.

---

gote." Pérez de Ayala emplea otras voces coloquiales para designar la cabeza: *cholla, calamocha, sesera, caletre, magín, cacumen, mollera...* (González Calvo, p. 81).

[111] Recuerdo de Cervantes, que juega con el número: "Cuando están en el barco, arrastrados por la corriente, Don Quijote explica a Sancho que han pasado la línea equinoccial, y la prueba es que a todos los que van en el navío se les mueren los piojos. Sancho lo pone en duda y Don Quijote pregunta: '¿Has topado algo? —¡Y aún algos! —respondió Sancho'. Ese *algos* le servía para burlarse de una arraigada tradición que se mantuvo hasta la primera época de Fernández de Oviedo (*Sumario de la Natural Historia de las Indias,* cap. LXXXI)" (Angel Rosenblat: *La lengua del 'Quijote',* Madrid, ed. Gredos, Biblioteca Románica Hispánica, 1971, p. 178).

[112] Recuérdese que el 17 de octubre de 1923 se ha estrenado en el Teatro Apolo *Doña Francisquita,* de Federico Romero, Guillermo Fernández Shaw y Amadeo Vives, y se hizo pronto famosa la romanza del tenor: "Por el humo se sabe dónde está el fuego." En Pérez de Ayala, se subraya con ironía escéptica la segunda parte de la comparación.

—Para abreviar. Lo del matrimonio no viene al caso. La moza que Colás cortejaba le ha cantado de plano que nones.

—¿Nones?

—Que le ha dado unas calabazas como un templo.

—¿Calabazas?

—Ea, que no le quiere.

—¿Que no le quiere? ¿Que no quiere a mi Colás? ¿Quién es esa princesa del pan pringao? Y aunque ella no quiera, ¿qué monta eso para que se casen, queriendo yo y él?

—¡Ay! Como gozne y cerrojo en un postigo, que no abre sin el uno, ni sin el otro cierra, así el querer de la mujer y el hombre. Amor y matrimonio: si falta el cerrojo, que es la voluntad del varón, es puerta abierta e inútil; puerta falsa sin el gozne, que es la voluntad de la mujer.

—¿Voluntad de mujer? La voluntad debe ser sirvienta de la mollera, o no es voluntad. Malhaya la voluntad necia que topa y embiste por conseguir lo que afalaga el gusto. ¿Y llama usté a eso voluntad? Voluntad de ese ramo cativo tiénenla más recia las animalias[113] que las personas. Moza con voluntad... ¿Por dónde? ¿Hay moza con dos dedos de mollera ni adarme de sentido? Muéstrenme la primera mujer que de cejas arriba almacene endentro algo de provecho, si no es vanidad y trapacería. Pues que Dios les negó mollera, niégueseles voluntad; y obedezcan. Soy con usté en que el matrimonio debe ser atadizo de amor para el hombre. En la mujer, obedecer es amar.

—¿Y han de obedecer de grado o por fuerza?

—Eso allá ellas; de grado o por fuerza, según les pete, que las hay que se perecen por el vergajo como por la golosina.

[113] Pérez de Ayala emplea también este arcaísmo en *El raposín*: "busco lo que hombres, aves, animalias y bestias" (*O.C.*, I, p. 1009). Y en *Bajo el signo de Artemisa*: "Otra dicha no gozo sino aquélla que Dios, Padre universal, hasta a las desvalidas animalias concede" (*O.C.*, II, p. 874).

—¿Son todas las mujeres de esta traza como usté las pinta, camarada?

—Usté, para mí, no es mujer de la pasta de las otras. No necesito disculparme.

—¡Qué lo he de ser!... No se equivoca. Si usté lo supiera bien... Por santa me tiene, y en eso va equivocado. A la fuerza ahorcan. A lo que estábamos. No hablaba por mí, sino en defensa de las demás mujeres. Hombres y mujeres están amasados del mismo barro frágil. Hay, sin embargo, una diferencia. Fíjese, camarada. Que el hombre no puede ser feliz sin la mujer, en tanto la mujer lo puede ser sin el hombre, aunque a causa del hombre. Porque eso de recrearse en la desgracia y bañarse de lleno, con deleite, en la propia tristeza, es ciencia infusa que el hombre por excepción aprende, y las mujeres nacemos ya aprendidas.

Tigre Juan, aturdido, dejó caer la cabeza como escondiendo la frente de la mirada de la viuda. Meditaba: "Ha leído dentro de mí, como en manuscrito, lo que anoche pensé: que el hombre apetece siempre mujer. Par a par, como grabada con un punzón en la corteza de un árbol, se manifiesta en el forro de mis sesos la proposición insensanta de Colás: cásese con doña Iluminada; ella le quiere. Los cabellos se me erizan, como una ventana que se abre, con que la viuda podrá ver más a fondo. ¿Seguirá leyendo en voz alta? Corrido estoy. Abrete, tierra. ¿Por qué acudí cuando me llamó?" Por su parte, doña Iluminada dilataba el silencio y la expectativa, porque tenía ante sí el umbral del destino, y, sobrecogida de incertidumbre, no osaba adelantarse hacia él. [114] Pensaba: "dos mañanas veo que tiran

[114] Pérez de Ayala suele presentar en sus relatos estos momentos en que se decide el destino de unos personajes, que lo intuyen con más o menos claridad. Recuérdese el párrafo inicial de *Las novelas de Urbano y Simona*: "Aquella sobremesa del 8 de junio fue, como todos los grandes hechos históricos, un suceso al parecer cotidiano, sino que el Destino, que se hallaba presente e invisible, volcó el cubilete de los dados fatales, y los personajes, cuya suerte quedaba allí mismo decretada, aunque no podían contemplar, ni presumir siquiera, la cifra del futuro, sintieron al modo de un escalofrío insidioso en la cañada de los huesos" (p. 21).

de mi vida. Cada mañana en un platillo de la balanza. Y mi vida en el fiel, temblando, como un niño asustado. Igual peso tiene el uno como el otro. Ninguno de los dos vence ni me inclina. Suya quisiera ser. Huerto cercado y maduro, todo empapado de amor; suspiro por mi dueño. Que tome posesión de mí. Que, al fin, penetre en mi secreto. Abriré las puertas. Parece que cantan mil pájaros en mi corazón: es que hice cautivo a mi dueño. Cerraré tras él las puertas, como brazos en un abrazo, que dure tanto como la vida de entrambos. Que halle en mí el olvido de todo; halago para los sentidos, la paz del alma. ¡Ah, ilusa! Eres vana y codiciosa. Con la dicha cierta en las manos, la arrojas lejos para asir la dicha dudosa. Dices que le quieres por dueño, y maquinas adueñarte de él. [115] Pon que, con arte de mujer, lo consigues. Como paloma inocente, lo has cazado con trampa. Ya es tuyo. Mírale los ojos amilanados, al saberse prisionero. Desde tu huerto de otoño, contemplará, con melancolía y desesperación, otros lozanos huertos primaverales. Y te maldecirá... ¿Y si él, con recelo de darlo a entender, aguarda que yo le franquee la entrada del huerto? A veces alza los ojos hacia mí, como mendigo al fruto en sazón que en la rama más alta asoma sobre la cerca. Siempre me mira de abajo arriba. ¿Me ve como mujer o como fantasma? ¡Oh, Desesperanza, compañera fiel de mis lástimas; perro que lame las llagas de su amo; tan encariñada estoy contigo que temo sanar, si he de perder tu compañía! ¿Será el instante del milagro? Ahora o nunca. ¡Señor, Señor: empuja con tu dedo el platillo donde yace mi suerte! Adelante, y Dios sea conmigo."

—No dudará, don Juan, que le quiero, con cariño añejo y de ley —dijo la pálida voz de la viuda pálida—. ¿Me permite que le dé un consejo?

[115] Se cuida Pérez de Ayala de señalar que también siente Doña Iluminada la tentación del amor-posesión. ¿Quiere sugerir que en todo amor hay esta tendencia?

—Mándeme —respondió Tigre Juan— tirarme al pilón de la plaza y allá voy de cabeza. Juro que no deseo otra cosa.

—Algo más agradable. Cásese usté. Aún está a tiempo. La mujer que mejor le cuadra quizás la tiene a mano.

Atardecía fuera. Dentro del tenducho se anticipaba la noche, y en medio, el óvalo nítido, casto, incorpóreo, del rostro de doña Iluminada.

Llegaba el son huidizo de la gran fuente en la Plaza. A Tigre Juan le pareció que el ruido era de su propia sangre, vertiéndosele en una hemorragia total, que le dejaba exánime. Tal impresión le produjeron las palabras de la viuda.

Hubo una pausa, acaso breve en el tiempo y, no obstante, de muy larga trayectoria en profundidad.

La viuda pensó: "Señor: patente se me muestra tu voluntad. Mi suerte está decidida. Esposa mística quisiste que fuese, y no en el claustro, sino en el siglo. Comprendo. Comprendo. Estas son mis segundas nupcias, [116] más limpias todavía que las primeras, porque en ellas no media nada engañoso, interesado, torpe o sensual, ni siquiera el sonido de la palabra. Esclava suya seré; él, mi dueño. Y no sospechará... No viviré sino para él. Y no sospechará... Espantaré los riesgos que le amenacen. Y no sospechará... Le meteré en casa la dicha. Y no sospechará [117]. De ventura reviento por todos los poros del alma, como panal saturado de miel."

Del rostro de plata lúcida, que en la sombra albeaba, manó una hebra de plata, aprensión de voz:

—Me río —dijo; pero la risa no se dejaba oír; era una

[116] Todo este párrafo es otro caso de uso del lenguaje místico para lo erótico.

[117] En los momentos de gran emoción, Pérez de Ayala emplea, a veces, la repetición de un estribillo lírico. Recuérdese la carta de Angustias a su padre, Belarmino: "No te dejé porque te quisiese, padre. Escapamos sólo para estar seguros de casarnos, padre. Queríamos que usted viniese luego a vivir con nosotros, padre. Pedro le quiere a usted tanto como yo le quiero, padre. Padre, me lo robaron. No sé lo que me pasa, padre. Quiero volver con usted, padre (*Belarmino y Apolonio*, p. 229). Es típica de Ayala la alternancia del lirismo con la ironía escéptica o la digresión ensayística.

risa taciturna—. Me río de la mueca de susto que usté ha puesto, aunque no la veo. ¿Qué disparate habrá pensado? Creerá que me he vuelto loca. Usté tiene miedo de duendes y aparecidos. Se las echa de bravo, pero a mí no me da el timo. Hay que ponerse en la realidad, camarada. Serénese, que prosigamos hablando en conversación reposada, como buenos amigos.

Tigre Juan daba ya diente con diente, no acertando a descifrar las frases de la de Góngora, que se le figuraban sibilinas, irónicas, amargas, bastante menos diáfanas que su semblante, virginal y anémico, entre las sombras.

Se interpuso en la puerta un bulto pequeñuelo, que habló con sonsonete lacrimoso:

—Señora Iluminada, santina de Dios; de parte de mi madre, que si puede despacharme de fiado, y que la Virgen se lo recompensará.

Doña Iluminada encendió el quinqué, que colgaba a plomo sobre el mostrador. Se vio a la entrada un chiquilla, como de dieciséis años, harapienta, flaca, morenucha, de grandes ojos radiosos. [118]

—Entra acá, Carmina —dijo la señora—. ¿Cómo está tu madre y qué necesitas?

—Tose mucho día y noche, que se le despedaza el pecho. Pero ahora va a mejorar, diz el doctor de la Cooperativa, con un remedio que la recetó, pa tomar, y unos emplastos, pa ponerse detrás y delante, con bayeta encima, y mandóme aquí madre por una tercia de bayeta amarilla de Pradoluengo, [119] que ya le pagará cuando se ponga buena y vuelva al puesto de verduras, que ahora, como no se puede levantar, no gana nada, ni pa comer.

[118] Son frecuentes, en Pérez de Ayala, los derivados formados con el sufijo -oso. Ejemplos: *azuloso, pergaminoso, tabarroso, sanguinoso, alardoso,* etc. Para González Calvo, "por poseer el sufijo -oso cierto tono arcaizante y popular, las formaciones de este tipo aparecen con más frecuencia en los primeros escritos ayalinos, ya que la prosa de la segunda época es más analítica" (p. 48).

[119] *Pradoluengo*: pueblo de la provincia de Burgos, en los límites con Logroño, que era famoso por sus industrias de paños, bayetas, boinas, calcetines y fajas de lana, mantas...

Doña Iluminada extrajo de la estantería el rollo de bayeta, de donde midió y cortó un trozo.

—Ahí tienes media vara, por si no es suficiente una tercia. Dile a tu madre que no se apure. Ya me pagará cuando le venga bien. Toma estas dos pesetas. Poco es. No me consienten más mis medios, y menos da una piedra.

Tigre Juan echó mano al bolsillo de la almilla y sacó dos reales, en cobre, pieza a pieza, que iba entregando a Carmina.

—¿No dije que menos da una piedra? —comentó sonriendo la viuda.

—¿Pues la piedra soy yo? —replicó, fosco, Tigre Juan.

—La piedra es su corazón. ¡Qué tacañería! Alárguese siquiera a cuatro reales.

—Señora, yo tengo más obligaciones que usté, que es sola y se basta a sí misma.

—Por sola, me basto a mí misma… ¡Vamos, que es lince! —murmuró la viuda, con dejo intencionado.

—Y en cuanto a si mi corazón es una piedra —añadió Tigre Juan, recuperándose del pasado desfallecimiento y sin pararse a buscar intención en las anteriores palabras de la viuda—, alégrome que sea así, y no de mantequilla de Soria. Y no se achaque a tacañería. Toma, nena, otra perrona más, para que usté vea. Hágolo de caridad. Según mis principios, caridad es deber, que no compasión y flaqueza. Por deber de caridad he de ir luego a ver a Carmona, la verdulera, y no le cobro ni visita ni receta. Diránme dimpués quién acude con el alivio y maneja mejor el arte de la medicina, si este curandero o esos señoritingos licenciados.

Salía ya la niña murmurando "Dios se lo pague", impaciente por retornar con la dádiva junto a su madre.

—No te vayas así, Carmina. Acércate. que te dé un beso —dijo la señora.

—Más agradezco esta bondad que la tela y los cuartos —habló la niña.

—¿No le da usté otro beso, de propina, don Juan, el tigre? —interrogó la viuda, con malicia afable.

—Anda con Dios, neña, que no gusto de zalamerías, arrumacos y garatusas [120] —dijo Tigre Juan, plegado el entrecejo y apartando de sí, con la mano velluda, a Carmina. Cunado ésta hubo salido, rezongó, en tono que pretendía ser alardoso: —Nunca acerté a dar un beso.

—Menester es que aprenda, si se ha de casar.

El ácido verde de la emoción, que en las entrañas de Tigre Juan se mezclaba tal vez con el humor negro de la cólera, le comenzó de nuevo a subir a la cabeza. [121] Por dominarse, se hizo el desentendido y salió hablando por otro registro:

—Paréceme que esta Carmona espicha. Está héctica y consumpta. Cuando el bote se *desfarrapa,* * [122] no hay hierba ni simple que lo restaure en su ser. Si acaso, sangre de toro, bebida en caliente.

—Y Carmina quedará huérfana, sin calor ni cobijo. De piedad me estremezco. ¡Ay, señor don Juan! Cuánto mejor hubiera sido para usté adoptar una niña, que son más cariñosas y apegadas a la casa do se criaron.

—Famosa novedad. ¿Más apegadas? Pal diaño. [123] Todas traicioneras y desmandadas. Lárganse un día tras el primer calzón que las ronda, y de ahí adelante, si te vi no me acuerdo.

A todas estas. Tigre Juan no levantaba los ojos del suelo, sin atreverse a mirar de frente a la viuda. Le corría por el cuerpo un hormiguillo o anhelo acucioso de marcharse, pero no acertaba a poner punto final a la charla.

* Se desmorona.

[120] *Garatusas*: 'Halago y caricia para ganar la voluntad de una persona' (Academia, p. 654).

[121] Reinink analiza esta frase para preguntarse si hay que considerar a Pérez de Ayala escritor impresionista o expresionista. Concluye que éste es, según las ideas de Eliseo Richter, un típico ejemplo de expresionismo literario, que contiene en realidad una comparación de estados internos con procesos de la naturaleza (pp. 118-119).

[122] Nótese la mezcla, típica de Pérez de Ayala, de diversos niveles lingüísticos: vulgarismos, arcaísmos, asturianismos...

[123] *Diaño*: 'Diablo' puede considerarse como asturianismo (Reinink, p. 146) o eufemismo (González Calvo, p. 83).

—¿Pasóle ya el susto? —dijo, burlona, la viuda.

—¿Qué susto? ¡Pues sí! Bueno soy yo para asustarme —respondió Tigre Juan, verdegueando, quebrado el acento.

—Ya sé que no le asustan hombres ni peligros de fuera. Asústanle, en cambio, sombras fingidas de la imaginación, lo cual es propio de corazones sanos y masculinos. Usté imaginó, poco ha, que yo... Trabajo me cuesta sacarlo fuera de los labios... Vaya; que yo quería casarme con usté. ¿Cómo pude yo hablar de suerte que usté lo tomó a esa parte? ¿Cómo pudo usté imaginarse?... ¡Qué locura! Digo, qué locura la mía. Todo por no saber expresarme a derechas. ¿Había yo de fantasear tal sandez y despropósito, a menos de perder el juicio? Míreme a la cara, don Juan. Alce los ojos y mire, ahora con luz, lo vieja y fea que soy.

Tigre Juan, dócil y tímido, convergió la mirada al rostro de la de Góngora. Su marchitez y juventud, amalgamadas e indistintas, se mostraban en esta ocasión más definidas, más contrapuestas y, al propio tiempo, más envueltas e inseparables, por extraño modo. La claridad oleaginosa caída desde la lámpara le teñía la tez de un color pajizo, como papel de estraza, reseco y socarrado al sol. Debajo de ésta a manera de vejez prematura y accidental, trasparecía archivada, señaladamente a través de las pupilas, una mocedad incólume, fogosa, como vino nuevo en corambre antigua. Llevaba un traje de opaco paño negro, como la tela con que revisten los ataúdes, y sobre el seno, muy llano, cruzadas las manos, de un blanco verdoso, como la albura de un árbol recién descortezado.

—Así Dios me salve, que es usté joven todavía y de una guapura que admira y pone respeto —dijo Tigre Juan, con efusión. Y a seguida, cerrando los ojos, por envalentonarse, tartajeó: —Pero...

—Pero mi reino no es de este mundo [124] —atajó doña

[124] Es lo que dice Jesucristo a Pilatos: "Mi reino no es de este mundo. Si mi reino fuera de este mundo, mis hombres lucharían para que yo no fuera entregado a los judíos. Pero de hecho mi reino no es de aquí" (Juan, XVIII, 36).

Iluminada, viniendo en su auxilio—. Alárgueme esa mano que sellemos un pacto de amistad, como nunca se ha visto. Apriete, hombre, sin empacho, que soy mujer de carne y hueso, y no criatura impalpable ni fantasma, como usté da a entender. ¡Ea, camarada! En virtud de esta alianza, nada quede disimulado y vergonzante entre nosotros. ¿Promete?

—Prometo.

—Prometo y me comprometo yo tambión. Y desde este mismo punto comienzo a cumplir el compromiso. ¿Cómo anda usté de paladar para las verdades desabridas?

—¿Yo? De perillas. ¡Pues bueno fuera! —repuso Tigre Juan, todo desmadejado.

—Me place. Atención entonces. La moza a quien Colás cortejaba le dio las calabazas consabidas porque dice que antes muerta que vivir en compañía de usté, cuya presencia le espanta, y acabaría por morirse de miedo; como si usté fuera enterrador, verdugo o sacamantecas...

—¿Eh? ¿Eso dice? ¡Ah, perra!

—Que no quiere a Colás es cosa notoria, y la razón principalísima, si no la única, del desaire. Lo demás, excusas sin sustancia. Pero ella por ahí lo echa a volar y usté pierde en su reputación.

—¡Ah, marraja! Como todas, al fin.

—Por lo cual yo le aconsejaba a usté casarse.

—Lo que son las coincidencias. Otro tanto me aconsejó Colás.

—Luego mi consejo no iba descaminado.

—¿Y eso?

—Casado usté, su mujer no querría a la vera y siempre encima otro matrimonio novato, caso que Colás se casase a poco.

—Pues sí que no. Cae de su peso. Cada casado casa quiere.

—Así es. Acreditaríase, además, que hay mujer que no se espanta de usté y que le quiere. Con que la excusa de la moza ya no valía un comino. ¡Qué digo mujer!... ¡Tantas habrá que se despepiten,[125] si usté les guiña un ojo!

—¿Guiñar yo? A buena parte... Guiñaría, si tuviese ojos de basilisco, que mata con la mirada.[126] Juro que no dejaba una mujer para contarlo. Mala raza, encizañadora y artimañera.

—No jure. De tanto como las desea, porfía en aborrecerlas.

—No, no, no.

—El hijo del aire desplegará un día el alón. No haya engaño. Hallaráse usté solo. Se ha de casar. La mujer vive sin arrimo. El hombre, no. Confórmase la mujer queriendo callada; el rejalgar le sabe como arrope y es feliz en procurar la ventura de aquel a quien quiere y de quien recibe desamor en pago. El hombre, más débil en esto, ha menester quien le quiera y se lo declare. Y cuanto más hombre y más áspero, tanto más lo ha menester. El sino de los solterones carcamales es como el de las gallinas: morir devorados por una zorra o que la cocinera los desplume.

[125] Verónica le dice a Alberto: "Te advierto que yo me despepito por el baile" (*Troteras y danzaderas,* p. 166).

[126] A este animal fabuloso se le atribuía la propiedad de matar con la mirada, por lo cual podía dársele muerte sin más que presentarle un espejo. Hay muchas leyendas medievales en que aparecen basiliscos como guardianes de tesoros. En colecciones antiguas de historia natural se hallaban presuntos ejemplares de basiliscos; en realidad, eran supercherías fabricadas con el cuerpo deformado de una raya joven, a la que ponían ojos de vidrio en las fosas nasales.

Hoy se publica en Oviedo la revista *El Basilisco,* de filosofía, ciencias humanas, teoría de la ciencia y de la cultura, dirigida por Gustavo Bueno. En la nota inicial del número 1 (marzo-abril 1978) justificaba así el título: "Nuestro emblema es el emblema de la antigua dialéctica: el Basilisco, que tritura con su mirada todo aquello que tiene a su alrededor, el animal ctónico que está más cerca de Plutón y Proserpina, de la tierra, que de Júpiter y Minerva, los dioses celestiales. También nosotros quisiéramos triturar, y aún reducir a cenizas, si nos fuera posible —porque no siempre lo es— lo que nos rodea: no precisamente para aniquilarlo por el placer de destruirlo, sino para entenderlo, con la esperanza de que las cenizas resultantes de nuestra crítica puedan transformarse, protegidas por Proserpina, en el humus de una floración siempre renovada."

Cásese, cásese. Por su bien le amonesto. Una mujer asentada ya y curada de devaneos pensé que era la que mejor conformaba con su carácter y circunstancias. Arrepentida estoy de esa idea. Para eso no vale la pena casarse, dirá usté. Conforme. Si no yerro, roza usté por los cuarenta y cinco; pero, por sus costumbres metódicas, y acaso eso de vivir siempre a la intemperie, no ha variado usté apenas desde que le conocí, y va para largo, a no ser el pelo, que se le pone plomizo, mas el bigote aún lo tiene como betún. Pues, ¿el corazón? Una fragua; bien lo sé. No le vale tapar ese fuego; las centellas le salen por los ojos.

—¡Qué atrocidad! Señora...

—No olvide la mutua promesa. Lo que pienso digo. Sufre usté de apetito retrasado. El alma le pide bocado fresco y copioso, que satisfaga. Tarde o temprano, se me levanta usté de cascos por una moza garrida. Con que, cuanto antes, más presunciones de salir airosamente con ese negocio. Dios le inspire en la elección. He de ayudarle, aunque en ello me vaya la vida, como aliada juramentada. [127] Cuatro ojos ven más que dos. Las mujeres no son todas de la calaña que usté dice, por decir, claro está. Pero hay algunas tan sutiles e hipócritas que al lucero del alba se la dan con queso, y mucho más a usté, que en lo de bien pensado es una avutarda; no así a mí, que soy de la misma hilaza de todas y estaré alerta; que las malicias de una mujer, por muy arrebozadas que vayan, otra mujer las saca de claro, si se lo propone. Ya que no sea yo feliz, séalo usté, y una parte me tocará a mí. Cubriéndole las espaldas me tendrá siempre, como ángel custodio. Y la esposa que usté tome, en mí hallará suegra más que amiga, por lo que la he de espiar y lo derecha que la haré andar.

—¡Pa, pa, pa, pa! [128] Eso es hablar de la mar y sus derrotas a quien siempre ha de vivir tierra adentro. De

[127] Doña Iluminada asume aquí decididamente el papel de "deus ex machina" de la trama.

[128] La misma interjección aparece en *El raposín*: "—Ahora soy un ministro del Señor, y como sacerdote le hablo. —Pa, pa, pa..." (*O.C.*, I, p. 1007).

otros descalabros me libre Dios, que de las mujeres me libraré yo. Colás es mi báculo.

—Dirá usté su freno.

—Colás es mi único afán, y vaya o venga, cásese o no, con las alegrías y penas que él me depare tengo sobrado para ocupar mi vida y dar pasto a mi corazón. Larga plática hemos sustentado. Dejémoslo ya por hoy, que se ha hecho noche cerrada.

—Porque le quiero en buena amistad, he hablado con tanta desenvoltura; ha de entenderme.

—Quite allá. Entre nosotros... Mucho me queda que rumiar. Refiérome a los amores de Colás.

Hizo una pausa. Al cabo de ella exclamó, con inflexión jaculatoria:

—¡Ay, Vespasiano! ¿Por qué no te hallarás en Pilares? Pues, ¿no es mala pata? Una semana hace que se ha marchado. Hasta abril no estará de vuelta.

—¡Qué incongruencia! —comentó la viuda, riéndose—. ¿Para qué quiere aquí a Vespasiano?

—Para aconsejarme de él y solicitar su valimiento.

—Valimiento, ¿con quién?

—¡Toma, con las mujeres! No hay una que se le resista.

—Lo pongo en cuarentena. Con aquella facha de mírame y no me toques.

—Elegancia y gentiles maneras. No confundamos. Ya quisiera yo...

—¡Jesús! Bien; pasemos por lo del valimiento. Y eso, ¿qué?

—¿Qué? ¡Anda!... Pues si él hablase con la moza que desprecia a Colás...

—La enamoraría, de seguro, ¿no es eso?, y luego la despreciaría. Y quedaba usté vengado. ¡Bonita intriga! ¡Qué vergüenza!

—No; sino que con su labia y su verba la persuadiría a mudar de parecer, y en un periquete me la enamoraba de Colás. Apuesto. Se da una maña...

—¿Amor por embajada? ¡Tate, tate! Y menos con tal encomendero.

—Hállele tachas.

—No más de dos: deshonesto y embaucador.

—¡Señora, eso es un ultraje! Vespasiano es el amigo a quien más aprecio. Convencido estoy que él me corresponde.

—Sé que usté siente flaco por él; pero yo prometí decirle la verdad paladina, y a mi promesa me atengo. Buenas noches, camarada.

Salió Tigre Juan de la tienda. Desarmó su puesto; recogió y amontonó las maconas; después, las cubrió con una lona embreada, las ató con varias vueltas de una cadena, que sujetó, finalmente, a la columna de granito, por medio de un candado. Echó a andar bajo los porches, chocleando con las almadreñas en las losas del piso. Era noche de octubre, con luna.

Tigre Juan iba sordamente contrariado, con un malestar semejante al que sentía cuando, después de haber cerrado un trato mercantil, caía en la cuenta de salir perdiendo; porque era algo tacaño. Acababa de perder un tanto por ciento de respeto a doña Iluminada. Sentía una nerviosidad difusa. Estaba saturado de electricidad, que a la menor provocación se desataría en chisporroteos y descargas.

En tal estado de ánimo, llegó al escondrijo de Carmona, la verdulera. Había que atravesar primero una cuadra tenebrosa, donde había dos mulos díscolos. Tigre Juan avanzaba a tientas. La frente se le hundió en una tupida y fofa tela de araña. Al limpiársela, a manotadas, se levantó un enjambre de moscardones. Uno de los mulos le soltó una coz silbante, que no le alcanzó. Tigre Juan encendió una cerilla y, tomando un rodeo por las ancas del mulo, le disparó con toda su fuerza un puntapié en la panza, a tiempo que prorrumpía en improperios denigrantes para el dueño de la bestia.

Resoplando, penetró en la pieza donde yacía la enferma. Era un cuchitril indecente, descascarilladas y humosas las paredes, sin ventanas, el piso terrero, y de espacio lo preciso para una colchoneta, tirada en el suelo y poco más gruesa que una oblea, unos capachos al pie y una silla perniquebrada a la cabecera. Ardía una vela de sebo, enchufada en una botella, sobre la silla. En la colchoneta estaba extendida Carmona. Carmina dormía en los capachos, enroscada como un gozque.

Hacía meses que Tigre Juan no había visto a Carmona, llamada así, en aumentativo, por corpulenta y colorada. Al pronto, no la reconoció. Estaba reducida a los huesos, y en la cara no le quedaban sino ojos; dos bolas de azabache brillador, con una como gota de sangre, allí donde se reflejaba la lumbre roja de la vela. Había oído Tigre Juan que estaba tísica; mal sin remedio en los pobres. No esperaba hallarla agonizando.

Contemplaba Tigre Juan a Carmona con misericordia infinita, sin osar desplegar los labios, que tenía fruncidos, así como la nariz, las cejas y la frente. A la enferma, entre los vapores de la fiebre, le pareció que surgía ante ella un mascarón o aborto del averno.

—¿A qué vienes? ¿Qué me miras de ese modo? ¿Qué haces ahí, metiéndome miedo? ¡Márchate, cornudo! ¡Esconxúrote! [129] ¡Déjame morir en gracia de Dios! ¡No me hagas renegar! —gimió, estirando hacia Tigre Juan unos huesos envainados en cuero cordobán, que eran los brazos, y haciendo con los dedos la cruz, como para ahuyentar a Lucifer.

Tigre Juan no la oía apenas. Meditaba. Aquella mujer iba a morirse en seguida. Ya presentaba faz hipocrática. [130] Puesto que no cabía otro auxilio, Tigre Juan se impuso el deber de infundirle aliento y descuido; que el trance, por no sospechado, le fuese llevadero. Nada mejor a este propósito, calculó, que hablarle en chanza, como si le diese a entender que sanaría en seguida y no tenía razón sino para estar más alegre que unas castañuelas. Pero el fuerte de Tigre Juan no era precisamente el gracejo comunicativo.

[129] *Esconxurar* (asturianismo): 'Conjurar' (Reinink, p. 146).

[130] *Facies hipocrática*: 'Aspecto característico que presentan generalmente las facciones del enfermo próximo a la agonía" (Academia, p. 603).

—¿A qué vengo? A soltarte cuatro frescas, redomadísima maula. Pues me gusta, ¡caracho! Estarte, días y días, tumbada a la bartola, como odalisca... Y todo por un romadizo de pitiminí, que se quita en un decir Jesús, con unas ventosas sobre la tabla del pecho, salva sea la parte, y unos gránulos, que yo mismo te enviaré mañana... ¡Ah, marmota! Poco he de valer o como soy Tigre Juan que te voy a levantar aina de ese camastro a bailar la giraldilla, sacudiéndote azotes si no te avienes al compás de la gaita.

Tigre Juan se había hecho la ilusión de poder acertar con frases de inteligible inflexión humorística, que a la doliente hiciesen reír y como que la acariciasen. Pero, progresivamente, hablando y de consumo escuchándose, advertía que todo lo que decía era cruel, estúpido y grosero. A medida que se iba irritando consigo mismo, el acento de la voz se volvía más áspero, más agresivo. Otro tanto le sucedía cuando intentaba cantar. La melodía le resonaba cristalina y tácita dentro del cráneo, como lamento de ruiseñor entre el claro de luna; pero al sacarla a los labios degeneraba en graznido de palmípedo. Habíase esforzado ahora en componer una sonrisa benigna, melificada. A pesar suyo, presentaba una carátula de sayón, sicario o esbirro, que se refocilaba en el tormento de la víctima.[131]

—No me insultes. ¿Qué daño te hice? ¿Por qué me maltratas? ¡Virgen, ampárame! ¿Eres el enemigo malo? ¿Moríme ya? No me remates, no me remates, asesino, Barba Azul, que no soy tu mujer. Aguarda hasta rayar el día, que venga el señor cura...

La voz de la moribunda, esparciada en intervalos más y más dilatados, se ausentaba, como si le hubiesen tapado con un pañuelo la boca. Tremaba toda ella, con estremecimiento acelerado y breve, de hoja seca, apenas asida al árbol. Multiplicábase, extinguiéndose, el eco con que la tos reducía a astillas lo que Tigre Juan había llamado la tabla del pecho.

[131] Otro caso claro de las dificultades de lograr la armonía entre el sentimiento y la expresión.

Furioso bajo su malhadado sino, que siempre, cuando quería brindar al semejante con un sorbo del mosto generoso que en su corazón añejaba, convertíase imprevistamente en vinagre, y ya que su presencia caritativa, lejos de aliviar a Carmona, la exacerbaba las congojas y terrores de la agonía, Tigre Juan decidió marcharse de allí. Volviéndose hacia la puerta, echó de ver a Carmina, acurrucada en su capacho. Fue a darle un beso, ahora que estaba dormida, pero cuando se inclinaba hacia ella, la madre, con insospechada y sobrenatural energía, arrojó un grito desgarrado:

—¡Ladrón, ladrón! Que me la lleva. Hija de mi alma.

Despertó Carmina asustada y rompió a llorar con grandes clamores.

Tigre Juan, anublado el juicio, salió de huida, mesándose el lanudo cabello y renegando de su perra suerte. Detúvose en la calle, a recobrarse y reflexionar lo que debía hacer. Acercóse luego a casa de unas vecinas, repicó en la puerta y, a voces, les dijo que acudiesen cerca de Carmona, a quien venía de visitar y la dejaba en las últimas, abandonada de todos.

Retornó a su casa. Era más tarde que de costumbre. Colás le aguardaba para la cena, sentado, con los codos en la mesa y la cara escondida en la palma de las manos. Al oír el golpeteo de las almadreñas en el tillado, el mozo levantó la cabeza. Se había afeitado las barbas. Tigre Juan, ante aquella novedad, pensó: "Será por probar si está más guapo y así le gusta a la desdeñosa Dulcinea." Conocedor del amoroso infortunio de Colás, Tigre Juan esta noche sentía hacia él más ternura que nunca. Hubiera querido cogerlo en brazos, como a un niño, hacerle mimos y finezas, y decirle: "No te desazones, galán, mientras me tengas y yo te tenga." Pero no se atrevió a decir palabra.

Trascurrió la comida en silencio. Tigre Juan, aunque sobrio por hábito, bebía hoy con frecuencia, vaciando de un golpe los vasos de vino. La tensión de sus nervios iba en aumento. Colás no alzaba los ojos del plato. A los postres, dijo concisamente:

—Mañana he de madrugar mucho.

—¿Preparas alguna lección para la clase en la Universidad?

—No es eso.

—¿Entonces?

Colás callaba.

—Culpable es tu traza. ¿Qué hiciste, neñín? [132] Dime. ¿Alguna calaverada gorda? Sinceridad, valor. El hombre ha de ser bravo. La mayor bravura y la más noble, no temer la verdad.

—No la temo por mí.

—Pues habla.

—Mañana, a primera hora, me marcho de Pilares.

—¿Que te marchas? ¿Cuándo me has pedido consentimiento y viático? ¿No me debes obedicencia? ¿Acaso eres libre?

—No soy libre. Nunca lo seré. Quiero una cosa y hago la contraria, sin querer. ¿Por qué? [133] ¿Lo entiendo yo mismo? Una fuerza irresistible me ofusca e impele. Cuando acuerdo e intento retroceder, es ya tarde. Todo se ha consumado. [134]

—En tal caso, frente a esa fuerza irresistible, aquí estoy yo con mi autoridad. ¡Ay de ti, si te rebelas contra ella! No sabes de lo que soy capaz, puesto en el disparadero. Tam-

[132] Pérez de Ayala emplea varias veces el diminutivo asturiano, afectuoso, en masculino o femenino. Es especialmente interesante un uso, en *La pata de la raposa*: "—Quédate. No seas malo, neñín. —Por la manera afectada de pronunciar el diminutivo *neñín* se advertía que la mujer no era de aquellas tierras y que la había empleado creyendo añadir dulzura al ruego" (p. 134).

[133] Puede verse un recuerdo de la conocida máxima de Ovidio (*Metamorfosis,* VII, v. 20-21): "Video meliora proboque: Deteriora sequor". ('Veo lo mejor y lo apruebo, pero sigo lo peor'.) Clarín la usó irónicamente: "Un personaje de ellas siempre era Paquito. Cuando estaba sereno, juraba que no había cosa peor que perseguir a la servidumbre femenina en la propia casa; pero no podía dominarse. *Video meliora,* le decía don Saturno sin que Paco lo entendiese" (*La Regenta,* ed. cit., pp. 252-253).

[134] Palabras de Jesús, al morir en la cruz (Juan, XIX, 30).

El Fontán.

4 de Fuentesauco, lentejas y titos mejicanos,
judías del Barco, maíz argentino y de la
tierra, guisantes, castañas pilongas, avellanas.
Algún barril, además, con sardinas arenques
prensadas, que se desplegaban adheridas unas a otras, en
hechura de semicírculo, semejantes a un a-
banico de plata sobredorada, y desvaída. Había también unos cajones, convertidos en estantería, con libros usados, y
un cómodo de muchos cajoncitos, rematado en pupitre, donde campeaban dos plumas verdes de ganso, espetadas en un tintero
frailuno de loza azul. Por último, de
uno de los paraguas colgaba un cartelón, con este anuncio:

TIGRE JUAN

memorialista y amanuense

Página del manuscrito de *Tigre Juan*.

bién a mí, ¡ay, Dios mío!, me arrebata tal vez una fuerza irresistible que destruye aquello que más amo.

Tigre Juan apretó los ojos y después los cubrió con las manos. Retiró luego las manos, fue abriendo lentamente los ojos y concluyó:

—No te permito marchar. ¡Oyelo bien! No te lo permito. Cerrado el debate. Punto en boca.

Tigre Juan adoptó una tiesura imponente. Con la garra contraída, arrebujaba el mantel, Hallábase en una extremosa e insufrible tirantez de ánimo; próximo a estallar. Hacía muchos años (desde su juventud) que el ciego furor no le inundaba las entrañas en una marejada de tanto ímpetu. Colás nunca le había visto así. Otras veces que se enfadaba y alborotaba, sus ademanes enfáticos y un tanto cómicos, bien veía Colás que eran inofensivo disfraz de un alma tierna y tímida que no atinaba a exteriorizarse con la expresión apetecida.[135] En cambio, ahora estaba realmente terrible en su continencia forzada, exasperada, que no podía durar.

—Padre —murmuró Colás, amorosamente.

—Padre, sí. Es la vez primera que me lo llamas. Más que padre.

—Padre —repitió Colás, con reprimida emoción.

—Padre, ¿qué? ¡Acaba, que me impacientas y estoy a pique de irme del seguro!

Oyéndose llamar padre, Tigre Juan desfallecía, en un desmayo sentimental. La onda colérica que le henchía había llegado a un punto de plenitud e inestabilidad, indecisa entre reventar con violencia o replegarse y evaporarse en humedad de ojos. Esto dependía de la respuesta y actitud de Colás.

—Padre: todo está consumado —dijo Colás, con entereza.

—No entiendo ese lenguaje por demás conciso, embozado y alegórico. Háblame como dos y dos son cuatro. Te lo ordeno.

[135] Otra vez el tema de la paradoja del comediante.

—He sentado plaza de voluntario. Mañana, a las seis, salgo con otros reclutas para Valladolid y de allí, más tarde, para Cuba o Filipinas. He pedido servir en Ultramar.

Aquí, Tigre Juan salió fuera de sí, perdido el seso. Su piel de cobre no era ya amarilla ni verde, sino escarlata, como metal en fusión. El gesto, exterminador. Retraía los labios y mostraba los recios dientes caninos, de animal de presa. Los ojos, muy abiertos, encovados entre el matorral del ceño, le bizqueaban, encarnizados. Sobresalía de sus sienes un haz de venas negruzcas, parecidas a sanguijuelas. Se recogía, flexionando en las piernas, con los codos pegados a las costillas, adelantadas las cabelludas manos y engarabitados los dedos, como para lanzarse de un salto sobre Colás. Proyectada por un candil que había sobre la mesa, la sombra del cuerpo, partiéndole desde los talones a lo largo del piso, doblándose luego pared arriba y finalmente por la techumbre, describía un hiperbólico garabato o interrogación trágica, de donde parecía pender Tigre Juan, como un ahorcado. [136] La voz le brotaba desmenuzada, como en esquirlas, entre resuellos de verdadero tigre.

—¡Granuja! ¡Hijo de mala madre! Cría cuervos... ¡Qué cuervos: buitres! Peor. ¡Hiena! ¡Ah! ¡Ah! ¡Ah! [137] Mío eres, mío, de cabo a rabo; de pies a cabeza. [138] Sin mí, ¿qué fuera de ti? Págame tu deuda, infame. Si no tienes con qué, por mi propia mano me cobro, traidor. Pero, ¡imbécil de mí!, ¿qué vale tu vida vil? Menos que la de un escarabajo. Te aplastaría con el pie: así.

—Cierto. ¿Qué vale mi vida? Quítemela. No me defenderé —dijo Colás, inclinando la cerviz.

[136] El efecto óptico convierte a Tigre Juan en una figura esperpéntica. Habría que estudiar cuidadosamente las relaciones entre el esperpento de Valle y la tragicomedia de Ayala.

[137] Reinink señala la diversidad de sentimientos que expresa Pérez de Ayala con esta interjección (p. 86). Para González Calvo, "es interesante hacer constar la repetición de la interjección en determinados casos, con lo que se refuerza así el estado emotivo. Las geminaciones o reduplicaciones, todo tipo de repetición, es elemento importante en la obra ayalesca" (p. 110).

[138] Otra vez el afán posesivo en los afectos de Tigre Juan.

—¿Qué te has de defender tú, blando? Te desharé con uñas y dientes. Defiéndete. No te defenderás, gallina. Sólo son bravos y saben defenderse los hombres que tienen conciencia del deber.

—Me precio de poseerla. Usté fue mi maestro. La lección no desaproveché. Por esto, ante todo, reconocido le estoy, tanto como por el cariño que siempre me tuvo, más que por ninguna otra cosa de protección material, como casa, alimento, vestido, dinero, que también le agradezco con toda mi alma; sábelo Dios. Hay guerra en Cuba y Filipinas. Mi conciencia me llama allí, adelantándome a que me toque la suerte, que había de ser muy pronto, no lo olvide.

—¡Ah, rayos! Sobre ingrato, taimado y mentiroso. Conque, ¿te vas siguiendo la voz del deber? Pues, ¿no era tu deber primero dar satisfacción a los desvelos de quien te sacó de la nada? Este curso no más te faltaba para recibirte de abogado. Pues toda la obra de dieciocho años, desde que te recogí; tantas penas, tantas esperanzas, tantos gastos, que no fueron flojos; todo, todo lo tiras por la borda en un segundo, porque sí, por tu santísimo capricho, sin encomendarte a Dios ni al diablo, como si fueras señor de tu albedrío.

—Ya he dicho que no lo soy.

—No me interrumpas, o juro que no respondo de mí, canalla —rugió Tigre Juan, exaltado ya hasta el frenesí—. Conque, adiós, a las Indias me voy, te lo vengo a decir. Por amor a la patria... ¿Y qué más? Pero, ¿soy yo un idiota? ¿Por quién me has tomado, so pillo? Por amor a la patria... Si así fuera, quizás yo mismo te alentara. Por la patria me cortaría yo un brazo, y aun los dos. Escapas, huyes, como un cochino cobarde... porque una mujer no te quiere. ¡Una mujer! Una mujer: lo más ruín y despreciable que hay en la tierra. Digo mal: más despreciable y ruín es el hombre que, como tú, consiente ser despreciado y burlado por ellas. Ganas me dan de llorar, de rabia y de vergüenza. Pues qué, ¿no tienes manos? Y si no te bastasen las manos,. ¿tan cara cuesta una navaja cabritera que te faltó dinero para mercarla? Te miro y no doy crédito a mis ojos. ¿Eres tú aquella misma carne, pequeñina y coloradina,[139] que hace dieciocho años saqué yo del fango de la calle, donde iba a quedar abandonada, y la conduje a mi casa, para hacer de ella, a costa de mi tranquilidad e independencia, un buen hijo y un hombre cabal? Era una mañana de mercado, en invierno. Hacía mucho frío. Llegóse a mi puesto una aldeana, con un crío de pocos meses, casi desnudo, amoratado. Venía de Traspeñas a que la colocase de ama de cría. Traigo el rapacín, dijo, pa no perder la leche en el camino; si usté no me lo quiere echar al torno del Hospicio, mandarélo a la breña, con vacas y zagales. Y me lo dejó caer en los brazos. El rapacín mirábame, mirábame, riéndose. Reíase, mirándome. ¡Angel de Dios! Con las maninas me tiró del bigote. ¡Yo no le daba miedo! Entróme no sé que, que me ahogaba. Y ya no lo solté. No te solté; porque el rapacín eras tú. Y yo fui mandadero del Padre celestial, que da de comer al paxarín desvalido y viste de hermosura el lirio de los campos.[140]

La voz de Tigre Juan estaba ahora amasada con llanto. Creyérase que, agotado, se iba a apaciguar. Colás pensó arrojarse a sus pies, de rodillas, pero en aquel instante Tigre Juan rompió otra vez a rugir con la más aguda indignación, despidiendo las palabras a sacudidas violentas, al modo como se recude una vasija (el pecho) de los últimos residuos de su contenido:[141]

—¡Hijo de mala madre! ¡Cachorro de hembra descastada! ¡Descastado! ¡Pirata, villano, ruín! Por otra mala mujer

[139] En los fragmentos líricos, insiste Ayala en los diminutivos asturianos y en las repeticiones.

[140] Recuerdo del famoso texto evangélico sobre la confianza en la providencia: "Fijaos en los pájaros del cielo, que ni siembran, ni siegan, ni recogen en graneros, pero vuestro Padre Celestial los alimenta. ¿No valéis vosotros más que ellos? ¿Y quién de vosotros, a fuerza de preocuparse, puede alargar un codo su vida? Y por el vestido, ¿a qué preocuparos? Observad los lirios del campo: ¡cómo crecen! No se fatigan ni hilan; y os digo que ni Salomón, en todo su esplendor, se vistió como uno de ellos" (Mateo, VI, 26-30).

[141] Muchos críticos han subrayado la importancia de esta frase, como símbolo de la atención de Pérez de Ayala a las interjecciones y voces expresivas.

vendes al padre que el cielo te dio. Vendes al cielo mismo. ¡Te repudio! ¡Te maldigo! No te acuerdes más de mí. ¡Apártate! ¡Apártate!

Después de una pausa aulló, con un alarido de horror, y también de súplica:

—¡Por Dios, vete! ¡Sal de aquí! ¡Enciérrate con llave en tu aposento! ¡Por lo que más quieras! ¡Por la mujer a quien amas! No me puedo contener. ¡Sálvate, hijo! Tigre Juan; Juan, tigre. Te mataré a pesar mío. ¡De prisa, de prisa! ¡Sálvate, hijo!

Colás salió sin apresurarse. Desde la puerta volvióse a decir, mortalmente pálido:

—Sólo me aflige que usté pueda pensar que no soy un hijo agradecido y amante. Perdón. Adiós.

Tigre Juan, de un brinco, se lanzó a la puerta, en el momento que Colás la cerraba. ¿Iba a abrazarle o a estrangularle? ¿Qué sabía él? Lo mismo podía resultar lo uno que lo otro.[142] Iba sin libertad, como la flecha hacia el blanco que ella ignora.[143] Detúvose un instante en la puerta. Retrocedió a sentarse. Se desplomó sobre la silla, desencuadernado como un pelele.

Después de largo lapso de silencio en la casa, la Güeya penetró en la pieza que hacía de comedor, a levantar el servicio. Tigre Juan se incorporó, rabioso, y comenzó a tirar platos y vasos a la viejísima criada, chillando al tiempo:

—¡Tuerta maldita! Bruja. Desollarte debiera. O quemarte viva. Tú has traído el mal de ojo a esta honrada mansión. Saldrás de mi hogar cuanto antes; que no te vuelva a ver. ¡Toma, por bruja y aojadora, barragana de satanás!

Uno de los platos se quebró en el cogote de la vieja, quien, llevándose las manos a la parte contusa y observándolas luego con alguna mancha de sangre, salió de estampía, vociferando:

[142] Idéntica ambigüedad está sugerida en el final de *El curandero de su honra* y en el de *Belarmino y Apolonio* (p. 115).

[143] Igual fatalismo puede verse en la poesía de Ayala (véase mi libro *La novela intelectual de Ramón Pérez de Ayala*, pp. 35-36) y varias veces en esta novela.

—¡Salvador de los hombres! ¡Matóme por la nuca, como a una vaca! ¡Asesino!

Tigre Juan tomó el candil y fue a encerrarse en su dormitorio, atrancando por dentro. Era un camaranchón abohardillado, con un ventanuco cenital. Por la parte en que suelo y techumbre se unían en ángulo agudo había grandes montones de grano: maíz, trigo, judías. El lecho era de monje: unos caballetes, unas tablas, un jergón de hoja. Sentóse Tigre Juan al borde; mas no podía estarse quieto. Estremecíansele todos los miembros, como azogado. Se asfixiaba. Fue a levantar la tapa del ventanuco. Sus pies tropezaron con un montón de trigo. "¿Para qué quiero yo esto? ¿De qué me sirve el caudal ahorrado? ¿Quién lo ha de disfrutar?" A patadas, entreveró los diversos montones. Sentóse otra vez en el jergón. "Debiera matarme. ¿Qué fin ni qué utilidad tiene mi vida?" Aumentaban su temblor y angustia. "¿Cómo? ¿Matarme? ¿Cobarde yo? ¿Yo desertor del cumplimiento del deber? Vivir para sufrir. Dios lo manda. [144] Tantos años, tantos, castigando con el látigo del deber la furia del alma y la rebeldía del cuerpo hasta someterlos... En un abrir y cerrar de ojos, de nuevo la fiera se revuelve y me derriba. ¿Do está el látigo? Vivirás, vivirás, vivirás. ¡Ay de mí! Me siento morir..." Cayó por tierra, retorciéndose en convulsiones. Al volver en sí, amanecía. Se lavoteó y se acicaló brevemente, como todas las mañanas. Parecía que le habían permutado el cuerpo; tal era el quebrantamiento de huesos y la torpeza de músculos, mal ajustados todavía a la obediencia de la amodorrada voluntad. Resucitaba en un cuerpo difunto. "Pobre Tigre Juan. Acabóse ayer. Soy un cadáver que anda." Pensó ir a la alcoba de Colás, abrazarse con él, decirle su arrepentimiento, mostrarle la verdad de su sentir, darle el beso paternal de despedida. "¡Bah! Inútil. Es irreparable. Colás me aborrece ya. Le he maldecido. Las amarras están cortadas. Perdido para siempre. ¡Hijo mío! ¡Po-

[144] En contraste con el habitual párrafo largo, de tono clásico, usa a veces Pérez de Ayala un estilo conciso, telegráfico: aquí, para expresar lo entrecortado del monólogo.

bre Tigre Juan! Acabóse ayer. ¡Pobre Tigre Juan!" Con los zuecos en la mano, descalzo, para no hacer ruido, Tigre Juan salió de casa. Era domingo. Tañían campanas para misa de alba. Tigre Juan se dirigió hacia la aldea, por rutina.[145] Todos los días a tal hora iba a la rebusca de hierbas salutíferas. Hoy no se acordaba de aquello. Ciego a todo, las manos anudadas sobre los riñones, la cabeza derrocada sobre el pecho, caminaba, caminaba, sin saber adonde. Por instinto, buscaba las cuestas arriba, como si aspirase llegar por último a la cima de su calvario y epílogo de su redención. Cruzaban con él labriegos, en grupos marchosos y parlanchines, que acudían al mercado de Pilares. Viejos glabros,[146] de rostro epigramático y suspicaz, el paraguas rojo, de dorado regatón, debajo de un sobaco, al hombro la chaquetilla, con coderas verdes y moradas. Llevaban un cochinillo berreante, pizarroso o asalmonado, sujeto de una pata trasera por un cordel. Mozas garridas, de riente y fresca faz; el refajo, color de manzana o de limón, agitado en un tejemaneje,[147] lleno de donaire. Libres las manos y braceando, porteaban sobre la sesera anchas banastas desbordantes con pollos, gallinas y patos, asomados de pechuga afuera, como en la barquilla de un globo, el percuezo oscilante, los ojuelos alarmados. Daban con algazara los buenos días a Tigre Juan. El no respondía. Apartóse del camino de herradura y siguió una vereda que conduce a la ermita del Cristo de la Esclavitud,[148]

[145] En los momentos de desconcierto, Tigre Juan vuelve a la naturaleza. (Véase el apartado "La naturaleza", en *La novela intelectual de Ramón Pérez de Ayala,* pp. 42-44.)

[146] *Glabro*: 'calvo, lampiño' (Academia, p. 660).

[147] Según Reinink (p. 105), Pérez de Ayala usa este sustantivo no en su acepción original, sino como voz expresiva que indica repetición de movimiento. También, en *A.M.D.G.,* el jesuita "Atienza se fue con mucho tejemaneje de sotana".

[148] Puede referirse al Cristo de las Cadenas, del que escribe Juan Antonio Cabezas: "cuando Oviedo, cansado de su encogimiento de siglos, estiró al fin sus piernas hacia la estación del Norte, estiró también uno de sus brazos hacia el Cristo de las Cadenas (...). Ahora la subida al Cristo de las Cadenas ha dejado de ser una carretera bordeada de casas y solares, por la que se

anidada entre castaños en la cresta de un cueto, el cual, en su raíz, está perforado por un túnel, paso del ferrocarril desde Pilares a León.[149] Al llegar Tigre Juan comenzaba la misa en el santuario aldeano. Se adentró, atravesando entre la gente campesina arrodillada, muchos de ellos con los brazos en cruz y la cabeza escorzada en éxtasis. En el altar mayor había un Cristo de tamaño natural, muy curtido de color; una gran cadena le pendía desde un dogal al cuello y dos esposas en los brazos; llevaba falda de velludo violeta con galones deslucidos, larga hasta los pies, y, por debajo de éstos, tres huevos de avestruz. A un lado y otro del Cristo colgaban *exvotos:* sórdidos hábitos de amortajar, piernas, brazos, ojos, senos femeninos, de cera virgen, azafranada.[150]

Tigre Juan fue a prosternarse junto al presbiterio, lo más cerca del simbólico sacrificio. Se dobló, hasta dar con la frente en una losa de sepultura. Oró, mental y cordialmente, con unas pocas palabras, las únicas de que disponía en su tribulación: "Señor, señor, ¿por qué me abandonaste? ¡Hágase tu voluntad divina! ¡Pobre Tigre Juan! Acabóse ayer. ¡Pobre Tigre Juan!" Cuando tocaban para alzar, se oyó un silbido remoto, persistente. Era el tren para Castilla, que iba a atravesar por el seno de la montañuela, bajo la ermita del Cristo de la Esclavitud. De repente, Tigre Juan se puso en pie. Echó a correr hacia el pórtico, no sin atropellar y derribar a varios fieles, ancianos y gemebundos. Corrió luego cuesta abajo, desalado, en dirección de la boca de salida del túnel. Detúvose a media ladera. El monte trepidaba. Ya aparecía el tren. En aquel tren iba

---

acudía a la romería tradicional, que se celebraba junto a la ermita, en la cumbre de la colina que domina a Oviedo por el Sudoeste" (*Asturias,* pp. 103 y 111).

[149] Recuérdese que la primera novela de Ayala, *Tinieblas en las cumbres,* se centra en la subida, en tren, al puerto de Pinares (Pajares).

[150] Es constante en Pérez de Ayala el anticlericalismo, compatible con sinceros sentimientos religiosos, y la crítica de las ceremonias puramente externas. (Puede verse el libro de Manuel Fernández Avello: *El anticlericalismo de Pérez de Ayala,* y *La novela intelectual de Ramón Pérez de Ayala,* pp. 75-82).

Colás. Por el fondo de una trinchera a modo de cauce, corría ya la cabeza del convoy, resbalando, derramándose, colmando el álveo,[151] como un reguero de alquitrán humoso. ¿Fue, acaso, ilusión del deseo? Tigre Juan creyó ver un pañuelo blanco que palpitaba en un costado del tren.[152] Al disiparse, allá lejos, la última vedija de humo, unas lágrimas bailaban en los ojos, de gato montés, de Tigre Juan. Volvió al mercado. Colocó el puesto y se aplicó a sus quehaceres. Quería evadir la mirada de la viuda. Inevitablemente, tropezaron en el espacio los ojos de uno y los de la otra. Tigre Juan sintió que los ojos de doña Iluminada pasaban sobre él, acariciándole, como una mano por el lomo de un gato. Eran también ojos de elocuencia inefable, que le enviaban un mensaje cifrado, cuya traducción decía: "A todos nos llega la contraria. La mía dura ya años, sin otra esperanza que ir a reunirme con el fallecido. Usted llevaba una temporada más que regular de calma chicha. Ya resuenan los clarines de la borrasca. Atención y serenidad, no naufrague." ¿Le decía todo esto doña Iluminada con los ojos, o era que Tigre Juan, conforme a su gusto, lo quería entender así? La imaginación le hacía ver hoy el mercado, con su fluir y refluir, con su encrespamiento, alboroto y retumbo, como un mar, en medio del cual él estaba insulado,[153] solo, tan próximo a los demás hombres y, sin embargo, tan distante, muriéndose de sed en la inmensidad del agua salobre. Los toldos de lona, repletos de viento, le evocaban el velamen de los navíos. Herido de ausencia el pensamiento, se le iba hacia Colás. Lo veía en la cubierta de un barco, con rumbo a los campos de batalla, en otros continentes. "Colás, hijo mío: ¿por do andas? ¿Renegaste de mí? Ayer yo no era yo: era un orate. ¡Pobre Tigre Juan; acabóse ayer! ¡Pobre Tigre Juan! Y todo por una mujer. Ellas, causa de todo daño y aflic-

[151] *Alveo*: 'Madre del río o arroyo' (Academia, p. 73).

[152] No me parece exagerado ver en esto un recuerdo de la emoción lírica de *Adiós, cordera,* el cuento de su maestro Clarín.

[153] Pérez de Ayala usa este cultismo también en el artículo titulado "Al servicio de la República", de *Política y toros*: "el rincón más insulado y esquivo de la península" (*O.C.*, III, p. 1045).

ción. Segunda vez, una mujer destroza mi vida. Por doña Iluminada sabré quién es la moza. Garrote merecía. He de vengarme, a poco que pueda. ¡Pobre Tigre Juan! Acabóse ayer. ¡Pobre Tigre Juan!" [154]

Aunque recogido en su meditación, esto no le estorbaba atender, paralelamente y con escrúpulo, a quienes se le acercaban en consulta o de compras, que eran muchos, como día de mercado. Lo que no hacía era mirarles la cara. Hubiera visto en tal caso que, no ya los que venían a su puesto, sino cuantos pasaban cerca, deteníanse a examinarle de reojo, tales con pasmo, cuáles con repulsión, y cuchicheaban luego entre sí. Según avanzaba la mañana, iban propagándose velozmente por el mercado distintas voces y noticias acerca de las peripecias que el día anterior le habían acaecido a Tigre Juan. [155] Se decía que había entrado de secreto en el cuchitril de Carmona, y algo gordo le había hecho, pues la mujer murió a las pocas horas. Que al entrar o salir en la guarida de la verdulera había malherido a un mulo de Cipriano Mogote, el vinatero. Que había despedido a la Güeya, después de muchos años de servicio, sin querer pagarle, y no sin antes descalabrarla. Finalmente, que, hastiado de su sobrino, con el cual andaba siempre en discusiones, altercados y regañinas, lo había arrojado fuera de casa, negándose a darle un ochavo en lo sucesivo, y el infeliz muchacho, viéndose a la luna de Valencia, no tuvo otro remedio sino sentar plaza.

A cosa de medio día apareció la Güeya en el puesto de Tigre Juan. Traía en torno del cráneo un vendaje tan voluminoso como el turbante del Gran Turco. No venía con la comida, sino a exigir el pago de su soldada y una indemnización por la descalabradura, que no pasaba, en verdad, de un mediano chichón. Tigre Juan le dio cuanto pedía, prometió seguir pagándole en tanto buscaba colocación y rogó, por último, que le perdonase, a lo cual la Güeya, refunfuñando, no se supo si dijo que sí o que no.

[154] Otra vez un monólogo con frases entrecortadas y repeticiones.

[155] Reaparece el tema anunciado ya en la primera página de la novela: los chismes, unidos al honor como opinión común.

Poco después se presentó Mogote,[156] el vinatero (gordo, purpúreo, camorrista, socarrón), ladeada la gorrilla, con blusa de mahón azul, que le bajaba hasta la pantorrilla, y una larga vara de avellano que hacía girar, como molinillo de chocolatera, entre las manos, después de habérselas restregado, habiendo previamente escupido en la palma. Esta mímica implicaba un reto. Tigre Juan, que estaba inocente, no la entendía. Pero, como un perro trasmite las malas pulgas a quien se halla al lado, así el vinatero, sólo con su proximidad y actitud, contagió a Tigre Juan de una especie de prurito e incomodidad entre cuero y carne. Por dominarse, se encogió de hombros, con tiesura, y arrugó el ceño de su caucásica fisonomía, en una mueca involuntariamente torva. El vinatero consideró prudente retardar el movimiento de rotación que imprimía a la vara de avellano.

—¿Qué hay de bueno, Mogote? —preguntó Tigre Juan, con indiferencia.

—Hágase el tonto —replicó el vinatero, enarcando una ceja y rebajando el lado correspondiente de la boca.

—Tú dirás.

—¿He de ser yo quien lo diga?

—Como no te declares, amigo...

—¡Coime,[157] no gastemos saliva en balde! —y proyectó una escupitina en la mano—. El *Coronel* tién una hernia, y quizás que espiche, anuncióme el veterinario.

—Que me emplumen, si te comprendo.[158] A mí, ¿qué me cuentas?

—Pues, ¿a quién se lo tengo de contar? —dijo Mogote, adelantando la jeta y empuñando de revés la vara, el pul-

[156] Por un papelito manuscrito del escritor he podido averiguar que Ayala pensó primero llamar a este personaje Argote (quizá por sugestión del Góngora de Doña Iluminada), y luego lo cambió, seguramente para subrayar lo romo y obtuso.

[157] Otro eufemismo. Aparece también en *El raposín* (*O.C.*, I, p. 1049) y reforzado, por ejemplo, en *Troteras y danzaderas*: "Recoime con los poetas, que ni hablar saben" (p. 385).

[158] No se trata de un verdadero diálogo, sino de un ejemplo de incomunicación lingüística por utilización de códigos diferentes (D. A. Igualada Belchi, p. 74).

gar hacia abajo, empinado el codo—. Las curas, si cura, más el trabajo perdido, y dos mil riales, si muere, que eso vale en buena tasación, más los perjuicios, usté me lo ha de pagar, maravedí por maravedí. ¿Oyeme?

—Mogote; sigue tu camino y no me muelas el alma.

—¿Paga o no paga?

—¿Estás curda?

—Llevarélo al Juzgado. Y dempués que haya aflojado la mosca, que es lo prencipal, arreglaremos de hombre a hombre esto que ahora dejamos pendiente. Tengo buena correa pa aguantar. No me he de perder sin antes recobrar lo mío. Y entóncenes... A mí no se me encoge el ombligo por un tíguere [159] homicida ni por la fiera corrupia. Agur. Ya le pesará lo de hoy, tanto como lo de ayer.

—Detente, Mogote. Un rayo me parta si sé por qué te sulfuras, ni qué me va a mí con tu coronel, tu veterinario, tu hernia, tu ombligo y tu tíguere, y pongo que esto último no es señalar. No sabía que tuvieses metimiento con la milicia, ni se me alcanza por qué a un coronel quebrado le asiste un albeitar y no un físico o un cirujano castrense. O bien estoy soñando. Tales son las cosas extraordinarias que desde ayer me suceden, de las cuales, cierto que me pesa; en eso has dicho bien.

—Encima, ¿tómame de babieca y ríese de mí, en mis barbas? Pues, ¿iba a llamar a un físico de galones pa poner braguero a un mulo? Tanto me da que usté niegue como que no. Aunque no hay testigos de viso, probarle he que usté dio la patada a mi *Coronel,* el mulo digo, en la ínguele.

—¡Recaracho! ¡Acabáramos! No niego, Mogote. Como hablabas tan envuelto, tardé en caer. No niego. Una patada le di, y más le diera si, como primero me la dio él, hubiera contestado a la mía con otras. Legítima defensa, que costa en todas las leyes y respetan todos los tribunales —asentó gravemente Tigre Juan, dando al mulo predicamento de adversario racional.

[159] El lenguaje de Mogote se caracteriza por muchos vulgarismos dialectales, como estos casos de epéntesis: *tíguere, ínguele.*

—Quiere decirse que confiesa usté, pero no afloja la mosca, ¿es eso?

—Quiere decirse que podría no aflojarla, asistido de justicia. Pero no quiero pleitos contigo ni con nadie. Pagaré lo que digas, siempre que no abuses.

—Ya me parecía a mí que usté, a pesar de la fama, se avenía a razones —dijo el vinatero, con maliciosa sonrisa, acariciando la vara de avellano, a la que atribuía mágica virtud de persuasión—. Tan amigos. Hablando se entienden los hidalgos. ¡Hasta la vista!

En partiendo el vinetero, Nachín de Nacha, junto a sus monteras, habló, guiñando el ojo, a Tigre Juan:

—Mogote, ese pellejo inflao de vino, que se le rezuma por el gargüelo,[160] así está él de sofocao como un tomate, entós, ¿veníate con bravatas? ¿Ello qué fue?

—Causéle un quebranto. Prometíle remendarlo.

—A mí que no me vengan en demanda de remiendos alzando un garrote por delante. Déjome machucar antes que ceder. Yo que tú, iba tras él y sentábale la mano. ¿Qué dirán de ti?

—Nachín, lo hecho bien hecho está —murmuró Tigre Juan, poniéndose verde, pues temía, por el acicate del qué dirán, precipitarse turbado a cometer un desatino. Añadió—: Por Dios, no me hostigues.

—Acá para entre nos, Xuan, tengo pa mí que eres como el jabalino, que de todo escapa, mesmo del ruidín de una fueya * que cae; pero, de escapada, no hay quien le ataje ni se le ponga defrente.

—No sé cómo soy. No me importa, ni a nadie le importa. ¡Pobre Tigre Juan! Acabóse ayer. ¡Pobre Tigre Juan! Déjenme en mi cubil. No se metan conmigo. Déjenme solo, como apetezco.

—¡Ajajá! Eso quería oírte. Ya estás solo, sin hijo postizo ni criada ladrona. Ya puedes campar por tus respetos. Nada te ata. Suelto estás. Jabalino eres. Madriguera dañosa tendrás en poblado. No demores aquí. ¿Quién hay en

* Hoja.

160 *Gargüelo* (asturianismo): 'gárgola, boca'.

redor tuyo, de tu trato y concordancia? Ven conmigo al Campillín. Apartado vivo allí de bullas; no lejos de la ciudá y metido en la aldea. No bien saco la pata de mi umbral, asiento la madreña [161] en un país encantao, mano a mano con les animes y creatures [162] del otro mundo, que es muy buena sociedá; respóndote de ello. Tú no compriendes el canto del cuquiello, [163] ni quieres creer en las xanas, [164] y el trasgo, y el duende, y la huestia, [165] y la santa compaña. Fías, en cambio, y crees en los hombres. ¿No te desengañaste entodavía? Dícesme que todos aquellos espíritus que yo veo con mis güeyos * y oigo con mis oreyes ** endetro de regatos y bosques, o bien se posan en el tejao de mi casa, o entran por el cañón de la chimenea; dícesme que son na más que sombras de inorancia. Sombras, na más que sombras, son todos estos hombres y muyeres que nos arrodean. Convenceráste. Ven conmigo al Campillín. Tú, como yo, silvestre naciste. Yo, vieyo ya. Tú, vas pa vieyo. Lobos de la misma camada. Cabe el llar, [166] platicando de los años floridos tornarémonos mozos.

—¡Líbreme Dios! Viejo caduco quisiera tornarme. Harto mozo me siento, tan sin saber lo que va a ser de mí como en mis verdes años; tan loco furioso como entonces, y si no, hubiérasme visto ayer noche. ¡Pobre Tigre Juan! Aca-

* Ojos.

** Orejas.

161 *Madreña*: 'almadreña'.

162 Plural en -es, propio del centro de Asturias, como resto de una extensión mayor en el astur-leonés primitivo (Lapesa, pp. 489 y 181). Otras veces, Ayala usa plurales en -as para formas asturianas: *coruxas, ñalgas, cosquiellas* (Reinink, p. 128).

163 Asturianismo: diptongo sin reducir ante palatal, como en castellano. Ayala usa también *cosquiellas, escudiella, morciella*... (Reinink, p. 128).

164 Ninfas imaginarias de la mitología popular asturiana (Rato, p. 156).

165 Diptongación por asturianismo, igual que en *cuerre, se escuende*. Aparece, unida también a la Santa Compaña, en *Bajo el signo de Artemisa*: EL NIÑO: —De la santa compaña, no, chacha, que me da miedo. LA VIEJA: —De la huestia... EL NIÑO: —No, que me da miedo" (*O.C.*, II, p. 971).

166 *Llar* (asturianismo): 'lar, fogón' (Rato, p. 166).

bóse ayer. ¡Pobre Tigre Juan! Parece como si escomenzase a vivir, o séase, a desandar y recorrer de nuevo el mismo camino. No quiero ir al monte, no. Allí pararía presto en alimaña soberbia e independiente. Agradézcote el convite. Aquí afinco, más solo cuanta más gente me arrodea; perseguido, acorralado y reducido a mansedumbre o impotencia. ¡Por mi salud! Este es Tigre Juan. Acabóse ayer —dijo, como si grabase en piedra su epitafio.

—Allá tú. Si algún día mudas de ditamen, acuérdate de mí.

A la tarde, quedó vacío el mercado. Doña Iluminada cerró la tienda, y luego salió, recatada en un manto. Tigre Juan no se movió del puesto. Doblaron a muerto las campanas de San Isidoro. A poco, asomó el entierro de Carmona, atravesando la Plaza, Acompañaban en la comitiva del sepelio todos los habitantes del mercado. Tigre Juan vacilaba en sumarse al concurso. Doña Iluminada, que llevaba de la mano a Carmina, se acercó y le dijo:

—Venga conmigo, formando en el duelo. He desvanecido la calumnia, con no poco esfuerzo, en lo cual triunfé con la ayuda de este ángel. No vaya usté ahora, por simplicidad y esquiveza, a levantar otro tole tole. [167]

Algunos secuaces y plañideras del cortejo fúnebre hacían alto, volviéndose a escudriñar a Tigre Juan y la viuda. Tigre Juan abrió los ojos hacia la señora, en un gesto implorante.

—Me reiría de la cara lela que pone —dijo la de Góngora— si la ocasión no fuera tan triste. [168] Obedezca. Carmina: da un beso al señor Juan, que anoche te socorrió

[167] Expresión muy típica de Pérez de Ayala para referirse, onomatopéyicamente, a todo tipo de rumor suscitado. La utiliza al menos desde 1911 (González Calvo, p. 114). Aparece en *La pata de la raposa, La caverna de Platón,* el prólogo al *Cancionero castellano* de Enrique de Mesa, etc. Belarmino le da este sentido transcendental, incluido en su léxico: "La vida; la inquietud constante; el aleteo de las pasiones." Se opone al *tas, tas, tas*: "la muerte; los últimos latidos: los golpes del martillo sobre el ataúd" (*Belarmino y Apolonio,* p. 313).

[168] Un ejemplo más de lo tragicómico.

con una limosna y fue a tu casa por ver si curaba a tu pobre madre.

Tigre Juan echó con premura la lona embreada sobre sus mercaderías. Luego, tendió la mejilla al beso de Carmina, que le inundó de dulce emoción. Se asió a la mano de la niña, oprimiéndosela fuertemente, en un impulso reflejo de gratitud.

—¡Ay, que me lastima! —suspiró Carmina.

—Afloje la mano, hombre. Hija mía, dispensa a Tigre Juan. Hasta para acariciar, lastima, a pesar suyo. [169]

—¡Qué bien me conoce usté, doña Iluminada! Lastimar y algo peor.

—¿Conocer? Podía no.

A Tigre Juan se le figuraba que el beso de la huérfana le había dejado impreso en la mejilla un divino estigma visible. [170] Caminaba petulante, lleno de sí mismo, como el soldado vanaglorioso que luce una gran condecoración, sin haber estado en la guerra. Una beata bisbisó al oído de otra:

—¡Mírale! Sobre haber rematado a Carmona, que eso no hay quien me lo quite, y allá los veredes en el último día, cuando salgan todos los trapos puercos de la colada, mírale cómo se relame y regodea en su obra. ¡Jesús, Jesús y Jesús!

Al llegar a San Lázaro, [171] en la última margen de la ciudad, donde suelen despedirse los duelos, Tigre Juan dijo que continuaría hasta el cementerio. Doña Iluminada no quería que la pequeña viese a su madre desaparecer para siempre en una hoya, bajo tierra; indeleble recuerdo. Tigre Juan, por no soltar la mano de la niña, volvió con ellas.

—¿Quién sufraga los gastos del entierro? Yo quisiera contribuir —dijo Tigre Juan.

—No se inquiete. Todo está arreglado.

169 Una vez más, las dificultades de la expresión, en gestos como en palabras.

170 Otra influencia de la literatura mística.

171 "En San Lázaro se fundó en 1631 un Hospital de Leprosos o Malatería, que dió nombre al barrio. Andando el tiempo, se convirtió en Asilo Provincial de Ancianos" (Cabezas, pp. 102-103).

¿Todo? ¿Qué iba a ser de la huérfana? Delante de ella, Tigre Juan no se atrevía a tratar del asunto, a no ser mediante alusiones que acaso la perspicaz viuda comprendiese.

—¿Todo? —recalcó Tigre Juan.

—Sí, señor.

—Es que ciertas cosas...

—Todo. Y a propósito. Hoy no habíamos hablado todavía. También está usté de pésame. Unos pierden los padres; otros, los hijos. No se sabe qué es peor. Más natural, lo primero. Ahora qué fácil es sustituir un hijo; no así un padre. Y no digamos una madre, aunque todo es posible.

—Flojo consuelo me proporciona usté.

—Porque no lo ha de menester. Colás fuese sin despedirse de nadie, que es como salir con la llave de la puerta en el bolsillo, para volver a deshonra. ¡Volverá!

—Si no me lo mata una bala insurrecta.

—No lo quiera Dios.

—Y aunque volviese. Para mí está perdido.

—¿Perdido? Oígame. Colás hizo lo mejor. Ante todo, no revolverse contra la ingrata, sino salir a realizar proezas por las siete partidas del orbe; cosa digna de un caballero andante, [172] como no se ven ya en estos tiempos.

—No se me había ocurrido.

—En segundo lugar, la piedra de toque de lo que bien se quiere está en la privación. Ausente Colás, sabrá usté hasta qué punto le quería y si él es para usté lo primero y lo único en el mundo.

—De eso no hay cuestión.

—Tanto mejor. Colás, sacrificando una temporada su libertad, se la restituye a usté. Pasarán los días. ¿Que usté sigue lo mismo? Pues nada hay perdido, antes mucho ha-

[172] Los relatos de Pérez de Ayala suelen tener como apoyatura múltiples marcos literarios. En *Las novelas de Urbano y Simona*, por ejemplo, *Dafnis y Cloe, Hermann y Dorotea, Emilio, Los trabajos de Persiles y Segismunda, Il Novellino, La vida nueva...*

brá usté ganado en la convicción del cariño paternal que a Colás profesa. Mas si entretanto hay mudanza en el corazón de usté, al menos bendecirá a Colás, que supo apartarse en la coyuntura y no estorbar.

—¡Qué labia de oro! Bien se ve que es usté de Toledo, donde se cría el albaricoque de hueso dulce. Escuchando a usté, no parece que la vida encierra una almendra venenosa. Según usté, yo debiera estar contento como pandero con sonajas, que cuanto más le aporrean, más alegremente responde. No sé qué replicar, pero no me convenzo.

No anhelaba otra cosa sino que la viuda acertase, pero no se decidía a convencerse, temiendo el fracaso de sus esperanzas. Añadió:

—¡Lástima que Vespasiano no esté en Pilares! Le pediría el parecer, que coincidiendo con el de usté no necesitaba yo más para mi reposo.

Estaban a la puerta de doña Iluminada, quien invitó a Tigre Juan a subir. El se excusó. Era ya anochecido. Tigre Juan se echó a divagar por la ciudad, sin rumbo, a través de solitarias rúas, por retrasar acogerse a la vacía morada, que tiraba de él y a la par le causaba horror. Al cabo de mucho devaneo, hallóse indeliberadamente frente a su casa. El reloj de la catedral daba las diez. Cada campanada, casi sólida, cayendo por el aire, era para Tigre Juan como un empellón invisible, que recibía en la nuca. "¿Qué haces aquí, hombre? Si a la postre has de entrar. ¡Hála para arriba!" Subió. En todo el día no había comido. En pie, cenó pan y queso, que sacó de una alacena.

Bajo el influjo de la voluntad oscilante, le oscilaba asimismo el cuerpo, como un árbol, azotado del viento de la duda. Ya se torcía a su dormitorio; ya del lado de la alcoba de Colás. En resolución, de carrerilla, por no arrepentirse en el trayecto, penetró en la habitación del mozo. Luego de una inspección rauda, echó de ver que Colás no había llevado nada consigo. Allí estaban sus trajes, el de diario y el de vestir; toda su ropa interior y su calzado. "Desnudo le tomé; desnudo salió de mi casa. No ha querido deberme nada. Fuese con las manos limpias. Debía de tener aquí, anoche, el uniforme cuartelero de rayadillo. No le vi de soldado. ¡Qué majo estaría! ¿Cuándo, hijo, te volveré a ver?"

Tigre Juan decidió conservar la habitación intacta, de suerte que Colás, al retorno, ensamblase sin violencia el momento de la partida con el de la llegada, y comprendiese cómo el hueco abierto por su desgarro de la casa sólo él lo podía llenar. Entretanto Colás andaba lejos, su habitación sería un camarín de reliquias.

Al salir, Tigre Juan vio un papelito clavado con un alfiler a la puerta. Decía:

"Perdón, padre mío; nunca tan padre como ahora que sé que no soy hijo de nadie. No me culpe de ingratitud. Confío vivir lo bastante para demostrarle mi cariño. No desespero que usté me ha de perdonar. ¡Ay, padre mío! Huí, es verdad, porque alguien me tiró lejos, como un despojo." [173]

Tigre Juan besaba, llorando, las líneas de Colás. Y en voz alta hablaba:

—¿No te he de perdonar, paxarín sin nido, pollo de águila, que en mi seno calenté hasta que le crecieron las alas? Vuela, vuela altanero, adonde el cazador no te alcance. Tú me has de perdonar, que alicortarte quise. Date prisa a matar mambises y tagalos, [174] ¡reconcho!, que vuelvas cuanto antes, con galones de general por lo menos, y que se repudra, ya que entonces no la querrás, la moza que te despreció.

Tigre Juan se retiró a su camaranchón, con la carta de Colás metida en una bolsita, a ras de la piel, sobre el piloso pecho, en unión de otras preciosas hojuelas de papel, sobremanera mugrientas, donde tenía anotados, logogríficamente, la suma y colocación de sus caudales. Al entrar, el depósito de granos, dispersos y confundidos sobre

[173] Recuérdese la carta de Angustias a su padre, Belarmino, citada antes (*Berlamino y Apolonio,* p. 229).

[177] *Mambís*: 'Insurrecto contra la soberanía de España, en las guerras separatistas de Cuba en el siglo XIX' (Academia, p. 832). *Tagalo*: 'Dícese del individuo de una raza indígena de Filipinas...' (Academia, p. 1237).

el tillado, se le presentó como imagen de su propia alma. [175] Ideas y sentimientos hasta ahora clasificados y evaluados, rica cosecha de una larga experiencia, todo andaba ya, dentro de él, embrollado, mezclado, desperdigado, después del cataclismo espiritual de la noche anterior. "¡Pobre Tigre Juan! Acabóse ayer. Pobre Tigre Juan." Su cerebro no estaba para pensar; se le había quedado entumecido. A tal punto que, apenas se tendió en el jergón, empezó a roncar, sin haberse enterado del tránsito desde la vigilia al sueño.

Al siguiente día, meditó iniciar la tarea operosa [176] de reorganizar y poner en orden su alma. Debía proceder precavidamente, por contrarrestar la acometividad de su antiguo genio, que volvía a renacer. "Bruto eres, Juan, como en tus verdes años. Con cabestro y serreta [177] te he de reducir y gobernar a mis fines." Otra vez, como en su mocedad, le poseía el afán de venganza, que pone un humo, a modo de venda, ante los ojos de la razón. Por la alquimia mágica del sueño, el amor a Colás se había trasmutado de la noche a la mañana en odio vengativo hacia la desconocida que le había rechazado como un despojo, según decía él: Pero, ¿a quién se refería Colás, al creerse rechazado como un despojo? ¿A la muchacha o a Tigre Juan? No estaba muy claro en las líneas que dejó escritas. Supuesto que se quejase y doliese de la última entrevista con su padre adoptivo, como quiera que la causa fue la desconocida muchacha, tanta más justificación para que Tigre Juan la odiase y maquinase vengarse en ella. Pero esta vez iba a vengarse fríamente, reflexivamente, sin perder el juicio,

[175] Varias veces, en esta novela, Pérez de Ayala hace que las sensaciones y los recuerdos se materialicen, se hagan objetos palpables, que chocan con los personajes (Weber, p. 38).

[176] Otro cultismo llamativo. También lo usa en *Más divagaciones literarias,* poniéndolo en boca de Lessing: "desandáis el corto y operoso trecho" (*O.C.,* IV, p. 1084).

[177] *Serreta*: 'mediacañas de hierro, de forma semicircular y con dientecillos o puntas, que se pone sujeta al cabezón sobre la nariz de las caballerías' (Academia, p. 1197).

sin destruir su propio corazón, como la otra vez. La otra vez... Como los turbiones barren la tierra que cubre las tumbas y dejan al aire los huesos de los muertos, así Tigre Juan se espantaba pensando si acaso su tormenta interior, que ya iba, gracias a Dios, amainando, sacaría a la superficie del presente memorias sepultas, que él creía totalmente abolidas.

Aquel día, doña Iluminada, dentro de su irremediable tristeza, dejaba traslucir una irisación de alegría. Tigre Juan entró en la tienda y preguntó por la huérfana de Carmona.

—Ya le dije ayer que todo estaba arreglado —respondió la de Góngora.

—Es usté mujer de discretas iniciativas. Lo que usté haya prevenido será arreglo que no admite pero. ¿Se puede saber?

—Como que me hace falta su aprobación.

—¿Mía?

—Sí, señor. Será usté quien confirme o deniegue. De su sí o su no depende todo.

—Estoy ya sobre ortigas. En el Hospicio claro que no habrá pensado. Un asilo decentito, ya es otra cosa.

—¡Herodes! ¿Dejaría usté a la niña en un asilo?

—¿Yo?

—Determinada estoy en ver a Carmina adoptada por un particular, como hija. Alguna persona sola, de posibles, con temor de Dios, caritativa... Hable, que de usté depende.

Tigre Juan entendió que doña Iluminada quería colocarle la niña. En la mejilla, como fuego sagrado, se le avivó el calor que la tarde antes le había trasfundido el beso de Carmina. Si doña Iluminada decía otra palabra, se llevaba consigo a la huérfana. Ya imaginaba el futuro a su placer. Y, como siempre le acontecía, frente a la voluntad desertora se encorajinaba consigo mismo, de manera que al producirse exteriormente, en palabras y ademanes, eran éstos rudos, hostiles, como si estuviera agraviado de los demás.

—¡Por las patas de Barrabás!... [178] Con una basta y sobra. ¿No tiene ojos en la cara? A otra puerta. Buen hueso que roer. Busque gallina clueca, que empolla huevos de pata o pava cual si fuesen propios. —Tigre Juan se aceleraba, como res con tábano.

—Eso no es responder acordes. Dígame sí o no.

—Me pone un puñal al pecho. De ningún modo. ¡Qué atrocidad! Habían de regalarme un quintal de trigo, y pediría término antes de responder, por si era hurtado.

—El caso es apremiante.

—Pues recoja usté a la huérfana, y amén —dijo Tigre Juan, sin saber bien lo que decía.

Por los ojos verdes de gato montés, expulsaba un relámpago lívido, que era como el grito de socorro, mudo e intermitente, que los barcos perdidos envían desde el fanal en lo alto del mástil.

—De eso se trata. ¿Aprueba usté?

—¡Ah! —A Tigre Juan se le apagaron ojos y voz.

—Está por la primera vez que nadie escarmiente en cabeza ajena. Cuando Colás tiende el vuelo y aún resuena el ruido de sus aletazos, me da a mí por repetir la misma experiencia desgraciada de usté. Tiempo perdido, enjaular aves de paso. Si no aciertas a huir, se consumen de tristeza. Con eso cuento y no me importa. [179] Crezca Carmina, fuerte y lozana. En ella me veré vivir. Hágase mujer. Hágase mujer. ¡Hágase mujer! Y si luego me la roba un hombre... Entiéndame bien: robar, robar, y no casar. Un hombre digo, no un marido; que no siempre los maridos son hombres. Si me la roba, aunque luego la abandone, he de alegrarme. He de alegrarme, por ella, y gracias daré a Dios.

[178] Son típicas del estilo de Ayala las exclamaciones humorísticas. En este párrafo de *Terranova y sus cosas* se acumulan: "¡Por los clavos de Cristo! O si usted quiere, ¡por el empeine del diamante de Buda! O, si le parece mejor, ¡por el lunar del hombro izquierdo de Mahoma! O ¡Por el clíster de Sesostris! Por lo que usted más quiera" (*O.C.*, I, p. 1269).

[179] Frente al amor-posesión de Tigre Juan, Doña Iluminada le da lección de amor que respeta la libertad del ser amado.

—Me santiguo. Usté, tan cristiana. Oígola y no doy fe a sus razones.

—¡Ay, mi señor don Juan! No lleva usté en la pupila grabado el signo de los zahoríes. Por usté se escribió la sentencia del Evangelio, de quienes tienen ojos y no ven.[180] El mundo está por suerte poblado de ciegos, porque, si fueran vistos pensamientos y deseos so la carne y el hueso, la mayor parte de los humanos morirían de vergüenza. Si las cosas tapadas se sacasen a luz, tampoco usté le daría fe.

Tigre Juan, empeñado en administrar orden a su alma, no estaba para divertir la atención en descifrar acertijos. Volvió a lo suyo:

—¿Sabe usté, por un casual —dijo, verdeciendo—, quién es la moza?

—¿Qué moza?

—¿Quién ha de ser? La de Colás. ¿La conozco yo?

—Ya lo creo.

—Diga —tartajeó Tigre Juan.

—Herminia.

—Herminia... Herminia... —repitió, probando, dentro de su memoria, a colgar esta etiqueta o rótulo en algún maniquí de mujer; pues todas las mujeres le producían impresión no tanto de cuerpos, animados por un corazón sensitivo, cuanto de hermosas esculturas huecas, con una madeja de víboras dentro, en lugar de entrañas.

—Pero, hombre: si está usté en compañía de ella casi todas las noches...

—¿La nieta de doña Marica Laviada? Esa...

—Esa... ¿qué? A ver si dice usted alguna infamia.

—Esa... —Tigre Juan perseguía vanamente el epíteto que le cuadrase—. Esa... Nada. Esa insignificancia, ese comino. Que me ahorquen si sé decir cómo es la tal moza.

[180] "¿Aun teniendo ojos no veis y teniendo oídos no oís?" (Marcos, VIII, 18). Muy cercanas a estos están numerosos invectivas de Jesús contra los fariseos. Por ejemplo, ésta: "Son guías ciegos; y si un ciego guía a un ciego, los dos caerán en la zanja" (Mateo, XV, 14). Recuérdese, por supuesto, el cuadro de Brueghel.

Y eso que la veo a cada paso. Pues sí que es para llamar la atención. ¿Tiene los ojos azules, verdes o colorados? ¿Es gorda, flaca o entremedio? ¿Estiró o quedóse desmedrada? Vaya, vaya. Bueno. ¡Viva el salero! —dijo, sorbiendo saliva, con fruición. Aquella mujer era acaso la única de todo el mercado en quien, por combinaciones inescrutables del destino, podía satisfacer su venganza de una manera legal, rápida, completa. [181]

Tigre Juan salió de la tienda, hacía su puesto, a urdir el plan vengativo. Emboscados los ojos entre las cejas, de través la boca, mantúvose el resto del día agazapado (que parecía haberle crecido joroba) [182] bajo los grandes paraguas de color bermellón, gualda y violáceo, como uno de esos genios malévolos de la mitología rústica al pie de tres enormes setas polícromas. [183]

Después de cenar, Tigre Juan solía ir un rato de tertulia a la tienda de pasamanería de doña Mariquita Laviada. Allí jugaba al tute arrastrado con la vieja y un clérigo, don Sincerato Gamborena, director y fundador del Colegio de Sordomudos y Ciegos. Herminia, algo aparte, en una región de penumbra, solía trabajar, hacendosa. Pero, y esto lo había advertido Tigre Juan, su aplicación era en cosas de vanidad: blusas de colorines, lazos para el pelo, collares de chillones abalorios. Vestíase, además, con pretensiones de lujo, más aparente que de calidad, impropio de la posición económica de la abuela, sobremanera apurada, como nadie ignoraba. Esto bastaba para hacerla antipática a Tigre Juan y que evitase posar en ella los ojos. Colás iba con su tío muchas noches. Nunca se sentaba junto a Herminia, sino que, detrás de los jugadores, seguía o fingía seguir los lances de la partida. ¿Cómo iba

[181] En esta novela —y, en general, en todas las suyas— Pérez de Ayala no teme recurrir a inverosimilitudes, bruscos cambios y "felices casualidades" (Urrutia, p. 100), que él justifica clasicistamente por lo misterioso del destino humano, como vimos.

[182] Otro ejemplo de visión tragicómica.

[183] Otro "marco clásico" para la escena costumbrista.

a sospechar Tigre Juan que Colás cortejaba a Herminia? Añádase que no había que perder ripio con doña Marica, la cual, al menor descuido, hacía trampas. Esta vieja era tramposa como otros son zurdos o gangosos: por constitución natural. Aunque no le rindiese beneficio, hacía trampas. Trampeando sostenía su comercio. Le atraía y entusiasmaba todo lo que no iba por el carril corriente. A Tigre Juan le debía unos miles de pesetas. El plazo había vencido y el documento del préstamo era ejecutivo. Tigre Juan no había hecho uso de su derecho, por compasión. Pero, ahora... Tenía la venganza en la mano. Instintivamente, apretaba el puño, que no se le fuesen de entre los dedos las riendas del futuro. Pondría a Herminia en mitad del arroyo, pobre de pedir, que emigrase a pie por caminos forasteros, ya que había desterrado a Colás. ¿Y la vieja? ¿Condenada también a extremo desamparo en la edad caduca, sin otro delito que el de conducir sobre los hombros una cabecita rugosa y liviana como nuez vacía?

En estas incertidumbres llegó la hora en que Tigre Juan se retiró a su casa. Cenó parcamente, habiendo él mismo aderezado el yantar. Entró luego en el camarín de las reliquias, la alcoba de Colás, en cuyo recinto se le soliviantó el odio contra Herminia. Salió de nuevo, a reflexionar con más aplomo. Hacía tres noches que no iba a la tertulia de doña Marica. ¿Qué pensaban de él la vieja, la niña y el clérigo? ¿Sabía algo la vieja de los fracasados amores de Colás? De saberlo, lo seguro era que hubiera obligado a Herminia a responderle que sí; siquiera por la hacienda del tío y con la ilusión de hacerse cancelar la deuda. ¿Debía ir Tigre Juan a la tertulia aquella noche, como si tal cosa? Lo que más le movía era el afán de averiguar, al cabo, cuáles pudieran ser los irresistibles hechizos de Herminia, para así haber trastornado a Colás. A la vez, sentía miedo de sí mismo; miedo de reventar en denuestos, a la vista de la sirena; y miedo de aturdirse, de salir escapado de pronto, groseramente. Por otra parte, ¿con qué cara entraría en la tienda, pensando, como pensaba, plantar a las dos mujeres al siguiente día, o al otro, de patitas en la calle? ¿Entraría fingiendo indiferencia? Indigna mixtificación. ¿Con catadura de mal augurio? Descortesía superflua. Lo mejor, pues, era quedarse en casa; que la pérfida Herminia comenzase a preocuparse y se fuese disponiendo para recibir el golpe de gracia. Por fin, no fue a la tertulia aquella noche, ni tampoco la siguiente. En todo este tiempo, su voluntad no dejaba de columpiarse, describiendo, como péndulo, la misma breve órbita, ahora ascendente, ahora descendente, de impulsividad e inercia. La mañana próxima, dando un reloj de torre las doce del mediodía, el cartero le entregó dos cartas. En el sobrescrito de una de ellas campeaba la letra de Colás, nerviosa, con zigzags y combas veloces, como vuelo de golondrina. La otra, de letra femenina, matasellos de Madrid, muy perfumada. Tigre Juan se estremeció. Ambas cartas le causaban igual desconfianza. ¿Qué contenía la de Colás? La otra, ¿de quién era? Dos días llevaba madurando ejecutar a dos indefensas mujeres, y acaso él iba a ser ejecutado antes que ellas. ¿Abriría las cartas? Arredrado ante su propia pusilanimidad, rasgó de golpe el sobre de la carta de Colás, Comenzó a leer. Se puso de un verde-gris de olivo; lo cual significaba, contradictoriamente, que por dentro sonreía. Colás escribía en tono llano y respetuoso, de hijo a padre, como si entre ellos no hubiera mediado desavenencia ninguna. Colás le refería su viaje, al por menor. Al salir el tren del *Monte Furado,* en cuya cresta se levanta la ermita del Cristo de la Esclavitud, había agitado fuera de la ventanilla el pañuelo, despidiéndose de Tigre Juan y de Pilares. Aunque triste durante la jornada, el desfile del paisaje, mudando a cada paso de fisonomía, le daba el olvido. «Pensé que lo mejor hubiera sido andar a pie, con calma, sorbiendo las cosas que se ven. En el tren, las cosas vienen hacia uno brutalmente; le golpean en los ojos y casi quitan la vista, como la carbonilla de la máquina. Prefiero ir hacia las cosas. De niño soñaba con recorrer, andando, largos caminos, de pueblo en pueblo. Acaso nací para vagabundo.» La algazara de otros reclutas —vihuelas, gaitas, canciones, vino— le aturdían y distraían de sus añoranzas.

¡Qué sol el de Castilla! Pero el sol es más triste que la niebla. [184] Y por ahí adelante.

Tigre Juan se apercibía a contestar en el acto la carta de Colás y enviarle dinero, cuando vio la otra carta, caída en el suelo. La alzó, la abrió y con corazón ligero penetró en su lectura. Decía:

"Mi querido Juan: No te habrás olvidado de mí, bien que los hombres sois egoístas y, por lo mismo, ingratos. No así nosotras, las mujeres. Todo lo damos. Esto lo atribuís a frivolidad. O algo peor. Los favores, apenas os los concedemos, ya les perdéis la estima, y ponéis punto final. Para nosotras no pasa el tiempo. No pasa, no. Se nos queda grabado en la piel. Cada disgusto, cada desengaño, es una arruga o una cana. La generala Semprún de hoy no es sombra de lo que fue la capitana Semprún, allá en Manila, ayer como quien dice. ¿Recuerdas? Yo, como si te tuviera delante, cuando eras nuestro asistente. Juanín o Guerrita; [185] de los dos modos te llamábamos. Te acabo de preguntar si recuerdas. ¿No has de recordar? En otra como aquélla no has de volver a verte; ¡digo yo! De vida o muerte para ti fue el valimiento de mi marido, aquel bendito, que mucho te apreciaba. El objeto de las presentes líneas es que me quedé viuda va para seis años, con dos hijas mellizas, mayorcitas ya. Nacieron en Manila, me parece que a los siete u ocho meses después de tú haber salido de nuestra casa. Vivimos en gran estrechez. La indecente viudedad de generala apenas da para comer. La milicia es la Cenicienta, en este país donde todo el mundo está tumbado a la bartola chupando del bote. Para eso fuimos defensores de la patria tantos años, luchando con los espantosos mosquitos y otros insectos de aquellas islas maldecidas, que nunca los podré olvidar; y a riesgo de que los tagalos nos agujereasen la pelleja. Dios aprieta

[184] Sobre su riqueza de significados, puede verse el libro de Manuel Fernández Avello: *Pérez de Ayala y la niebla.*

[185] Pérez de Ayala emplea varias veces apellidos en diminutivo: así, Ocañita en *A.M.D.G.* (p. 80). El cínico don Sabas Sicilia saluda a Alberto Díaz de Gumán, en el Ateneo: "—¿Qué hay, Guzmancito?" (*Troteras y danzaderas,* p. 297).

pero no ahoga. Me entero de que eres todo un señor capitalista. Tendrás la bondad de enviarme mil pesetas, en pago de lo que mi marido y yo hicimos por ti. Es deuda de honor. De momento, me basta aquella cantidad. Tu antigua señora y amiga,

Isabel."

Tigre Juan no pudo por menos de gemir:

—¡¡La Apocalipsi!! [186]

Cada palabra de aquella carta había retumbado dentro de su cráneo como un trompetazo del Juicio Final, cuando los muertos se enderecen en dos pies. Más que palabras, eran seres vivos, o resucitados, que se desplegaban, como un regimiento disciplinado, ante Tigre Juan. Desmenuzó la carta, cuyos trozos, reducidos al tamaño de copos de nieve, arrojó lejos, como si quisiera aniquilar las imágenes descubiertas por la lectura, como al descorrer una cortina. [187] Inútil intento. Todo había concluido para él. Sólo cuando algo está definitivamente concluso, su pasado revive y se hace actual, perenne e incorregible. Su propio pasado, que Tigre Juan suponía abolido, se restauraba íntegro, cuajado en una eternidad de infierno, al conjuro de la generala Semprún, sacerdotisa de Belcebú. "¡Pobre Tigre Juan! Acabóse de acabar. ¡Pobre Tigre Juan! Tornas a ser Juanín y Guerrita, el asistente." Veía a la capitana, con sus grandes ojos pegajosos, su cara estucada, de yeso, su boca redonda, de vivísimo rojo, como sello de lacre, sus tenues vestiduras caseras, sus posturas voluptuosas, sus desvergonzadas insinuaciones de seducción. Ella misma iba a elegir, en la compañía, el soldado que deseaba para asistente, que luego duraba muy poco en la casa, porque la capitana, saturada de él, comenzaba a hallarle

[186] Es una de las palabras-clave de esta novela que (junto con el "Juicio Final") resumen toda la trama y, por eso, se desarrollan y explican largamente (Weber, p. 79).

[187] Otra vez, para Tigre Juan, los recuerdos se hacen materiales, tangibles (Weber, p. 38). De esta manera, el novelista nos da los antecedentes de la historia en el momento y desde la perspectiva que más le convienen.

defectos, y traía otro nuevo para ensayar. De vuelta en la compañía, todos los soldados contaban historias picarescas de la capitana. En el cuartel le habían puesto de mote "la capitana Tragabatallones". El marido era un buen hombre, de muchos redaños y poco pesquis; tan irreducible e inconsciente frente al enemigo como inconsciente y rendido junto a su dulce enemiga. Había tomado mucho afecto por Juanín o Guerrita, cuando le tuvo de asistente; tanto, que por impedir que la capitana se desprendiese de él, como de los otros, resolvió casarlo con una muchacha joven y linda, Engracia de nombre, que era doncella en la casa. Juanín había nacido, y luego pasado su infancia y adolescencia, hasta salir quinto, en una aldehuela de las estribaciones de Traspeñas. Frente al comunismo amoroso que imperaba en aquellos recovecos de la serranía, sintió inquina y desprecio por la mujer rústica. Enamoradizo y sentimental, no concebía el amor sino como derecho viril de propiedad exclusiva. Quería creer que las mujeres educadas en villas y ciudades, las señoras singularmente, serían ejemplares perfectos de honestidad femenina. La capitana Semprún le había hecho perder por entero la fe en las mujeres. [188] Y sin embargo, se enamoró de Engracia, la doncella. Guardaba callado su amor, luchando, a costa de insomnios e inapetencia, contra él; cuando un día, el capitán le dijo: "Guerrita, hijo; en cosas de amor soy un lince. Nada hay que se me escape." ¡Desdichado capitán! A pique anduvo Juanín de reírse; pero se puso en seguida muy serio, al oírle que proseguía: "Tienes ojeras, te afeitas a menudo, lustras tus botas más que las mías; de la cocina le han dicho a la señora que no comes otra cosa que ensalada. Guerrita, estás enamorado. Y sé de quién, porque, sin darte tú cuenta, te he visto desconcertado delante de Engracia. Y digo más. Engracia no te ve de malos

[188] Un trauma infantil (la visión del erotismo espontáneo en su aldea asturiana) ha llevado a Tigre Juan a concebir un ideal tan elevado que, naturalmente, la realidad no puede estar a su altura. Exactamente igual le sucedía a doña Micaela: desde su punto de vista, "había asentado un teorema: 'todos los hombres son unos asquerosos'" (*Las novelas de Urbano y Simona,* p. 38).

ojos. Con que... Asunto concluido. Os casáis prontito, que ni la señora ni yo queremos en nuestra casa amores que no estén consagrados ante el altar. Por lo tanto... ¡Armas al hombro! ¡De frente! ¡March!" Aunque pereciéndose de amor por Engracia, Juanín no quería casarse, convencido de que, tarde o temprano, sería engañado, lo cual le haría enloquecer de dolor. Pero este juicio sobre la fragilidad femenina, absoluto y comprobado en aquella casa donde estaba sirviendo, no podía oponerlo, como razón concluyente para no casarse, al obcecado capitán, su amo. De seguro le hubiera replicado: "¿En qué te fundas? ¿No tienes ahí el ejemplo de la capitana, intachable matrona?" Claro que, de casado, Juanín no se dejaría engañar tan burdamente como el papanatas del capitán. ¡Eso sí que no! Ojos de gato tenía, en la cara y en el entendimiento, que ni con la claridad del sol se deslumbran ni con la obscuridad de la noche se embotan. Ello es que Juanín se dejó llevar al ara matrimonial como cordero al sacrificio. Adoraba a su esposa. Ella mostraba corresponderle con finezas tiernas y atenciones delicadas, que, por el instante, le aplanaban de felicidad. Felicidad amargada muy pronto por la pasión de los celos. Cuando, en cumplimiento de alguna diligencia, estaba fuera de casa, se consumía, cuidando si algún oficial faldero rondaría la calle a la hermosa Engracia, ya que, por murmuraciones cuartelarias, estaba al tanto de que no pocos de ellos gastaban lo más de sus estériles horas [189] en asediar casadas de todas las castas y clases sociales. De vuelta en casa, clavaba los ojos en los de Engracia, como si pugnase por atravesarlos y calar hasta el subsuelo del alma, donde acaso germinaba alguna nueva simiente amorosa. Si algún día Engracia se hallaba decaída o de humor solitario, Juanín lo atribuía a motivo inconfesable o pecaminoso; algo que disimulaba, o

[189] Recuérdese lo que escribe el novelista en *Política y toros*: "Yo declaro mi amor por aquellos países, como los Estados Unidos del Norte de América, en donde no se ven jamás trajes llamativos, ya por lo crudo de los colores, ya por la lobreguez talar; ni arreos militares ni sotanas" (*O.C.*, III, p. 673).

algo que urdía, o que en el recuerdo de algo se deleitaba. Si, por ventura, y era lo frecuente, Engracia le rodeaba de mimos y halagos, entonces él se corroboraba en las sospechas, atribuyendo la conyugal efusión a fingimiento o remordimiento. Su carácter tímido y taciturno le impedía expansionarse, desahogar. Iba agriándose en su corazón. El suplicio mudo se le hacía insufrible. Como el condenado en capilla ansía la muerte de una vez, en lugar de la muerte desmenuzada en minutos inacabables, así Juanín, antes que continuar con el pecho como despedazado por el martirio de la incertidumbre, casi llegaba a preferir una prueba evidente de que Engracia le traicionaba. En la medida que Juanín se volvía arisco y desapacible, Engracia parecía cobrarle mayor afición y le tenía más ley. Era andaluza, de gentil figura, cenceña, armonioso el porte, rostro árabe, de fino óvalo, suave piel de cera y ojos de aceituna. Al igual de las mujeres de Oriente,[190] reconocía la cualidad masculina por excelencia en el imperio celoso y rudo. Desde niña, y en la masa de la carne, tenía inculcado el sentimiento de que el amor es un pasión sanguinaria. Presentía que Juanín, en el mal trance, sabría no titubear ante el derramamiento de sangre, por amor. Esto la transía de orgullo. De la mañana a la noche cantaba, con voz aterciopelada y dolorida, coplas flamencas —soleares, peteneras, saetas y esas canciones tan tristes que llaman "alegrías"—, en las cuales siempre se celebraba el crimen por celos y el fatal ayuntamiento de amor y muerte. Con tales ingredientes de afinidad patética, se estaba fraguando la elegía roja, el drama. Las noches que el capitán Semprún pasaba de guardia en el cuarto de banderas, acostumbraba llevar consigo a Juanín, para recados, si fuese preciso. La calentura de los celos y el desorden de la imaginación afligía a Juanín singularmente aquellas noches, en que su ausencia del tálamo era prevista y obligada, a propósito para tentar a la infidelidad confiada, impune. Una de estas noches, cerca ya de madrugada, el capitán se indispuso de salud y hubo de

190 Como explica en *Las máscaras,* Pérez de Ayala pone en conexión el donjuanismo con un concepto semítico del amor.

volver a su casa. Envió por delante a Guerrita, que preparase a la capitana, la cual era muy asustadiza y propensa a soponcios, y le diese seguridad de que lo de su marido no era nada importante. Llamó Juanín a la puerta. Tardaron mucho en contestar. Por fin, se asomó Filimona, una india vieja que servía de cocinera en la familia. Se retiró apresurada, después de oír a Juanín. Al cabo de un tiempo no muy corto, asomó la señora, alarmadísima, en efecto, haciendo aspavientos. "¡Corre, Guerrita, corre!", dijo, "al encuentro de tu señor. Que no se mueva del cuarto de banderas. Que me lo traigan en una camilla o en una silla, despacito, no sea que se agite y se me ponga peor. ¡Ay, Dios! Hasta que no le vea aquí, sano y salvo, estaré como en parrilla." "El señorito viene por su pie y está para llegar", respondió el asistente. La señora dio un chillido y desapareció de la ventana. Llegó Semprún cuando aún no habían abierto la puerta. Su propia esposa bajó a recibirle. Le palpaba de arriba abajo, cerciorándose de su presencia e integridad. "No hagas esfuerzos. No te muevas de aquí. Estáte quieto, hasta que reposes. Apóyate en Guerrita y en mí. Guerrita, ayuda a tu señor. No te apartes de él." Semprún se opuso a estas precauciones excesivas. Juanín, disparado por un presentimiento, se escabulló. Filimona, la india vieja, corrió tras él. En un pasillo le sujetó por el faldón de la guerrera: "¿Adónde va, niño?" Juanín se la sacudió y siguió velozmente hasta sus aposentos, que estaban en un pabelloncito, adosado a la parte trasera de la casa de los amos. Entró. La claridad del amanecer se derramaba a través de las persianas de junco verde. Engracia estaba sentada en el petate, con una manta cubriéndole hasta la cintura, las manos, cruzadas sobre el seno, tapando el descote de la camisa; la faz, lívida; los ojos, angustiados. Un hombre en mangas de camisa, con pantalón grana y una prenda de vestir al brazo, saltaba desde el ventanal al jardincillo. Juanín no le pudo alcanzar, pero lo reconoció. Era el petulante teniente Rebolledo, el de mostacho a la borgoñona. Juanín, de un brinco, se abalanzó sobre Engracia. Le echó las manos al cuello, para estrangularla. La derribó sobre el petate, a la vez que le hundía una rodilla en el pecho. Engracia, mirándole con una expresión por raro modo feliz a la par que desolada, pudo articular con delgado soplo: "Harás bien. Pero soy inocente." Ya se le volvía morado el rostro; los ojos le salían de las órbitas; se le escapaba la vida. Juanín seguía apretando. En esto, llegó Filimona, que, con sus alaridos, desgarró el silencio y desató a la víctima de las manos del verdugo. Juanín cayó de hinojos junto al cuerpo de su mujer. Estaba como insensato. La india, agazapada, inclinándose hacia él, presentándole las uñas crecidas y puntiagudas, le infamaba e imprecaba: "¡Bárbaro! Era inocente. No meresías tú, chacal negro, ese botón de aurora, rosito de perefume." Acudieron los señores. A la capitana le acometió un ataque de nervios, con gritos y contorsiones atroces. Cundió la alarma por la barriada. Llevaron a Juanín a un calabozo de prisiones militares. Iba como idiota. Así permaneció en tanto duró su prisión y proceso. Engracia estuvo una semana enferma de gravedad; luego sanó. La opinión se puso del lado de Juanín, que había sorprendido a su mujer en adulterio flagrante, dentro de la propia alcoba conyugal. La capitana y la india vieja excusaban la ofuscación y arrebato de Juanín, pero sostenían con fuego y juraban que Engracia estaba inocente y que el hombre escondido en su alcoba debía de ser un ladrón. Engracia, después de curada, comenzó a adolecer de tristeza, de pasión de ánimo. Día tras día, ahilaba y decaía. Proclamaba su inocencia, pero añadía que no podía probarla, porque tenía la lengua anudada por un juramento. Justificaba a Juanín y sostenía que, de haberla matado de veras, era su derecho y su deber, ya que las apariencias la condenaban; y, puesto que nunca podría demostrarle su inocencia, se resignaba a no juntarse más con él y a morirse de pena. El capitán Semprún visitaba a menudo a Juanín en el calabozo, a darle esperanzas de absolución, por la cual trabajaba de continuo, y a persuadirle de la inocencia de Engracia. Juanín sólo aguardaba a salir absuelto para matar al teniente Rebolledo, y luego, que le fusilasen. Salió absuelto. Pero ya el teniente Rebolledo había muerto de unas fiebres malignas en la provincia de Mindanao, adonde había pedido su traslado. Tampoco Engracia tardó en abandonar esta vida. Era una de esas mujeres, de raza morena y ardorosa, que cuando aman se abrasan como un grano de incienso. Juanín volvió licenciado a la Península. Luego de vender los escasos bienes que en la aldea había heredado de sus padres, estableció un puesto en la Plaza del Mercado de Pilares. La invariable y nítida visión interior de la justicia ("¡Justicia! Crimen, no. ¡Justicia!") que había ejecutado en la miserable Engracia le hacía insoportable la vida. Paulatinamente, el polvillo gris de innumerables horas monótonas fue posando sobre las imágenes del recuerdo y borrando su contorno. El advenimiento casi milagroso de Colán, por último, desvió la orientación del espíritu de Tigre Juan desde el pasado hacia el porvenir. De espaldas al pasado, ignorándolo obtusamente e ignorando asimismo esta ciega voluntad de ignorancia, Tigre Juan llegó a persuadirse, al cabo de algunos años, de que el pasado no es una forma del presente, sino una quimera que, en disipándose, es ya imposible de restaurar. Y he aquí que, de pronto, como si el destino, asiéndole por los hombros, le obligase bruscamente a girar sobre los talones, se hallaba cara a cara con su pasado redivivo, incólume. Por eso, con voz aflictiva, había sollozado: "¡La Apocalipsi!" Era, para él, como el derrumbamiento y catástrofe de un mundo falso, perecedero, mundo de apariencias vanas, por él mismo fabricado, en el cual vivía adormido, trasvolado en un duermevela, tomando por realidades tangibles los sueños, de inmaterial urdimbre. Era ahora el instante de la resurrección de la carne, de su carne de mocedad, apasionada, dolorosa, ciega. Y así como en el día del Juicio Final, en la gran zarabanda postrera de la vida y danza universal de la muerte, lo grotesco se abrazará con lo horrible, así también Tigre Juan, ante tantas memorias, ahora actuales, que le espantaban, fijó acaso la atención en un pormenor bufonesco. La capitana Semprún, con la bata entreabierta, camisa violeta y medias de pintas, como tantas otras veces se le había presentado, en guisa de mujer de Putifar, le decía: "Mis dos hijas mellizas nacieron a los siete u ocho meses después de tú haber salido de nuestra casa." Y luego hacía un gesto obsceno, como dando a entender que las niñas eran hijas de Tigre Juan, el cual replicaba entre sí: "Serán hijas del regimiento. ¡Habráse visto tía pulpeja!... [191] Si sabré yo..." No siguió pensando en ello, porque se le antepuso, en el campo de la imaginaria contemplación, otro trozo de realidad trágica. Sentíase de nuevo estrangulando a Engracia, a quien idolatraba; hundiéndole con deleite las manos en el cuello, dócil y suave, como si amasase el pan de un sacrificio; clavándole la rodilla en el pecho, entre los dos lindos senos. Veía su rostro ovalado, de cera, más pálido por la luz del alba y el ansia de la muerte; sus verdes ojos, fuera de la órbita. Oía su estertor. Escuchaba cómo con levísimo acento, por raro modo feliz, a la par que desolado, suspiraba: "Harías bien, pero soy inocente." Tigre Juan ahogó un bramido, que se exhalaba de lo más profundo de sus entrañas, recién agrietadas, como una roca por la acción del rayo. Porque había visto más todavía. Acababa de ver, por vez primera, después de más de veinte años. Fue el resplandor anonadante de la verdad. [192] ¡Engracia era inocente! ¡Engracia era inocente! Con quien el teniente Rebolledo pasaba la noche era con la capitana Semprún. La capitana había escondido a su amigo en la habitación de Engracia. "¡Condenado estoy! ¡Venga la expiración! ¡Ojos malditos de Dios! Con las gafas del diablo [193] mirasteis. Ojos míos excomulgados, que no acertasteis a ver cuando era hora. Habré de quebrarvos con mis garras, ahora mismo, antes que rompáis a llorar cobardes, como si las lágrimas resucitasen muertos. Así." No podía contener las lágrimas agolpadas a los ojos, los cuales mantenía cerrados reciamente.

[191] Pérez de Ayala era aficionado a esta palabra. No sólo aparece en sus novelas (especialmente en *Tinieblas en las cumbres*, de de ambiente lupanario), sino que la usa también en la vida cotidiana. En la correspondencia inédita que he manejado se refiere a una joven como "la vulpejísima C.".

[192] Otro dualismo de palabras-clave, en la novela: mentira-verdad (Weber, p. 81).

[193] Como es bien sabido, es el título de una obra de W. Fernández Flórez, *Las gafas del diablo* (Madrid, Biblioteca Nueva, 1918).

Un impulso irresistible le obligaba a quebrarse los ojos a uñaradas. Ya levantaba las manos hacia ellos... cuando otras manos, frías y débiles, le tomaron las suyas. Tigre Juan abrió los ojos. Desde que había leído la carta de la generala hasta este momento había trascurrido insensiblemente la tarde. Era ya anochecido. Tigre Juan tenía ante sí el blanco rostro de doña Iluminada.

—¿Qué le sucede, camarada? —dijo la de Góngora, con maternal acento—. En toda la tarde, desde que recibió las cartas, no hago otra cosa que examinarle. Debían de contener hechizo, porque se me desvaneció usté como en sueños. Y venía a despertarle. ¡Acuerde, hombre, acuerde en sí! Bueno es soñar, a falta de vivir a gusto, pero vivir es mejor que soñar.[194]

Tigre Juan derribó la cabeza en las manos de la viuda y se las besó, sollozando. Doña Iluminada, con voz temblorosa, prosiguió:

—¿Qué tontería es esta? Muy mal le conozco, don Juan, si no es que le llegaron buenas nuevas de Colás, y el contento le tiene de tal modo trastornado; que así hacen llorar las alegrías como las penas. ¿Acerté?

Tigre Juan continuaba sollozando, con la sien apoyada en las manos frías de la viuda.

—Ni a hablar atina. Como chiquillo se comporta. Por chiquillo siempre le tuve, y lo que yo digo... ¡Ea! Levante el puesto, que ya están de parranda murciélagos y gatos. Vaya a casa. Coma y beba, que no es cuerpo santo. Recréese a solas en el pensamiento de Colás, hasta serenarse del todo. Duerma a pierna suelta, y mañana será otro día. ¡Suelte las manos, hombre! ¡Arriba y andando!

Tigre Juan obedeció pasivamente. Cuando se marchaba, la viuda le despidió con unas palmaditas cariñosas en los lomos, diciéndole:

—A mal traer le trae el mozo Colás. ¡Y lo que te rondaré, morena! ¡Animo, camarada!

[194] Me parece importante esta frase: si no me equivoco, se trata de la lección de prudencia que quiere transmitirnos Ayala, por medio de su personaje.

Tigre Juan volvió a su casa, encendió la candileja, se sentó y se echó de bruces sobre la mesa. Se agarraba al pensamiento de Colás como el penitente a las disciplinas. "¿Habrá salvación para mí? Lo que me resta de vivir, y la vida del más allá, después de muerto, ¿será de infierno o de purgatorio? Una vez ya Colás me redimió, por el olvido. No quiero olvido ahora, sino expiación. ¡Colás, Colás; alas de águila, corazón de paloma, que por desamor de mujer, antes que lastimarla, volaste, herido, adonde nadie te viera ni compadeciera! Más me duele esta lección que me has dado, sin tú pretenderlo, que la quemadura de mi tardío arrepentimiento. Has de saber quién es este tigre, a quién creías hombre digno y honrado; has de saberlo de mi boca, en confesión. Me despreciarás. Me insultarás. ¡Ojalá me levantes la mano! Sufriré gozoso; Dios me lo tome en cuenta, como pago de mi crimen. De rodillas estaré delante de ti, hasta que me absuelvas. Entonces habrá para mí alguna esperanza de que Dios y Engracia, desde el cielo, me perdonen."

Dieron porrazos a la puerta, con insistencia. Tigre Juan salió de su abstracción. Presentóse el clérigo don Sincerato Gamborena, riendo, más que hablando, con su risa hueca, monotónica, estrepitosa, como redoble de tambor. Era muy bajo de estatura, casi enano; estaba en los puros huesos. Su cabeza era descarnada, manifiesto el cráneo bajo la piel a él adherida, que era charolada y precisamente de color de hueso. Vestía de seglar: levita de alpaca, deshilazada, raída en los codos, zurcida y remendada por el mismo don Sincerato; pantalones angostos como funda de paraguas, que no descendían siquiera hasta las botas, de elásticos, y éstos muy flácidos, dejando entre medio una rodaja de peluda canilla; chisterón disforme, calvo y parduzco, a causa de la senectud. Parecía un frasquito de tinta con corcho de botella de litro. [195] Dijo a Tigre Juan que venía a buscarle para ir juntos a la tertulia de doña Marica,

[195] La descripción de este personaje, al aparecer por primera vez, es caricaturesca. Pero, como es habitual en Ayala, este esperpento adquiere luego hondura humana conmovedora.

donde se le echaba de menos. Lo dijo a su manera peculiarísima, en sentencias elípticas y desligadas.[196] Era fundador, director y sostenedor, con los únicos y escasísimos medios que le proporcionaba su personal hacienda, de un Asilo de Sordomudos y Ciegos, en cuyo trato constante se había acostumbrado a hablar por epígrafes. Entre frase y frase, que por cierto no pretendían ser ingeniosas, metía un redoble de hilaridad, o bien un repique de tos, tan hueca y seguida como su risa. Diferenciábase la risa, risa de calavera, de la tos, tos macabra, por el trazo que describía la cavidad de la boca, que en la tos era como carátula de tragedia y en la risa como máscara de farsa.[197]

Tigre Juan se dejó llevar por Gamborena. Al verles entrar, doña Marica lanzó joviales gorgeos de bienvenida, meneando en el aire, como un aleteo, un gran abanico desplegado, de los llamados pericones. Esta señora tenía mondo, sin una sola hebra, el cuero cabelludo. Pintábase todas las mañanas el cráneo con un corcho quemado, de suerte que fingiese una cabellera partida en dos bandas; la raya central la sacaba raspando con una aguja de hacer calceta. Boca sin labios, exigua, fruncida, de ojal. Ojillos de ratón. Toda se volvía dengues, ronces y melindres. Así como Gamborena celebrada cuanto él mismo decía, por su parte doña Marica barruntaba apicarada intención en todo lo que oía a los demás. Con el abanico golpeaba al interlocutor en el hombro, o en la mejilla, coquetamente, a pesar de sus setenta años corridos. Sin cesar sacaba golosinas de la faltriquera, que deglutía con sus encías desdentadas, como si mamase.

Herminia, desde un rincón de sombra, saludó la entrada de Tigre Juan con un "Buenas noches" cantarín, levantándose un tanto de la silla, en un esbozo de reverencia,

[196] Muchos críticos han analizado el peculiar lenguaje de don Sincerato, comparable al de don Medardo (*La pata de la raposa*), Belarmino, don Cástulo (*Luna de miel, luna de hiel*), etc. Para González Calvo, Ayala "experimenta, a través de sus personajes, la desazón lingüística, la inconformidad o desarmonía de las palabras con su significado" (p. 100).

[197] Un caso claro, una vez más, de visión tragicómica.

pero sin alzar la cabeza de la costura. Herminia sentía invencible miedo de Tigre Juan. No se atrevía a mirarle a la cara. Mientras él permanecía de tertulia, ella se resguardaba en la oscuridad, casi de espaldas a la mesa de juego, haciendo labor de calceta, para lo cual decía que no necesitaba luz.

La vieja, el cura y Tigre Juan reanudaron la partida de tute. Tigre Juan, viendo, o adivinando más bien, el bulto retirado y misterioso de Herminia, cuya cara de todo punto se le ocultaba, cara que aún desconocía, por no haber parado jamás atención en ella, se alivió de la congojas recientes y volvió a ser gobernado por las emociones de los anteriores días: curiosidad, miedo, odio, deseo de venganza hacia la mujer que despreciaba a Colás. "Vamos a ver, vamos a ver, señorita. Has desoído la amorosa queja de un galán como no hay otro. Quizá esperas, para que te despose, al príncipe Pentapolín, del arremangado brazo. [198] Tampoco toleras vivir en mi compañía. Pues, ¿qué? ¿Soy bestia inmunda? ¿Hiedo? ¡Presuntuosa, frívola! ¿Cuál es tu prosapia? Tu padre, un valenciano, vendedor ambulante, que llevaba tienda a la espalda, como camello o caracol. Y con sus puntas y ribetes de ladrón, a lo que se murmuraba; que no se te olvide. Tu madre... Familia de tenderos de tres al cuarto. Tramposos todos, de padres a hijos. Llévanlo en la sangre. Más quiebras hay en tu gente que conchas en esclavina de peregrino. ¿Entonces? Dispensa, preciosidad. Se me pasaba que tu apellido, por parte de padre, es Buenrostro. Herminia Buenrostro; [199] vamos a ver si es verdad tanta belleza [200] y qué rostro pones a la

[198] En la aventura de los rebaños, dice don Quijote a Sancho: "ese otro que a mis espaldas marcha, es el de su enemigo, el rey de los garamantes, Pentapolín del Arremangado Brazo, porque siempre entra en las batallas con el brazo derecho desnudo" (*Quijote*, I, cap. XVIII).

[199] Otro apellido significativo. Recuérdese, como más cercano, que Apolonio se llamaba Caramanzana (*Belarmino y Apolonio*, p. 145).

[200] Recuerdo del final del famoso soneto de Bartolomé Argensola, titulado "A una mujer que se afeitaba y estaba hermosa": "Porque ese cielo azul que todos vemos / ni es cielo ni es azul.

desgracia que te amenaza. ¡Valiente cosa las caras lindas! Hermosura, poco dura. Por una cara linda piérdese un hombre, como yo soy perdido, ¡ay, Dios! Pero juro que tú me las has de pagar."

—¡Cuajo, guanajo, cáscaras de ajo! —chilló el clérigo, que manejaba surtido repertorio de exclamaciones por aliteración y consonancia—. Coria, Babia, Batuecas; allí se está Tigre Juan. Con as en mano no arrastra. Las cuarenta doña Marica. Dos perronas perdidas en tonto. ¡Ejem! ¡Ejem! ¡Ejem! Tigre Juan, mientes ausentes. ¡Ja! ¡Ja! ¡Ja! ¡Alerta, tuerta, detrás de la puerta! Gamborena, presente. Oros, veinte. Perra gorda. *Sursum corda.* ¡Ejem! ¡Ejem! ¡Ja! ¡Ja!... [201]

—Alma de cántaro, o alma de Dios, que tanto monta, es este bendito don Juan. No canté las cuarenta porque él se hubiese distraído; dejómelas cantar por galantería. Y usted, pícaro cura, aturdióle y aturdióme para hacer sus veinte. Aprenda de este santo varón. ¡Señor, qué curita descortés! Dios se lo pague, señor don Juan —dijo la vieja, en un trémolo agudo de chirimía. Alargó el ala del abanico para acariciar la frente de Trigre Juan, de modo que le tapaba los ojos, y al mismo tiempo le sustrajo, ágilmente, dos reales en plata de los fondos que ante sí tenía.

—¡A ella! ¡A ella! ¡Ja! ¡Ja! ¡Ja! Doña Urraca saca, saca. Mico, mico. [202] Doña Urraca hurto en el pico. Espera,

---

¡Lástima grande! / que no sea verdad tanta belleza!" (Bartolomé Leonardo de Argensola: *Rimas,* ed. de José Manuel Blecua, Madrid, ed. Espasa-Calpe, col. Clásicos Castellanos, tomo II, 1974, p. 256).

201 Es el párrafo más llamativo del lenguaje de don Sincerato y muchos críticos lo han comentado: "suele hablar casi exclusivamente por medio de interjecciones, onomatopeyas, exclamaciones, rimas y aliteraciones, con lo que una vez más Ayala caracteriza al personaje casi únicamente por su lenguaje" (González Calvo, p. 112). Según el mismo crítico, la exclamación inicial podría entrar en la "función lúdica" del lenguaje. (Véase Francisco Ynduráin: "Para una función lúdica en el lenguaje", en *Doce ensayos sobre el lenguaje,* Madrid, eds. Rioduero-Fundación Juan March, 1974, pp. 215-227).

202 Recuérdese lo que explica Pérez de Ayala en *Troteras y danzaderas*: "*Miquero* quiere decir aquel que burla a las mujeres,

espera; doña Urraca la ratera. ¡Arqueo, Tigre Juan, arqueo! ¡Ejem! ¡Ejem! Dos realinos *volaverunt*. ¡Ja! ¡Ja! —Gamborena elevaba los brazos y brincaba sobre el asiento, con infantil regocijo.

—¡Animas del purgatorio! Hazme reír, sin ganas. ¡Ji! ¡Ji! ¡Ji! —Doña Marica se santiguaba con el abanico cerrado, y profería una risita de falsete—. Qué bromas, en un sacerdote. Este don Sincerato tiene los demonios en el cuerpo. ¡Ji! ¡Ji! ¡Ji! Gracias que don Juan no le hace caso. Ríome de todos modos. ¡Ji! ¡Ji! ¡Ji!

—Dos indinos realinos, birlados, añascados, a pesar de los pesares. Testigos oculares. ¡Ja! ¡Ja! ¡Ja! Testigos oculares. ¡Ejem! ¡Ejem! ¡Ejem! —gritaba el descarnado Gamborena, sin respiro ya, y, luego de abandonar los naipes sobre el tapete, estiraba, con entrambos dedos índices, los párpados inferiores, hasta enseñar el revés clorótico, pajizo.

A Tigre Juan, con los sentidos anublados y la imaginación enrarecida por la serie de violentos choques emocionales que le traían zarandeado como bola de cascabel, le empezó a entrar la duda de si aquel sitio donde se hallaba y aquellas dos personas a uno y otro lado suyo existían de veras o eran acaso una alucinación. Desde luego, así Gamborena como doña Marica se le ofrecían bajo una óptica novísima y extraña, como si él y ellos estuvieran en el limbo o en el valle de Josafat.[203] Eran dos esqueletos, vestidos de máscara, que bailaban por resorte y emitían una risa artificial y rechinante. De súbito, la vida humana se le antojó a Tigre Juan tan triste y absurda que, contaminado de la algazara estrepitosa de sus contrincantes de tute, se

---

dejándoles de satisfacer el debido estipendio". Reproduzco mi nota de entonces: *Miquero* = 'el que da un mico'. Y *dar un mico* = 'engañar, faltar a un compromiso'. Lo usa Arniches (Seco: *Arniches y el habla de Madrid,* Madrid, eds. Alfaguara, 1970, p. 427; vid. también Academia, p. 874). En esta novela reaparece la expresión varias veces (*Troteras y danzaderas,* p. 134).

[203] Tigre Juan contempla ya la escena "sub specie aeternitatis", como hará al final de la novela.

volcó en una carcajada gigantesca, de metálico retumbo. [204] Aplicaba todas sus fuerzas en reír más y más. Esto le causaba un placer de entusiasmo, casi de embriaguez, esparciendo fuera de sí la inconsciente exasperación con que rebosaba, como de mozo, al servicio del rey, por derrochar un *superávit* de energía, hacía flamear una bandera o tañía una corneta de cobre hasta agotar los pulmones y congestionarse. Oyendo a Tigre Juan, doña Marica y Gamborena arreciaron a reír en un principio. Doña Marica se sofocaba ya. Pero, luego se sobrecogieron con aquella risa frenética y sospechosa. Herminia abandonó la labor y escondió la cara en las manos. Tigre Juan que vió el susto de Herminia, cesó en seco de reír. Doña Marica, al sacar de la faltriquera un gran pañuelo de yerbas, a fin de enjugarse el sudor, derramó por el suelo un cartucho de caramelos, que rodaron rebotando. Don Sincerato se tiró al punto a cuatro patas, para recolectar los caramelos.

—Por la Virgen Santísima, don Sincerato... Un ministro del Señor revolcándose por tierra... Niña: acércate y recoge esas menudencias.

Herminia no se movió. Doña Marica añadió ásperamente:

—Niña: ¿estás pasmada? Acércate, digo. Toma el quinqué y busca eso que se me cayó. Si no chupo algo se me seca la gorguera.

Herminia llegó, lenta y temblorosa, desde la zona negra e impenetrable, como desde el más allá, hasta la penumbra fluida y verdemar que la lámpara efundía. Se le iluminó de claridad dorada toda la cabeza. Tigre Juan la contemplaba con ojos de desvarío: produjo un ronquido y se desplomó exánime. Lo que Tigre Juan había visto, o había creído ver, era que en el rostro de Herminia se reproducía el rostro de Engracia: [205] el mismo fino óvalo, la misma sua-

[204] Analiza agudamente este párrafo como ejemplo de perspectivismo psicológico Baquero Goyanes (p. 235).

[205] La confusión ha sido preparada hábilmente por el narrador con una serie de efectos de desrealización, de pesadilla.

ve piel de cera, los mismos ojos de aceituna, opacos. Era Engracia, en persona.

Herminia abandonó la lámpara en la mesa y volvió a sumergirse de huida dentro de la oscuridad, con un grito.

Al volver Tigre Juan en sí, doña Marica, que le daba aire con el abanico, exclamó:

—¡Bendito Jesús! Creíamos que era muerto. La lengua se me había entumecido del susto.

—Muerto soy... ¿Y Engracia? —balbució Tigre Juan, girando las empañadas pupilas alrededor.

—¿Qué Engracia? Usté deliria, santo varón.

Tigre Juan tardó en responder, con torpe palabra:

—Sí; deliraba... Contrariedades... debilidad de estómago... Ya pasó. Voime a casa. Buenas noches.

El clérigo acompañó a Tigre Juan hasta dejarlo en casa. Tigre Juan iba murmurando para sí: —¡La Apocalipsi! ¡La resurrección de la carne! [206]

[206] Concluye esta parte de la novela con la repetición de las palabras-clave que antes señalé.

PRESTO[207]

[207] En la estructura habitual de la sonata, al tiempo lento (adagio) sigue un tiempo rápido (allegro, presto). En la novela de base realista —*La regenta,* por ejemplo— a la presentación demorada de personajes y ambientes sucede el desencadenarse del conflicto. En la tragedia aristotélica, al planteamiento, el nudo.

QUIZÁS Herminia era retrato redivivo y reencarnación de Engracia. Quizás entre las dos no mediaba sino cierta analogía superficial de rasgos, en lo ovalado del rostro, lo moreno de la piel y lo verdioscuro de las pupilas. Tal vez el lejano recuerdo de Engracia, recientemente reconstituido por Tigre Juan, no era ya imagen auténtica sino más bien figura genérica en la cual pudiera coincidir e incribirse cualquiera mujer joven, trigueña, agraciada y con ojos de oliva. En el estado de semialucinación en que Tigre Juan se hallaba, no le era hacedero acomodar los sentidos a la realidad de fuera, antes por el contrario deformaba y transformaba los datos del mundo externo a fin de incorporarlos al espejismo de su visión interior. La imagen de Engracia andaba flotando vagorosamente dentro de él, como espíritu descarnado, en busca de alojamiento corpóreo, el cual se lo proporcionó la aparición luminosa de Herminia. Es lo probable, acaso lo inevitable,[208] que en aquella disposición de su sensibilidad, fuese quien fuese la primera mujer joven y bonita que por ventura hubiera surgido ante él, Tigre Juan la habría confundido e identificado con Engracia. Y esta mujer quiso la casualidad que fuese precisamente Herminna. Ello es que Tigre Juan, desde que cayó privado por la emoción que Herminia le causó, hasta el momento de recobrarse, quedó cambiado en otro hom-

[208] Otra alusión al fatalismo del destino.

bre distinto.[209] Como vasija que vierten de golpe y al punto la llenan con sustancia diferente, que ahora le rebosa y rezuma, así Tigre Juan, durante la breve ausencia de sí, quedó suplantado en su ser interior e inconciente por otro ser ajeno: el de Herminia. Y ya de allí adelante no fue él en sí mismo, sino que Herminia fue del todo en él.[210] Tigre Juan no podía advertir, ni menos reconocer, esta repentina mutuación, porque de su personalidad inmediatamente anterior nada permanecía invariable y de suerte que le pudiera servir como contraste y punto de referencia. Aunque comenzaba otro modo de vida, en otro modo de universo, no se daba cuenta todavía. Así, cuando de vuelta a su casa iba murmurando, más bien por automatismo y rebote de la memoria oral que con intención de exteriorizar su estado de ánimo: "¡La Apocalipsis! ¡La resurrección de la carne!", estas exclamaciones habían adquirido para él un poder de sugestión diferente del que poco antes tenían. No expresaban ya el horror de un cataclismo final, sino una manera de dichoso embobamiento, como ante una apoteosis escénica de gran aparato y tramoya. En el punto de desmayarse, había visto el recuerdo de Engracia sobrepuesto a la persona de Herminia. Vuelto en sí, había de ver en lo sucesivo la figuración ideal de Herminia sobreponiéndose al recuerdo de Engracia, estrangulándolo, nutriéndose de él, agotándolo y secándolo como la hiedra en torno del árbol. Estaba, pues, enamorado de Herminia, y creía odiarla, como antes la había odiado,[211] porque desdeñaba a su Colás. Pero el odio de ahora era encubrimiento instintivo de un oscuro goce que, a ser consciente, le

[209] Muchas veces utiliza Ayala, para la estructura de sus relatos, el concepto del hombre nuevo de San Pablo. (Vid. mi edición de *Las novelas de Urbano y Simona*, p. 15).

[210] Nótese la cercanía de la expresión con la de los místicos, cuando se refieren al éxtasis o bodas místicas que producen la unión transformativa: lo mismo les sucede a Rosina y Fernando (en *Tinieblas en las cumbres*), a Urbano y Simona...

[211] El paso del odio al amor por Herminia le parece demasiado brusco a Norma Urrutia (p. 100). No lo considera arbitrario, en cambio, Matas (p. 139).

hubiera avergonzado. Para él, creer que continuaba odiando a Herminia, equivalía, en una inversión sofística del sentimiento, a gozarse en la certidumbre de que Herminia había rechazado a distancia a otro pretendiente, y como éste era Colás, casi su hijo, necesitaba mantener aquel falso odio por no dejar de deleitarse en la certidumbre de su fundamento. Al escribir ahora a Colás, Tigre Juan estaba convencido, con la mejor buena fe, de que cuanto le decía iba de propósito enderezado a la felicidad del mozo, cuando, en puridad, lo que hacía era transponer en consejos y advertimientos paternales las ansias latentes e insospechadas de su corazón. "Esa mujer merece tu desprecio. Debes olvidarla", le decía en una carta. Y en la siguiente: "Mirándolo bien, esa mujer no es como todas, pues sabiendo que tú serás mi único heredero, no se dejó, sin embargo, tentar por la codicia. Si no te correspondió, fue, sin duda, porque comprendió que jamás te podría querer. Procedió con nobleza. No debes afligirte demasiado, ni pensar mal de ella. Respeta su decisión y olvídala." Le decía en otra carta: "¿No se te ocurrió, antes de levantar el campo, enterarte de si acaso salías vencido por un rival? ¿Daba cara a otro hombre esa mujer? Debiste buscarle y disputársela de hombre a hombre. Dime la verdad. Si hay, como temo, un rival afortunado, te respondo, Colás mío, que yo me las entenderé con él. Tú olvida, ya que ha pasado para siempre la oportunidad, en lo que a ti toca; y deja el negocio de mi cuenta." En la próxima: "Cuanto más lo medito, más me confirmo en que todo ha ocurrido para bien, como me dijo la sabidora de doña Iluminada, que te envía cariñosos saludos (sabrás que ha recogido a Carmina, la huérfana de Carmona), y más me asusto de pensar, si esa mujer te hiciese caso, el gran disparate que hubiera sido casarte. Tenéis casi la misma edad; tú, más joven de un año que ella. Ahora, calcula. Dentro de veinticinco años, un soplo, Colás, un soplo, esa mujer podría ser tu madre. Ya me entiendes; quiero decir que tú serás tan mozo como ahora, pues con cuarenta y cinco años un hombre sigue siendo un chiquillo, y ella será una señora respetable. ¿No habías parado en ello? Hasta me inclino a barruntar que

Herminia ha discurrido a este mismo tenor, considerando, pues parece discreta, que conviene mejor a su edad y circunstancias un hombre ya hecho. Píntala en el pensamiento como madre, y te curarás de ese amor loco.[212] No la veas como mujer; antes que eso, olvídala." Todo esto lo escribía Tigre Juan ingenuamente, ignorante todavía del ciego amor que se lo dictaba, y muy orgulloso de su dialéctica afectiva, que a él se le antojaba simplicísima e incontrovertible. El estribillo, como corolario de un teorema pasional ya suficientemente demostrado, era siempre: "Olvida a esa mujer." Colás respondió: "No sé si podré." Tigre Juan, desconcertado al pronto, y luego malhumorado, replicó sentenciosamente, con algunas infalibles recetas: "Querer es poder. Pasárame a mí lo que a ti, y ya veríamos si yo podía lo que quisiera. No ha mucho, algo tuve que olvidar, algo que iba a matarme. Tan por entero lo olvidé, que no sabría decirte ya de qué se trataba. Sólo me queda un resentimiento borroso del dolor pasado, como agujetas los siguientes días de una larga jornada a caballo. Esto que acabo de decirte no es cosa al respective de nuestra última conversación, la cual, tocante a mí, poco tiene que olvidar, pues como estaba fuera de seso no sabía lo que hablaba, y así lo comprenderías tú. No sé las bobadas y atrocidades que dije aquella noche; pero prescindiendo de ella, y pelillos a la mar, acuérdome que en sustancia tenía yo razón y a mi razón me atengo todavía muy seriamente. Dígote como entonces: escucha: si no olvidas a esa mujer, concluirás por enemistarme de veras contigo." Colás ya no aludió más a este asunto. Tigre Juan sosegó por aquella parte.

La primera en echar de ver que Tigre Juan andaba dulcemente lastimado de mal de amores fue la perspicua doña Iluminada, que a la natural perspicacia añadía la experiencia de muchos años de amor sellado y sin esperanza. A doña Iluminada le bastó observar una sonrisa especialísima y perfectamente incompatible con el cráneo inquisi-

[212] J. Matas ha señalado un cierto complejo edípico en la relación Herminia-Colás-Tigre Juan (p. 154).

Tigre Juan. Dibujo de Pérez de Ayala.

Herminia. Dibujo de Pérez de Ayala.

torial y la faz mongólica de Tigre Juan, para convencerse de que estaba enamorado como un mozalbete apenas salido del cascarón. Con mano distraída se atusaba a veces los luengos bigotes, negros como betún, imprimiendo a las guías una orientación cenital, a lo mosquetero. Doña Iluminada, aunque le lacerase el pecho contemplar así a quien tanto amaba, no podía menos de reírse por dentro. Pensaba: "Te voy a ver todavía, Juan, peinado de raya y con bastón, como currutaco.[213] Había de ser. Bien te lo anuncié. Ya estás cogido en la trampa. Tu sonrisa de inocente endiosamiento dos cosas puede denunciar: o que amas y eres correspondido, o que estás enamorado sin saberlo. Más verdad me parece lo segundo. ¿Quién es la dama? ¿Dónde has dado con ella? Tú de ahí no te mueves en todo el día. En casa de doña Mariquita, donde vas de tertulia por la noche, no hay mozas, si no es Herminia, tormento de Colás. Doy vueltas en mi cabeza inútilmente. Pero que tú no eres tú y estás hechizado, basta con mirarte. ¿Será una señora campesina? De mañanita sales a la aldea, a cosechar yerbas medicinales. ¿Te habrán dado a ti las yerbas, en bebedizo, que de tal suerte estás embebecido?"

Otros síntomas presentaba Tigre Juan que corroboraban la presunción de la de Góngora. Uno de ellos, la manera de mirar y tratar a Carmina. La viuda solía enviar la niña al puesto de Tigre Juan a que le hiciese compañía y de paso tomase aire y sol. Tigre Juan se conducía ante la mozuela con una cortesanía exagerada, bastante cómica y tan impropia de su carácter como inadecuada a la edad de Carmina. Doña Iluminada, sagazmente, suponía que tanta gentileza y rendimiento no iban dedicados a la niña, por ella misma, sino en cuanto símbolo visible y próximo, bien de la mujer en general, bien de una sola mujer. Carmina, para Tigre Juan, era sólo el eco de una melodía lejana. "Tigre Juan se inclina ante Carmina —pensaba doña Iluminada— como ante el ojo de una cerradura; para

213 *Currutaco*: 'Muy afectado en el uso riguroso de las modas' (*Academia,* p. 400).

ver a través de él algo que los demás no vemos. Hay gato encerrado. Ya saldrá." El otro síntoma se refería a que, siendo anteriormente Tigre Juan parsimonioso, ya que no avariento, ahora se había vuelto liberal. Todos los días agasajaba a Carmina con algún dinero para gollerías, y hasta le compró zapatos de lujo y una cadena con una medallita, de plata. Otras generosidades no eran conocidas de la viuda. A Colás le enviaba alguna cantidad, para sus gastos, en cada carta. Habiendo recibido una segunda epístola de la generala Semprún, en la cual esta heroína "abandonada por la patria desagradecida y con el dogal de la pobreza al cuello" (como ella escribía), rebajaba la cuota de su postulación de mil a quinientas pesetas, Tigre Juan se alargó hasta mandarle la rara cifra de treinta y dos duros y medio, incautamente, sin reflexionar que asentaba un precedente funesto, preñado de inacabables consecuencias. Después de esta primera remesa, hubo de hacer otras, siempre de escasa monta, eso sí. Hasta que cortó en seco, a causa de cierta noticia epistolar que desde Madrid le dio su querido amigo, cada vez más querido, Vespasiano, con quien se correspondía a menudo. Las cartas de Vespasiano eran como las tiradas de Don Juan: narración alardosa de sus desmanes amatorios. En una de las cartas, le contaba incidentalmente a Tigre Juan haber conocido a una generala Semprún, que comerciaba con los encantos de sus dos hijas, Chichí y Chochó, las cuales, como parecían chinas y estaban muy flacas, tenían poca oferta lucrativa, de manera que, siendo tan viciosas como la madre, habían concluido en cortesanas gratuitas; y cerraba Vespasiano la carta con un chistoso lamento atribuido a la generala, sobre la delgadez de sus hijas: "Las pobres, como no hacen otra cosa que practicar el amor y tomar helados..." Tigre Juan, con una basca moral, glosó en su pensamiento: "¡Madre desnaturalizada! ¡Aborto de la naturaleza! Para mí has dejado de existir. ¡Ah, mujeres, mujeres! No sois criaturas de Dios; soislo del Enemigo Malo. Un ángel exterminador, emisario del cielo, habíamos de menester, que os pasase a todas a cuchillo. ¡Bribonas! Pero, a falta del ángel, que sería mucho pedir, satisfágome con un Don

Juan, de cuando en cuando, como Vespasiano, que os saca de quicio, para luego vengarnos apabullándoos y arrancándoos el antifaz, por donde en vuestra frente se lee: rameras. ¡Ay, Vespasiano, amigo envidiado; nunca tanto te eché de menos!" Tigre Juan quería decir: "nunca tanto eché de menos ser como tú." [214] Ser, como a Tigre Juan se le figuraba que Vespasiano era: irresistible. [215] Tigre Juan, al pensar de continuo en Herminia, desplazaba, transfiguraba y simbolizaba inconscientemente sus pensamientos. Creyendo pensar, ahora más que nunca, en Vespasiano, lo que transponía a su conciencia era el ansia, ciega todavía, de conquistar el amor de Herminia.

El clérigo Gamborena se personaba todas las noches en casa de Tigre Juan, a interesarse por su salud, en nombre de doña Mariquita, y le exhortaba a que saliese de su retraimiento y fuese con él a jugar al tute y despejarse de preocupaciones. Tigre Juan se excusaba, alegando no hallarse aún del todo bien.

Platicando aquellos días abuela y nieta, Herminia se clareó por vez primera en lo referente al cortejo de Colás, de lo cual la vieja nada había podido atisbar, y terminó la niña apuntando que acaso Tigre Juan estaba al tanto del incidente y que, ofendido, no quería poner más los pies en aquella casa.

Como armario lleno de loza que viene a tierra, con no menor escándalo se produjeron la decepción e irritación de doña Mariquita. Gesticulando con todos sus miembros, cual si estuviera hecha añicos, vociferó:

—¿Ahora quieres que me desayune, necia? ¡A buena hora! ¿Vienes a decirme que el décimo del gordo era

[214] Otro caso claro de autor omnisciente: nos está informando de los sentimientos íntimos de su personaje (Tigre Juan se ha enamorado de Herminia) antes de que él mismo sea consciente de ellos e incluso nos revela lo que quiere decir realmente, cuando está diciendo otra cosa.

[215] Como señala Martínez Cachero, "el antitenoriesco Tigre Juan encuentra en su amigo Vespasiano esas dotes de trato con la mujer que él no tiene y de las que en más de una ocasión se ha sentido necesitado" (p. 407).

nuestro y tú, por no serte simpático el número, lo arrojaste a la basura? Debiera arañarte y arrancarte el moño. No sé cómo me contengo. ¡Nos has traído la desgracia, rapaza entontecida! Nuestro porvenir cuelga de la mano de Tigre Juan. ¿Quién arreglará lo que tú echaste a perder? ¿Tú qué sabías, para dar ese paso de perdición sin consejo de mayores? ¿Cuádo hallarás mejor partido que Colás? ¿Por qué no le dijiste que sí, con mil amores? ¡Ay! Ya no es hora. Nos has partido por la mitad. Somos perdidas.

Herminia respondió, serena, que, como ser, todavía era hora, pues Colás le había escrito desde fuera, asegurándole lo duradero e invariable de su cariño; pero que ella, si bien sentía por Colás un afecto apacible y admiraba su nobleza, no podía corresponderle como él deseaba. Aun estando loca por él, jamás le tomaría por esposo. Prefería la miseria y aun la muerte al suplicio de tener que vivir siempre al lado de Tigre Juan, que le causaba terror y repugnancia. Finalmente, confesó que estaba enamorada de otro hombre. Quién fuese el sujeto, no se lo pudo sacar la abuela, ni con amenaza ni con súplicas. Este hombre era, precisamente, Vespasiano.

La misma noche, doña Mariquita, con manteleta y capota de vestir, se presentó en casa de Tigre Juan. Estaba aturdida y trémula, como un chorlito a la vista de una serpiente. A Tigre Juan, sin saber por qué, le dio gran alegría ver bajo su techo a la abuela de Herminia. Menudeaba las exclamaciones de contento, como con una persona a quien se vuelve a hallar después de muchos años de ausencia. La tomó de la mano hasta una silla. Se disculpó de no tener dulces en la alacena. Le ofreció chorizo, queso y vino blanco de Rueda, [216] que eran los únicos bastimentos de boca que había en la casa. Doña Mariquita, por no desairar y entre repulgos y muecas, como quien ingiere con violencia una pócima, bebió tres vasitos de vino blanco. Con esto se enardeció. Al cabo de bastantes circunloquios, guiños y caricias con el abanico en la

[216] Rueda, provincia de Valladolid, en la carretera de Madrid a Galicia, es zona productora de buen vino blanco.

mejilla de Tigre Juan, le dijo que acababa de enterarse de lo de Colás y Herminia; que sondeando a la nieta, había comprendido que estaba amarteladita, lo que se dice amarteladita, por Colás, mas no se había atrevido a decirle que sí, por recato; y que el matrimonio era cosa descontada, en concluyendo el chico de servir al rey. Por último, osó llamar "consuegro" a Tigre Juan.

Tigre Juan se puso verde. Imponente y todo erizado, como puercoespín, gruñó:

—Señora: ¿por quién me ha tomado usté?

Doña Mariquita, cortada, acudió al vino blanco, a fin de recuperar los bríos:

—¿Piensa que lo invento yo? ¿Cree que por mi interés le engaño? ¡Válgame Dios! Señor don Juan... Por éstas, que son cruces. Como la luz; le juro que los chicos se casarán —insistió doña Mariquita, atropelladamente; luego besó una cruz improvisada con el abanico y un tenedor.

—Pues yo, sin jurar, que los hombres de honor no tienen para qué, le prometo que no se casarán, porque no me da la gana, ea —dijo Tigre Juan, descargando sobre la mesa tal puñetazo que obligó a doña Mariquita a dar un bote en la silla.

La tramposa vieja ocultó el rostro en el pañuelo, que apestaba a perfume barato, y en aquella atmósfera sofocante derritió algunos sollozos contrahechos.[217] Después, enjugó los ojos, como si hubiese llorado:

—¡Perdón, perdón, caballero!... ¿Cómo pude yo?... Claro. Usté es capitalista; su sobrino es muchacho de carrera. Nosotras malvivimos, con privación y agobio. Nada tenemos y encima debemos. Por la compasión ajena nos sustentamos, aunque a pique de dar el porrazo. El hilo de nuestra existencia es quebradizo hilo de araña, que prende de recia viga. ¿Quién ha de ser la viga si no usté, mi señor don Juan? ¡Ay! No me dirán que no veo la viga en ojo propio. Mi nietecina Herminia, la pobre, ¿cómo va a aspirar...? Nada tiene, nada vale.

[217] Otro caso de expresión exagerada que encubre la carencia de sentimiento auténtico.

—Eso sí que no, ¡reconcho! —cortó Tigre Juan, duro por fuera, enternecido por dentro.

—Sí, sí —chilló la vieja—. ¡Ay, mi Herminia! Hermosura y bondad son tu única hacienda.

—¿Le parece poco? Para mí lo quisiera —atajó Tigre Juan, más enternecido.

—¡Púdrete, agóstate en tu florida mocedad, hija! ¡Sáciate de desengaño y estalla a la postre como un triquitraque, que ése es el programa de festejos para las pobres honradas!

—Vaya, vaya, doña Marica. Cesen los hipos —amonestó Tigre Juan, poniendo una mano el hombro de la vieja—, si hemos de seguir siendo buenos amigos...

—¿Pues qué otra cosa deseo yo sino seguir como hasta ahora? —interrumpió la vieja, acaso prematuramente.

—Pues bien —reanudó Tigre Juan, abocetando una sonrisa dudosa—. Lo pasado, pasado. Lo ocurrido, fue lo mejor que podía ocurrir. No hablemos más, nunca más, de eso, y seguiremos siendo buenos amigos.

—¿Es de veras? ¿No me guarda rencor? Si de mí hubiera dependido...

—¡Cuidado, cuidado, doña Marica, que volvemos a las andadas!... —interpuso Tigre Juan, tornándose serio un instante y recayendo después en la sonrisa, más ancha y más dudosa esta vez.

La vieja miraba desorientada a Tigre Juan.

—No me dejó concluir —corrigió la astuta vieja—. Quise decir que, si de mí dependiera pagarle a usté aquellas pesetinas, por mi salud que lo haría sin perder minuto; pero como de mí no depende, yo soy la que dependo de usté, tanto cuanto usté quiera aguantarse esperando y seguir de esta conformidad. Por eso temía, y temo, que otra le quede dentro y se esté burlando de esta triste anciana.

—Pues sí, señora. Otra me quedaba dentro. No estoy dispuesto a seguir de la misma conformidad en ese asuntín de la deuda. No, señora. Por lo demás, todo igual. Tan amigos, o más amigos si cabe. Pero los negocios son los negocios, y han de estar siempre en situación notoria y sobresaliente, como la nariz en mitad de la cara. Sí o no; nada de puede o quizás; que eso pertenece al juego más bien que al negocio. Hay que dar conclusión inmediata a nuestro negocio.

La sonrisa de Tigre Juan se había ensanchado en términos que ya le obligaba a abrir la boca. Era como risa sardónica o calambre del rostro.

—¡Me mató! —sollozó, desmadejada, doña Mariquita, apercibiéndose a escenificar un patatús de gran espectáculo, antes que aquella boca de Tigre Juan, como sima, que parecía que la iba a tragar, pronunciase otra palabra.

La comezón de generosidad que aquellos días hurgaba sin cesar a Tigre Juan le inducía en estos momentos a sonreír, hablar y proceder extraordinariamente. Abrió una gaveta, de donde sacó el pagaré de doña Mariquita. Tomándolo por una punta con dos dedos lo acercó al hocico de la vieja, quien, con los ojos entornados, fingiéndose accidentada, espiaba entre la celosía de las pestañas el ir y venir de Tigre Juan. Pronto la vieja puso ojos de ternera, redondos y estúpidos, al ver que Tigre Juan encendía un mixto, aplicaba fuego al pagaré, lo dejaba arder hasta quemarse las yemas y, al final, soplando, diseminó en el aire las pavesas del carbonizado papel.

—¿No lo dije? Finiquito el negocio. Ni usted depende de mí ni yo de usted. Tan amigos —remató Tigre Juan.

—¿Estoy despierta? ¿Se me subió el vino a la cabeza? Señor don Juan... ¿Y era usté el torrente devastador? ¿Aún se atreverán a llamarle Tigre? Rey de Jauja, gallina de los huevos de oro. ¿Cómo podré corresponderle? Déjeme que le dé un beso en la frente, donde debía llevar corona.

Tigre Juan, con un respingo, refunfuñó:

—¡Diablos coronados! ¿Qué corona quiere usted decir, señora?

—Corona de santidad. Pues, ¿qué otra cosa?

—Ni ésa ni ninguna. La frente, despejada y sin adornos. Por eso nunca me verá con sombrero, gorra ni montera. Conmigo no valen indirectas.

—¡Qué corazón, como el monte Sinaí! ¡Ay, hijo! Ni un hijo por su madre haría otro tanto. Enfermaré del golpe. Déjeme que le bese —y doña Mariquita daba saltitos de urraca frente a Tigre Juan, esforzándose en alcanzar a picotearle un beso.

Tigre Juan reía ahora audiblemente. Dijo, empujando con suavidad a la visita hacia la puerta.

—Pues cuídese y desahogue en casa. Adiós, adiós. Buenas noches. Tan amigos.

Desde la escalera, doña Mariquita le tiraba besos con el abanico.

Ya que se halló a solas, Tigre Juan entró en el camarín de las reliquias. Desvanecido en una especie de optimismo cósmico (pues vivía en el mejor de los mundos posibles, y este mundo óptimo lo llevaba dentro de sí, en la sentimentalidad etérea, vagorosa, que le henchía) estaba Tigre Juan admirado y orgulloso del rasgo que, como por divina sugestión, había tenido con doña Mariquita. Dirigiéndose imaginariamente a Colás y en tono solemne, habló así: "Ya estás vengado. La más cumplida venganza de los caracteres nobles se satisface con oponer a la ofensa la longanimidad. Ahora mismo, a Herminia se le estará cayendo la cara de vergüenza. (Tigre Juan pensaba, sin darse cuenta: estará conmovida, saturada de dulce rubor; tal vez se le han humedecido los ojos.) Y si todavía no entendiese, pensaré nueva y redoblada venganza. Hay más días que longanizas." Se fue a la cama y antes de cinco minutos se le oía roncar, con timbre agudo y victorioso.

Salió de madrugada al campo a recoger hierbas curativas. Todas las cosas le seducían; era llevado hacia ellas por un modo de amor, nacido de la comprensión. Todo era hermoso. Todo era útil. Todo era bueno. Las mismas hierbas venenosas, ¿no son medicinales: unas, tónicas, que otorgan fuerzas al flaco; otras, anodinas, que apagan el dolor? [218] ¡Qué linda, qué grácil aquella colina, con su

[218] Salvo la exageración, no anda esto lejos del espíritu liberal de Pérez de Ayala, hecho de comprensión, respeto a todo lo existente y humor. Recuérdense, por ejemplo, estas frases: "La más elevada

contorno de seno femenino! Apetecía estrecharla contra el pecho como una esposa. Su falda, de dorado velludo, estaba moteada de flores. Hacia allí fue Tigre Juan, a cogerlas. Eran las flores de la belladona; [219] blancas azucenas, con bordes rosados; pinceles de pluma de cisne, mojados en luz de aurora. ¡Qué maravilla! Volvió a la ciudad, con un manojo de estas flores. Doblando con acatamiento la espalda, se las ofreció a Carmina, símbolo suficiente, por lo visible, de la otra mujer, velada todavía tras el cendal de una nube.

COMO las vegetaciones de gruta se alargan hambrientas hacia el resquicio por donde penetra un vestigio blanquinoso de luz, migajas de la gran hogaza dorada del sol, [220] así el amor grutesco de Tigre Juan, ciego y premioso, acentuaba la tendencia hacia Herminia. No tardó en concurrir de nuevo al tute de doña Marica. A pesar de los apóstrofes y protestas de don Sincerato, hacía adrede malas jugadas para que la vieja ganase. La noche que [221] Tigre

---

comprensión e intelección de la vida supone una más sutil y cabal penetración de la motivación o causación íntimas en aquellos individuos o actos que, a primera vista, nos parecieron cómicos o risibles, por virtud de lo cual dejarían de provocarnos la befa y nos moverían a simpatía, piedad y amor" (*Ante Azorín,* Madrid, ed. Biblioteca Nueva, 1964, p. 202). Es lo que desarrolla al final de esta pareja de novelas.

[219] La belladona es venenosa pero se ha utilizado también con fines terapéuticos, por contener entropina: para exámenes oftalmológicos, contra espasmos, neuralgias, urticarias...

[220] En ocasiones, Pérez de Ayala emplea largas comparaciones de abolengo clásico. Recuérdese otro ejemplo semejante, en *Tinieblas en las cumbres*: "Lo mismo que el experto nadador se precipita en el espacio y describe una armoniosa curva antes de zambullirse en las blandas olas..." (p. 238).

[221] Nótese que Pérez de Ayala usa la misma construcción —sin la preposición "en"— que algunos censuraron a Francisco Umbral, por el título de su libro *La noche que llegué al Café Gijón.*

Juan reapareció en la tertulia, Herminia se puso en pie para saludarle, con voz difícil, que la abandonaba. Luego fue poco a poco hurtándose en lo oscuro, hasta que, azorado el corazón, escapó furtivamente de la tienda a la trastienda. Tigre Juan no quería verla; pero, a cada poco, hacía profundas inspiraciones de aliento, como si la respirase desleída en la sombra, saturando el recinto. Un momento creyó que se ahogaba, que le faltaba la respiración. Lo que faltaba era Herminia, cuya ausencia notaron al punto sus pupilas de gato.

—¿Dónde ha ido esa mocosa? —preguntó, sin poder contenerse, Tigre Juan.

—Déjela que haga lo que quiera. Muy disgustada me tiene. Es testaruda y majadera. Ha de salir siempre con la suya —replicó doña Marica.

—¿Cuándo se ha visto eso en una joven bien criada? —exclamó Tigre Juan, con ademanes de reprobación.

—Y yo, ¿qué le voy a hacer, señor don Juan? ¿No he malgastado mis años, que son muchos, y mis cuartos, no tan cuantiosos, en educarla a mi imagen y semejanza, que saliese mujer de peso, cortés, avisada y agradecida? Años y dinero en balde. ¿Qué le voy a hacer yo, mi señor don Juan? —dijo la vieja, inclinando de un lado y otro la cabeza, con fingida aflicción, y descubriendo de soslayo las cartas, ora de Tigre Juan, ora del clérigo.

—¿Qué va a hacer? Muy sencillo. Ante todo enseñarla a obedecer, que a esto se reduce la educación de las mujeres. Llamarla ahora mismo, y que se esté ahí quietecita, a la luz o a la sombra, eso a su elección; que también las mujeres han de gozar cierta libertad en las cosas secundarias e indiferentes. ¿Es que esa señorita se deshonra con nuestro trato y vecindad? ¿Es que yo, digo nosotros, no tenemos derecho, derecho de urbanidad, entiéndaseme, a exigir que esa chiquilicuatra,[222] y la propia princesa de Asturias, no nos menosprecie sin razón? No paso por esto.

[222] González Calvo señala este caso, junto a otros, en que Pérez de Ayala presenta usos populares de sustantivos en femenino: *fabricanta, intriganta, vástaga...* (pp. 71-72).

Antes me voy, para no volver —dijo Tigre Juan, irritándose progresivamente e iniciando el gesto de marcharse.

—No amolar, amigo, no amolar. ¡Ja! ¡Ja! ¡Ja! Pelillos a la mar. ¡Ejem! ¡Ejem! —intervino el señor Gamborena, agarrando de una muñeca a Tigre Juan—. Buen juego en la mano. No renuncio, hermano. ¡Ja! ¡Ja! Allá la mocina. Válgase a su guisa. Déjenla en paz. Moza se oscurece, de amores adolece. ¡Ja! ¡Ja! Moza en los rincones, por medio pantalones. Novio de tapadillo. Por el hilo, el ovillo. ¡Ja! ¡Ja! ¡Ja!

—Basta de barbaridades, señor diácono o señor idiota, y aprenda antes a hablar con decencia y claridad —dijo airado Tigre Juan, mirando de arriba abajo y con mirada fogosa al esquelético diácono, como si fuese a calcinarle los huesos.

—Calzoncillo domina enagua: más claro, agua. ¡Ja! ¡Ja! ¡Ja! ¡Ejem! ¡Ejem! ¡Ejem! —barbotó, entre intermitencias catarrosas, don Sincerato, retorciéndose de hilaridad y armonizando un trío de ruidos áridos con su tos, su risa y el roce de sus rechinantes coyunturas.

—¡Mal sacerdote! —rugió Tigre Juan, a punto de abalanzarse sobre el mezquino y bienhumorado contrincante de tute.

—¡Haya concordia entre los príncipes cristianos! —atajó doña Marica, acariciando con el abanico la barbeta convulsa de Tigre Juan y dando con la otra mano palmadas entre los omóplatos del clérigo, a fin de ayudarle en la expectoración—. Toda la culpa es de esa atolondrada de mi nieta. ¡Herminia! ¡Herminia! —chilló la vieja.

—Mande, señora —se oyó a una voz débil, como encerrada en un cofre.

—Aquí al instante —proseguía chillando doña Marica—, si no quieres que vaya y te traiga arrastrada de los pelos. Eso eres: una arrastrada. Al instante, a pedir perdón a estos señores. ¿Es ése modo de portarse con las visitas de cumplido; dar media vuelta y despedirse a la francesa?

—Señora —tartajeó por lo bajo Tigre Juan—. Ni tanto, ni tan calvo. Eso de los pelos... Y luego una palabrota tan indigesta como esa de *arrastrada.* Y ¡vaya! qué visita de cumplido; por tal no me tengo.

—Déjeme; ya verá —retornó doña Marica, infatuada, al parecer, en el ejercicio de su autoridad doméstica.

En la penumbra se definió el bulto de Herminia. Sin avanzar hacia la luz, balbució con susto:

—Dispensen. Perdón, abuela. Fui por una madeja de lana. No creí que notasen mi falta, ni quise ofender.

—¿Falta, dices? Pecado, crimen contra la urbanidad y el respeto a estos caballeros, que nos hacen la merced de su amistad. Ni a la emperatriz de Ruisa se le podría tolerar semejante grosería. ¡Mal educada! Ya te enseñaré yo a obedecer; a palos, si te resistes. A palos.

Hablase doña Marica por hablar, según su costumbre, a manera de eco y flato sonoro, o bien estuviera de verdad enojada con su nieta, ello es que Tigre Juan lo tomó tan a pechos que se le puso la sangre en ebullición. Imaginaba hasta creer verlos, dentro de la pudibunda y piadosa sombra, los pómulos de Herminia encendidos, como un rescoldo, por la vergüenza. Se le hacía insufrible la afrenta, como si fuese propia. Levantando el tono, en son de reto, dijo:

—Eso sí que no. Me pronuncio paladín de Herminia. Nadie lleve su temeridad a tocarle, no ya el pelo de la cabeza, ni el pelo de la ropa. Haga mi dama lo que tenga a bien. Esté o no esté, entre o salga, sin decir esta boca es mía, según su arbitrio. Sea soberana su voluntad y decida por gusto, no por fuerza. [223]

—Pero... —objetó estupefacta doña Marica.

—No hay pero que valga —cortó Tigre Juan—. Pues no faltaba sino que le estuviera vedado ir por una cochina madeja de lana. ¿De qué color es, querida?

—Verde —murmuró Herminia.

[223] Tigre Juan ha adoptado actitudes y frases propios de la novela caballeresca (o de don Quijote). A la vez, está contradiciendo lo que acaba de decir sobre la obediencia como la única educación de la mujer. El novelista sugiere que, ante un sentimiento auténtico (el amor), se deshacen los prejuicios anteriores.

—¡Esperanza! —dijo Tigre Juan, emocionado sin motivo—. Ea, ya está concluido el incidente. Acércate. Siéntate no lejos de nosotros. No sé qué nos da tenerte ahí, siempre rebozada en sombra, como las imágenes en cuaresma.

Herminia vino a sentarse a dos pasos de las personas mayores.

Tigre Juan pensaba: "Prosigue mi venganza, hermosa Herminia. Por segunda vez acudo en tu auxilio y te salvo; antes de la pobreza; ahora de la humillación. Para que sepas quién soy yo. Así, a mi lado. Este es tu suplicio."

Suplicio era para Herminia estar en aquel sitio, sobrecogida, que no atinaba ni a hacer labor de aguja. El suplicio continuó de allí adelante, noche por noche, pues, de una parte, la abuela la obligaba a estar cerca de la camilla del tute, por complacer al huésped, contra el cual se apercibía a descargar segundo sablazo, fulminante y a fondo; y, de otra parte, Tigre Juan, enardecido con su original sistema de venganza, cada vez hacía a Herminia objeto de mayores atenciones. En un principio, traía a diario un cartuchito de caramelos para la golosa vieja. Luego, trajo dos; el mayor y más bonito para Herminia. Después, pasó a otros regalitos más duraderos y de recuerdo: cosillas de vanidad y adorno, como una cinta, un imperdible, una peineta, un frasquito de agua de Colonia, que más tarde Herminia arrojaba, con odiosidad, en el fondo de su baúl; porque comenzaba a comprender antes que Tigre Juan. Por último, no siéndole suficientes a Tigre Juan las horas de nocharniega [224] tertulia junto a Herminia —aunque él continuaba ignorante de esta amorosa nece-

[224] *Nocharniega*: palabra típica del estilo de Ayala. El poema "Almas paralíticas", de su primer libro de versos, *La paz del sendero,* concluye así: "su canción en la calma nocharniega solloza". En los ensayos de *Divagaciones literarias*: "Prosigo en mis recuerdos de Valera y Menéndez y Pelayo. Conocí a entrambos en una tertulia nocharniega que se congregaba en casa de Valera" (*O.C.*, IV, p. 888). En la novela, en *Troteras y danzaderas*: "Madrid nocharniego es un mercado o lonja al aire libre..." (p. 132). También utiliza el adverbio: "Sonrisa que la Maritornes no sabe inter-

sidad de aproximación creciente—, una mañana, por primera vez en más de veinte años, abandonó su puesto del aire, ¡en día de mercado!, y se presentó en la tienda de doña Marica, con un pretexto baladí:

—Señora —dijo—: sé que le gustan a usté con frenesí las nueces de leche y aquí le traigo las primicias de este año, las únicas que han venido a la plaza. ¿Qué hay? ¿Se vende mucho? ¿Y la niña? ¿Dónde anda?

—Arriba, trajinando, barriendo y haciendo las camas.

—¡Ah! Así, así. Las doncellas, hacendosas. Una niña nada gana tras el mostrador de una tienda, que es lugar público, adonde asisten lo mismo mujeres que hombres, y cuáles de ellos provocativos de talante y mal hablados.

Volvió Tigre Juan a su puesto, y, como estaba inocente en su conciencia y el gran amor que le colmaba no había cristalizado aún en pensamiento oral, se sentó con la mayor naturalidad, sin percatarse de la mirada de estupor que la viuda de Góngora le dirigía. Para doña Iluminada, la deserción momentánea de Tigre Juan fue una especie de fenómeno contra las leyes inmutables de la mecánica celeste. Le hizo el mismo efecto que si una estrella fija cambiase de lugar en el firmamento, pasándose de una a otra constelación o de uno a otro hemisferio, como un oficial del ejército que se trasladase de guarnición. Tigre Juan había salido de su órbita antigua, por la tangente. Ahora atravesaba incógnitas regiones del infinito, en torno y esclavo de un sol flamante, cuyo orto se presentía, mas no el punto del horizonte por donde iba a asomar. ¿Cuál era este sol?

A los pocos días, Tigre Juan se evadió de su puesto, nuevamente. Doña Iluminada llamó a Carmina:

—¡Vivo, vivo; hijita! Sigue a don Juan, sin que él te advierta. Digo, ¡qué ha de advertir! Y dime dónde se mete.

La niña volvió a poco con la noticia. La viuda abrió mucho los ojos, deslumbrada, como quien todavía no ve

---

pretar a derechas, porque habituada a lances y peripecias de posadas y mesones, imagina que todo huésped que nocharniegamente la requiere es un salteador de honras" (*Sonreía,* en *O.C.,* I, p. 834).

claro, por exceso de claridad. Al cabo de un largo silencio contemplativo, bisbiseó, hablando para sí:

—Herminia... ¡Evidente! ¡Evidente! Tenía que ser...

—¿Deseaba algo más, madrina?—. Doña Iluminada había pedido a su prohijada que le llamase siempre madrina.

—Nada, nada; hijita. Puedes retirarte.

"Tenía que ser —meditaba la viuda amorosa y pálida—. Tenía que ser. La esponja no escoge el agua donde ha de empaparse, sino que chupa y se hincha de aquella que primero le cae encima; agua de cielo o agua de charca. Disparate, esperar que la esponja chupe arena. Eso soy yo, arena de desierto. Tigre Juan, con su corazón de esponja, tenía que enamorarse de la primera mujer joven en quien se fijase. Esta mujer tenía que ser, ¡no podía por menos, no podía por menos!, la misma en quien Colás se fijase, que de otra suerte él no se fijaría en ninguna. Todo lo veo sencillo y razonado como en un libro: lo que fue, lo que es, lo que será; lo que pudo ser en el porvenir. Mañana quizá no acierte a recordar lo que ahora tan bien comprendo. ¡Qué claro, qué claro, qué presente lo veo todo ahora, hacia atrás y hacia adelante! Antes que se entolde este instante de luz, [225] he de formar mi plan. Tigre Juan tenía que enamorarse de la mujer de quien Colás se enamorase. Ahora, pongamos que ella hizo caso al mozo, y se casa con él, y viven juntos con Tigre Juan... Hubiera sido lo mismo; Tigre Juan se enamora de ella, hasta la muerte. Tal vez con amor dormido, sin darse cuenta él ni los otros dos. Menos mal, tomarían el amor como amor de padre. Peligrosa mentira. O tal vez con amor despierto y de deseo. ¿Por qué no? Colás no es su hijo. ¡Qué tragedia, sin embargo! No quiero imaginarlo. Gracias a Dios, Herminia rechaza a Colás. Perfectamente. Herminia dice que siente miedo y repugnancia de Tigre Juan: bonísimo síntoma. Lo que Herminia siente es vértigo hacia Tigre Juan; un poder de atracción que la domina y que no puede contrarrestar si

[225] Nótense las numerosas referencias a luz y claridad que subrayan el simbolismo de su nombre: Doña Iluminada.

no es encastillándose en una proporcionada voluntad de repulsión. Paso, paso, Iluminada: esto de la atracción, ¿no será que atribuyes a Herminia tus sentimientos? Acaso Herminia sólo siente repulsión, como asegura. No, no; atracción también. No me equivoco. Quiere apartarse, como enloquecida, del abismo que la absorbe. Pero en él se hundirá. Está escrito. Lo leo en la blanca página de los destinos. Aquí entra mi ministerio.[226] Haré que seáis felices. Y lo seré yo. Mi felicidad tendrá sabor dulciamargo.[227] Mejor: más sabrosa. ¿Y Colás, cuando vuelva? ¡Ay, Dios! No importa, no importa. Dios me encomienda misión providencial. He de hacerle feliz asimismo, que es como acrecentar mi felicidad, ya que yo no puedo serlo sino en los otros; y no me pesa. Dios me condenó a esterilidad, para ser más fecunda. Y habrá quien me compadezca... ¡Qué saben ellos! ¡Bendito y alabado seas, Señor, por esta carga que sobre mí pusiste y que yo acepto gozosa! Colás, hijo —hijo te llamo—; mujer tienes deparada desde el principio del mundo, y no sabes todavía cuál es: yo sí. Cuando tornes y veas a Herminia casada con quien es como tu padre, grande va a ser tu dolor. Querrás matarte. Entonces, oirás el canto mañanero de una avecica, enjaulada, y querrás seguir viviendo. Soltaré el pájaro cautivo, y te irás en su seguimiento; hijos los dos del aire, nacidos para la libertad. Creerás robar una mujer; mas yo seré quien te la haya anudado al cuello."

Durante este soliloquio mental de la viuda de Góngora, Carmina había permanecido, acurrucada e inmóvil, a los pies de la señora. La viuda, que paró atención en ella, dijo:

—¿Qué haces ahí, criatura? ¿Cómo no te has ido?

Carmina, elevando sus grandes ojos radiantes hacia la señora, rogó:

—Madrina: cuénteme otra vez el cuento del hada madrina.[228]

[226] Doña Iluminada asume y declara su papel de novelista ayudante (Weber, p. 93), que antes comenté.

[227] Lo propio de la tragicomedia.

[228] Otra vez un marco literario, para subrayar el simbolismo del personaje. Nótese la repetición de la misma palabra, al comienzo

—¡Hija mía! ¡Hija mía! —exclamó doña Iluminada, besando los ojos legibles de la niña, donde veía el futuro que ella deseaba.

DOÑA Marica estaba segurísima de interpretar acertadamente la oculta intención a que respondía la desconcertante conducta de Tigre Juan. Según ella, y así se lo decía a Herminia, las finezas, obsequios y liberalidades de Tigre Juan se enderezaban al propósito de casarla con Colás. Y nada más que a esto. Se caía de su peso. Herminia afligía el ceño y denegaba con la cabeza. Doña Marica se excitaba.

—Aviadas estamos —exclamaba—. Pues tú, que estás plumando y no sabes de la misa la media, ¿querrás conocer a los hombres mejor que yo, con mis años y el colmillo retorcido?

Era un modo de decir, pues tenía la boca desdentada. Proseguía:

—Por las malas, pudo obligarme a casarte con Colás. ¿Y qué íbamos a hacer nosotras? Tomó el camino de las buenas, que es como carretera real, más larga que el atajo, pero más cómoda, y siempre lleva hasta el fin. Supo, sin duda, que tú habías dicho: antes muerta que bajo el mismo techo con Tigre Juan. Dolióse, alma de Dios, y pensó en sus adentros: Voy a fingir que no quiero la boda, que nada exijo, pudiendo; quemo mis naves, digo, mis títulos para demandar; aquí estoy tal como soy, entrañas sin hiel. ¿Te arrepientes? ¿Te casarás ahora? Para que veas. Este es todo el intríngulis.[229] Y eso tenemos que agradecerle.

---

y al final de la frase: su "madrina" es el "hada madrina" de toda esta historia.

[229] En *La pata de la raposa,* Alberto dice al juez que le toma declaración: "La verdad es que yo no pude pensar que durase

—Y agradezco, abuela, lo que por nosotras ha hecho y hace. Lloro a solas, con remordimiento de no ser bastante agradecida. Pero...

—Pero, ¿qué?

—Aborrezco estar a su lado. No lo puedo remediar.

—Asno con piel de león. Espantable, para nosotras no lo es. Como feo, otros hay más.

—No es que sea feo. Espantable, sí; y más, cuanto más atento y generoso se muestra.

—¿Tanto te asusta su presencia?

—Sufro mucho, abuela.

—¿Qué te asusta de él?

—No lo sé. No lo quiero saber. Siempre me asustó. Ahora, me horroriza.

—¡Ave María! ¡Simplezas, niñerías! ¿Acaso te vas a casar con él?

—¡Calle, por Dios, abuela!—. Y Herminia se tapó la cara con las manos.

—Ya te irás dominando. Es cuestión de costumbre. Por lo pronto, sigue como hasta ahora, sin darle a entender que te es un poquitín antipático.

—No es eso. Antipático no me es, ni poco ni mucho.

—Y si, aun a costa de un pequeño esfuerzo, hasta fueras amable con él por unos días, tanto mejor. Mis negocios van de capa caída, neñina. Tengo que acudir otra vez a Tigre Juan. Hay que sorprenderle en punto de caramelo y buen humor.

—No, no, no, abuela. No haga eso.

—¿Qué de particular tiene? Seremos parientes. En resumidas cuentas, ve habituándote a esa idea; te casarás con Colás.

—Tigre Juan no quiere que me case con Colás.

—Eso dice; otra le queda.

---

tanto tiempo el intríngulis". Y el juez responde: "Repito que se atenga usted al Diccionario" (p. 180). La Academia sólo registra *intríngulis*: 'intención solapada o razón oculta que se entrevé o supone en una persona o acción' (p. 756).

—No, abuela, no. Le juro que Tigre Juan no quiere que me case con Colás.

—Tú eres quien no quiere.

—Yo, tampoco.

—Pues será.

—No, abuela. Y no seré yo quien me oponga y lo impida.

—¿Secretitos? Franquéate. ¿Va a impedirlo otro hombre? ¿Quién es? ¿Sigues encaprichada por ese otro hombre? ¿No puedo saber quién es? ¿Tan poca confianza y respeto te merece tu abuela? ¿Dónde vive? Me da en la nariz que se trata de un pelafustán. Apuesto que no hay comparación con Colás. Búscale tacha si no.

—Ninguna: que no le quiero. Digo, le quiero como hermano, y nunca le podría querer de otro modo. Es un niño. Pero no hay que hablar de Colás. El pobre está descartado.

—Es muy niño... ¡Ya, ya! Acabáramos. Quiere decirse que son de tu gusto los hombres machuchos. Te pusiste colorada. Acerté. Pues, no; pues, no. Aunque tú lo descartes, Colás no está descartado. Te casarás con él. Que venga ese otro a impedirlo. A ver quién puede más.

—Quien lo impedirá será Tigre Juan, abuela.

—Me sacas de mis casillas con tu tozudez. ¿En qué te fundas?

—No lo sé, abuela. No quisiera saberlo. Por no acertar, el pelo me cortaría, de raíz, y se lo ofrecería al Santo Cristo de la Esclavitud. Abuela, sufro mucho—. Y arrojándose en el regazo de la abuela, rompió en lágrimas y sollozos.

Doña Marica colocó entre las fofas encías el diente verde de un caramelo de menta, y farfulló nerviosa:

—¡Ba, bah! Meona se presenta la otoñada. Tú, por no ser menos, imitas al tiempo. Descargando en agua las nubes de tus turbios pensamientos, despejarás. Caen las hojas muertas y se desnudan los árboles. Que así sea también con la hojarasca de tus ilusiones locas. Vuelve a la realidad, neñina.

—En la realidad estoy, abuela. ¡Ay de mí!

—Pues ahí te quedas, con tu realidad caprichosa; ya me tienes aburrida. Voime.

Este coloquio familiar se desarrollaba en la trastienda, anochecido, poco antes de la hora de la cena. Al volverse para salir, doña Marica dio de cara con la blanca y silenciosa viuda de Góngora, plantada en la puerta que comunicaba con el comercio.

—Tanto bueno por aquí, honrando estos humildes rincones... Con palio debiéramos recibirla, como en solemnidad o procesión. Pierdo la memoria de la última vez que la vi por mi casa. ¡Qué distinción para nosotras!... Siéntese, siéntese —chillaba doña Marica, inclinándose ante doña Iluminada, abrazándola luego, y tirando de ella hacia un patizambo sillón de caoba y reps [230] verde.

Herminia, en escorzo vergonzoso, reprimía dentro del pecho los suspiros y enjugaba las lágrimas. La de Góngora traía preparada la introducción. Con su sonrisa de propiciatoria melancolía, que a todos inclinaba del lado del respeto y de la afección, dijo:

—Como Herminia tiene manos tan primorosas para la aguja, vengo a pedirle el favor de que le haga a Carmina un gabancito de punto, que el invierno se viene encima a más andar. Ya he cerrado mi tienda por hoy, y a la de ustedes me trasladé en cuatro brincos; la hallé solitaria, y sin dar voces ni palmadas, por no levantar ruido, eché tras del mostrador y hasta aquí me metí. Perdonen el atrevimiento. Por mí no se detenga, doña Marica. Usté iba a salir cuando yo entré. Nada de cumplidos. Váyase, váyase. Me basto sola con Herminia—. Con irresistible mansedumbre fue empujando a la vieja y la despidió fuera de la estancia. A solas con Herminia, después de sentarse en la butaca, prosiguió en voz calma y mate: [231]

—Siéntate. Hemos de hablar breve rato. Si te disgusta responder, hablaré yo nada más. Y si te disgusta oírme, con

[230] *Reps*, voz francesa: 'tela de seda o de lana, fuerte y bien tejida, que se usa en obras de tapicería' (Academia, p. 1135).

[231] Al fondo de esta escena está la visita de Celestina a Melibea (N. Urrutia, p. 104).

un gesto me cerrarás la boca. Por sorpresa y sin yo buscarlo, algo vi y oí al entrar. Llorabas. Tu abuela decía: "Despejarás los turbios pensamientos. Caiga muerta la hojarasca de tus ilusiones locas. Vuelve a la realidad." Tú replicaste: "En la realidad estoy." Y diste un quejido que me partió el alma. ¿Tan dura es la realidad para ti Herminia? ¿Tan negros son tus pensamientos y tan espesa la maleza de tus ilusiones? Yo que creía lo contrario, y venía a dar la enhorabuena...

—¿La enhorabuena...? —balbució Herminia, sin sangre en las mejillas.

—Sí, la enhorabuena. ¿Sabe algo tu abuela? Barrunto que no. La buena señora es algo distraída y tarda bastante en enterarse.

—¿Enterarse...? —alentó débilmente Herminia.

—Nada tiene de particular. Más increíble es que él mismo no se haya enterado todavía.

—¿Quién? Señora, por amor de Dios, no me atormente —gimió Herminia, uniendo las manos implorantes.

—Al contrario. Tú misma te atormentas. Yo vengo a que tu tormento se convierta en dichoso sosiego.

—No la entiendo.

—Lo primero, dejarás de ser hipócrita.

—No soy hipócrita, señora.

—Te creo. Entonces no es que tú no me entiendas, sino que yo no me he dejado entender. Hablaré más claro. Un hombre, óyelo bien, un hombre se ha enamorado de ti, como se enamoran los hombres; [232] tú lo eres todo para él, como él lo debe ser todo para ti. Cuando un hombre se enamora, querida Herminia, es vana toda resistencia. Ade-

[232] Podríamos decir, unamunianamente, que Tigre Juan es "nada menos que todo un hombre". Recuérdese la impresión que causó a Ayala la novela de Unamuno: "La novela me ha producido hondísima emoción. Emoción patética y luego la sensación de haber absorbido un cúmulo de energías. Está escrita por nada menos que todo un hombre. Mejor dicho, 'está hecha'. Hubiera querido haberla hecho yo. Entiéndase bien; haberla hecho que no haberla escrito" (en *La novela intelectual de Ramón Pérez de Ayala,* p. 480).

más, como es tan fuera de lo acostumbrado dar con un hombre así, e inspirar una pasión semejante, por esa fortuna te daba la enhorabuena. ¿No te sientes curiosa de saber quién es ese hombre? Al punto te lo diré. Ese hombre es...

—No, no, no; por lo que más quiera: por la memoria de su marido... No lo quiero oír... No lo quiero saber —suplicó Herminia, desemblantada, tapándose los oídos y doblando las piernas para arrodillarse.

—Luego me entendías. No diré más. Levántate, pobrecita mía. Acércate. Siéntate aquí, sobre mí, como si fueras mi hija. Ven que te acaricie y te murmure a la oreja dulces consuelos—. Herminia, obediente, como rendida, fue a sentarse sobre la viuda, e inclinó la marchita cabeza en su hombro. Doña Iluminada continuó cuchicheando—: Te quiero bien, niña, te quiero bien, puesto que mi cariño es desinteresado y doloroso. ¡Qué mejor querer [233] que querer para otros lo que uno para sí quisiera! Te quiero bien.

—No, señora —murmuró Herminia, con soplo casi inaudible—; no me quiere bien. Querer para otros lo mismo que para sí, es ir contra el querer de los demás. Así quieren las personas mayores, que como ya no pueden querer, porque no pueden conseguir, sólo quieren obligar a los otros a que quieran sin querer. Pero los jóvenes no queremos así, porque queremos de verdad. ¡Queremos! ¡Queremos! Eso es todo. Queremos para nosotros, nada más que para nosotros. No podemos querer sin querer, ni dejar de querer queriendo.

—Razón tienes en parte, hija. Yerras, sin embargo, creyendo que los años mudan la condición de la voluntad. El toque, niña, no está en la diferencia de años, sino en la variedad de caracteres. Si fuese sólo cuestión de años; más fácil me parece doblar la voluntad del mozo, rama verde y jugosa, que no la del viejo, la cual, por dura y reseca, antes quiebra que se dobla. Quien es voluntarioso de joven, no dejará de ser caprichudo de viejo, y el que

[233] *Querer* es otra de las palabras-clave de la novela, que, por eso, se desarrollan y explican largamente (Weber, p. 81).

nació dócil, dócil perseverará tanto cuanto viva. También yerras, tortolilla, en eso de que el mozo quiere con más fuerza que la persona de edad madura, entendiendo ahora por querer lo que tú asimismo deseabas que yo entendiera, o sea, amar. La verde rama arde malamente, aunque mucho crepita y alborota, y no es raro que se apague; mas la rama seca se abrasa con un fuego poderoso y claro. Me has dicho que los mayores, como ya no pueden querer, porque no pueden conseguir, obligan a los jóvenes a que quieran sin querer. ¿Tú qué sabes, pobrecita? Tampoco esto es cosa de edad. Proviene de la manera de ser. Cuando no se puede conseguir, se puede, como perro de hortelano, estorbar que otros consigan lo que uno para sí querría; y es lo común y corriente. Ya te lo enseñará la vida. Ultimamente: no poder querer sin querer, ni renunciar al querer queriendo, son imposibles entrambos así para el mozo como para la persona de edad. Pero, así la persona de edad como el mozo las más de las veces no saben lo que quieren, y andan engañados. Toman por amor lo que no pasa de un capricho pasajero, del cual luego se arrepienten; e ignoran acaso el amor invencible que secretamente les señorea. No lejos tienes el ejemplo; digo de estar enamorado sin darse cuenta. Hay que cerner y separar lo falso de lo verdadero, el querer de capricho del querer de corazón. ¡Cuántos acuerdan en sí, cuando ya no es ocasión! Por eso venía en tu ayuda... Tú quieres ya a ese hombre. Por eso no me dejaste nombrarlo. Le quieres tanto, tanto, que te asusta reconocerlo.

Herminia callaba. Prosiguió la viuda:

—Mucho y vanamente me extendí en responder a tu alegato, por si valía la pena. No me has interrumpido ni con un gesto. Me has escuchado como si nada fuese contigo. Comprendo, Herminia, que mi sermón era excusado. Tu alma está amedrentada, que es como decir desierta de voluntad. Además, el que se mete a predicar en el templo del amor sentará plaza de impertinente y charlatán. El amor lo pintan ciego; pero en las pinturas no se ve que también es sordo.

—Señora; la he estado escuchando como si de su boca pendiera mi salvación. Nada tengo que replicar a lo que usté ha dicho. Según habla usté estoy conforme, cosa por cosa. Y en acabando, no estoy conforme con nada. Si acertase a decir lo que siento, volvería usté a responderme con nuevas razones y volvería yo a no poder replicar. Porque tiene usté a mano todas las razones, señora; pero yo, aquí dentro, tengo toda la razón.[234]

—Tiemblas como una alondra, hija mía. Mis razones se te figuran relumbres de espejuelo, que yo hago girar para traerte a la red donde caigas presa. Lo que yo, ante ti, ando dando vueltas en la mano, es un puro diamante; el diamante de la verdad, y sus destellos, como en el juego del escardillo,[235], penetran y cruzan el cuarto oscuro de tu voluntad. Quizá cierras los ojos del alma, sintiéndolos heridos de aquella luz.

—Pues yo, a la verdad que me lastima, prefiero la mentira[236] que me halaga, y con ella me abrazo, porque el gusto que la mentira me da no es mentira, así sostenga lo contrario usté y todo el mundo, sino que es verdad, verdad; la única verdad amable.

—No puedes imaginar, hija mía, el placer que recibo oyéndote —exclamó doña Iluminada, acariciando a Herminia y besándole las manos después—. No te conocía bien. Me dejas admirada. No eres comoquiera. Eres toda una mujer. Menos abundancia todavía hay de mujeres que de hombres. Te miro como caída del cielo, providencialmente. Lo que tú a la postre hagas será lo debido; no tengo duda. A otra cosa. Permíteme, ahora, desvanecer una sospecha. Decías que te gusta la mentira...

—No, señora. Aborrezco la mentira. No sé cómo explicarme.

[234] Aparece el tema de la superación del racionalismo, que desarrollará al final de la novela.

[235] *Escardillo* = 'viso o reflejo del sol producido por un espejo u otro cuerpo brillante, que sirve por lo común de entretenimiento a los niños' (Academia, p. 556).

[236] Otra vez el dualismo mentira/verdad como palabras-clave (Weber, p. 81).

—Yo lo haré por ti. El mal, en la tierra, es una verdad harto evidente, con que tropezamos a cada tres por cuatro. La felicidad, en cambio, ¿dónde está? Por aquí abajo, en la tierra, nadie la ha visto. Y no obstante, soñamos con ella y en su ilusión nos recreamos. Es mentira que la felicidad exista; pero la ilusión [237] de felicidad es felicidad verdadera. Del mal, aunque sea verdad, no quisieras tener noticia...

—No, señora.

—Quieres hacer de tu vida un sueño dichoso, una ilusión feliz...

—Sí, señora.

—Por eso eres toda una mujer. [238] Esa es la misión de la mujer, y atiende que no tanto para consigo misma como para el hombre que elija por compañero y dueño. Te agradaría que la vida fuese como un cuento.

—Sí, señora.

—Apuesto que no has perdido afición a leer cuentos. O por mejor decir, a imaginarlos.

Herminia callaba.

—Y aquellos que más te atraen son los cuentos de miedo y angustia, que al final todo se arregla a pedir de boca. ¿No es así?

Herminia callaba.

—Gran sentido esconden esos cuentos, hija. Todos ellos vienen a parar en lo mismo. Un dragón espantable amenaza destruir una ciudad como no le entreguen, a que la devore, la doncella más bonita y virtuosa. Ella misma se ofrece al sacrificio. Sin otras armas que su flaqueza, su bondad y su hermosura, se adentra, decidida, en la cueva del dragón. El dragón brama, arroja llamaradas por sus siete fauces, se abalanza sobre su presa. La doncella se arrodilla y abre los brazos en cruz, disponiéndose a bien morir. En este instante, ¡zas!, como por efecto de magia, el dragón, que es un príncipe encantado, torna en su ser

[237] El dualismo engaño/ilusión volverá a aparecer al final de la novela.

[238] Nótese la generalización simbólica.

propio, estrecha a la doncella contra su corazón, suspirándole al oído: Si por tu gentileza me habías hechizado, por tu espíritu de sacrificio me has librado del encanto; se casa con ella y... Colorín, colorao.[239] Ahora, Herminia, a desencantar al infeliz dragón. No te digo más.

—Señora, señora, por Dios...

—Adiós, hija. A mí no me hagas caso. Lo que en definitiva resuelvas será lo debido y lo acertado. He tenido un hallazgo más valioso que un tesoro. He hallado una mujer.

El alma de Herminia, esa sutil y delicada madeja de emociones que es el alma de una mujer joven y encerrada en sí misma, quedaba, al marcharse la viuda de Góngora, como si una gata hubiera estado enredándola y divirtiéndose con ella. Vencidos el aturdimiento y contrariedad, Herminia comenzó atentamente a devanar y desembrollar la madeja de sus emociones. Tres hebras andaban entremezcladas: una roja, otra blanca y otra verde. ¿Cuál de las tres elegiría para tejer su vida? ¿Cuál de las tres, en conclusión, iba a ser el hilo de su destino? La hebra roja era Tigre Juan. La hebra blanca era Colás. La hebra verde era el hombre a quien ella creía, antes, querer: Vespasiano. Pero, después de la conversación con doña Iluminada, ¿sabía ella en puridad lo que quería ni a quién quería? ¿Podría afirmar, con la mano sobre el pecho, que no quería a Colás? Aquella piedad y respeto que sentía por el mozo, ¿no era una manera de amor, aunque amor sin alas? El rendimiento y adoración de Colás, además de lisonjear su orgullo de mujer, le gratificaban esa necesidad íntimamente humana de experimentar un dominio firme sobre alguien. Casada con Colás, sería árbitro de la vida común, no por exigencia de ella, sino por incesante acatamiento de él. Del marido con quien al cabo se casase, si no fuera en cierto modo semejante a Colás, ella no podría por menos de establecer una comparación ideal entre ambos, y concluiría echando de menos en él algo propio de Colás

[239] Como anoté antes, subraya la importancia, en esta novela, del mito de la Bella y la Bestia, Maruxa Salgués (pp. 99 y ss.).

y esencial del hombre: la servidumbre voluntaria a la mujer. Sentía Herminia, como mujer, la necesidad de un siervo. Y no menos intensa, la necesidad de un tirano. Su primer impulso, originado en el instinto, la llevaba a oponer resistencia al amor y rechazar al pretendiente, como había hecho con Colás y con otros cortejadores. ¿Por qué lo había hecho? ¿Por desvío? ¿Con ánimo sincero de que cesasen en su pretensión? ¿O bien porque, indecisa y sin preferencia, deseaba, oscuramente, ponerlos a prueba, enardeciéndolos, hasta que uno, el más fuerte, tomase por la violencia posesión de su cariño, raptándole, por así decirlo, la voluntad de seguir resistiendo? A la negativa de Herminia, los pretendientes habían contestado con gesto de fingida indiferencia; menos Colás, que, por no morirse de pena, fue a ver si le mataban en la guerra. De los primeros, Herminia pensó: "O sólo buscaban pasar el rato, o no son hombres." Y pensando en Colás, se dijo: "Pobre Colás; es un chiquillo." ¿Por qué registro saldría Tigre Juan el día aciago, que había de llegar temprano o tarde, en que Herminia tuviera que rechazarle? Tigre Juan era un hombre; Herminia convenía en esto con la viuda. ¿La mataría, al verse despreciado? ¿Se atrevería ella a decirle que no, cara a cara? ¿No se desprendía de Tigre Juan un no sé qué, que de ella se apoderaba al par que la repelía? ¿Estaba, acaso, señoreada de un secreto y terrible amor a Tigre Juan, como le había afirmado, sin vacilar, la de Góngora? ¿Es concebible que el amor adopte un disfraz tan equívoco que no se le acierte a distinguir de la repulsión y el miedo insuperable? Por el entrometimiento de una asociación de ideas, junto con la visión imaginaria de los ojos felinos de Tigre Juan, Herminia se acordó del amor de los gatos. Aunque con prisa, deslizándose, sobre este pensamiento, no pudo evitar preguntarse: "El amor de las personas, ¿no será, en el fondo, como el amor de los gatos: una lucha rabiosa, desesperada, que parece a vida o muerte?" En seguida, murmuró en voz baja: "¡Qué horror! En tal caso, antes la muerte." Otra salida había, sin acudir a este extremo: la evasión. Vespasiano era para

Herminia un grito lírico: la evasión.[240] Evasión actual de su imaginación y evasión venidera de ella misma, desde el insípido mundo cotidiano hacia la libertad del ancho mundo. El propio Vespasiano, en su facha, maneras y conducta, era evasivo, resbaladizo, escurridizo, seductor, como una sierpe irisada. (A poseer Herminia algún rudimento de latín, cosa que maldita la falta que le hacía y le hubiera sentado como a un Santo Cristo un par de pistolas, en vez de aplicar a Vespasiano estos cuatro calificativos, se hubiera servido de una palabra que los resume todos: lúbrico.[241]) Para Herminia, Vespasiano era de consuno la nostalgia de lo desconocido y la tentación al extravío. De Colás y Tigre Juan, atraídos hacia ella, partía la iniciativa amorosa, y por ellos se sentía Herminia solicitada, requerida. En el caso de Vespasiano estaban trocados los papeles. El la atraía y ella era quien le requería y le había solicitado, con largas miradas suplicantes. El se dejaba querer. Como el marino tiene una novia en cada puerto, Vespasiano tenía una novia en cada mercado. Herminia no se conformaba con ser una de tantas, cauce por donde se transcurriese, gorjeando, aquel arroyo desatado. Ambicionaba ser la presa que le atajase la carrera y lo remansase. Pero, pese a sus palabras, que le causaban dulce desmayo, y de sus promesas, que la arrebataban hasta el quinto cielo de la fantasía, Vespasiano ¿la quería a ella verdaderamente? ¿Por qué le había impuesto como condición que sus amores, aunque inocentes, permanecieran clandestinos, hasta que él juzgase llegada la ocasión y el modo de hacerlos públicos? Por su parte, ¿quería ella verdaderamente a Vespasiano? ¿No sería un antojo insensato? El odio a Tigre Juan, aunque de buena fe, ¿no sería mentido; más

240 Como es habitual en Ayala, la trama, aparentemente espontánea (los tres pretendientes de Herminia) responde a la vez a un esquema racional (tres elementos del amor). Pero eso, en los casos más logrados —como el de esta novela—, no quita humanidad a los personajes, creo.

241 A veces, el narrador interrumpe su frase para hacer una corrección léxica, desde una perspectiva de superioridad irónica (Matas, p. 78).

bien de pasión de amor, miedosa de sí misma, que se resiste a manifestarse? ¡Qué sabía ella lo que quería ni a quién quería! ¿Por qué una mujer no había de querer a un tiempo a tres hombres tan distintos y que así se completaban? De no poder querer a los tres, ¿por qué no se pudieran meter en un mortero, bien machacados y mezclados, y con ellos amasar el amante ideal? [242] ¡Triste Herminia, que no sabía lo que quería ni a quién quería! Hallábase como fruta que asoma encima de un alto cercado. Que la obtuviese quien más arriba alcanzase. Si no la recogían a tiempo, caería de su peso al polvo del camino, y el primer vagabundo que pasase la gozaría.

Aquella noche, apenas llegado Tigre Juan a la partida de tute, comenzó diciendo, con gesto regocijado:

—Hoy he recibido una carta. ¿Saben ustedes de quién?

—De Colás —se apresuró a responder doña Mariquita.

—¡Qué Colás, ni qué niño muerto! ¡Señora, tiene usted el don de la inoportunidad! —replicó Tigre Juan, airado y mosqueando la oreja izquierda.

—Perdone. Creí... Viéndole la cara de fiesta... Pues, ¿de qué otro puede ser?

—De Vespasiano, mi muy querido y fraternal amigo —dijo, declamatorio, Tigre Juan, extendiendo un brazo.

—¡Ah, Vespasiano! —exclamó la vieja—. ¡Qué ojos de bálsamo oriental! ¡Qué bigotillo de sultán! ¡Qué hermoso muslo y pierna; pidiendo están la malla de seda, color malva, de don Juan Tenorio! [243] No parece hombre de hoy en día, sino de aquellos que en mi mocedad andaban nada escasos, no por cierto.

[242] Son, como dice Martínez Cachero, "paradigmas de lo incompleto del ser humano, penosamente reducido a una parte de sus presuntas virtualidades y buscando completarse por la adquisición de las que efectivamente no posee" (p. 407).

[243] Contraste de perspectivas con lo que antes dijo Colás: "A mí, al menos. con aquellos ojos lánguidos, aquellos labios colorados y húmedos, aquellos pantalones ceñidos, aquellos muslos gordos y aquel trasero saledizo, no puedo impedir que me parezca algo amaricado... Tiene anatomía de eunuco."

—Me reconcilio con usted, señora. Ahora ha hablado usted como un oráculo. Don Juan Tenorio, sin pieza de más ni de menos. En la epístola de hoy me cuenta por lo menudo sus recientes conquistas, o dígase burlerías y rechiflas. Aunque encubierto y a medias palabras, me habla de una buena moza, vecina de estos andurriales, o séase que vive no lejos de nosotros, en la mismísima Plaza del Mercado; doncella de caprichos un tanto excesivos, y verde todavía para hincarle el diente, a la cual, como fruta, a que madure entre yerba seca en el sobrado, dejó aquí bien arropada en amorosos pensamientos, y ha de hallarla a su vuelta blanda como breva y supurando miel. ¿Quién será esta dama tapada? [244] No hay mujer que le haga ¡fu! Todas caen con él como mosquitos en aguardiente. ¡Ah, necias y vanidosas mujeres! El paraíso ven en la persona del seductor. Piensan que le van a retener, cuando cerca de ellas cruza. Echanle los brazos al cuello y cierran los ojos, como ajenadas. Cuando los abren, ya él está en los brazos de otra, escapadizo como una sombra, que una sombra solamente han abrazado. [245] ¡Paraíso!... ¡Vaya, vaya! ¿Cómo no? Remordimiento. Humillación. Infierno de las mujeres. Vengador de los hombres. Eso es Don Juan. Acuérdome haber oído, y no sé a quién, que Don Juan le dice así a Otelo: "Sufran, por mí, tus bárbaros y hermosos verdugos el martirio de amor de que fuiste víctima inocente. ¡Justicia! ¡Justicia! Hay un Dios en el cielo, y yo soy su profeta."

—¡Adiós con la colorada! —exclamó don Sincerato—. Nos ha fastidiado. ¡Ja! ¡Ja! ¡Ja! Pues, Desdémona, ¿no fue también víctima inocente? ¡Ejem !¡Ejem! ¡Pobres hom-

[244] Otra referencia al ambiente calderoniano de los dramas del Siglo de Oro, en los que abundan las "lindas tapadas".

[245] Puede recordar Pérez de Ayala, modificándolo, un famoso tema literario: el del enamorado que, al ir a abrazar a su amada, sólo encuentra un esqueleto. Es la leyenda de San Gil de Portugal, utilizada, entre otros, por Mira de Amescua (*El esclavo del demonio*), Calderón (*El mágico prodigioso*), Espronceda (*El estudiante de Salamanca*), etc.

bres y mujeres! Ojos tienen y no ven; oídos, y no oyen; [246] boca, y no atinan a expresar lo que quieren. [247] ¡Señor, Señor!... Buena lección les pones delante para que entiendan. Pues como si no. Atended, locos. Los que llamáis ciegos son los que mejor ven, porque no han menester luz; sordos y mudos, los que mejor hablan, porque para ellos el silencio es elocuente. [248]

Hubo entonces un silencio tan delgado que se pudiera oír deshojarse una rosa. Eso era el corazón de Herminia: una rosa, deshojándose.

246 Otra referencia al texto evangélico comentado antes (véase nota 180).

427 Una vez más, el tema de la dificultad de expresión.

248 En la segunda parte de la novela desarrolla más estas paradojas. Así, la palabra de Vespasiano es mentira, mientras que el silencio de don Sincerato es verdad (Weber, p. 68).

OBRAS - COMPLETAS - D
RAMÓN PEREZ-D-AYALA
VOLUMEN-XIX
EL CURANDERO
DE SU HONRA
SEGUNDA PARTE DE TIGRE JUAN
NOVELA
EDITORIAL PUEYO

BIRKBECK
LIBRARY
COLLEGE

PRESTO

EL aciago día, presentido por Herminia, en que Tigre Juan la solicitase por esposa y ella hubiera de rechazarle, no llegó. Pasaron días, semanas, meses. El Otoño, luego de agotar la contribución de frutos, abdicó la soberanía de la tierra en favor del rigoroso Invierno. La tiranía del invierno fue derrocada al empuje anárquico de la adolescente reina Primavera. El proceso se verificó insensiblemente, naturalmente, inexorablemente, sin solución de continuidad. De un día a otro, de una semana a otra y de una a otra estación, no hubo frontera ni salto brusco. Los días transcurridos no se habían desgajado uno a uno, por fechas, como las hojas del almanaque; antes bien, con inadvertida mansedumbre. Como el raudal de un río, iban resbalando sin principio ni fin. El día de hoy no era ya el día de ayer; pero hubiera sido imposible averiguar en qué instante había comenzado ni en qué consistía la mudanza. Aquel día aciago, presentido por Herminia, no llegó. Y, sin embargo, era como si hubiera pasado, quizás porque pasó en silencio, dejando consumada su obra insidiosa; no hay día que transite con manos ociosas. Y otro día, un día cualquiera, Herminia, atónita, se dio cuenta de que era oficialmente la prometida de Tigre Juan, sin haberla pedido él en matrimonio ni, por tanto, haber tenido ella ocasión de rechazarle.

Tigre Juan, últimamente, andaba tan endiosado y henchido con vagarosidad sentimental, que hasta había aumentado de volumen y crecido de alzada; [249] cuando menos, producía esa ilusión óptica. Vivía en el mejor de los mundos posibles, [250] que era su mundo interior. Había adoptado altivez y majestad olímpicas. Hacía recordar las estatuas, mayores que el natural, de Júpiter, Optimo, Máximo; salvo que su jeta [251] era irreductible al canon clásico de belleza. El mundo exterior, para él, no se manifestaba sino como proyección sumisa de su mundo interior. La realidad debía someterse a sus deseos, [252] so pena de ser fulminada por uno de los rayos invisibles que él llevaba empuñados en la diestra. Paralelamente al curso imperceptible del tiempo, Tigre Juan fue adquiriendo conciencia de su amor a Herminia, por manera tan descuidada, natural e inexorable, como si ya de siempre hubiera estado enamorado de ella, y desde luego, correspondido. La gradación aumentativa, la naturalidad y el aplomo del amor de Tigre Juan se trasfirieron misteriosamente a doña Mariquita, a don Sincerato y a la viuda de Góngora. También ellos parecían creerse enterados hacía mucho tiempo de aquel amor, y que Herminia no podía por menos de corresponder con pasión recíproca. Como la niebla inverniza roba-

[249] Es típico del estilo de Pérez de Ayala mostrar cómo los sentimientos predominantes parecen corporeizarse físicamente; aquí, por supuesto, con tonalidad irónica.

[250] Lo mismo opina Travesedo, en *Troteras y danzaderas*: "La vida es bella. La vida es buena. Tiene razón Leibnitz: vivimos en el mejor de los mundos posibles" (p. 399; vid. mi nota 482).

[251] Nótese el contraste de esta voz vulgar con el tono elevado de lo anterior. Así suele hacer Pérez de Ayala. Por ejemplo, en *Tinieblas en las cumbres,* las reflexiones desoladas sobre la caducidad del hombre y las frases del *Cantar de los cantares* son interrumpidas así: "¡leche, releche!, se oyó gritar a lo lejos" (p. 288).

[252] Igual que le sucedía a doña Micaela, en *Las novelas de Urbano y Simona*: "Sólo condeno por imposible lo que no debe ser, aunque sea y entre por los ojos (...). Pero todo, todo lo que debe ser, puede ser y tiene que ser. Cuestión de proponérselo" (p. 43). El liberalismo de Pérez de Ayala tiene por dogma fundamental el respeto a la realidad; por tanto, el error de Tigre Juan será castigado inexorablemente, de modo natural: sus deseos tendrán que someterse a la realidad.

ba, de la noche a la mañana, las montañas del horizonte en torno a Pilares, y el sol primaveral las devolvía a su lugar, sin que nadie se sorprendiese al verlas de nuevo, ni pensase que entretanto habían dejado de existir, así las personas que formaban aquel pequeño círculo de relaciones amistosas, al enfrentarse con el amor de Tigre Juan, tan ingente, firme, necesario y eterno como una montaña, lejos de maravillarse, dieron por supuesto, igual que el propio interesado, y como explicación la más verosímil, que había existido de siempre, aunque anteriormente escamoteado por una niebla prudente y cautelosa. Entre aquellos amigos mediaba una especie de convencionalismo tácito, como si todos ellos concidiesen en opinar que Tigre Juan y Herminia estaban comprometidos por mutua promesa y el noviazgo se prolongaba más de lo usual entre gente respetable. Difícil sería precisar si fue don Sincerato quien lo sugirió, o doña Iluminada quien lo aconsejó, o doña Mariquita quien lo rogó, o Tigre Juan quien se adelantó a decretarlo; o bien, si todos cuatro a una rompieron a decir: "esto se alarga demasiadamente,[253] sin razón que lo justifique. Fijemos el día de la boda." Y quedó fijada la boda para el quince de abril.

Al día siguiente de haber tomado esta resolución, Tigre Juan compró el brazalete de pedida, el más ancho, pesado y llamativo que halló en la ciudad. En él ordenó que grabasen: "Soy de Tigre Juan"[254] con letras mayúsculas. Le hubiera gustado inscribir esta misma leyenda, con chispas de diamante, sobre la frente de Herminia. A la noche, le temblaban tanto las manos a Tigre Juan que no acertaba a colocar el brazalete en la muñeca de Herminia. Vinieron en su ayuda la abuela, el cura y la viuda, de suerte que

[253] González Calvo subraya el interés que tienen, en la obra ayalina, estas frases adverbiales con sufijo -mente, que se añade a veces también a adverbios: *bastantemente, adredemente*... (p. 69).

[254] Símbolo claro del amor-posesión, entendido a la manera tradicional, sin respetar la libertad de la pareja (sobre todo, de la mujer). Frente a esto, hoy, canta Amancio Prada los versos de Agustín García Calvo: "libre te quiero (...) ni de Dios ni de nadie / ni tuya siquiera".

Herminia recibió la impresión de que no era sólo Tigre Juan sino la sociedad entera quien la esposaba. [255]

Dijo doña Mariquita:

—Herminia, consuelo de mi vejez; alaba a Dios que de modo tan señalado te distingue, deparándote un marido comparable en generosidad y alteza con el cedro del Líbano. [256] Con haber visto tanto en tantos años, solamente dos bienes verdaderos he tropezado, que hacen llevadera la vida: un buen marido y un buen estómago [257] —e introdujo en la boca un puñadito de gotas de caramelo.

Doña Iluminada, con los ojos empañados, habló:

—Cerrada ya la pulsera sobre tu brazo, Herminia, medita atenta lo que en este caso significa ese testimonio de esclavitud. No eres tú la esclava, no, antes dueña y señora. Piénsalo bien y alaba a Dios, como ha dicho tu abuela.

Tigre Juan, después que había adquirido conciencia plenaria de su amor, no osaba dirigir la palabra a Herminia ni apenas enderezar los ojos hacia ella. Ensayó ahora un ademán inhábil, como apuntando en el aire con el dedo a las frases que habían volado desde la boca de doña Iluminada.

El clérigo comentó:

[255] El amor se ha hecho contrato, institución conservadora del orden social. Nótese cómo juega Pérez de Ayala con el doble significado de *esposa* = 'persona que ha contraído esponsales' y 'manillas de hierro con que se sujeta a los presos por las muñecas' (Academia, p. 575).

[256] Arbol famoso por su elevación, firmeza y hermosura. La Biblia lo utiliza para muchas comparaciones. Por ejemplo: "He visto al impío prepotente / extenderse como cedro del Líbano" (Salmos, XXXVII, 35). "Florecerá el justo como la palmera, / crecerá como el cedro del Líbano" (Salmos, XCI, 13). "Rodeado de una corona de hijos / como renuevos de cedro en el monte Líbano" (Eclesiástico, L, 13). "Sobre todos los altos y erguidos cedros del Líbano" (Isaías, II, 13). "He aquí que Asur era un cedro del Líbano / de bello ramaje, frondoso y de sublime estatura / que mecía su copa entre los árboles" (Ezequiel, XXXI, 3). Etcétera.

[257] Típico procedimiento de la ironía de Ayala: colocar juntos dos términos pertenecientes a órdenes muy diversos.

—Bravo por la viuda. Dispara sentencias hasta si estornuda. Ja. Ja. Ja. Como Lepe es de lista.[258] Ején. Ején. Al oído le sopló el evangelista. *Mulier sedet super bestiam, et nunc et semper.*[259] Ahora y siempre, la mujer va a caballo sobre el hombre: traducción libre.[260] Ahora y siempre. Es el orden natural de las cosas, descifrado en el Libro de las revelaciones. Ahora y siempre. El orden natural de las cosas.

Doña Mariquita y doña Iluminada, que escuchaban con los labios en hechura de O, murmuraron al tiempo, como si las palabras del cura se les hubieran introducido desprevenidamente en la boca, y luego de paladear la pulpa sustantífica se apresurasen a expulsar la almendra:

—El orden natural de las cosas...[261]

Tigre Juan asentía a cabezadas, aunque no se había enterado bien.

Herminia permanecía serena, impasible, lo cual juzgaban las dos viudas y el sacerdote como síntoma demostrativo y concluyente de que también ella se complacía en el orden natural de las cosas. Pero, la tranquilidad de Her-

[258] La Academia registra *saber más que Lepe* (y a veces *que Lepe, Lepijo y su hijo,* fórmula que aparece luego en esta misma novela) = 'ser muy perspicaz y advertido. Dícese por alusión a don Pedro de Lepe, obispo de Calahorra y la Calzada y autor de un libro titulado *Catecismo Católico*' (p. 797).

[259] Referencia al Apocalipsis, en el que se repiten varias veces las sucesivas figuras de la mujer y la bestia. La referencia más cercana, quizá, es la de XVII, 3, en la que se alude a la gran ramera idolátrica con la que fornican todos los reyes de la tierra y que está unida estrechamente a la bestia.

[260] Por supuesto, Pérez de Ayala degrada irónicamente la sentencia sagrada.

[261] Nótese la insistencia de todos (menos de Herminia) por subrayar que ése es el orden natural de las cosas. El novelista nos hará ver que tomamos por tal lo que no son más que convenciones artificiales impuestas por la educación. Es también uno de los temas básicos de *Las novelas de Urbano y Simona*: "A mí, desde niña, me enseñaron que la educación consiste precisamente en oponerse, y cuando no, en sobreponerse a la naturaleza (...). He ahí lo absurdo. Lo absurdo está en que no podamos hablar naturalmente de estas cosas naturales" (pp. 84 y 130).

minia era como la del jugador que tiene en su mano el último triunfo. Dejaba a los demás proseguir ilusos en aquel juego que no conducía a parte alguna, contemplándolos de arriba abajo, con desdeñosa indiferencia. Aceptaba que su matrimonio con Tigre Juan pertenecía al orden natural de las cosas; pero ella, como hija de Eva, por imperativo de su feminidad,[262] se rebelaba contra el orden establecido y se proponía destruirlo. La postrera baza que tenía en la mano era el pecado. Como mujer, sabía, más por intuición inefable que a modo de conocimiento expreso, que si el orden de las cosas se suele disponer según leyes dictadas por el hombre, a las cuales la mujer está sujeta, en desquite en ella reside la suprema libertad de arbitrio, mediante el consentimiento en el pecado, puesto que, desde el Edén, el pecado femenino trastornó el humano destino, y a cada instante desvía de su curso la vida de los hombres. Vespasiano estaba para llegar, en su acostumbrado viaje de primavera. Vendría seguramente antes del día de la boda. Vespasiano era la tentación al pecado; grito lírico del alma y portillo de la liberación. Todos creían a Herminia tan bien hallada, en el centro de gravitación de aquel orden de cosas. Pero ella sentía una fuerza impulsiva e irresistible de excentricidad. Tan bien hallada como los demás querían que estuviese, lo que ella quería desatinadamente era perderse.[263]

LA última quincena de marzo y la primera de abril estuvieron repletas de agitación y de acontecimientos solemnes.[264] Tigre Juan no reposaba. Aparte los preparativos de

[262] Como de costumbre, Pérez de Ayala generaliza: nótese el valor simbólico del personaje.

[263] Cierra el capítulo Pérez de Ayala con dos juegos cultistas: hallarse/perderse, el centro/lo excéntrico.

[264] Conforme al título de esta parte de la novela: "Presto".

la boda, ensayaba, con sus conocidos de *La Talía Romántica*, una obra de Calderón, "El médico de su honra", que se había de representar en el teatro de la Fontana la noche del dos de abril. El estaba encargado del personaje principal, don Gutierre Alfonso. Decía, chanceando, en la tertulia de doña Mariquita:

—Yo no sé si sabré hacer un buen médico de mi honra. No soy licenciado, sino curandero y sangrador. Pero, ¡vive Dios!, que con la lanceta en la mano me río yo de todos los doctores *honoris causa,* como rezan los diplomas.

Herminia, con labios entreabiertos y la respiración breve, levantaba, a pesar suyo, la cabeza a mirar a Tigre Juan, en una manera de hostilidad; y durante un rato no podía apartar de él los ojos. Por su parte, Tigre Juan, que sentía sobre sí la mirada de Herminia, bajaba la cabeza y reía estúpidamente, como un niño vergonzoso.

Era voluntad de Tigre Juan que el zaquizamí donde vivía se trasformase en un palacio, sin reparar en dispendios, a fin de alojar dignamente a la que iba a ser su esposa. Encomendó esta comisión a las dos viudas, con no poca contrariedad del lado de doña Mariquita, quien apetecía el monopolio de las compras para aprovecharse sisando sin coto ni fiscalización. Había también entre ellas contradicción de criterio. Doña Iluminada defendía la intimidad y la sencillez. Doña Mariquita era partidaria de un lujo estrafalario y chillón. Se obstinó en comprar una cigueña disecada, para el recibimiento, y pegó en todos los cristales papeles transparentes de colorines, imitando vidrieras góticas. A la de Góngora le costó no poca saliva y un torneo de diplomacia disuadirla de que adquiriese, para perchero, una cabeza de ciervo con ramazón colosal de veinte retoños.[265] La otra insistía en que el asta de ciervo preserva del mal de ojo y da la buena suerte.

[265] El mismo objeto simbólico es utilizado, por ejemplo, por Fernando Fernán Gómez en su película "Cinco tenedores", que parodia también la concepción tradicional del honor.

En la vía de arreglos, doña Iluminada preguntó a Tigre Juan qué se hacía en el cuarto de Colás. Tigre Juan, al pronto, quedó aspirando el aire, a pequeños intervalos, como el hombre a quien olfatear un perfume le evoca una visión animada y emocional. Por fin suspiró, conmovido, puso los ojos en blanco, y con sinceridad perfecta respondió:

—¿Qué se ha de hacer...? Dejarlo tal como está. Es recinto sagrado. ¡Hijo mío del alma! Olvidé participarle mi boda. ¡Lo que se va a alegrar cuando lo sepa!

En la instalación del hogar para el presunto matrimonio, la de Góngora se ayudaba de Carmina. Acababa de cumplir los diecisiete años. En los cinco meses que a la sombra de su protectora llevaba, bien alimentada, holgada y regalada, se había operado en ella una metamorfosis asombrosa, que la viuda, sirviéndose de una comparación humorística, explicaba así:

—Entre la Carmina de ahora y la de entonces hay más trecho y disparidad que entre el renacuajo y la rana, los cuales me resisto a convencerme que la una proviene del otro.

De la Carmina de antaño, la sola reliquia eran los ojos ardientes. Tenía una belleza agridulce [266] y encendida, toda incentivo, de fresa silvestre. Parecía aquejada de una sed ideal. Rostro al cielo, respiraba larga y profundamente, como bebiéndose los vientos, a fin de templar la quemadura de una brasa escondida dentro de su pecho. El cabello rojizo se multiplicaba en pequeños rizos díscolos, muchedumbre de lenguas de fuego, [267] y por más que lo domaba otro tanto se le alborotaba. Si entre el cuerpo y el alma hay unanimidad, el alma de Carmina era un alma esencialmen-

[266] Palabra significativa del mundo mental de Pérez de Ayala, que rima bien con su concepto de la tragicomedia.

[267] Recuerdo de la narración bíblica del día de Pentecostés: "Aparecieron, como divididas, lenguas de fuego, que se posaron sobre cada uno de ellos, quedando todos llenos del Espíritu Santo" (Hechos de los Apóstoles, II, 3-4).

te combustible. Con habilidad refinada y tiento suavísimo, la viuda había hecho arder el alma de Carmina en una pasión violenta por Colás; una pasión sin esperanza, conforme al plan meditado y providente de doña Iluminada. Este plan, hasta el presente, se iba desarrollando con exactitud infalible, que hacía feliz a la viuda en la misma proporción que la enorgullecía. Un solo peligro se columbraba, que podría echarlo todo a perder. Sin razón ni motivo, por simple corazonada, la viuda presentía el peligro por la parte del famoso Vespasiano Cebón. Doña Iluminada representaba una electricidad positiva respecto de Vespasiano, electricidad negativa.[268] Doña Iluminada era la esterilidad desengañada y resignada, que no siendo de provecho para sí resuelve emplear su energía inútil en beneficio ajeno. Vespasiano era la esterilidad insumisa, que se engaña a sí propia y pretende engañar a los demás, desviviéndose en hacer pasar el libertinaje como exceso genesíaco, derroche de potencia y voluntaria renuncia a la fecundidad. No otra cosa suele suceder con la esterilidad y el libertinaje de la inteligencia.[269]

VESPASIANO llegó a Pilares el día dos de abril por la mañana. Tigre Juan le echó los brazos al cuello[270] y reclinó la cabeza en su hombro. No acertaba a hablar. Balbucía:

—Amigo mío... Amigo queridísimo... ¡Qué feliz soy!

—Enhorabuena, mil y mil veces; mi señor don Juan. Vaya, vaya; qué solapado. Cómo nos tenía engañados...

268 Otro caso de contraste entre dos personajes, que representan principios opuestos.

269 La última frase no tiene mucho que ver con la historia de Tigre Juan; es un típico comentario del intelectual irónico que es Pérez de Ayala.

270 Simetría en la primera y última aparición de Vespasiano.

Créame que me felicito y me gozo en esta boda, tanto como usté.[271]

—Sí, sí... Lo sé, querido Vespasiano. Más feliz soy ahora. Ande, ande luego a verla. Dígale... Usté me entiende. Mi lengua es torpe. No me sale la voz.

Tigre Juan había indicado a doña Mariquita la conveniencia («por el bien parecer;[272] por decoro nada más») de que Herminia no volviese a estar detrás del mostrador, ni saliese del piso, ni se asomase a la ventana. Por nada del mundo hubiera sufrido él que Herminia se viese a solas con otro hombre; y sin embargo acuciaba ahora a Vespasiano a que fuese a verse en secreto con ella.[275]

Tigre Juan, en su ingenuidad y hombría de bien, fiaba sin reserva en Vespasiano porque le amaba como su otra mitad ideal; el otro yo, que él hubiera preferido ser, dotado con gracias que al propio yo de todo punto le faltaban.[274] Lo que Tigre Juan con sus últimas palabras había querido dar a entender, era[275]: "dile, como si fueras yo mismo, que la adoro, hasta casi sentirme morir, y que la adoración me hace enmudecer. Díselo tú, porque yo no se lo he dicho ni me atreveré jamás a decírselo."

Doña Mariquita saludó a Vespasiano como las aves a la aurora, con aflautados trinos y revoloteos de su pericón.[276] Le condujo a seguida al piso superior, donde estaba Her-

[271] Frente a la ingenuidad amistosa de Tigre Juan, las frases de Vespasiano tienen doble sentido: desde gozarse por su boda hasta que él —donjuán— le llame don Juan.

[272] "El bien parecer" es también el fundamento de la honra. Tigre Juan muestra su acatamiento a estos principios sociales.

[273] Típica paradoja irónica de los que quieren mostrar, racionalistamente, que querer guardar a la mujer es, además de imposible, contraproducente, si ella no quiere. Recuérdese la canción popular que glosa Cervantes en *El celoso extremeño* y *La entretenida*: "Madre, la mi madre, / guardas me ponéis, / que si yo no me guardo / no me guardaréis."

[274] Declaración tajante de lo que ya he comentado en nota: Tigre Juan y Vespasiano como paradigmas de lo incompleto del ser humano (Martínez Cachero, p. 407).

[275] Otra vez el novelista omnisciente corrige a su personaje.

[276] *Pericón* = 'abanico muy grande' (Academia, p. 1008).

minia. Herminia le recibió seca, contraída. Sentáronse los tres.

—¿Qué novedades trae usté en este viaje? —preguntó la vieja.

Vespasiano desenvolvió un paquetón de gutapercha charolada, que antes llevaba debajo del brazo: su muestrario, que era como un carcaj cargado de flechas envenenadas.[277]

Doña Mariquita iba rozando sus dedos por el muestrario, con la levidad de una libélula sobre la epidermis de un arroyo. Había sedas de colores, pasamanerías,[278] agremanes,[279] plumas teñidas, entredoses[280] de lentejuela, abalorios y azabaches; todas las brillantes fruslerías que deslumbran a ese ingenuo salvaje emboscado en el alma de la mayor parte de las mujeres, como entre un arbusto espinoso y oloroso. Detúvose la vieja, con respeto devoto, ante una especie de sedeño semicírculo, donde se expandían las rayas del arco iris.

—¿Y esto? —susurró.

—Medias de seda —declaró Vespasiano. Luego desdobló una de ellas y, con sonrisa insinuante, la mostró colgando del pulgar y el índice, en forma de rosquilla, el meñique erecto.

—¡Qué lujo! Me baila el sentido, como mareada. Serán para una imagen de la Virgen —exclamó la abuela.

—Una virgen, como no las habría de lucir, no las necesita —replicó Vespasiano maliciosamente.

—Pues si no, para una suripanta.[281]

277 No parece aventurado ver aquí el recuerdo del "cuarto auto" de *La Celestina.*

278 *Pasamano* = 'género de galón o trencilla, cordones, borlas, flecos y demás adornos de oro, plata, seda, algodón o lana, que se hace y sirve para guarnecer y adornar los vestidos y otras cosas' (Academia, p. 984).

279 *Agremán* = 'labor de pasamanería, en forma de cinta, usada para adornos y guarniciones' (Academia, p. 37).

280 *Entredós* = 'tira bordada o de encaje que se cose entre dos telas' (Academia, p. 543).

281 *Suripanta* = 'mujer que actuaba de corista o de comparsa en el teatro'. De ahí, como despectivo, 'mujer ruin, moralmente despreciable' (Academia, p. 1231).

—Buen salto.[282] ¿Usté qué sabe, doña Mariquita? Son medias para señoras del gran mundo, porque es de buena educación agradar al marido tanto como a los amigos íntimos del marido—. Y Vespasiano miró de soslayo, con languidez, a Herminia.

Doña Mariquita siguió:

—¡Medias para señoras!... Pues claro está—. Y, abstraída, se levantaba un tanto las faldas, estiraba las piernas, paralelas al suelo, y se las contemplaba despacio, imaginándolas embutidas en aquellas fundas suntuosas.

—Media docena de pares de estas medias es el regalo de boda que hago a Herminia. A Tigre Juan le regalaré un hermoso tapabocas,[283] de paño de León de Francia[284] —dijo Vespasiano, sin quitar los ojos de Herminia y vocalizando con lentitud. Su voz era un trémolo atenorado, de calidad oleaginosa, que se depositaba en el oído gota a gota, como un beleño.[285] A doña Mariquita le hacía el mismo efecto oírle que mirar su muestrario; sus palabras pulidas le producían impresión de abalorios, agremanes y cintas que le brotasen de la boca, como a un prestidigitador de circo.

Vespasiano lindaba en los treinta y cinco años. Usaba *chaquet* negro, chaleco de brocado y pantalón a cuadros, muy ceñido al muslo. El pelo, negro y undoso, reverberaba

[282] Es significativa esta unión entre dos términos alejados. Don Leoncio, el padre de Urbano, "sustentaba su breve y vergonzante vida espiritual con varios puntales o supersticiones nobles: una de ellas el culto de idolatría por la Madre, en abstracto". A la vez, "en el rodar del tiempo, don Leoncio acabó apasionándose por una cualquiera, que además de consumirle a él le consumía la hacienda" (*Las novelas de Urbano y Simona,* pp. 27 y 29).

[283] Otra alusión malévola de Vespasiano.

[284] *León de Francia,* para distinguirla del León español, es la ciudad de Lyon, famosa por el comercio de la seda y otros tejidos.

[285] El *beleño* es planta narcótica. Recuérdense los versos de Gertrudis Gómez de Avellaneda: "esparcen / los sueños / beleños / de paz" ("La noche de insomnio y el alba"; comento la serie rítmica en mi *Introducción a la literatura,* Madrid, ed. Castalia, col. Literatura y sociedad, 1980, pp. 84-85).

de aromática pomada y sorbía, como un espejo, los objetos colindantes. Bigotillo de mucho lustre, como el cuero de un sudoroso toro zaíno.[286] Sus facciones eran correctas y finas, menos los labios, gruesos, sensuales y mojados. Moreno tenue, el color. Era guapo, con una belleza decadente de emperador romano[287] o de señora madura en libertinajes. Despertaba en muchas mujeres atracción malsana y curiosidad de incertidumbre, no sólo por la ambigüedad de sus rasgos y miembros, algunos de ellos femeniles, como la sobarba, el abultado pecho y el trasero, no menos rotundo, sino también por sus actitudes sugestivas, de corrompida molicie, y su experimentada madurez, a semejanza de la perdiz para el gastrónomo, que la halla más sabrosa en un punto de incipiente descomposición. La mirada de Vespasiano era táctil, como si del oscuro agujero de sus pupilas irradiasen elásticos y transparentes tentáculos de molusco, que iban a palpar el objeto con una caricia blanda. Las mujeres sentían que las desnudaba con aquellos brazos, traslúcidos, viscosos y cautos, que le salían de los ojos, y no pudiendo impedirlo, comenzaban a verse sometidas a él como por una complicidad secreta o complacencia pecaminosa.

Ya llegaba al límite la impaciencia de Herminia, cuando subió de la tienda el ruido de unas palmadas. La abuela hubo de salir. Quedaron solos Herminia y Vespasiano. Herminia se puso en pie. Vespasiano se abalanzó a abrazarla. Herminia, escorzando de lado la cabeza por no ver la fascinación de sus labios, adelantó un brazo y le contuvo a corta distancia. Dijo:

—Estás enterado. No sé si por completo. Yo no he consentido. Nadie me consultó. Ellos se lo han guisado todo, sin pedirme parecer. No me he de casar, ¡no me he de

[286] *Zaino* es el toro de color negro que no tiene ningún pelo blanco. Es hoy el color más frecuente. Recuérdese lo que escribe Lorca en *Mariana Pineda*: "Destacándose gallardo / entre la gente de brega / frente a los toros zainos / que España cría en sus tierras" (José María de Cossío: *Los toros. Tratado técnico e histórico,* tomo I, Madrid, ed. Espasa-Calpe, 1951, p. 126).

[287] De ahí el nombre significativo: Vespasiano.

casar!, aunque me lleven a la iglesia atada a la cola de un caballo.[288] Te estaba aguardando con angustia de muerte. Temí que no llegases a tiempo para impedirlo.

—¿Esas tenemos? Pues ¿qué he de impedir yo?

—Mi boda.

—¿Cómo?

—Huyendo. Llevándome contigo.

Vespasiano se echó a reír.

—Me lo prometiste; me lo juraste. Dijiste que me querías.

—Conmigo te llevo, prenda mía, dondequiera que voy, dentro del corazón. Te quiero, sí; te quiero con locura. No hay mujer que así me perturbe, sino tú.

—Calla, calla. No mientas.

—Te quiero con locura. Por lo mismo, las locuras las haré yo; pero no he perdido el juicio al extremo de consentir que tú las hagas. Eso que propones es una locura.

—Entonces, todo ha concluido entre nosotros. Habré de matarme. Sí, sí, sí. No me conoces.

Vespasiano se echó a reír otra vez, como indicando a Herminia que la conocía de sobra. Sabía que esto la irritaba. Irritada, ya no era dueña de sí; y él pasaba a ser dueño de ella. A fin de asegurar el efecto, buscó una frase de conmiseración, lo que más lastimase el amor propio de Herminia, dejándola confusa, entregada sin albedrío:

—¡Qué sabes tú, pobre provincianita!

Después de una pausa calculada, prosiguió:

—¿Que todo ha concluido? Si ahora empieza de veras... ¿Cuándo podíamos, tú ni yo, soñar situación más favorable? Has cazado un marido que es un mirlo blanco; rico, en vísperas de viejo, chiflado por ti, que es como decir ciego juguete de tu voluntad, y, por si algo faltaba,

[288] No sé si hay aquí un recuerdo de lo que recita el trujamán del "retablo de maese Pedro": "Témome que los han de alcanzar / y los han de volver / atados a la cola / de su mismo caballo" (*Don Quijote,* II, cap. 26). Es lo que suscita la colérica intervención de don Quijote y así ha sido recogido en la obra de Manuel de Falla.

mi mejor amigo en esta plaza. ¿Qué más hemos de pedir, vida mía?

Herminia se revolvió agresiva a mirarle cara a cara y arrojarle una frase de desprecio:

—El es un hombre honrado. Basta con decir: un hombre. Tú eres un canalla.

Mientras hablaba, los ojos de Herminia quedaron adheridos, presos, en los labios brillantes y pegajosos de Vespasiano, còmo un ave atolondrada en la liga. Vespasiano, que acechaba este instante, dijo:

—Por eso me quieres, y me querrás siempre.

Antes que ella pudiese replicar, ya la tenía él abrazada, y aplastó su boca contra la de Herminia. Su beso, como hierro fundido, se hundía horadando, deshaciendo las entrañas de Herminia.

Al cabo de algún tiempo de abandono, Herminia echó hacia atrás la cabeza, y, con los párpados entornados, sollozó:

—Maldita sea tu boca, manzana del paraíso.

Vespasiano, en un *piano* melodioso, cantaba más que decía, al oído de Herminia:

—Te quiero, te quiero, te quiero. Porque te quiero, sultana mía, [289] no te ato, ni me ato. Nada de ataduras. Una cosa es el marido, y el amado es otra cosa. Una cosa es lo natural; otra, lo sobrenatural. Uno, la rutina y sujeción de los días laborables; otro, la libertad del día feriado. Uno, el pan nuestro cotidiano; otro, la golosina. Quisieras, ¡candorosa!, que todos los días fuesen domingos y todos los platos de la comida postres. Pronto te hastiarías. Compromisos, no, reina de Saba. [290] En eso se distingue el verdadero

[289] Luego, Vespasiano llamará a Herminia reina de Saba y perla oriental. Recuérdese que, para Pérez de Ayala, como ya hemos visto, el donjuanismo va unido a la manera hebraico-musulmana de entender el amor.

[290] Tópico literario que vemos, por ejemplo, en Rubén Darío: "Sé mi reina de Saba, mi tesoro" (del poema "Divagación", en la *Antología poética* seleccionada por Guillermo de Torre, Buenos Aires, ed. Losada, col. Biblioteca Clásica y Contemporánea, 1966, p. 62).

amor, en que es libre. Yo te ofrezco el amor verdadero, que alegra la vida. Te quiero, te quiero, te quiero, perla oriental; y más te quiero así, casada, prisionera de una fea, áspera y dura ostra, que no rodando en manos de mercader o luciendo en escaparate. Así eres mía, mía, mía... [291]

Se oyeron en la escalera los pasos de la abuela. Vespasiano recogió su muestrario y fue a ver nuevamente a Tigre Juan.

Los hebreos en el desierto, hambrientos de maná, [292] no miraron hacia el firmamento con más expectación que Tigre Juan a Vespasiano.

—¡Albricias! ¡Parabienes! —exclamó el viajante, estrujando con insistencia al anheloso Tigre Juan—. La he hablado. Lo dicho, dicho. Es una perla oriental. Usté, la ostra de esa perla. Hay que guardarla bien guardada. ¡Albricias, parabienes, mi señor don Juan, albricias! ¿Qué diablos ha hecho usté con ella para enamorarla hasta ese grado, que no hay más allá? Como si dijéramos un amor de noventa grados, una borrachera.

Tigre Juan tapó la boca de Vespasiano. No quería seguir oyendo, porque su emoción era tan fuerte que le dolía la caja del pecho, como si le partiesen las costillas, y se le nublaba la visión.

AQUELLA noche se celebró, en el teatro de la Fontana, la representación de *El médico de su honra.* En un palco estaban doña Mariquita, Carmina, Herminia y Vespasiano. Doña Iluminada jamás asistía a fiestas ni espectáculos.

El caballero don Gutierre Alfonso, el médico de su honra, sospecha que su esposa, doña Mencía de Acuña, es

[291] A pesar de las promesas de libertad, también usa Vespasiano el posesivo.
[292] Exodo, XVI.

amante del infante don Enrique, hermano del rey don Pedro. La honestidad de doña Mencía es intachable; pero, por obra de una serie de desdichados equívocos, don Gutierre llega a confirmarse en su sospecha. Una noche, de industria, hace ausentarse de casa a todos los criados y deja encerrada a su esposa, habiéndole escrito un billete, que ella lea en saliendo él, y dice: "El amor te adora, el honor te aborrece. Y así, el uno te mata y el otro te avisa. Dos horas tienes de vida. Cristiana eres. Salva el alma, que la vida es imposible." [293] Don Gutierre ha requerido a un sangrador; a través de las callejuelas de Sevilla, le conduce vendado hasta la casa. Le intima, bajo amenaza de muerte, a que sangre a la señora y deje luego las venas abiertas. "Inocente muero. El cielo no te demande", dice doña Mencía, al expirar. Finalmente, el rey don Pedro acomoda el casamiento de don Gutierre con una doña Leonor, a quien antaño había dado palabra de matrimonio y abandonó para desposar a doña Mencía. "Dale tu mano", ordena el rey. Responde don Gutierre:

Sí, la doy.
Mas mira que va bañada
en sangre, Leonor.

Doña Leonor. No importa,
que no me admira ni espanta.

Don Gutierre. Mira que médico he sido
de mi honra. No está olvidada
la ciencia.

Doña Leonor. Cura con ella
mi vida, en estando mala.

Don Gutierre. Pues con esta condición
te la doy. [294]

[293] Cita textual: en la edición de Angel Valbuena Briones, Madrid, ed. Espasa-Calpe, col. Clásicos Castellanos, 3.ª ed., 1970, p. 103.

[294] Es el final de la obra, más la despedida de rigor: "Con esto acaba / *El médico de su honra,* / perdonad sus muchas faltas" (ed. cit., pp. 117-118).

Tigre Juan vistió el don Gutierre de una manera que al presentarse provocó carcajadas. Como no disponía de mallas, se puso unos calzoncillos de franela color cresta de gallo. Colgado a la bandolera, llevaba un espadón que le obligaba a dar traspiés. Se había pintado tenebrosamente entrecejo, ojeras y barba corrida, como facineroso. Pero después penetró de tal suerte en las situaciones del drama, era su ademán tan sobrio y convincente, su acento tan sincero, tan desgarrada y transida de llanto su voz, que el auditorio, sin advertir ya en pormenores risibles, se estremecía con un escalofrío patético,[295] oyéndole frases como éstas:

¡Ay, honor: mucho tenemos
que hablar a solas los dos!

Honor;
no hay hora en vos
que no sea crítica.

¿Celos?
A pedazos sacara con mis manos
el corazón, y luego
envuelto en sangre, desatado en fuego,
el corazón comiera
a bocados, la sangre me bebiera.

Hombres como yo
basta que imaginen,
que sospechen, que prevengan,
que recelen, que adivinen,
que... No sé cómo lo diga.

¿Quién vio
matar las manos y llorar los ojos?

Tigre Juan obtuvo al final una ovación estruendosa. Todos los del público se volvían a mirar a Herminia, como

[295] Otra vez la unión de lo tragicómico o bufopatético.

diciéndole: "desdichada; buena te espera si no andas derecha. Y aun así y todo...". Herminia arrostró con altivez aquella mirada anónima,[296] pulverizada en mil pupilas de insecto, duras y afiladas, que se le clavaban en la carne, como agujas en un acerico.

De retorno del teatro, Carmina iba como fuera de sí, haciendo eses, sollozando y mascullando frases a media voz[297]:

—Pobrecita doña Mencía... Pero él, ¿qué iba a hacer, si se creía engañado?[298]

—Anda, mozuela —cortó doña Mariquita—; ¿no ves que todo ello eran majaderías inventadas para pasar el rato? Pero yo, la verdad, prefiero el circo; los clones,[299] las bailarinas a caballo y los hombres del trapecio, y eso que, de tanto mirar hacia arriba, sale una con tortícolis.

Vespasiano le bisbiseó a Herminia:

—Tu marido es un marrajo,[300] un bicho de cuidado.

—Mejor —repuso Herminia, con acritud.

[296] Otra vez la opinión común, como fundamento de la honra. Recuérdese lo que comenta Verónica, en *Troteras y danzaderas*: "Valiente tonta la que se ocupa del qué dirán. A última hora, que le quiten a una lo bailado" (p. 158).

[297] Igual que Verónica, el oír la lectura de *Otelo,* en la citada escena de *Troteras y danzaderas*: "Verónica paseaba por el aposento. Los nervios no le consentían estar quieta (...) solloza Verónica, retorciéndose las manos (...) lloraba llevándose las manos al rostro; pataleaba y entre los hipos del llanto balbucía" (pp. 163-164). Las dos representan, según Pérez de Ayala, la auténtica emoción estética, vivida por personas sensibles, no cultas, que, por ello, pueden *ver* por primera vez una obra.

[298] Frente al melodrama, con rígida división en buenos y malos, éste es el fundamento de la auténtica tragedia, para Pérez de Ayala: todos los personajes tienen razón, desde su punto de vista, todos obedecen a su ley natural. Así lo expone varias veces; entre otras, en *Troteras y danzaderas* (p. 162).

[299] Castellanización hecha por un personaje popular. El narrador era más fiel al inglés. Por ejemplo: "Salió el *Pichichi,* uno de los *clowns...*" (*La pata de la raposa,* p. 152); "el *clown* Spechio, su compatriota..." (*Troteras y danzaderas,* p. 225). Etc.

[300] *Marrajo* = 'aplícase al toro o buey malicioso que no arremete sino a golpe seguro'. De ahí, figurado: 'cauto, astuto, difícil de engañar y que encubre dañada intención' (Academia, p. 849).

—¿Mejor? Según, vida mía. A mí nada me importa.

—Y a mí, menos.

—No te entiendo. ¿Insistes en no querer casarte?

—Ahora, dudo.

—Lo esperaba. Las mujeres, en cosas de amor, sois más temerarias que los hombres. Os entusiasma desafiar el riesgo.

—Razón tienes. Y no lo olvides, que el riesgo lo he de correr contigo.

—Vaya una bobada. No hay para qué.

—Va en gustos.

Por si acaso, a los dos días, Vespasiano, con singular diligencia, despachó sus asuntos comerciales, y, a pretexto de haber recibido un llamamiento telegráfico de Barcelona, se marchó a escape, no sin jurar a Herminia amor constante insaciable; juramento que selló, como de costumbre, con el hierro candente de sus labios sobre los de ella.

CUATRO días antes de la boda, soliviantó la curiosidad de la Plaza del Mercado la aparición de una señora gorda, muy pintarrajeada y emperifollada, entre dos chinitas raquíticas, con cara color jabón de cocina y vestidas a la europea, exageradamente. Era la generala Semprún y sus dos hijas. Inquirió la madre dónde estaba el puesto de Tigre Juan, y allí se plantaron en derechura.

—Aquí las tienes, Guerrita. Son tu retrato. Supe que te casabas. Vine volando. He de impedir tu boda, si antes no cumples la obligación de sangre que con estas niñas te une. Tú mismo has reconocido estar obligado, remitiendo, aunque en tacaña proporción, algún dinero con que se sustentasen; lo preciso para no perecer de hambre. Antes de tú acomodarte, has de dejar bien acomodadas a estas inocentes criaturas. Con unos miles de pesetas, no más de veinte mil, y aun bajaríamos a las quince mil, me allano y no te encarrilo por vía libre: como si no existiésemos en lo sucesivo. De lo contrario, estoy dispuesta a todo, incluso al escándalo. ¿Qué habrá que no haga una madre por sus hijas?

Todo esto lo dijo la generala con matronil energía, pero en tono confidencial. Tigre Juan, en tanto escuchaba, con rostro empedernido, había estado mirando de hito en hito a las tres mujeres.

—Señora —respondió—; así la he entendido a usté, como si me hablase en chino.

—¿Te haces el desentendido? ¡Ah, cazurro!

—Señora, que mi alma se condene si sé quién es usté ni a qué ha venido.

Tigre Juan decía verdad. Su nueva vida era tan densa, que al pronto le tapaba el pasado. Su presente era un paraíso con altísimo cerco, cuya entrada defendía una esfinge. La generala no esperaba encontrarse frente a aquella estatua de bronce, para cuyos ojos impasibles el ayer no existía. Pensó que su atrevida añagaza iba a fracasar. Empezó a perder la serenidad, y apeló a los gritos, que todos la oyesen:

—He de proclamar, a voz herida, quién eres. ¡Asesino! ¡Padre desnaturalizado!

Vertió otros improperios, con la intención de que Tigre Juan, medroso de la publicidad escandalosa, se adelantase a pagarle el silencio a buen precio. Tigre Juan, con la misma pétrea frialdad de antes, repuso:

—Señora, me inspira usté compasión. Desvaría usté, o está intoxicada. Me toma por quien no soy. Yo no tengo el honor de conocerla, ni a estas dos señoritas asiáticas. Si miento, que escorpiones me coman la lengua.

Al oír lo de las señoritas asiáticas, la generala receló que Tigre Juan, con doblez de rústico, estaba burlándose de ella, y lo dio todo por perdido. Por no marchar con las manos vacías, antes de retirarse tocó otro registro, el de la piedad.

—Al menos —suplicó—, danos dinero para volver a Madrid. Lo poco que teníamos lo hemos gastado en el viaje. No hemos de quedar abandonadas a la caridad de las gentes, como pordioseras. Bastará con unas mil pesetillas. No seas roñoso.

—Señora, insiste usté en hablarme en chino. Mi consejo honrado es que vaya usté a verse con el señor cónsul del Celeste Imperio,[301] y él la socorrerá.

—¡Miserable! —chilló la generala—. Ya que no amparas al desgraciado, no te mofes de él, no le escarnezcas. ¿Qué culpa tienen estas criaturas de parecerse a ti, chino viejo? Eres taimado y cruel, como un amarillo. Cásate, cásate en mala hora, y lo que otra vez fue figuración tuya que sea esta vez a la vista de todos, menos de ti.

La generala se marchó resoplando, braceando y pregonando la historia de Tigre Juan, desgañitándose como un subastador. Ya que desapareció, Tigre Juan, a la vez que giraba el dedo índice sobre la sien, a modo de barrena, dijo sonoramente, desde su puesto, a doña Iluminada, en el fondo de su tienda:

—Infeliz señora. La raza mongólica es muy propensa a las alucinaciones. Proviene del abuso de opio.

La murmuración, de pies ligeros, difundió presto por la Plaza del Mercado, y luego por la ciudad, la noticia de que Tigre Juan había estrangulado a su primera mujer y que tenía dos hijas adulterinas con una generala.

Doña Mariquita fue de las primeras en conocer la noticia, pues, como más interesada, corrieron varias personas solícitamente a decírsela. Muy alarmada, la abuela cogió aparte a Herminia:

—Niña mía: si te viniesen con algún cuento, que de todo son capaces los envidiosos…

—Ya lo sé todo.

—¡Jesús! ¿Cómo?

—Pues… todo se sabe.

—¡No creerás nada! Son calumnias folletinescas…

—Y si fuese verdad…

[301] *El Celeste Imperio* se llamaba a la China. Aquí, por supuesto, tiene un matiz irónico.

—Si fuese verdad, niña mía, harías bien en pensarlo mucho antes de casarte. ¿No es eso lo que me ibas a decir? Pero no es verdad, no es verdad.

—Puede que sí; puede que no.

—No, no, no.

—Caso que sí, ahora es cuando estoy decidida a casarme con él.

Después de la representación en el teatro de la Fontana y del escándalo de la generala, los del mercado sacaron a Tigre Juan un nuevo remoquete: «el curandero de su honra».

El día de la boda, Tigre Juan se atavió a lo señor; chistera, levita, pantalones largos y botas de elástico. Doña Iluminada era de parecer, en su fuero íntimo, que la máscara terrible y el traje popular le sentaban mejor que la carátula grotesca y los arreos de petimetre. Quizás Herminia coincidía en la opinión de la viuda. En el vestido de la novia Tigre Juan no quiso intervenir, salvo un pequeño detalle. El tránsito fugaz de la generala y sus hijas le había evocado una costumbre oriental: la de reducir el pie de la mujer en cárcel estrecha, como signo visible de la vida vegetativa y en clausura. Quiso él elegir los zapatos que llevase Herminia a la iglesia: tres números más pequeños de los que usualmente calzaba. Por la mortificación intolerable del calzado, Herminia caminaba tambaleándose, con gesto de Dolorosa [302] sobre andas. Contras-

302 D. A. Igualada señala la función emotiva y simbólica de este episodio como medio de rendir "homenaje a su madre, reafirmándola de esta manera en su posición privilegiada respecto de las demás mujeres —con la única excepción de doña Iluminada" (p. 76). Y recuerda la interpretación de Bettelheim sobre la zapatilla de la Cenicienta como símbolo sexual (*Psicoanálisis de los cuentos de hadas*, Barcelona, ed. Crítica-Grijalbo, 1977, páginas 375-376).

taban la satisfacción enfática de Tigre Juan y la concentración desolada de Herminia en un acorde discordante, vivo y romántico, de tragicomedia. [303] Asistieron a la ceremonia los veinticinco asilados del Colegio de Sordomudos y Ciegos, con don Sincerato a la cabeza. Todos eran desmedrados, voluminosa la cabeza; hacían muecas y visajes ridículos, como bufones enanos.

La boda se celebró al mediodía, en el templo de San Isidoro. Tigre Juan, deshecho de emoción, apenas pudo pronunciar el "sí". Herminia, en cambio, respondió con un "sí quiero" arrogante, como si aceptase un reto. Después de la misa, los invitados fueron en carricoches a comer al merendero de Buenavista, fuera de Pilares, sobre un verde otero. Pasaron allí el día. Al caer la tarde, los asilados ejecutaron, con alfabeto de señales y lenguaje de los dedos, un coro mudo y cabalístico, compuesto por don Sincerato. Decía:

Lo que se oye, no escuches.
No fíes de lo que miras.
Lo que no oyes, entiende.
Lo que no ves, adivina.
La verdad es como el aire,
transparente y cristalina:
no la ve el hombre, mas siente
si le falta. La mentira
tiene voz. En el silencio
largo, la verdad anida. [304]
Sed felices muchos años,
don Juan Guerra y doña Herminia.

Don Sincerato, que día a día empeoraba de salud y era ya un espectro, dirigió, Musageta [305] del otro mundo, aquel

303 Una vez más, la palabra clave.

304 Varios críticos (Weber, por ejemplo) subrayan el valor de estos versos como símbolo resumidor de la novela.

305 *Musageta* = 'conductor de las musas', título que se aplicó a Apolo y Hércules.

coro inaudible de sombras de hombres, en un *crescendo* de silencio. Luego, tradujo los silenciosos movimientos en palabras, para los concurrentes.

Doña Mariquita, algo achispada, no se enteró de la letra del coro. Le angustiaba la prolijidad callada e inexpresiva de aquellos enanos cabezudos. Al fin, exclamó:

—¡Qué desgracia! Yo, si no puedo hablar, reviento.

Todos volvieron a pie a Pilares. Herminia, que no se tenía, hubo de apoyarse en el brazo de Tigre Juan, con lo cual le robó las fuerzas y le turbó la vista, haciéndole pensar que iba a desfallecer. Era ya noche. Cerca de las diez, llegaron todos a la puerta de Tigre Juan. Al despedirse de su nieta, doña Mariquita representó una hermosa escena de comedia llorona [306], que todos juzgaron demasiado extensa, menos Tigre Juan, el cual tenía miedo de quedar solo con Herminia. ¡Pobre Tigre Juan! ¿Qué iba él a decir a Herminia, en aquel paso? Se acordó de la melodiosa fluidez, de ruiseñor en celo, de Vespasiano, su otro yo, el que él hubiera querido ser de cuando en cuando, ahora, por ejemplo; la otra mitad, que echaba de menos en su personalidad de enamorado.

Helos aquí ya a Tigre Juan y Herminia, entregados a sí mismos y a merced el uno del otro, en la cámara nupcial. Tigre Juan había conducido a su mujer a oscuras, de la mano; una mano dura y fría, como de hierro. Herminia se desasió de ella, con terror y repugnancia. Ya en libertad, lo primero que hizo fue, a tientas, evadirse de aquel potro del calzado. Se quitó también las medias, por refrescar los pies, que le abrasaban. Se oía el resuello, de fiera con calentura, de Tigre Juan. Al cabo, tembloroso, encendió un quinqué. Como si el tormento de los pies fuese lo que la hostigaba a sentirse valerosa, y en llegando el caso, agresiva, frente a Tigre Juan, al hallarse descalza, toda la temeridad de Herminia se desvaneció en un punto. Poco a poco fue retrocediendo a la defensiva, hasta pe-

[306] Contraste: doña Mariquita no entendía que "en el silencio / largo, la verdad anida"; necesitaba la gesticulación del comediante.

garse de espaldas a la pared, sin apartar los ojos de su enemigo. Creía de veras estar encerrada con un tigre. Tigre Juan, vestido como en la ceremonia, con chistera y todo, ya avanzaba hacia ella, ya se detenía, con horrible faz de angustia, adelantadas las manos y crispados los dedos. Estiraba y contraía el pescuezo, como atragantado. Murmuró roncamente:

—Si yo fuese Vespasiano... ¡Ah! Entonces...

Herminia se estremeció y cerró instintivamente los ojos.

Pero Tigre Juan no sabía ya lo que decía ni lo que pensaba. Sus palabras habían sido un sonido involuntario, automático. Sentía la exigencia urgente de darse de cabezadas contra la pared, de destruir algo. Dentro de su cráneo resonaba un estrépito de derrumbamiento, que le asordaba. Mas el estrépito no era dentro de su cráneo, sino en la calle. Les estaban dando una cencerrada a los novios. Cuando Tigre Juan cayó en la cuenta, de un brinco salió a la puerta y de otros tres a la calle. Al verle aparecer, los cencerristas se dispersaron, no sin disparar de huida, como los escitas,[307] legumbres, ratones muertos, huevos podridos y otras cosas arrojadizas. Un anónimo troncho de berza derribó la chistera de Tigre Juan, que corría en persecución de los mofadores. De pronto, Tigre Juan se fijó, a pesar de la oscuridad, en uno de los fugitivos. Iba vestido de militar; llevaba bigotes a la borgoñona. Tigre Juan reconoció en él a un enemigo antiguo, muy antiguo; un enemigo que hubiese tenido en otra vida anterior. Era que aquel oficial, que ahora, igual que entonces, se mostraba tan diestro en la huida, se parecía, como una gota de agua a otra, al guapo teniente Rebolledo, el de Filipinas.[308] De esto, Tigre Juan no tuvo conciencia clara.

[307] Comparación cultista, irónica: los escitas son el conjunto de pueblos que habitaban en el NE de Europa y el NO de Asia. En el año 513 a. C. derrotaron a Darío simulando que huían con sus carros y atrayendo al enemigo a los bosques y territorios pantanosos, donde podían luchar con ventaja.

[308] Como he anotado antes, es procedimiento habitual en esta novela que los sentimientos, sensaciones y recuerdos se materialicen.

Sólo veía en él un enemigo hereditario, como el gato en el perro, el cordero en el lobo, el judío en el cristiano y el burgués en el soldado. Se enardeció en su seguimiento, le alcanzó, lo derribó, le echó las manos a la garganta, y con risa sardónica rugió:

—Ya te tengo, miserable. Ahora me las pagas. Todo llega. Morirás —aunque ignorase qué era lo que le tenía que pagar el otro y qué lo que había llegado.

El sereno tocó el pito. Algunos de los fugitivos volvieron sobre sus pasos. Acudieron otros serenos. Entre todos, lograron sacar al oficial, con vida, de las garras de Tigre Juan. A Tigre Juan le llevaron detenido a la prevención. De madrugada le soltaron, bajo promesa de fianza. Tigre Juan corrió a su casa. Herminia estaba caída sin sentido en el lecho, cara al cielo, abiertos los brazos, como crucificada al tálamo.

Moría la luz artificial del quinqué y nacía la aurora. Tigre Juan se arrojó de rodillas y pegó sus labios a los desnudos pies de Herminia, que tenían sangre.[309]

POR las noches, de sobrecena, se reunía la tertulia en casa de Tigre Juan. Faltaba don Sincerato, que, cada vez más enfermo, no podía salir ya, después de caído el sol. Tigre Juan elaboraba menjurges y pildorillas, en un rincón. Herminia cosía, o bordaba, o trabajaba el crochet. Doña Mariquita se distraía con solitarios de naipes; y le era imprescindible hacer trampas, aun para consigo misma. Carmina leía novelas de viajes y aventuras, que doña Iluminada le compraba. La viuda de Góngora, las pálidas manos cruzadas sobre el pecho, negro y hermético como

[309] Desde su primera novela hasta la última, a Pérez de Ayala le divierte transitar literariamente por un ambiguo terreno erótico-religioso.

un ataúd, presidía, con su rostro de luna, cándido,[310] sereno, sonriente, aquellas calmas veladas primaverales. No se oía sino el runrún[311] de doña Mariquita, rumiando caramelos, y de tiempo en tiempo un aletazo súbito, como de ave nocturna que alzase el vuelo desde el follaje; y era Carmina, que volvía, nerviosa, una página del libro. Doña Iluminada, recordando el himno mudo de don Sincerato, pensaba: "en el silencio anida la verdad", y extendía plácidamente la mirada sobre todos, a modo de fulgor difuso. En aquellas sesiones, lentas y hondas, doña Iluminada había verificado una curiosa experiencia. Comenzaba a canturrear, en voz apenas audible, los primeros compases de una canción. Callaba al pronto y aguardaba. A los pocos momentos, todos tarareaban por lo bajo, distraídamente, la misma canción, incluso Carmina, en tanto leía. La canción se les había enredado en la lengua para el resto de la noche, y aun en los siguientes días. Y pensaba la viuda: "quien siembra trigo, cosecha trigo; el que siembra vientos, cosecha tempestades.[312] Lo mismo en la tierra, que en el cielo, que en las almas. La simiente no se pierde jamás; echa raíces, aunque caiga en la hendedura de una piedra. Si el alma es de tierra generosa, como si es de peña, nada importa.[313] El toque estriba en coger a las

[310] No sé si hay aquí un eco del conocido poema de Nicomedes Pastor Díaz "A la luna", en el que leemos: "cándida luna, en tu amoroso vuelo (...) ora cándida, pura, refulgente" (en José Manuel Blecua: *Floresta lírica española,* Madrid, ed. Gredos, 1957, páginas 375-376).

[311] Onomatopeya usada muy frecuentemente por Pérez de Ayala. La emplea no sólo "para imitar sonidos de la naturaleza, sino también la voz humana" (Reinink, p. 99). En realidad, aquí introduce todo un párrafo (excelente, a mi modo de vez) basado sobre un efecto psicológico-musical.

[312] Oseas, VIII, 7.

[313] Alusión a la parábola evangélica del sembrador: "Salió un sembrador a sembrar, y, de la simiente, parte cayó junto al camino, y, viniendo las aves, la comieron. Otra cayó en un pedregal, donde no había tierra, y luego brotó, porque la tierra era poco profunda; pero levantándose el sol, la agostó, y, como no tenía raíz, se secó. Otra cayó entre espinas, las cuales crecieron y la ahogaron.

Vespasiano Cebón. Dibujo de Pérez de Ayala.

Doña Mariquita. Dibujo de Pérez de Ayala.

almas por sorpresa, cuando están ensimismadas, que es cuando ellas creen estar más atentas y cerradas en sí, y es cuando están más descuidadas y abiertas al buen sembrador. Hay que entrar en las almas cautelosamente, a la manera del enamorado en la noche."

Doña Iluminada, de propósito, para bien de todos, y en primer lugar de su protegida, había estado sembrando vientos en el alma de Carmina. Ahora, en el alma de fuego de Carmina, se había desencadenado una tempestad, que avivaba el incendio: porque el fuego se nutre de los vientos contrarios. Como el labrador honrado, que guarda y adereza de la mañana a la noche su campo, doña Iluminada no tuvo minuto de sosiego hasta que vio asegurada la cosecha que había sembrado, con la emoción y la voluptuosidad del sacrificio, en el alma de Carmina; pues el sacrificio es el placer egoísta más quintaesenciado, y ya sublimado.[314] "Tú —pensaba doña Iluminada, dirigiéndose mentalmente a Tigre Juan— llamas al galopín de Vespasiano tu otra mitad, porque en ti le echas de menos. Quisieras ser como él; ¡nunca tal cosa suceda, por tu dicha! Pero lo quisieras ser, sin dejar de seguir siendo tú, y tal como eres. Con cuánto más motivo puedo yo llamar a Carmina mi otra mitad. ¡Qué mi otra mitad! Mi otro yo, por entero. La simiente que en ella he sembrado soy yo misma. Toda yo, dechado de obligada esterilidad, simiente apta que jamás podría por sí dar fruto, he tenido que descuartizar las infecundas entrañas en mil pedacitos, que he ido aventando a voleo en el alma de Carmina, para en ella fecundarme. ¡Que ella ame, como yo sé amar, y que sea amada como a mí nadie me ha amado!"

Carmina estaba enamorada de Colás con amor de pasión. Que Colás había de arder en la proximidad de Carmina, para doña Iluminada no ofrecía duda, porque el alma del mozo era un haz de heno agostado, para juguete del aire o pasto del fuego. La pasión que doña Iluminada

---

Otar cayó sobre buena tierra y dio fruto, una ciento, otra sesenta, otra treinta. El que tenga oídos, que oiga" (Mateo, XIII, 3-10).

314 Muchas veces defiende Pérez de Ayala el valor positivo del egoísmo. Por ejemplo, en *Divagaciones literarias.*

había atizado en el pecho de Carmina, a la manera de un noviciado de amor, era una pasión casi mística [315], semejante a la vocación de las esposas de Cristo, salvo que no estaba enderezada a un fin sobrenatural, sino esencialmente natural y humano. Era una pasión sin esperanza, que se alimentaba de sí misma, y cuanto más desconfiaba de ser satisfecha, tanto más se afirmaba y se erguía, procurándose la satisfacción sólo en sí propia. Doña Iluminada, de continuo, pintaba a Colás, para Carmina, como arquetipo de donceles y príncipe de amadores perfectos, colocándole en la suma jerarquía del águila con respecto a los demás pájaros. ¿Cómo iba ella, infeliz chiquilla, a soñar con que Colás fuese suyo? ¿Cómo cazar el águila lejanísima, próxima al sol, a no ser derribándola, alicortada, [316] desde el cielo?

Y un día de principios de mayo, como caído del cielo, ya que no precisamente alicortado, Colás se presentó, con una pata de palo. Para Carmina, llegó Colás en la pata de palo con más gloria y grandeza que si viniese conducido a hombros de esclavos, en un palanquín de metal y piedras preciosas. [317] Le habían cercenado la pierna a consecuencia de una herida que los insurrectos tagalos le infirieron. No había querido escribir nada de la herida y la mutilación, ni prevenir a Tigre Juan de su repatria-

315 Otra vez la unión, ya anotada, de lo erótico y lo místico.

316 El narrador introduce, simbólicamente, un tema que le sirve de nexo para el capítulo siguiente.

317 Es un lugar común de la poesía modernista. Por ejemplo, el cantor de "El canto errante", de Rubén Darío, va "en palanquín de seda fina / por el corazón de la China". Pérez de Ayala conocía bien esta escuela: de joven, estuvo cerca del modernismo y caricaturizó sus excesos mediante el personaje de Teófilo Pajares en *Troteras y danzaderas*. (Véase mi libro *Vida y literatura...*, pp. 180-212.)

ción a la península. Le abochornaba volver así disminuido, casi inútil, hombre incompleto y despreciable, él que había ido a buscar la muerte por amor. Si estando cabal, Herminia no le había querido, ¿cómo le iba a querer ahora, que estaba descabalado? A lo más, sentiría piedad por él; pero, a la piedad, Colás prefería la indiferencia o el despego. La piedad cuadra bien en el amor de madre, porque es su plenitud, y, viniendo de ella, consuela; pero en el amor de amantes, lo menoscaba, cuando no lo extingue, sin acertar a sustituirlo, y antes ofende que consuela. Colás ahora echaba de menos una madre que le agradeciera aquello que a él más le humillaba, y a quien enorgulleciese, como bravura y triunfo, lo que él reputaba cobardía y derrota; volver con vida y mutilado. Esta amalgama de amor apasionado, gratitud y orgullo, había de descubrirla muy pronto Colás en el corazón de Carmina. Tocante a la gratitud, y aun a la mera existencia, de esa incorpórea madre de todos, que se suele llamar la madre patria, Colás era un desilusionado, un huérfano de emoción patriótica, después de la experiencia militar y guerrera. Por saberse hijo de nadie y a causa, también, de su temperamento nostálgico, de vagabundo, Colás comprendía y sentía mejor la hermandad de todos los hombres que no las escisiones y antagonismos de tantas patrias enemigas. Al podarle la pierna el cirujano, más bien parecía como si le hubiera suprimido los órganos de locomoción del espíritu; apetitos, deseos, voliciones. Volvía en un estado de estoicismo y absoluta apatía e indiferencia. Cuando Tigre Juan, en su puesto del aire, tuvo a Colás delante, le produjo tal impresión que se desvaneció durante unos segundos. Hubieron de acudir doña Iluminada y Carmina con un vaso de agua mezclada con vinagre. La fogosa faz de Carmina estaba entonces blanca, y el blanco rostro de la viuda se sonrojaba por primera vez, después de muchos años.[318] Recobrado Tigre Juan, preguntó, con delgado aliento, a Colás:

—¿No me abrazas?

318 Un caso más de paralelismo antitético.

—Tal como fue mi marcha, aguardaba que usté me lo permitiese o que me abrazase antes.

—¡Hijo mío! ¡Hijo mío! —exclamó Tigre Juan, trayendo a Colás hacia sí y cubriéndole de besos; tantos besos y tan atropellados que hacían pensar (y así lo pensó doña Iluminada) [319] que eran besos atrasados, acumulados, al extremo que no tenían ya cómoda cabida dentro del pecho, y, no habiéndose decidido Tigre Juan a utilizarlos en la persona a quien estaban destinados, se aligeraba de la opresión que le producían, empleándolos en la otra persona, después de aquélla, más digna de ellos: Colás. Muchos de éstos eran auténticos besos a Colás, pero la mayor parte eran frustrados besos a Herminia. Otro tanto se pudiera pensar de la efusión torrencial en que a seguida se derramó Tigre Juan:

—Deja que te mire, que te palpe, que me cerciore de haberte recuperado. ¡Qué flacucho estás! ¡Qué paliducho! No te darían de comer. Lo sé, lo sé. Si lo he pasado yo, como tú, allí mismo... Con lo que roban en la ración del soldado se enriquecen, ¡bandidos, asesinos, los más alevosos y execrables! Picadillo los debieran hacer, para dárselo luego a que se hartasen de él las hienas; y las mismas hienas repugnarían tocar carne tan vil y sucia. Deja que me aparte, y así contemplarte bien, de arriba abajo. ¡Recristo! Digo... ¡Santo Cristo de la Esclavitud! ¡Hijo, hijo! ¿Qué es esto?

—A la vista está —respondió Colás, con sobriedad desdeñosa—; una pata de palo.

—¿Cómo ocurrió, hijo? Ya lo contarás. Habrás dado muerte a quien te lo hizo.

—Fue el cirujano castrense.

—Aunque fuese el Capitán General del Archipiélago Magallánico o el Arzobispo de Manila. Veo la pata de palo, pero no la cruz de San Fernando [320] en tu pecho.

[319] Este personaje le sirve al narrador para disimular su intromisión omnisciente.

[320] La Cruz de San Fernando, creada por las Cortes de Cádiz el 31 de agosto de 1811, era la condecoración militar más apre-

—Pamplinas —dijo Colás, con desprecio, mirando luego a Carmina, inquisitivamente; y era como si con los ojos le sorbiese la sangre y le robase más el color, [321] pues de pálida estaba ya lívida.

—Una pata de palo... —proseguía Tigre Juan, inclinándose a tocarla con delicadeza, como si se tratase de un miembro enfermo y dolorido—. No de palo ni pata, sino pierna, y de caoba, con incrustaciones de nácar y marfil, y muletas de palosanto con cojines de damasco, debieras llevar. Y el Gobierno debiera pagártelo, si hay justicia en España. Pero no te aflijas, que yo te compraré todo eso, y un cochecito movido por palancas de mano.

—No es para tanto —dijo Colás, sin apartar su mirada de Carmina.

—Claro que no —interpuso la viuda—. Déjenos meter baza, cristiano; que debemos también nosotros la bienvenida a Colás. Aquí se te quiere de veras, muchacho: mucho más de lo que te figuras. No has desmerecido porque te falte una pierna. Con una pierna sola se puede ir muy lejos.

—Del otro lado del mundo vengo, y sobre agua movediza. Conque...

Y Colás, fijo en Carmina, parecía preguntar: "¿quién es esta joven tan linda, tan humilde, tan asustada?". La de Góngora respondió a la pregunta tácita:

—Esta es Carmina.

—¿Carmina?

—Sí, hombre. Ya te lo escribí en una carta... —acudió Tigre Juan.

—Carmina... —repetía Colás desmemoriado.

Carmina escapó corriendo a esconderse en la tienda y se echó a llorar amargamente.

—Pero... —murmuró Colás, perplejo.

---

ciada de todas, por concederse únicamente a los actos de valor heroico realizados en la guerra y probados en juicio contradictorio.

[321] "Tic" narrativo de Pérez de Ayala, para las escenas de amor. Por ejemplo, en *Troteras y danzaderas,* Rosina mira a Fernando "elevando los ojos, como si con ellos bebiese los de él" (p. 248).

—Déjala ahora —dijo la viuda—. La sorpresa... El susto... No está acostumbrada. Me ha oído hablar tanto de ti... Ya que don Juan no te lo dice, sabrás que hay otras novedades.

—En este instante te lo iba a decir, hijo mío —se adelantó a declarar Tigre Juan—. Tienes madre. [322]

Como Colás no alcanzase del todo el sentido de esta noticia escueta, la viuda aclaró:

—Que se nos ha casado don Juan. Te alegrarás, como todos nos hemos alegrado. Ha sido lo mejor para él, para ella, para ti...

—¿Que si me alegro? —exclamó Colás, sonriendo con ternura. Apretó entre las suyas las manos de Tigre Juan, dobló la espalda y se las besó respetuosamente—. Es la mayor alegría que podía recibir al llegar a Pilares. ¡Felicidades, padre, felicidades! Pero, ¿quién es ella? A mí se me figuraba...

El final de la frase fue una mirada de Colás a la viuda. La viuda se sonrojó de nuevo, y, violentándose en sonreír, comentó:

—Figuraciones. Don Juan se casó con quien debía casarse, con la esposa que Dios le tenía asignada.

Tigre Juan se ponía verde. Temblándole las orejas y la voz, dijo:

—Estaba escrito. Recordarás que en varias de mis cartas te lo indicaba; has de considerar y respetar a *esa mujer* como a una madre. ¿Comprendes ya?

Colás sintió bajo sus pies la rotación velocísima de la tierra. Se pasó una mano por la frente. Tigre Juan estaba con la cabeza caída. La viuda examinaba con ansiedad la expresión del mozo, la cual permaneció invariable.

—Herminia... —susurró Colás. Y de pronto, añadió con ímpetu, estrechando las manos de Tigre Juan—: Sí, sí. Estaba escrito. Es lo mejor para todos. Felicidades, padre.

[322] Otra simetría más: Colás siente nostalgia, por primera vez, de su madre desconocida, cuando ya tiene madre adoptiva.

A un tiempo, exhalaron largo suspiro doña Iluminada, Tigre Juan y Colás.

—Corre, corre —habló Tigre Juan, que sentía prisa en quedar solo—, a saludar a tu madre. Acompáñele usted, señora. Yo no puedo abandonar el puesto.

Herminia no se inmutó al recibir a Colás, ni disimuló el contento que le causaba verle salvo y la pena de verle cojo. Con serenidad y entereza, sin cuidarse de la presencia de doña Iluminada, dijo:

—No sé lo que pensarás de mí. No quisiera que pensaras mal. Tampoco quisiera herirte, ni abrir una herida cicatrizada. Pero, he de confesar la verdad. Para mí siempre fuiste un niño, de esos que se les inflama el corazón de pronto, se les sube el humo a la cabeza, salen escapados sin saber a dónde van y caen rendidos cuando la humareda se les ha disipado. Te quería, sí, como una hermana mayor; lo cual tú no podías sufrir. Ahora, inválido, siento que voy a quererte casi como madre.

—Herminia —terció doña Iluminada—: eres una mujer. Te lo dije en ocasión crítica, al conocerte en tu intimidad. Ahora, te lo repito.

—Pues, a la tercera va la vencida, señora —contestó Herminia, con firmeza.

—También yo he de decir mi verdad, para que la situación quede despejada, sin brumas ni recelos —intervino Colás—. Estudiando a distancia mis sentimientos, he visto claro. Mi cariño hacia ti, Herminia, no era inclinación de hombre a mujer, sino culto respetuoso. Te miraba de abajo arriba; tan alta, tan alta... Si me hubieras correspondido, habría yo sufrido una decepción y tú dejado de ser lo que para mí eras. Si entonces me infundías respeto temeroso, ahora, mujer de quien es como mi padre, no he de respetarte menos, aunque, y esto es lo que más me place, con respeto familiar, llano y afectuoso. Eso otro, que has dicho, del cariño como de madre e hijo, entre personas de la misma edad, me parece una ilusión. Yo estoy curado de ilusiones.

—¡Curado de ilusiones!... —repitió, irónica, doña Iluminada—. En creer eso, se conoce que sigues siendo un niño, como Herminia advirtió.

DE esta suerte, Colás a todos trajo alguna manera de satisfacción. Y él imaginaba, al llegar, que nadie le había de agradecer la vuelta. Bien que la de Góngora barruntase que la proximidad de Colás gravitaría de momento sobre la vida conyugal primeriza de Tigre Juan, oprimiéndole como un ahogo, lo que sucedió, por el contrario, fue que le sirvió de válvula de escape y desahogo, puesto que sobre el mozo vertía la sobreproducción constante de emotividad, inhibida, por timidez, de su natural expansión hacia Herminia. A Tigre Juan se le figuraba amar a Colás más que nunca; porque el amor se había duplicado con la gratitud. Tigre Juan agradecía a Colás haber desaparecido antaño tan oportunamente y haber reaparecido en el punto preciso en que una vida de abstención comunicativa y de silencio ininterrumpido, junto a Herminia, le tenía ya en trance de caer enfermo o de dar en loco rematado.

Por su parte, Herminia jamás había dejado de interponer, entre ella y Tigre Juan, un aislador; la imaginaria cortadura insondable de un abismo. La llegada de Colás, y su posición de hijo ficticio, fue como un puente que salvase aquel foso y la aproximase amenazadoramente a Tigre Juan. No era éste un motivo de gratitud hacia Colás. Pero le agradecía el acompañamiento, como un presidiario en cuya celda hubiera penetrado una mariposa. Con Colás, Herminia se distraía de sus dolorosos y temerarios pensamientos. Hasta el momento de su liberación y escape, que ella siempre esperaba, Herminia había decidido mantenerse con el alma vuelta de espaldas a Tigre Juan. A causa de esta voluntariedad, y sin percatarse de ello, en las tertulias de la noche le daba también la espalda con el cuerpo, en presencia de todos, para hablar con Colás. Tigre Juan comenzaba a inquietarse, con una desazón de orden físico más bien que moral reconcomio.

Colás era el protagonista en aquellas veladas nocharniegas, por lo mucho que tenía que contar y la animación con que lo contaba. Unas veces eran sus aventuras; otras, sus desventuras. De sus aventuras, algunas las había corrido realmente; las más, no pasaban de aventuras fingidas, que pensaba acometer en lo futuro, porque, como él decía:

—Una fuerza superior me empuja a rodar por los caminos, y más ahora que me falta una pierna. Ir de pueblo en pueblo, ganándome la vida con mi ingenio...

—Bigardeando, como un truhán —completaba Tigre Juan.

—Honradamente —proseguía Colás—, como artista ambulante.[323] Para causar buena impresión en los auditorios rústicos se tiene mucho adelantado siendo cojo.

—Bromeas, hijo, bromeas. Lo que has de hacer el próximo invierno es concluir tu carrera de abogado.

—Sea. ¿Y entre tanto?

—Entre tanto ... —Tigre Juan no sabía cómo proseguir, porque latía ya en él, confusamente, el deseo de una nueva evasión de Colás. Engañándose a sí propio, trasladaba este inconsciente deseo a Colás y concluía por atribuírselo:

—Quince días mal contados llevas con nosotros y ya maquinas otra escapada...

Cuando Colás urdía de viva voz aquellas aventuras venideras, ya dramáticas, ya sentimentales, ya jocosas, Carmina vibraba toda ella, hasta la cumbre llameante del pelo, y le seguía, a la zaga, en el curso etéreo del imaginario viaje, como la cabellera de fuego al cometa excén-

[323] Alberto Díaz de Guzmán ("alter-ego" de Pérez de Ayala) siente, en *La pata de la raposa,* el atractivo de esta vida, y le explica en carta a su amigo Halconete (es decir, Azorín): "Me dice usted que la profesión de titiritero le parece muy digna y conveniente para el buen gobierno de la república, así como, en opinión de Cervantes, lo es la de alcahuete. De acuerdo con usted y también con Cervantes" (p. 161).

trico y errante. Colás, sin necesidad de mirar a Carmina, sentía que la llevaba consigo, a través del vago país de los sueños. Se figuraba surcar los espacios, a lo brujo, caballero en una escoba, y a la grupa Carmina, que le ceñía con fuerza entrambos bracitos al pecho.

Cuando Colás narraba sus desventuras: fatigas, penalidades y escaseces de la vida de campaña, malos tratos, insolencias y vejaciones de la oficialidad, crueldades y ensañamiento sobre el vencido, emboscadas del adversario, el combate en que cayó herido, la amputación de la pierna, la estancia en el hospital, las pesadillas y congojas de la fiebre, y otros sucesos patéticos, a Carmina se le arrasaban los ojos en lágrimas y le entraba un hipo convulsivo.[324]

—¡Diantre con la chicuela!... —chillaba doña Mariquita—. Con sus pucheros y gorgoritos nos corrompe el placer de escuchar historias tan divertidas. Pero ¿no reparas, mocosa, que todo eso ya pasó, y pasó allá de los mares, como quien dice en el forro y revés de la tierra, adonde nuestros ojos no alcanzan? Tontina; dolerse con dolores ajenos y ya pasados es como pretender engordar con los regalos, que uno no cata, de la mesa del rey.

Carmina huía a esconderse, llorando, en la sombra benévola.

Doña Iluminada, contemplando a Colás, decía para sí, con palabras sin voz: "Colasín, barbas de estopa; día por día, mudas de cara. Estás encima del fuego. ¿No echas de ver, hombre, que se te queman las barbas y el alma? Trajiste el corazón arrecido, reseco. Tu corazón fue a caer en brasa viva, como alhucema[325] en un brasero. Tu corazón es ya nube volandera. Por la puerta o por el cañón de la chimenea buscarás salida. Es irremediable."

Un atardecer, de principios de junio, se hallaron Colás y Carmina a solas, un instante, en el puesto de Tigre Juan.

[324] Otro ejemplo de revivir personalmente lo narrado (como antes, al asistir a la representación teatral de Calderón).

[325] *Alhucema* = 'espliego' (Academia, p. 62).

Estaban cohibidos. Colás, como en soliloquio, murmuró:

—¡Qué larga es la tarde! El día no quiere marcharse. Parece que está esperando algo de nosotros, o que desea darnos un recado para el día siguiente—. Y después de un lapso de tiempo: —¿En qué piensas, Carmina?

—Pienso en lo hermoso que sería vivir las aventuras que tú imaginas y cuentas —respondió Carmina, por lo bajo, anhelante, caídos los párpados.

—De ti depende.

—¿De mí, Colás?

—Esta noche, rayando el alba, salimos mundo adelante.

—No, Colás, no. Colás, Colás... No, no, no...

—Y creía haberme curado de ilusiones... ¡Iluso! ¡Iluso¡ Era otra ilusión pensar que me siguieses.

—No, Colás, no. No he dicho que no te seguiría. He dicho que no puedo creer... ¡No lo puedo creer! —y rompió a sollozar. Balbuciendo, concluyó—: No puedo creer que me quieras llevar contigo...

—Esta noche, al rayar el alba.

A la hora de la cena, Carmina no probó bocado. Doña Iluminada, que presentía el motivo, no quiso importunarla. En concluyendo de comer la viuda, y antes de ir de tertulia a casa de Tigre Juan, Carmina habló así:

—Señora; siempre me ha dicho usté que el mayor gusto que le podía dar era hacer mi gusto. [326]

—Sí, hijita. Por cierto que todavía no me has dado ese gusto, precisamente por preocuparte demasiado de darme gusto.

—¿Y si yo le diera a usté un gran disgusto?

—¿Cómo puede ser eso, si se trata de hacer tu gusto? Ese gran disgusto, hija mía, sería mi mayor gusto.

[326] Al escribir este coloquio, un poco conceptuoso, sobre el gusto/disgusto, quizá recuerde Pérez de Ayala los debates, tan frecuentes en nuestro teatro clásico, entre el gusto y lo justo. (Vid., por ejemplo, Bruce Wardropper: "*Fuenteovejuna*: el *gusto* and lo *justo*", en *Studies on Philology*, LIII, 1956, pp. 159-171).

—No sé cómo hablar más claro. Si mi gusto fuera un disparate... Vaya; lo que la gente llama un disparate...

—Si a ti, en conciencia, no te parece disparate, deja que la gente lo llame como quiera.[327] Ahora, si tu conciencia te dice que es un disparate, la cosa varía, porque en lugar de salirte con tu gusto te buscarás mortificaciones, tristezas y arrepentimiento. El verdadero gusto consiste en aquello de que uno nunca se arrepentirá, por mal que salga, y, a pesar de todo, tantas veces como hubiera que hacerlo, haría uno lo mismo, sin titubear.

—No he de hacer cosa de que deba arrepentirme. Nunca me arrepentiré. Pero, aunque yo no pueda arrepentirme...

—Di, hija.

—Si el hacer mi gusto fuera, a juicio de la gente, contra la ley...

—¿Qué ley, hija mía?

—La ley... La ley... No sé cómo decirlo. La ley de que habla la gente.

—¡Ah, ya! La ley de los hombres. Pero hay, hija mía, otra ley, que es más santa: la ley de Dios. Y esa ley está en el corazón. Consulta tu corazón siempre, Carmina —y doña Iluminada atrajo hacia sí a Carmina, le besó la frente y bisbisó a su oído: —Sé feliz, alma mía. Tu felicidad será la mía. Un segundo de felicidad compensa toda una vida de dolor.[328]

Aquella noche, al rayar el alba, Colás y Carmina salían mundo adelante. Por todo equipaje, Colás llevaba un acordeón al hombro. Aunque ellos no lo sospechaban, doña Iluminada, desde una alta ventana, con flores que Carmina había plantado, les vio, componiendo una sola som-

[327] Pérez de Ayala defiende siempre una moral interior, fundada en la conciencia individual, no en los juicios sociales ni en las reglas externas, civiles o religiosas.

[328] Recuérdese el estudio de Michel Butor: "Los 'momentos' de Marcel Proust", en *Sobre literatura, I,* Barcelona, ed. Seix Barral, col. Biblioteca Breve, 1967, pp. 242-250. Y el título de una canción sentimental: "Magic moments".

bra ingrávida, color violeta, enlazados por la cintura, los labios unidos, perderse en el misterio de la vida. Y en aquel amanecer, la viuda virgen y enlutada tuvo un espasmo de ventura, como Julieta en brazos de Romeo.

AL siguiente día, Tigre Juan, henchido de un sentimiento promiscuo, entre la satisfacción y la contrariedad (satisfacción de volver a vivir a solas con su mujer, y contrariedad por haber faltado tan poco, y este poco, tan fácil, otra boda, para que la satisfacción fuese plena) se exculpó así, ante doña Iluminada:

—Se me cae la cara de vergüenza, señora. Quisiera que me tragara la tierra. ¿Qué diría la sociedad de mí, de la educación que he dado a ese mal hijo, bala perdida? A usté le consta que le he criado en los más severos principios de la moral. La vida cuartelaria me lo ha corrompido. Los cuarteles, señora, son academias de la villanesca y la picaresca. Comienza por perderse en ellos el respeto de sí propio, que es la única dignidad del hombre. Entra en estas oficinas de Belcebú un mozo campesino, lleno de salú y pureza, y sale podrido de cuerpo y de alma, dotor, además, en todas las facultades de la bellaquería; humilde ante el castigo irracional, y hombre hipócrita por ende; cobarde frente al fuerte, por ende fanfarrón y despótico con el débil, y a esto llaman disciplina; holgazán, y por ende ladronzuelo, que ha de seguir viviendo, con violencia o por maña, a costa del ajeno trabajo; putañero, cuando no sodomita, y perdone que me exprese en román paladino, con palabras que puede usté leer en la Sagrada Biblia mismísima, si le place. Y pensar que los cuarteles, bien arreglados, podían ser la mejor escuela del saber, del pundonor, de la igualdad entre los ciudadanos y del respeto a las verdaderas jerarquías, que son las de la mollera... [329] Pero, lo que más me enoja y desespera en lo de Colás no es que haya cometido una pillada, sino la mayor necedad que vieron los siglos. ¿Me quiere usté decir, señora, qué necesidad tenía de raptar a esa criaturita inocente? ¿Se hubiera usté opuesto a que se casasen? Yo, por mi parte, les hubiera dado el consentimiento con mil amores. ¿Entonces...?

—Déjelos usté, santo varón, que busquen la felicidad por el camino que ellos mismos han elegido. Están a tiempo para casarse, si quieren. Y si no quieren, que sí querrán, nada hay perdido.

—En casos como éste, la que pierde es la mujer.

—¿Eso opina usté?

—Eso opina la sociedad.

—Dale con la sociedad. ¿Tanto puede en usté la consideración de la sociedad?

—Señora, vivimos en la sociedad.

—Pero no para la sociedad. Tocante a ciertas ventajas que vivir en sociedad nos proporciona, justo es que correspondamos, sometiéndonos a lo que la sociedad, a cambio, pide de nostros. Pero, en lo atañedero a la felicidad del corazón, como quiera que de la sociedad nunca nos puede venir, no hay razón para que consultemos a la sociedad de qué manera exige ella que nosotros hayamos de ser felices. Mientras no causemos daño a la sociedad, la sociedad no tiene por qué quejarse. Y si se queja, es de vicio. La ajena opinión es como la sombra, que siempre sigue al cuerpo, pero por mucho que se alargue o se encoja, no le hace mayor ni menor.

—Señora, habla usté como Séneca. Me ha quitado usté un peso de encima, como siempre que habla.

—Sí, señor. No lo sabe usté bien.

Herminia había comparado la llegada de Colás con una mariposa que entrase en la celda de un presidiario. Herminia, en la penumbra de su espíritu, acariciaba, ya con anterioridad a su boda, la idea de liberación mediante la

[329] Otra vez la referencia al "generalato de la mollera", comentado antes.

fuga. Después de la llegada de Colás, esta idea se había retraído hacia regiones más oscuras y densas del espíritu, quedando como anhelo aletargado. Con la fuga repentina de la mariposa, la idea de fuga despertó, en Herminia, con tal ímpetu, que quedó incrustada en la superficie de la conciencia, a modo de obsesión. Era inevitable, era urgente, que ella se fugase también.

Herminia tenía, junto a la comisura izquierda de la boca, una mancha carminosa, que a temporadas se atenuaba, hasta eliminarse. Ella pensaba que aquella mancha la afeaba. Cuando la mancha desaparecía, se miraba a cada paso al espejo, temerosa de que volviese a insinuarse. Al cabo del tiempo, llegaba a convencerse de que no reaparecería jamás. Pero, trascurridos meses y más meses, la mancha al pronto brotaba de nuevo, idéntica a sí misma. Pues otro tanto le ocurría con la mancha de cierto recuerdo.[330] Mucho antes de la boda, cuando nadie, sino ella y la penetrante doña Iluminada, podía presumir del enamoramiento de Tigre Juan, la viuda de Góngora le había dicho: "lo que tú sientes hacia Tigre Juan es vértigo; sientes un poder de atracción, en él, que te domina y no puedes contrarrestar si no es encastillándote en una proporcionada voluntad de repulsión. Quieres apartarte, como enloquecida, de ese abismo que te absorbe. Pero en él te hundirás. Está escrito." Este recuerdo, a veces, se alejaba y apagaba, como las voces del crepúsculo. Entonces, el abismo abierto a sus pies no le daba pavor, porque lo veía precisamente como un abismo voluntario; una separación o foso inaccesible, entre Tigre Juan y ella. Pero, de pronto, el recuerdo aquel le invadía los laberintos del alma, como un zumbido persistente en el caracol de la oreja. Era un zumbido de vértigo. El abismo que ahora ante ella se abría era el amor mudo y hondísimo de Tigre Juan, que, en efecto, la absorbía; y por contrarrestar su atracción irresistible tenía que encastillarse en una proporcionada voluntad de repulsión y volver el alma de espaldas a él. La breve estancia de Colás, sirviéndole, en su papel

330 Otro recuerdo que ha tomado forma física.

de hijo, hijo nada más que adoptivo, de ensambladura y unión con Tigre Juan, había revelado a Herminia cuán sencillo, y acaso inminente, era que al fin ella acabara despeñándose para siempre en el fondo de aquel abismo, al cual, aunque silencioso, no cesaba de oírle suspirar por ella. La fuga de Colás infundió en Herminia la inquebrantable, suprema resolución de huir ella también, fuese como fuese. Se puso a sí misma un plazo corto, hasta la llegada de Vespasiano, que solía pasar por Pilares hacia las vueltas de San Juan.

Llegó Vespasiano el veintidós de junio. Vespasiano estaba certísimo de que en esta ocasión Herminia era ya "pan comido", como él llamaba a las enamoradas rendidas y a punto de entregarse. Grande fue su decepción cuando, en una entrevista que tuvieron, Herminia, atajándole todo avance, le dijo:

—Quieres que sea tuya. Perfectamente. Tuya. Tuya. Entiéndelo bien. Nada más que tuya. No tienes sino tomarme. Iré contigo y así me harás tuya. Hasta ese momento, soy todavía de mi marido, y, como no soy tuya aún, nada tienes que pedirme, ni nada puedo darte yo.

—Creí encontrarte más cambiada...

—¿Quieres mayor cambio? Las otras veces mandabas tú. Ahora, mando yo.

—Tú has mandado siempre en mí, carita de cromo.

—Vamos a verlo. Esta vez, me llevas contigo. Si no me llevas, iré yo detrás de ti. He de salir de Pilares contigo. Hasta entonces, nada conseguirás de mí. Chissst. No hables. Yo hablo sola. Después que me hayas sacado de aquí, no te pesaré. No me importa que me abandones al mes, o a la semana, o al día siguiente. No me importa. Chissst. No hables. Sé lo que vas a decir; que para eso, es más cómodo que yo siga con mi marido. Más cómodo para ti. No hables. No hables. Todo es inútil. He de ir contigo. ¿Cuándo te vas?

Vespasino meditó la respuesta y tardó algo en contestar:

—Va para largo. Dentro de una semana o dos.

Herminia pensó: "mentira". Añadió:

—Vendrás por aquí todos los días, como siempre.

—Por de contado, nena.

Herminia pensó: "mentira". Le tendió un lazo. Dijo:

—Mi abuela quiere hacerte un pedido para su tienda. Ahora, con la ayuda de mi marido, te pagará a tocateja.

—Y aunque me pagase el año del jubileo.

—Aguarda. Mi abuela, que fía en mi buen gusto, desea que yo escoja el género...

—Pues andando, que mañana es tarde.

—He de elegir sin prisa, por mi cuenta. Deja el muestrario aquí. Mañana te lo llevas, con el pedido.

—Es que hoy debo visitar a varios clientes.

—¡Bah! En una semana o dos, te sobra tiempo.

—Pero... ¡Qué memoria la mía! Junto a ti, me olvido de todo. No recordaba que mañana tengo que ir a Regium.[331] Volveré mañana mismo por la noche. Viaje rápido, de negocios.

Herminia pensó: "mentira. Estás cogido. Intentaba escapar". Disimuló. Osó mirar atentamente la boca, bermeja y sensual, de Vespasiano. Los labios, entreabiertos, habían perdido el color y temblaban un poco. Vespasiano asomaba la lengua, para humedecérselos. Aquella lengua de falsedad le dio asco a Herminia, como si viese un limaco de acaramelado lustre y tinte, segregando baba. Apartó los ojos y dijo resueltamente:

—Buen viaje y hasta pasado mañana. Pero te prevengo que esta vez iré contigo. Me agarro a ti como el náufrago que se hunde, que se hunde, que se hunde... Es un naufragio, sí; es un naufragio. El abismo me traga. Me aferro a lo que hallo más cerca. No reparo si es tabla erizada de pinchos o llena de inmundicia. Llegue yo a la orilla, aunque sea isla desierta, como si está poblada de alimañas horribles y hombres salvajes.

[331] Ciudad que aparece con frecuencia en los relatos de Pérez de Ayala. Por ejemplo, en la primera frase de *A.M.D.G.* se nos dice que el colegio jesuítico está cerca de Regium (Gijón), en la carretera que va a Castilla.

—¡Qué imaginación calenturienta! Sosiega esa cabecita loca. Ea, adiós, ¡Cómo te quiero, encanto mío, cómo te quiero !—suspiró Vespasiano, pasando con mimo la mano sobre la cabellera de Herminia.

—Pronto te obligaré a demostrármelo. Adiós.

A la mañana siguiente, a las cinco, Tigre Juan se levantó, como de costumbre, sigilosamente, por no despertar a Herminia. Con tacto exquisito y sin aliento, le besó la frente y las manos, y salió a la aldea, en busca de hierbas medicinales. Esta vez, Herminia estaba despierta. Sintió aquellos besos como clavos que le perforasen el cráneo y las palmas, sujetándola de firme a los leños del tálamo, igual que en una cruz. [332] Así que Tigre Juan salió, Herminia, en un arranque denonado, se desgarró de la espiritual crucifixión. Se vistió con diligencia. Se envolvió el rostro en un velo tupido. Se echó a la calle y se dirigió a la estación del ferrocarril. Penetró en el andén. Se guareció detrás de unos bultos y fardos de mercancías, espiando la llegada de Vespasiano. Apareció, en el andén, Vespasiano, con feliz sonrisa mañanera y gentil contoneo de cintura. Paseó un rato, arriba y abajo. Subió a un departamento de segunda. Sonó un pito. Luego, una campana. Luego, el silbato de la locomotora. Jadeó el tren, removiéndose, y cuando empezaba a rodar, Herminia salió de su escondite, dio una carrera, saltó al estribo, abrió una portezuela y se introdujo en el departamento de Vespasiano. [333] Vespasiano iba solo. Herminia se despojó del velo, y, con una especie de naturalidad afectada, dijo:

—Aquí me tienes. Soy mujer que cumple su palabra. ¿Querías que fuese tuya? Aquí me tienes.

[332] Otra vez los símbolos religiosos que usa el narrador para la noche de bodas.

[333] Ejemplo del estilo enumerativo, objetivo, que a veces emplea Ayala.

ADAGIO

LA vida de Tigre Juan y la vida de Herminia, confundidas y disueltas en el remanso conyugal, se bifurcaron de pronto, como el río que, ante un obstáculo, se abre en dos brazos, con que lo rodea, no pudiendo saltar sobre él. De aquí adelante, cada vida había de seguir su curso, misterioso para la otra; pero las dos tenían ya que ser vidas paralelas.[334] Entre una y otra vida y a través de la distancia, era fatal que existiesen mutua correspondencia, misteriosas resonancias, secreta telepatía e influjo recíproco. Aunque con separado derrotero, el caudal era el mismo, habiéndose antes confundido y disuelto una en otra entrambas vidas. Creía Herminia haber recobrado su vida, sólo su vida propia, sin merma ni añadidura; e ignoraba que toda su vida había quedado diluida, saturándola y coloreándola, en la vida de Tigre Juan; así como el destino de la vida de Tigre Juan lo llevaba ella infundido en las entrañas. Cada una, por sí, sería en lo sucesivo vida a medias, defectuosa del resto de su caudal, vivo y ausente. Ni Tigre Juan ni Herminia, a partir de aquel punto, podrían entender el sentido de su propia vida. Nadie, pudiera tampoco, a no ser elevándose hasta una perspectiva ideal de la imaginación, desde donde contemplar a la par el curso paralelo de las dos vidas.

[334] Pérez de Ayala va a aplicar literalmente el título clásico de Plutarco.

ASI FLUIA LA VIDA DE TIGRE JUAN

Aquel día, al besar a Herminia en la frente y en las manos, Tigre Juan se figuró percibir en ella una sacudida, un estremecimiento, que a él mismo se le comunicó. Salió desasosegado de casa, con una vaga ansiedad. ¿Estaría enferma Herminia? Si Hermania se muriese... ¿Qué sería de él, perdiendo a Herminia? El presentimiento de perder a Herminia se apoderó de él.

Perderla, ¿cómo?

Tigre Juan, varonilmente, desafió con el pensamiento la posibilidad de perder a Herminia. "Veamos —se decía—. Puedes perderla, Juan. Eres hombre. Habitas en este valle de lágrimas, y sin embargo te ha sido otorgada la mayor dicha. ¿Hay en el mundo dicha como la tuya, Juan? Pues, ¿no has oído, y es lo cierto, que no hay dicha que cien años dure? Cien años... Señor; yo no pido tanto. Me conformo con una jornada cabal y dichosa, hasta que pueda entregarme al descanso, después de haber cumplido con mi deber. Sólo aspiro, Señor, a dejar concluida en un hijo mi obra de hombre; obra duradera, que viva por mí y yo viva en ella, cuando mis

ASI FLUIA LA VIDA DE HERMINIA

Al ver delante a Herminia, Vespasiano retuvo su aplomo, que en aquel trance, más que nunca, le hacía falta.

—Siéntate—dijo—. Vas a caer, con el traqueteo del tren.

—Caída, perdida estoy para siempre.

—Todavía no. Si concluyes perdiéndote, será por tu gusto.

—No por mi gusto. Sí por mi voluntad.

—No alcanzo esos distingos.

—Ni es menester. No es hora de pararse a discurrir. Ya te he dicho que para mí es como un naufragio.

—Muy bonito. Porque tú quieras perderte, me has de perder también a mí. Yo solo, por mi cuenta y riesgo, me arreglo, como Dios o el diablo me da a entender, para mantenerme a flote sobre la superficie del mar de la vida. Pasas tú al lado; se te antoja que te ahogas; te enroscas a mí; me agarrotas, y dale que nos hemos de hundir los dos... Pero, desdichada, ¿por qué te has de hundir, ni, menos, hundirme a mí? Reflexiona; todavía estás a tiempo.

—Te anuncié que pronto te obligaría a demostrarme

huesos sean ya polvo. La jornada de mi dicha está todavía en la primera mañana como ese sol niño y rosado que allí se me manifiesta, reclinándose, perezoso aún, sobre la verde cuna de aquellas colinas. Privado de albedrío, el sol llegará al final de su jornada. A mí me concediste albedrío, Señor. ¿De qué me sirve la libertad de pensar y querer, si pensar no es lograr, ni querer es poder? Mi libertad te he restituido, Señor, si no en propia mano, ya que no le es hacedero [335] a un hombre mortal presumir de qué parte se esconde tu mano invisible, depositándola, sin dejar migaja de voluntad para mí, en la mujer que me diste por esposa, o lo que tanto monta, por soberana. Hombre mortal soy, como ella es mujer mortal. Ambos hemos de morir. Si he de perderla, por la muerte, muera yo antes, como me corresponde, y viva ella, que es joven como el día." Tigre Juan se había arrodillado, mecánicamente. Con los dedos separaba el césped, como buscando hierbezuelas. "Joven como el día... —prosiguió, en su soliloquio—. Muerto yo, ella si es verdad que tanto me quieres...

—Y yo he insistido, hasta la saciedad, en persuadirte que la esencia del verdadero amor es la libertad. Libertad sin traba ninguna. No hay otro amor que el amor libre. No me arrebates mi libertad, y verás si te enseño lo que es amor. ¡Te haré gustar delicias celestiales, que te dejarán pasmada y como ebria...! Pero, antes, es preciso, perentorio, que recobres tu libertad y me devuelvas la mía, puesto que, de no desandar el paso que has dado, ¡medítalo bien!, más seguro es que pierdas ya para siempre tu libertad, que no yo la mía. Te hablo como te hablaría un hombre sensato, un hombre de bien. ¡Vuelve a tu casa, Herminia, vuelve a tu casa!

—¿Tú, hombre de bien? Ni siquiera hombre.

—Herminia...

—Porque el amor aspira a la libertad y no admite trabas, yo he roto con todo, lo he abandonado todo; un marido, que ese sí que es un hombre y un hombre de bien, el hogar tranquilo donde yo era soberana, la vida regalada, el porvenir acaso dichoso, todo, todo por vo-

[335] Esta me parece una de las palabras más típicas del "estilo de pensar" de Pérez de Ayala.

viuda, hermosa y con hacienda, menudearán los pretendientes. Uno de ellos, quizá el menos digno, se la llevará. Yo morderé la tierra que me cubra, y no podré enderezarme en pie para correr a estorbarlo. No. Eso, no. Oigo al miserable envanecerse con el amor de Herminia, y mofarse de mí, que ya no he de tomar venganza. La rodea de blandos halagos. Le derrama en el oído frases deleitosas. Ella recuerda mi rudeza sin aliño, mi boca yerma, sin habla. Compara el ayer con el hoy. Me desprecia; me barre de su corazón y de su recuerdo. No. No. No. Odieme, pero no me olvide." Tigre Juan se sentó sobre los talones, y cruzó los brazos, meditando. "Quedo, quedo, Tigre Juan —dijo entre sí—. ¿Por qué has de morirte tú, ni morirse Herminia, por ahora? Los muertos que vos matáis gozan de buena salud[337]. Has lar libre al lado tuyo. Tanto he renunciado por seguirte...

—Me enorgullece, y, ¿por qué no confesártelo?, me amedrenta ese amor que con todo pretende arrollar, hasta con lo que más ama.

—No te vanaglories de mi amor, que quizás es cosa pasada; y ahora me parece que hace tanto tiempo, tanto tiempo...

—Pues, por si no fuera cosa pasada, lo que te digo es que, así como, sabiéndome libre, te quiero apasionadamente y te deseo, te deseo con angustia, por el contrario, sintiéndote remachada a mi cuello, como un dogal, y aprisionando, como una red, las alas de mi libertad, me serías odiosa, ¡te lo juro!, y me inspirarías horror. Vuelve a tu casa, Herminia. En Bonavilla[336] hay cruce de trenes. Tomas el de vuelta y puedes estar muy pronto en tu casa, sin que

[336] *Bonavilla*: debe de referirse a Villabona, a 13 kilómetros de Oviedo, por donde pasan los ferrocarriles que se dirigen a Gijón y a Avilés. En 1900 se inauguró el ferrocarril de Villabona a San Juan de Nieva (Cabezas, p. 268).

[337] Frase irónica que ha adquirido un valor proverbial. Larra la atribuye erróneamente a Juan Ruiz de Alarcón en *La verdad sospechosa* (*Artículos completos,* Madrid, ed. Aguilar, 1961, p. 790; véase Rafael Torres Quintero: "Los muertos que vos matáis", en *Boletín de la Academia Colombiana,* vol. 14, 1964, pp. 193-196).

Un ejemplo reciente en Francisco Ayala: "Pues sí, señor Renacuajo o Gusarapo o Escuerzo: los muertos que vos matáis gozan de buena salud" (*Obras Narrativas Completas,* México, ed. Aguilar, 1969, p. 1022). Puede verse el excelente libro de Rosario Hi-

pensado, de ligero, que la muerte es el único modo de perderla. ¿Eres un chiquillo sin experiencia? ¿No has vivido en el mundo? ¿No sabes lo que es una mujer perdida para el marido? Basta con decir una mujer perdida. Cuida no la pierdas de esta suerte. ¿Qué prefieres; morirte tú, que se te muera, o que te burle? Pudiera sucederte lo último. Ella es de la misma pasta quebradiza como las demás mujeres. ¡Qué atrocidad! *Vade retro*. Ella no se parece a ninguna. Es ejemplar único, tejida con armiños del paraíso, antes del pecado de Eva. Esto no obstante, ¿y si te burlase? ¿Qué harías tú? Lavar tu honor. ¡Magnífico, Juan, magnífico! El honor te aborrece; el amor te adora [338]. Ya la has matado. ¿Qué has conseguido? Tu honor continúa tan manchado como antes, Juan; no lo dudes. Ahora aborreces el falso honor. Y tu amor queda con el remordimiento del sacrilegio, por haber destruido aquello que adoraba. Lejos de haber hallado a la mujer perdida, tú mismo, con ella, estás perdido, sin remisión. ¿Qué prefieres; matarla, o matarte nadie se haya percatado de esta escapatoria estúpida.

Herminia cavilaba. Vespasiano insistió, cambiando el tono grave en una cadencia de seductor arrullo:

—¿Verdad que mi niña adorada va a ser obediente? ¿Harás lo que yo te mando, tesoro mío? Fíate de mí, cabecita loca, y seremos felices; felices hasta el delirio y sin mengua de nuestra libertad. Herminia, Herminia... Casi no acierto a hablarte. ¡Cómo te quiero! Con angustia mortal te deseo... De aquí a Bonavilla, podemos paladear un anticipo de nuestra felicidad futura. Ahora me dirás a qué sabe...

Vespasiano enlazó a Herminia por la cintura, alargando hacia la boca de ella la suya, mórbida y ávida. Herminia le rechazó, brusca:

—¡Aparta!

Vespasiano, fatigosa la respiración, reincidió en un segundo ataque, sin decir palabra. Herminia le rechazó nuevamente, y dijo, con dejo de burla:

—Poco a poco, hombre. ¡Qué impaciencia!... Tienes toda la eternidad por delante, a tu disposición. Estaba recogida en mis pensamien-

---

riart: *Las alusiones literarias en la obra narrativa de Francisco Ayala,* Nueva York, ed. Eliseo Torres, 1972, p. 90.

[338] En su soliloquio, Tigre Juan incluye frases tomadas de *El médico de su honra,* citadas antes.

tú? Matarme yo. Pero matarte tú es también perderla. Y sin ella, el cielo será infierno para mí." Tigre Juan, arrodillado, los brazos en cruz, mirando al cielo, oró en voz alta: "Señor y Dios mío: escucha mi ruego, desde lo hondo de mi tribulación[339]. ¡Que no se me pierda, Señor, que no se me pierda! Si has de llevármela por la muerte, sea antes yo burlado, con tal que ella viva. Y si para que ella y yo vivamos es condición tuya que me burle, ciégame, Señor, los ojos del alma y los del cuerpo, y así, no sabiendo ni viendo, viviré dichoso, aunque engañado." Tigre Juan se puso en pie de un salto. Se le aborrascó el semblante, en cerrazón colérica. "Juan, Juan —se dijo, avanzando en su soliloquio—. ¿Cobarde tú? ¿Desertor del deber? Bonito ejemplo para maridos desgraciados... Bueno andaría el mundo si todos, en tus circunstancias, te imitasen... Tigre Juan, hermano mayor de la cofradía de los cornudos... Te darán el honroso título de tos y has venido desconsideradamente a interrumpirme. Pensaba en ti. Me estabas dando lástima.

—Digno soy de lástima, enamorado de una mujer de hielo, que, o bien apaga mis fuegos, o bien mi ardor la evapora, y no doy con ella jamás.

—Lo último que hablaste, antes de tu acometida, no te lo escuché. Hacías un ruido molesto, como roncar de gaita. Me habías dejado pensativa, ccuando declaraste que si yo te hiciese mío me odiarías y te causaría horror. ¡Qué diferencia, santo Dios! Diferencia, ¿con quién?, preguntarás. Yo sé lo que me digo, y a ti no te interesa. Quieres que sea tuya, sin derecho por mi parte a que seas mío. Mucha libertad; ninguna igualdad. Si fuésemos iguales, me odiarías. Has sido sincero, por primera vez. ¡Pobre Vespasiano! Me das lástima. Has nacido así. Tú no te has hecho a ti mismo. ¿Qué culpa tienes? Te asusta el amor, que, al igual de la muerte, detiene y suprime el tiempo[340].

[339] El tono de la oración parece bíblico. Expresiones muy semejantes encontramos, por ejemplo, en los Salmos números 3, 5, 6, 13, 22, 28, 31, etc.

[340] Véase "El tiempo" en *La novela intelectual...*, pp. 33-35. Y las reflexiones sobre ensimismamiento/enajenación y el juego como lucha contra el tiempo en el relato "Clib", de *El ombligo del mundo* (*O.C.*, tomo II, pp. 810-849).

cabrito consentido. Cuando tú pases, la gente te mirará de soslayo, con maliciosa sorna. Y tú, ignorante, irás con la cabeza muy levantada, como si te complacieses en mostrar y lucir el símbolo de tu oprobio. En los hogares honestos serás piedra de escándalo; en lagares, chigres [341] y tascas, motivo de irrisión. Tu fama andará corrida y maltratada estruendosamente por las calles de la ciudad, como perro con una lata atada al rabo. Y tú, entretanto, ¿eliges permanecer engañado y dichoso? Mm, m...” Tigre Juan arrojó de sí un lamento inarticulado, que se propagó por la aldea, como el mugido de un toro en la brama. “¡Abreme, Señor, los ojos, llegado el caso!”, murmuró. Y corrigiéndose: “o no me los abras, que eso corre de cuenta mía. En lo atañadero al honor, soy un Argos” [342]. Echó de ver, entonces, un arroyo muy diáfano que, no lejos, reptaba entre flores. De bruces, abrevó en él. El agua fría le atemperó la calenturienta imaginación. “Ya estás más sereno, Juan. Reconoce que has pensado puros desatinos. Discurre con más tiento. ¿A Tu sino es ir rodando cuesta abajo, sin pararte, rebotando de minuto en minuto, por el barranco del tiempo. ¡Pobre Vespasiano! Te asusta el amor. Nunca has amado ni podrás amar. ¡Tu sino! Me das lástima.

—No te sospechaba el don de la oratoria. La irritación hace elocuentes a las mujeres.

En esto, entró el revisor. Herminia se adelantó a decir:

—No llevo billete. Este caballero pagará lo que sea—y subrayó la palabra caballero.

—¿Hasta dónde?—inquirió el revisor.

—Hasta Bonavilla — respondió Vespasiano.

—No, hasta Regium—corrigió Herminia—, ¿Para qué dar a este señor doble trabajo, si en Bonavilla había de extender otro billete?

En marchando el revisor, Vespasiano, iracundo, se puso en pie. Con una mano se asía de la rejilla y con la otra accionaba, descompuesto, en tanto hablaba:

—¡Ea, esto se ha acabado! No quiero líos. Tigre Juan es mi amigo. Yo no robo la mujer a un amigo. ¿Me ex-

[341] *Chigres* (asturiano) = ‘tienda donde se vende sidra al por menor’ (Academia, p. 409).

[342] *Argos* = ‘personaje mitológico a quien se representa con cien ojos’; figurado: ‘persona muy vigilante’ (Academia, p. 115).

qué esa furia que, há poco, te señoreó? ¿Tanto te afecta el qué dirán? ¿Y si lo dijesen sin fundamento, que todo puede suceder? A juzgar por tus anteriores pensamientos e intenciones, lo que sientes no tanto es amor a Herminia cuando amor de ti mismo, amor propio y orgullo necio, pues te ha sacado de quicio el miedo a que opinen mal de ti. Aparte de que cabe compaginarlo todo. ¿No se te había ocurrido? Verás. Si Herminia te burlase, ¡no lo permita Dios!, no será ella sola, sino en compañía de un burlador. De seguro, de seguro, ella ha sido asimismo burlada por él; de suerte que es burlador de ella y tuyo. ¿Quieres lavar tu honra? ¿Y, por qué no, también, la honra de Herminia? Lávala con sangre del burlador. Los tribunales te absolverán, habiéndote absuelto de antemano tu propia conciencia. Nadie tendrá nada que decir de ti, sino aplaudirte. Y ella se adoctrinará para que en lo sucesivo no se deje burlar tan fácilmente. ¿Hay nada más llano, más sencillo? Y ahora, allá cuidados, Tigre Juan. Goza de la mañana y de la vida." Reanudó su caminata. Al cabo de un rato, oyó en un caserío gritos mezclados; chillidos de mu-plico? Mis amonestaciones las has oído como la luna a los perros. Allá tú. En la primera estación me traslado a otro departamento. Para mí, no existes. Sigue el rumbo que más te acomode, pero no con mi anuencia. Escribiré a Tigre Juan, poniendo bien en claro que no soy cómplice de tu huida. No quiero líos. Si eres una cabra loca, tu marido es quien debe darte caza—y con una transición:—Recapacita, Herminia. Aun es tiempo...

—Aplácate, Vespasiano. No tengas miedo. Tú no eres mi cómplice. Yo seré la primera en proclamarlo. Lo haré publicar en la "Gaceta". No me has robado. He huido porque me dio la gana. Ni más, ni menos. No he huido para seguir contigo, tonto. Tú has sido un pretexto. Pues, ¿no comencé diciéndote que estoy caída, perdida para siempre? ¿Habías tú de comprometerte con una perdida?

—Pero, ¿qué es lo que te propones? ¿A dónde tiras?

—La cabra tira al monte. ¿A dónde he de tirar? Soy una perdida y voy a juntarme con mis hermanas, las otras mujeres perdidas, las que han amado en demasía y no fueron correspondidas y las que no supieron corresponder a quien las amó de-

jer y broncas voces de hombre:

—¡Mosco n a ! ¡Pendona! ¡Perra! Que no has de aprender... He de romperte las costiellas a garrotazos —y, entre voz y voz, sonaba contundente el palo, como sacudiendo lana.

—¡Ay! ¡Ay! ¡Socorro, vecinos, que este Barrabás me asesina...! —aullaba la mujer.

Tigre Juan se apresuró hasta el lugar de la luctuosa escena, y en llegando:

—¡Alto ahí, paisano! —dijo, con ademán conminatorio [343]—. ¿No le avergüenza maltratar así a una pobre mujer?

El aldeano reposó el palo. Tigre Juan ayudó a levantarse a la mujer, que yacía en tierra.

—Señor —replicó el aldeano: —El pobre soy yo. En mi pelleyo quisiera ver a usté...

—Ninguna falta me hace, amigo —atajó Tigre Juan, con ceño adusto.

—Créolo. Mi suerte no es de envidiar.

—No sé cuál es su suerte, ni me importa un rábano. Concedo que tenga usté sospechas de su mujer. Y bien; masiado—dijo Herminia, irguiendo la cabeza, los ojos brillantes y húmedos.

Vespasiano vino a sentarse junto a Herminia, y le tomó dulcemente la mano:

—¿Has dicho...?

—Lo que has oído.

—Es que no doy fe a mis oídos...

—Anteriormente de un modo confuso, pero desde esta mañana con toda lucidez, me he visto, en el fondo de mi alma, tan mala, tan mala, tan perdida, tan perdida, que es mi resolución inquebrantable imponerme el castigo que merezco, yendo a vivir con mis hermanas, y como mis hermanas, las otras mujeres perdidas.

—¡Qué exageración, hijita! Si eres una virtud romana... No harás eso que has dicho.

—Es mi resolución inquebrantable. No me conoces —afirmó Herminia, mirándole desdeñosa.

—¡Caray, caray!... Entonces, el asunto toma un sesgo muy crítico. Calma, Herminia, calma. Ahora, que te veo al borde de un precipicio, es cuando descubro lo mucho que te quiero. Estoy temblando, ¿no sientes?

[343] Todo el episodio tiene, a la vez, el aire quijotesco (nótese el modo de intervenir Tigre Juan) y el del apólogo filosófico, con ambientación costumbrista, que es una de las especialidades de Pérez de Ayala.

esa no es ocasión bastante para apalearla.

—Sospechas... ¡Ay, señor! Si los mesmos animales son más fieles pa la casa... Que una gallina de fuera venga a escarbar en la mi quintana *, o un gocho ** a fozar *** en la mi duerna [344], o una vaca a comer la yerba del mi corral, o un perro a roer los mendrugos de la mi cocina, y verá cómo la mi gallina, el mi gocho, la mi vaca y el mi perro échanlos a picotazos, cornadas, focicazos **** y taragañadas ***** [346].

—Pero si vienen esos animales de fuera y los de casa no hiciesen nada por impedirlo, a usté no se le ocurriría dar de palos a su gallina, su cerdo, su vaca o su perro, sino al intruso.

—Señor; non sé qué sea eso de intruso. Supóngome algo como ladrón. Aquí, señor, non se trata de ladrones. Trátase de una ladrona: la mi muyer.

Vespasiano temblaba, en efecto, pero era con la emoción y ansiedad del hombre que, hallándose extraviado en un laberinto sin salida, columbra de repente una puerta falsa, de escape. Esta puerta falsa podía conducirle además al logro de sus apetitos. Con celeridad de estratega amoroso, avezado en celadas, efugios [345], asaltos y maniobras de envolvimiento, Vespasiano tendió mentalmente las líneas maestras de su plan. Después de una pausa, durante la cual no dejó de acariciar el dorso de la mano de Herminia, como se atusa el lomo de un animal arisco, por reducirlo a domesticidad, prosiguió hablando melosamente:

—Así como, hace un momento, deberes de amistad para con Tigre Juan me exigían desentenderme de ti, ahora que conozco tu fatal intención, mi conciencia, por amistad y por caridad, me

* Corraliza.
** Cerdo.
*** Hozar.
**** Hocicazos.
***** Dentelladas.

[344] *Duerna* = 'artesa, tronco hueco en forma de canal, cerrado por sus dos extremos, que sirve para dar de comer a los animales y para otros usos' (Academia, p. 498).

[345] *Efugio* = 'evasión, salida, recurso para sortear una dificultad' (Academia, p. 504).

[346] Señala este párrafo como ejemplo de función realista de la lengua vulgar dialectizante Dolores Anunciación Igualada Belchi.

—No comprendo. Yo creía...

—Si hubiera llegao usté endenantes, al súpito[347], como yo, y la hubiera alcontrao[348] con Mualdo de Tina, como yo la alcontré, entóncenes comprendería.

—¡Ah, reconcho! *In fraganti*...

—Señor; con esos responsos es como si me falase* en latín.

—Quiero decir que le compadezco.

—Adivinábalo.

—Y no menos la compadezco a ella. ¡Vaya por Dios! Mal sistema es el del vergajo. ¿Qué consigue usté apaleando el agua? Si su infeliz mujer, sobornada, ha dado el corazón a otro...

—¿El corazón, nada más? Pla, pla, pla —interrumpió el aldeano—. De lo suyo, disponga ella; y déselo a quien le parezca, que hay para todos.

—¿Cómo, amigo? Continúo sin comprender. La mujer casada no tiene nada suyo; de nada puede, por tanto, disponer. Ante el altar, juró pertenecer, alma y cuerpo, al marido.

—No digo que no. ¿Quién hace caso de esos embelecos? Ello es que alma y obliga a no abandonarte. La situación, moralmente, es esta: has huido del domicilio marital, por lo que sea; eso es responsabilidad tuya. La casualidad me lleva a tropezar contigo, en una encrucijada. ¿Qué haces aquí?, te pregunto; vuelve a tu casa. Tú me respondes que te lanzas a la vida y estás determinada en entregarte a todo el que pase. Me permito dudarlo, pero tus ojos me revelan la firmeza de tu decisión. ¿Qué he de hacer yo? ¿Puedo consentir que la mujer de un amigo, mujer a quien, por otra parte, adoro, ruede por el fango como ramera o mercancía callejera? Jamás. Jamás. Del mal, el menos. No hay otro remedio en este caso. Estaba de Dios que habíamos de ser el uno del otro. He aquí mi proyecto. En Regium, te llevaré a casa de una señora, respetable y tolerante, vieja amiga mía. Se llama doña Etelvina. Le alquilaré, para ti, un gabinete con alcoba. Todos tus gustos los sufragaré yo. Vivirás allí retirada y discretamente. Serás como mi mujer. Y pues yo he de andar fuera lo más del tiempo, por mi profe-

* Hablase.

[347] *Al súpito* (asturianismo) = 'de repente' (Reinink, p. 141).

[348] *Alcontrar* (asturianismo) = 'encontrar' (Reinink, p. 141).

cuerpo siguen siendo de ella sola; tan fato * es querer mandar del todo en el su cuerpo, como en la su alma. Lo mejor es dejarlas que dispongan ellas de lo suyo. Si al cabo lo han de hacer, por mucho que las vigiles. Y a nosotros, ¿qué? El su cuerpo y la su alma no son los nuestros. Si la muyer come manzanas abondo ** y duélele luego la su barriga, ¿doleráme la mía por eso? A mí no me importa un cuerno.

—Al parecer, a usté no le importa un cuerno ni doscientos mil pares de cuernos. Es usté un hombre extraordinario. Cada vez le entiendo menos. ¿No me acaba usté de decir que su furor obedecía al hecho de haber sorprendido a su esposa en brazos de otro hombre?

—Señor; usté deliria. En brazos... en brazos... Pues ¡vaya una cosa! No, señor. Alcontrélos comiendo, fartándose ***. Mi muyer es una folgazana, una llambiona ****, una fartona *****. Que tenga amigos y cortejos; yo no me meto. Pero que la conviden ellos. Que la regalen y traiga ella a casa algo de provecho, como es de rasión de viajante, te haces cargo de ser la mujer de un marino. La vista del mar favorecerá esta ilusión. Mientras duren las separaciones forzosas, ¡con qué anhelo, el marino y su mujer, contarán los días que faltan para la arribada al puerto!... Luego, ¡qué gozo, qué arrebato, qué frenesí, cuando los cuerpos vuelvan a juntarse!... ¿Quieres, querubín mío? ¿Qué te parece mi proyecto?

Después de la extremada tensión, sobrevino en Herminia una relajación y como embotamiento. Se sentía agotada, débil, mecida en un vago mareo. Estaba invadida de una apatía y una laxitud infinitas.

—¿Quieres?—repitió Vespasiano, en un trémolo suplicante.

—Todo me es igual—suspiró Herminia, con soplo tenue, entornados los párpados, como si se dejase, a merced de lo que Vespasiano gustase hacer de ella.

Vespasiano pensó: "al fin... ¡Diantre con la niña! Pues no ha sido dura de pelar..." Y dijo alto, abrazando a Herminia y entreverando palabras con besos:

* Tonto.
** En abundancia.
*** Hartándose.
**** Golosa.
***** Glotona.

zón. Y no que ella es quien los convida a ellos; con lo mío, señor, con lo mío. Luego, los mis llacones, y longanizas y morciellas, que echo de menos, díceme que las robó el gato. Veinte veces, señor, la cogí en comilonas con algún mozo. Otras tantas la solfeé las costiellas con este estrumento. Pues nada. Non tién cura. Es pa matarla.

—Me deja usté turulato, buen hombre. ¡Ea! Me voy, que se me ha hecho tarde. Adiós, amigo. Basta de malos tratos, y le irá mejor. Le exijo, oigame bien, le exijo que no vuelva a apalear a su mujer, o tendrá usté que habérselas conmigo, como yo me entere [349].

—Usté manda, señor.

—Y usté, mujer, con un marido tan complaciente, ¿por qué no le respeta la despensa, que es lo único que le pide de usté? Prométame... ¿Cómo se llama usté, mujer?

—Engracia, para servirle.

—¡Bendita seas, lucero de la tarde, relicario de oro repujado, tarro de arrope, cuerpo de diosa, reclinatorio de pluma y seda! ¡Qué feliz me haces! ¡Qué feliz te voy a hacer! Diablos y ángeles nos tendrán envidia.

Aumentaba el mareo de Herminia. Oía un coro de voces anubladas. Vespasiano le salpicaba de besos el rostro. Los primeros besos casi la gratificaban, como una llovizna tibia sobre la piel febril. De pronto, un beso en la frente la lastimó, cual si le arañasen en los labios de una herida fresca. Se le avivó la sensación del beso matutino de Tigre Juan; una sensación sólida y aguda, ahincada hasta el meollo, como un clavo. Vespasiano duplicó el beso en la frente. Herminia no pudo resistir más. Le acometió una especie de náusea, no sabía si del cuerpo o del espíritu. Las entrañas se le anudaron en un calambre congojoso. En lo más profundo de sí, oyó, le-

[349] Otra vez el tono cervantino. Dice don Quijote al rico Juan Haldudo, en su primera aventura: "Y mirad que lo cumpláis como lo habéis jurado; si no, por el mismo juramento os juro de volver a buscaron y a castigaros, y quc os tengo de hallar, aunque os escondáis más que una lagartija" (*Quijote,* I, 4). Mucho después se entera don Quijote, por el relato de Andrés, de que "así como vuestra merced traspuso el bosque y quedamos solos, me volvió a atar a la mesma encina y me dio de tantos azotes, que quedé hecho un San Bartolomé desollado" (I, 31). Así anuncia también Ayala el final irónico del episodio.

—Engracia... Engracia... —mascullό Tigre Juan, verdeciéndosele la piel. Añadió, con premura: —Adiós, adiós.

Alejándose, a paso rápido, pensaba: "Estoy pasmado. Y, sin embargo, es tan marido como otro cualquiera, ¡Qué vida ésta! Ella se llama Engracia. Engracia..." Por un momento, para Tigre Juan Herminia ya no fue Herminia. Su mujer volvía a ser la Engracia de antaño. En esto, oyó de nuevo los chillidos de la campesina y los golpes secos, como de varear lana, que el marido le sacudía. Tentado estuvo de dar la vuelta; pero cerró los oídos, porque iba retrasado. A grandes zancadas llegó a la ciudad. Antes de instalar el puesto en la Plaza del Mercado, subió a su casa.

—Engracia. Engracia —llamó, creyendo haber dicho Herminia.

Nadie le respondió. El corazón le dio un vuelco. Repitió:

—¡Engracia!

vísimo, palpitar un corazón que no era el suyo [350]. Se encrespó súbita y arrojó lejos a Vespasiano, derribándole sobre los cojines del asiento.

—¡Cáspita, qué mujer! No hay quien te entienda—refunfuñó Vespasiano, rehabilitándose en la posición erecta y retocando, luego, el nudo de la corbata. Pensó: "ahora es cuestión de mi negra honrilla. Vaya. Por violencia o por astucia, te he de someter, viborezna."

Herminia, como hablando consigo, murmuró:

—¿Me entiendo yo misma, acaso?...

Detúvose el tren en la estación de Lugarones [351]. Entraron en el departamento un sacerdote anciano, una vieja con sombrerete y un señor de aldea, cincuentón, vestido de traje flamante. La vieja y el clérigo se persignaron al arrancar el tren. El clérigo se caló unas antiparras y abrió el breviarrio, para rezar sus horas, silabeando precipitadamente, pe-

[350] Anuncia de modo ambiguo lo que luego aclarará del todo. La fórmula es semejante a otras que usa Pérez de Ayala. Por ejemplo: "Se le desgarraron las entrañas, y una voz de timbre seráfico habló en ella: 'Vas a ser madre'" (*Las novelas de Urbano y Simona,* p. 67). "No era el canto del ruiseñor. Simona sabía lo que era. Era el hijo que lo sentía por segunda vez subido en la garganta, pugnando por desasirse y brotar" (ibíd., p. 127).

[351] *Lugarones* debe de referirse a Lugones, a 6 kilómetros de Oviedo, la primera estación de la línea que va a Gijón.

Recorrió la casa. En voz alta, con firmeza, dijo:

—Está en misa. ¿Vas a dudar, Juan? En este mismo instante se decide tu destino. Si dudas, ya no hay salvación para ti. No dudes, suceda lo que suceda; no te dejes engañar otra vez por las apariencias. El mal pensado convierte en realidad su mal pensamiento; y así le castiga Dios. Tu mujer está en misa.

Ya que hubo plantado su armatoste, en la Plaza del Mercado, doña Iluminada, desde el fondo de la tienda, le dijo:

—Venga acá. Supongo que mañana tendremos respetable comilona.

—Señora, yo soy hombre sobrio y aguado. Me mantendría de hierbas y avellanas, como la oveja y el mico.

—Vaya, que ponerse en cotejo con el mico. Me está usté saliendo un picarón, mi señor don Juan.

—El mico, señora, es animal de grandes luces naturales, aunque harto imitador, y en consecuencia haragán, que de nada le sirven las cuatro manos que tiene. Figúrese usté un hombre como yo, con cuatro manos; ¿qué no haría? Y bien; ¿por qué hemos de tener mañana respetable comilona?

ro de un modo inaudible. El señor de aldea sacó del bolsillo un diario provincial, lo desplegó y se sumió en el fárrago de noticias. Herminia, desmadejada, apoyó la cabeza en un ángulo, cerrados los ojos, ausente de todo, incluso de sí misma. Se había sentido al pronto de tal suerte colmada, pletórica de otra existencia original, incomprensible, contradictoria con la suya propia y anterior, que se quedó vacía de pensamiento. Abría la boca, con ansia, como si a través de ella fuera a rebosarse aquella emoción, creciente y ciega, que la llenaba. Vespasiano se inclinó a decirle:

—¿Qué te sucede? Estás muy pálida.

El clérigo, humillando la cabeza, para mirar oblicuamente sobre las antiparras, preguntó a Vespasiano:

—¿Se halla indispuesta su señora?

—Debe de ser algo de mareo. Es la primera vez que viaja en tren—explicó Vespasiano.

Intervino la vieja, inquiriendo, con doblada curiosidad, por mujer y por vieja:

—¿Llevan ustedes mucho de casados?

—No, señora—contestó Vespasiano con apicarado en-

—¿Se ha olvidado del día que es?

—La verdad, no sé en qué día vivo.

—Dichoso usté.

—Sí, señora. Téngome por dichoso. Más dichoso no puedo ser.

—No se jacte, que es de mal agüero.

—¡Usté, con esas?

—¿Y usté?

—Yo ríome de agüeros y supersticiones. A lo que estábamos; ¿qué día es el de mañana?

—San Juan, hombre de Dios. Su santo.

—¡Reconcho! ¿Cómo cae San Juan tan temprano este año?

—Este año, como todos.

—Pues yo diría que se nos ha echado encima al galope.

—De seguro a Herminia no se le ha ido el santo al cielo, como a usté.

—¿Qué Herminia? ¡Ah, sí! Herminia... Nada me ha dicho.

—Apuesto que le reserva una gran sorpresa para el día de mañana.

—Señora, soy poco aficionado a sorpresas; a darlas ni a que me las den.

greimiento, atusándose el sedoso bigotejo.

—Ya me parecía a mí. La señora es muy joven. Ese mareo es lo probable que, más que del tren, proviene de su estado [352]—dijo la vieja, con una sonrisa que aspiraba a lisonjear a Vespasiano.

Pero Vespasiano plegó el entrecejo y mordió el bigote. El clérigo miró de través a la vieja. Herminia no había oído nada de la conversación.

Después de leer el periódico de cabo a rabo, sin omitir anuncios ni esquelas mortuorias, el señor de la aldea entabló palique con Vespasiano. Fue animándose la charla. Vespasiano refirió algunos chascarrillos verdes, nada áticos, sino más bien beocios [353], de esos que van llevando de pueblo en pueblo los viajantes de comercio, y algunas de estas agudezas hasta llegan a dar la vuelta al mundo. El señor de aldea reía a carcajadas. La vieja los celebraba también, aunque no los entendía. El clérigo, de tiempo en tiempo, disparaba, desde el arco de las antiparras, una mirada

[352] Al narrador irónico le gusta usar un recurso frecuente en la literatura del Siglo de Oro: engañar con la verdad.

[353] *Aticismo* = 'delicadeza, elegancia que caracteriza a los escritores y oradores atenienses de la edad clásica'. *Beocio* = 'natural de Beocia'; figurado: 'ignorante, estúpido, tonto' (Academia, pp. 138 y 177).

—Vamos, que alguna sorpresa... no sé cómo lo diga; alguna sorpresa tremenda, que no debiera ser sorpresa, ya le gustaría a usté que se la diese Herminia.

—Me vuelvo tarumba con sus insinuaciones. Déjeme de sorpresas, que pueden resultar fatales, como se cuenta de algunas personas que, por el golpe, estiraron de repente la pata al decirles una noticia que les alegraba demasiadamente.

—Por eso quiero prepararle, a fin de parar el golpe.

—Señora, no estoy hoy para ambages y medias palabras. Precisamente he andado esta mañana aprensivo y desazonado, porque, antes de salir a la aldea, creí notar a Herminia algo malucha.

—¿Y no lo había notado usté hasta esta mañana?

—¿Qué quiere usté decir? ¿Piensa usté que Herminia está enferma? No, no, no. Cuando volví de la aldea, estaba en misa.

—Hace bien en ir a la iglesia, a dar gracias a Dios.

—A dar gracias a Dios, ¿de qué?

—Por eso; por estar algo malucha. ¿No da todavía en el *quid?* ¡Qué entendederas! Una recién casada, que está malucha... ¿Qué puede ser, fulminatoria, si bien una vez hubo de asomarse a la ventanilla, fingiendo que tosía, porque le había dado la risa.

Paró el tren.

—Ya hemos llegado, Herminia.

—¡Gracias a Dios!

Fuera de la estación, preguntó Vespasiano:

—¿Qué hacemos? Tú dirás, Herminia.

—¿Qué sé yo? Llévame donde pueda acostarme. Tengo tanto sueño, tanto sueño, que quisiera caer dormida para no levantarme ya sino de entre los muertos, el día de la justicia final, que me junte con los condenados.

—¡Qué simplezas! Sí, necesitas reposo. Andando.

Echaron a caminar por las calles. Al desembocar en una plaza que daba a la marina, Herminia, viendo la verdiazul planicie, convulsa bajo un viento recio, exclamó, con susto:

—¡Oh!

—Es el mar—declaró Vespasiano.

—¡El mar!... ¡El mar!... —murmuró Herminia.

Vespasiano condujo a Herminia a casa de una Celestina, conocida en la villa por el apodo de *Telva las burras* [354]. La puerta estaba cerrada; las ventanas, tapa-

[354] Personaje que aparece en otras novelas de Pérez de Ayala.

sino que...? Si no había más que verle la cara estos días pasados... Y usté, que presume, según le he oído, de tan médico como el señor Hipócritas[355], sin caer del nido; como si no le fuera a usté en ello la garantía postrera de su felicidad. Verdad es que jamás le vi a usté levantar los ojos al rostro de Herminia, y nada de particular tiene que no le haya admirado estos días la cara blanca y pensativa que tiene, como la de la Virgen con el niño.

Tigre Juan se puso de una lividez cenizosa. Cayó sobre una silleta, rígido y con una especie de perlesía. Se le retorció la mitad del rostro, como un paralítico. Estaba horroroso. Por el lado de la boca que le quedaba con movimiento, a tiempo que le caía la baba, pudo balbucir, chirriando los dientes, con ruido de garrucha:

—¡Un hijo! ¡Un hijo!

Doña Iluminada acudió en auxilio de Tigre Juan:

das con persianas verdes. La Celestina ocupaba toda la casa, que tenía dos pisos. El piso principal, con entrada por la fachada del edificio, era casa de citas. El piso segundo era burdel, con pupilas, y se entraba a él por un callejón a espaldas de la casa; bien que entre las dos dependencias hubiera comunicación interior y directa, por medio de una escalera de caracol. Tardaron en responder a la aldabadas de Vespasiano. Abrió finalmente una mujerona tripuda, desgreñada y en chanclas.

—¿Tú por aquí, Polisón? —en aquella casa, a Vespasiano le llamaban familiarmente Polisón, debido a sus prominentes asentaderas[356]—. Buenos ojos te vean. ¿Y a tales horas te descuelgas? Creí que era el lechero. ¿Quién es esta pájara?

—Buenos días tenga usté, Medera. Deseo ver en seguida a doña Etelvina—dijo Vespasiano, muy serio, guiñándo un ojo a la mujero-

[355] Pérez de Ayala usa con frecuencia las deformaciones irónicas de los términos cultos. Antes hemos leído *Berte* (por Werther). Podrían citarse también, entre otros ejemplos, *Aristótiles* (*Troteras y danzaderas*, p. 324; el corrector de la edición argentina lo corrigió, creyendo que se trataba de una errata); *Mingalaterra* (*La pata de la raposa*, p. 245)); los *gipcios* y *bañaderas*, por egipcios y bayaderas (*Troteras y danzaderas*), etc. (Vid. González Calvo, pp. 92 y ss.).

[356] *Polisón* = 'armazón que, atada a la cintura, se ponían las mujeres para que abultasen los vestidos por detrás' (Academia, p. 1045).

—A ver si va usté a estirar la pata... A buena hora.

Tigre Juan meneaba la cabeza, diciendo que todavía no estiraba la pata; y, al efecto, encogía y alargaba una de las piernas, como un afilador o un ciclista. La de Góngora, en medio de todo, hubo de reírse. Se le vió a Tigre Juan contraerse, en un esfuerzo de titán que va a romper una cadena, al cabo del cual surtió [357] con un salto, de portentoso vigor, y luego, abriendo y cerrando los brazos en el aire, dio otros varios, más expresivos, a modo de zapatetas de una salvaje danza triunfal. En una de estas piruetas de orate, tropezó con el puño en el quinqué, colgado sobre el mostrador, lo hizo añicos y él se cortó la piel. Brotó la sangre, granate, densa, como sangre de toro.

—Sangre. Sangre. Mi sangre mezclada para siempre con la sangre de Herminia —bramó, a lo sordo, Tigre Juan; y besó una, dos, muna, a fin de darle a entender que debía disimular y reportarse.

—¡Uy! ¿A mí, de usté? ¡Doña Etelvina!... ¡Qué fino está el tiempo. Telva acostóse va para cuatro horas. ¿Cómo la voy a despertar, ni siquiera por ti, que eres uno de los perroquianos mejor recibidos?

—Por lo pronto, entremos. Toma, y vete a avisar a doña Etelvina—y Vespasiano depositó dos duros en la mano de la mujerona.

Subieron los tres al piso. La mujerona fue guiando hasta una alcoba, amueblada abigarradamente, donde había una cama ancha, en una esquina, y sobre ella, a lo largo de la pared, un gran espejo apaisado. Así que salió la mujerona, Herminia dijo:

—No hagas comedias. Nada me espanta [358]. Sé donde estoy. Es el sitio que me corresponde. Ahora, déjame dormir. Márchate. Que me dejen sola. Que no

[357] *Surtir* = 'brotar, saltar o, solamente, salir el agua, y más en particular hacia arriba' (Academia, p. 1231).

[358] Creo que hay un eco de la letrilla atribuida tradicionalmente a Santa Teresa: "Nada te turbe. / Nada te espante. / Todo se pasa. / Dios no se muda. / La paciencia / todo lo alcanza. / Quien a Dios tiene / nada le falta. / Sólo Dios basta" (*Obras Completas,* Madrid, ed. Aguilar, s. a., p. 758). Véase el comentario de Víctor G. de la Concha en su magnífico libro *El arte literario de Santa Teresa* (Barcelona, ed. Ariel, col. Letras e Ideas, serie Maior, 1978, pp. 373-376).

chas veces, su propia sangre, restregando el belfo contra ella.

—Hay Providencia —exclamó doña Iluminada—. Sin esa sangría providencial, le da un ataque al cerebro y se nos muere.

—¿Qué importa, si soy ya inmortal? [360]

—No sabe lo que dice. Entre a lavarse esa boca. Da espanto. Ahora, sí; parece un tigre que acaba de devorar a una gacela indefensa. No quiero verle. Se me trastorna la imaginación —y la viuda se tapó los ojos con las manos.

—Sí, señora; voy a lavarme, y eso que con el sabor de la sangre siento algo así como si besase a mi hijo nonato. Voy también en busca de una regular telaraña, que es lo mejor para restañar heridas.

Se entró en la trastienda. Luego, salió apresurado:

—Adiós. Adiós.

—¿Marcha de viaje?

—Señora... Me dirijo a ver a Herminia, sin perder un segundo. Es lo lógico, lo humano...

—Pues sí que hará usté bonito papel. Si de ordiname molesten. Cerraré por dentro. Ya llamaré yo. Márchate. Márchate. No quiero verte delante—y se dejó caer, como cuerpo muerto en la fosa, en aquel lecho del pecado vil y mercenario [359].

—¿Cómo quieres que te deje así, nena mía? De quien se arroja al fondo del mar por una perla, y sale, sin aliento, con ella en la mano, ¿pretendes que la tire otra vez al agua? No, tesoro mío—y Vespasiano intentó acariciar a Herminia.

—Retírate. Retírate. No me exasperes—gritó Herminia, fuera de sí.

—Chisst...—hizo Vespasiano, con gesto admonitorio.

Herminia cambió de tono. Su voz era, ahora, herida y quejosa; su mirada, humilde y mendicante:

—Te suplico que me dejes descansar. Sé bueno conmigo, siquiera una vez.

—Sé tú buena conmigo.

—Lo seré. Luego. Cuando me haya serenado. Quiero dormir...

—Velaré tu sueño.

—Pero fuera de la habitación. Déjame, te lo ruego, por tu madre.

[359] En esta ponderación literaria puede verse un eco del modernismo en el que Pérez de Ayala se inició como escritor.

[360] Para Unamuno, también, los hijos son uno de los medios contra la muerte. (Vid., por ejemplo, *Del sentimiento trágico de la vida.*)

rio, delante de ella, se traga usté la lengua, ¿qué hará en este trance apurado? ¿Qué le dirá usté?

—Nada diré. Me arrodillaré a sus plantas.

—No habrá vuelto a casa. Estará en la iglesia en estos momentos.

—¿Qué sitio más indicado para arrodillarme delante de ella? Esté donde esté, aunque estuviera en el paraje más abominable y sucio[361], aunque la hallase tendida en un estercolero, yo necesito ahora mismo arrodillarme delante de ella. Me lo exige la conciencia.

—Tendré que darle un poco de tila y agua de azahar. Estese quietecito en su puesto, hasta la hora de comer. Aguarde que ella sea la primera en hablar. Puesto que ha callado, por algo será. Quizás mañana, día de su santo, quiere ella darle cuenta de la novedad. Usté se hará el sorprendido...

—Sí, sí. Siempre tiene usted razón. Aguardaré. Como quiera, ya empezaba a acobardarme.

Tigre Juan salió y se sentó en su puesto. Nachín de Nacha, el de las monteras, vino a hablarle, arrascándo-

Vespasiano salió, con propósito de volver a poco. Oyó que Herminia cerraba la puerta por dentro. "Está loca, y es capaz de cometer un disparate", pensó. "¡Qué compromiso!" Como era huesped de confianza, se lanzó en derechura al cuarto de Telva, quien, aunque ya despierta, estaba todavía acostada. Le contó lo que tuvo por conveniente, la instruyó acerca de cómo había de comportarse con Herminia, le comunicó sus temores de que la muchacha, desesperada, hiciese alguna atrocidad, y le aconsejó emplear el tacto más suave y la mayor precaución.

—Dengues y melindres de niña tonta—sentenció Telva, acarreando de un lado a otro su carnosidad, desparramada sobre la extensa cama de nogal, estilo Luis XV—. Pues no tengo yo poca experiencia... Estas que al principio hacen tanto asco y repulgo son las que luego se hallan más a gusto en la vida.

—No, no, Telva. Esta chica está de veras enloquecida...

—Matarse, no se matará.

—Qué sé yo.

[361] Nótese el paralelismo con lo que acabamos de leer en la otra columna.

se la cerviz y con mueca cazurra:

—Te vi hace un momentín, en la tienda. Estabas como tolo *. Escomienzas asina y rematarás en el malicomio [364] o el presidio. ¡Probe Xuan! Bien te lo anuncié. Entós **, lo que sembraste tu mesmo, ¿tan aína lo recoges en cosecha de desgustos? Mujer moza, marido vieyo, al diablo se le alegra el güeyo ***. Cúrate en salú, Xuán. Dígolo porque bien te quiero. Somos de la misma camada; montaraces. La amiganza de la mocedad tarde o nunca se pierde. Ficiste **** una burrada, casándote. Enmiéndola. Tú, por un lao; la mocina, por otro. Déxalo todo; ven conmigo al Campillín.

—¿Estás bebido?

—Entodavía no lo caté, —¡Toño! [362] Pues vaya un regalito que me has encajado. Presto, presto; llévatela cuanto antes de aquí, morucho [363].

—Calma, Telva. Así, inmediatamente, no veo peligro, si la dejamos tranquila. Yo volveré al oscurecer.

—Oye, sarraceno, si algo ocurriese, te advierto que yo cantaré de plano a los guindillas. A mí no me emplumun, por una fechoría tuya. Me lavo las manos.

—Calla, mujer, con tus feos augurios, que no es para tanto. Adiós, reina gobernadora del sexto.

—Adiós, precioso, gallito, que te han abajado la cresta.

Herminia no pensaba matarse. Lo que pensaba, lo que anhelaba, era que Tigre Juan la matase. Anhelaba que Tigre Juan la hubiese

* Tonti-loco.
** Entonces.
*** Ojo.
**** Hiciste.

[362] Otro ejemplo claro de eufemismo.

[363] *Morucho* = 'novillo embolado para que los aficionados lo lidien en la plaza de toros' (Academia, p. 897). 'En el campo de Salamanca, el ganado áspero y acometedor, corpulento (...). Por extensión se llama así al de media casta brava' (Cossío: *obra citada*, p. 89). Es el sentido despectivo que aquí tiene; no es el término cariñoso, en femenino, que Manuel Seco (*Arniches y el habla de Madrid*) documenta en Arniches, López Silva, Casero..., ni su uso popular como toro negro, simplemente.

[364] Otra deformación vulgar de la misma palabra, muy intencionada, aparece en *A.M.D.G.*: "—¡Joasús! Paez un maricomio. —Teodora, se dice manicomio" (p. 21).

dende que me levanté del xergón.

—Me vienes, hoy, con esas impertinencias. ¡Hoy! El día más feliz de mi vida.

—Desemula, hom *. No lo presumía.

Se plantó, delante de Tigre Juan, uno de los asilados de don Sincerato, haciendo pucheros, con cejas contristadas, desviviéndose en dejarse entender apremiantemente por los dedos. Tigre Juan, por señas, le invitó a que escribiese en un papel lo que quería. El mudito, con letra de altibajos trémulos, escribio: "nuestro padre, muriéndose. Desea ver usté".

—¡Jesús! ¡Piedad para él! —exclamó Tigre Juan—. ¡Caiga sobre mí una desgracia, Dios mío, a cambio de que le indultes a él! —y luego, con el pensamiento, corrigió: "Bueno, ya me entiendes, Señor. Que se me rompa una pierna, por ejemplo; o un mal negocio. Y eso que he de ahorrar para mi hijo. Vaya; una desgracia que me toque a mí solo; no a Herminia. Ya me entiendes, Señor". Se asomó a la tienda de la viuda.

—El que estira la pata es el cuitado de don Sincerato. Está ya con las espuelas calzadas, para dar el salto al venido siguiendo, primero en el tren, luego por las callejuelas de Regium, hasta aquella casa infame donde se hallaba. Y que irrumpiese a degollarla en aquel mismo lecho meretricio. Pero, no; todavía no. Que la matase más adelante, cuando llegase la hora solemne de la expiación. En sonando esta hora, Herminia, casi con júbilo, ofrecería su cuello al sacrificio. Se reconocía culpable, en supremo grado, y su conciencia reclamaba, a fin de limpiarse por completo, la suprema expiación. Varias horas pasó, como inerte, derribada en aquella cama impura, que trascendía un aroma denso y afrodisiaco. La Celestina acudía de vez en vez a repicar con los nudillos en la puerta, por cerciorarse si Herminia vivía aún. A las seis de la tarde, Telva dijo, de fuera:

—Las niñas van a comer. ¿No te roe a ti también el gusanillo? Pues, hala p'arriba. Si te molesta la compañía, pueden traerte aquí el pote.

Herminia estaba extenuada. Quería, además, conocer de cerca aquellas mujeres. Se levantó, y, con Telva, fue al comedor. Había seis mujeres; ninguna, encima de los

* Hombre.

otro mundo, sobre el rocín de la muerte. Quiere despedirse de mí.

Doña Iluminada se santiguó y quedó orando en silencio. Tigre Juan, de la mano del mudito, salió flechado. Llegaron al Asilo; un caserón ruinoso y húmedo. Atravesaron pasadizos lóbregos; subieron escaleras gemebundas; penetraron en una gran sala destartalada, donde había hasta veinte camastros, con cruces negras, pintadas en la pared, sobre la cabecera, y, presidiéndolos, un catre de hierro, con colcha blanca, rameada de colorado, en el cual yacía el señor Gamborena. En torno al catre se agrupaban, de rodillas, los asilados; un poco aparte, los sordomudos, que sollozaban con un lamento inarticulado, como canes gañendo a la luna; más cerca, los ciegos, con la pupila en la yema de los dedos, alargaban todos el brazo a palpar el cuerpo de su padre adoptivo, que era como la osamenta de un pajarillo, y no hacía bulto bajo la cubierta de la cama. A un lado y otro de las almohadas estaban, en pie: un sacerdote guapo y buen mozo, vestido con elegancia, el manteo, de lustroso merino, terciado bajo los brazos, a modo de capote de torero; treinta. Iban vestidas por lo somero, alguna no más que en camisa, y adoptaban posturas tediosas, de impúdico abandono. Parecían abrumadas de fatiga y de hastío. Sus ojos carecían de profundidad; ojos diluidos, y se diría que inocentes, como de bestias de carga. Por la novedad, todas, menos una, miraron a Herminia, con una mirada en que se confundían la curiosidad y la indiferencia. Sirvió a la mesa la mujerona tripuda de la mañana. Las mujeres, una se llamaba Coral; pelo caoba, piel de nata, salpicada de puntos de canela, ojo de perdiz, cabello color azafrán, algo obesa y fofa. Otra, la Maña; sin frente, cejas unidas, cara cuadrada, cuerpo anguloso y hombruno. Otra, la Siero; rostro vacío, donde no se veía sino los ojos grises, de agua estancada. Otra, la Fedionda; expresión de remilgo, un tanto bisoja, la nariz y el labio superior remangados, como si estuviera siempre oliendo algo nauseabundo. La Pelona; pelo ralo y crespo, como de difunto, nariz de fresón, boca de sandía, faz enharinada de payaso, hablaba desgarrado y soltaba, sin venir a cuento, carcajadas tabernarias. Por último, Carmen, la del molino, la única que iba vestida;

un hombrecillo, con un traje desastroso y cara de la estrechez y color de un macarrón crudo, que era practicante del hospital; y un señorito, contemplándose, con gesto aburrido, las botas de charol, que era diputado provincial. Al acercarse Tigre Juan, los tres enarcaron las cejas y bajaron las pestañas, como diciendo: "¡Vaya por Dios! Llega usté a tiempo". Tigre Juan tomó las dos manos del señor Gamborena; dos puñaditos de pedrezuelas sacadas del lecho de un arroyo, frías y mojadas. Don Sincerato reía, con risa tácita de calavera. Sus desnudos ojillos infantiles, hundiéndose y ahogándose en una sombra amatista, miraban con ternura a Tigre Juan, dándole un adiós, que pretendía ser alegre. A vuelta de titubeos, pausas, ahogos, don Sincerato habló:

—Felicidades, don Juan. Mañana, su santo. Usté a la mesa, con su esposa, gran banquete. Mi alma, allá arriba, en la mesa de Dios, su esposo, gran festín. Parabienes a usté. Congratulaciones a mí. Cara a Dios, no me olaguileña, trigueña, dos grandes aros de oro en las orejas, y ojos muy tristes, que Herminia comparó con los de una princesa en esclavitud. Herminia no acertaba a sentir compasión por aquellas mujeres, salvo por Carmen, con quien al pronto se halló ligada en una correspondencia de simpatía. "Estas mujeres —pensaba— no son desgraciadas. Carmen, sí. Tampoco son felices. Pero, ¿quién es feliz? Ni son pecadoras, como yo lo soy. Les falta algo esencial para ser del todo desgraciadas, o felices, o pecadoras: la responsabilidad[365]. ¿Qué culpa tienen ellas, las pobrecitas? En cambio, yo... " Herminia, forzándose, comió unos bocados, lo indispensable para sustentarse. Antes de terminada la comida, se levantó, a fin de ir a recogerse en el mismo cuarto de antes.

—¿Me das licencia que vaya contigo?—rogó Carmen, la del molino.

Herminia accedió, afable. Se sentaron las dos al borde de la cama. Herminia fue la primera en hablar:

—Cuéntame tu historia.

[365] Me parece que viene del naturalismo esta defensa de la prostituta, que achaca a las circunstancias sociales la responsabilidad. Recuérdese, por ejemplo, la novela de un naturalista español que merecería un estudio: *La prostituta (novela médico-social),* de Eduardo López Bago.

vidaré de usté. Allá arriba, siempre amigo, siempre amigo, don Juan. Suerte, tener amigos en el cielo. Le hablaré a usté. Usté no me oirá. Aguce el oído. En el silencio la verdad anida. Silencio. Silencio. Aguce el oído. Cantan los ángeles. No se les oye.

—Calle, hermano —interrumpió el sacerdote, rebulléndose incómodo—. Se fatiga. Puede hacerle daño.

Don Sincerato reprodujo su risa macabra.

—Mi hora está escrita. Por filo de la media noche. Noche de San Juan. Rosada celestial sobre los prados. Todas las flores se abren. Olor de paraíso. Todas las aves loan al señor. Campanillas de plata. Cuántas hogueras rojas; aquí, allí, acullá, más allá. Toda la tierra es claridad. El Dios de la luz vence al príncipe de las tinieblas. Entonces, entonces, sobre las hogueras, con los maitines de las aves, el incienso de las flores y los besos de los enamorados, mi alma, sin carne, volará libre hasta su esposo inmortal, padre de estos pobres hijos de mi alma, que aquí quedan h u é r f a n o s. Acuérdese de ellos, don Juan...

—Sí, sí, sí —se precipitó a decir, fervorosamente, Tigre Juan.

—¿Mi historia? No dura arriba de dos coplas, que me sacaron dos hombres. Quizás las hayas oído. Una de ellas, suena ya en todos los lugares de perdición. Donde quiera que huya, se me figura que la seguiré oyendo.

—¿Dos coplas? Di.

—Oye. Una dice:

Con cuatro copas de vino,
billetes en la cartera,
y Carmen, la del molino,
me río de España entera.

Esta copla me la sacó el hombre que me engañó. De quien se rió fue de mí. Era un mal hombre. Caída ya, fui rodando de una en otra hasta parar en esta casa. Escucha la segunda copla. A la noche, y todas las noches, la oirás, más llorada que cantada, en la oscuridad de la calle:

Yo la quiero con delirio
a una mujer de la vida.
Mi querer es su martirio,
y me paga en alegría.

—No acabo de entenderla. Tú, tan triste...

—Con él, finjo estar alegre. ¿Cómo, si no, puedo pagar su querer? Pero él adivina que me muero de dolor y de tristeza. ¿Por qué no le habré conocido antes que al otro? El que me sacó esta

—Mi alma hablará así: Esposo mío, ¿por qué permites que los hombres sean desgraciados? Revélame ese terrible misterio. Oigo que me pregunta: ¿lo has sido tú? Respondo: yo no; como me formaste tan poquita cosa que no podía ambicionar nada para mí, no me quedó otro recurso que hacer el bien a los que eran menos que yo, y con esto fui feliz. Con los demás no es lo mismo; los formaste sanos, fuertes, listos, valientes. Ellos, ¿qué han de hacer sino perseguir el propio bien? Así, son infelices.

De tanto hablar, a don Sincerato le acometió un desmayo, que todos le juzgaron muerto. Pero, al cabo de media hora, abrió los ojos y la mandíbula para sonreír. El sacerdote guapo, con un dedo en el labio le prohibió que hablase más. Pasaba el tiempo. Posó el Angelus del mediodía. Tigre Juan, aparte, dijo al sacerdote:

—Tengo precisión de ausentarme. Volveré luego. ¿Cree usté que durará todavía?...

—Sí, va para largo. El lo ha dicho. A la noche...

Entretanto Tigre Juan estaba a la vera del moribundo copla es un buen hombre. Se llama Lino. De familia pudiente. Quiere casarse conmigo. Yo me niego. Para él, a pesar de todo, soy una mujer honrada. ¡Ay! Y no se equivoca. Pero para los demás, siempre seré una...[366] No pronunciaré la palabra. ¿Cómo me he de casar con él? Su querer es mi martirio.

Carmen, la del molino, decía esto con una especie de calma trágica. No temblaba en ella sino los grandes aros de oro de sus orejas. Herminia comentó:

—Eres más honrada que yo. Figúrate que mi historia es al revés de la tuya. El buen hombre es el que primero me quiso. Y ¡de qué manera! Se casó conmigo. Y yo le dejé por el otro, el que pretendía engañarme.

—¿No querías a tu marido?

—¿Quererle?—a Herminia se le mojaron los ojos—. Mucho más que quererle. Ahora lo veo. Pero ya es demasiado tarde...

Herminia exteriorizó, desordenadamente, los complejos sentimientos que la henchían, afanándose por que Carmen, la del molino, sintiese y discurriese de acuerdo con ella.

[366] Otro caso de conflicto entre la moral personal y la que se funda en la opinión común.

do, doña Mariquita buscaba a su nieta por todas partes. Buscó también a Vespasiano, que le ayudase en sus pesquisas, hasta que le dijeron que el viajante había marchado aquella mañana, de modo inopinado y extrañísimo. Descompuesta ya la vieja, aunque todavía sin sospecha de la verdad, fue a la tienda de doña Iluminada, quien, con la clarividencia de la culpabilidad (pues ella desde luego se juzgó culpable de todo), al punto adivinó la verdad; y así se lo dijo a la abuela. La abuela hubo de someterse a la evidencia. La de Góngora le aconsejó que se hallase en casa de Tigre Juan al llegar éste para la comida, y que anduviese con el mayor miramiento y cautela antes de informarle de su desgracia. Doña Mariquita atravesó la Plaza del Mercado vociferando denuestos y anatemas sobre Herminia y Vespasiano. Poco después llegó Tigre Juan, camino de su casa. Se detuvo en la puerta de la viuda, a comunicarle noticias frescas del estado de don Sincerato. Doña Iluminada, más pálida que nunca y las manos unidas en imploración, musitó:

—¡Perdón!

—No lo necesita. Es un santo. Va al cielo como un

—Vuelve a tu casa—dijo Carmen, la del molino—. Tu marido te perdonará. No le has faltado. Pecaste sólo con el pensamiento.

—No con el pensamiento, Dios es testigo. Pequé con la intención; esto es lo horrible. No hay pecado sino en la intención. Si me narcotizasen, para abusar de mí, ¿habría yo pecado por eso? Hasta con el pensamiento se puede estar pecando sin querer, que no es pecar. Yo he querido, he querido pecar. Tú eres una mujer honrada. Yo, no.

—¿Qué vas a hacer contigo? Mujer de la vida no querrás ser...

—Antes muerta. Esa idea tuve esta mañana. Luego... ¿No te he confesado que llevo en el seno un hijo de mi marido? Ganaré mi pan trabajando. Cuando llegue la hora, me presentaré a él: "aquí tienes a tu hijo"; y le diré toda la verdad, de suerte que me crea. "Ahora, mátame; mátame, para que yo esté cierta que no has dejado de quererme". Mi alma se muere de sed de expiación. Como el muerto de sed agradece un sorbo de agua en su agonía, le agradeceré que dé muerte a mi cuerpo, con que mi alma reviva.

Las dos mujeres se abrazaron largo tiempo, silenciosamente. Carmen, la del mo-

guijarro disparado con una honda.

—Perdón. Soy la autora de todo. Lo hice por bien. Caiga el castigo sobre mí y no sobre ella —bisbisó con voz desfallecida.

Tigre Juan se había ido sin oírla. Subió las escaleras de su casa. En el rellano de la puerta, un bulto liviano y suspirante saltó sobre él y se le quedó colgado del cuello. Se dejó oír la voz agria y cortante de doña Mariquita:

—¡Loba! ¡Tunanta! Escarnio de mis canas venerables. Hijo mío, hijo mío... En mí tendrás una madre. ¡Raposa! ¡Mátala, mátala! ¡Yo te lo mando! Cázala y mátala. Se ha escapado con Vespasiano, matutero[367] de maridos confiados, escopeta negra de palomas descarriadas... Mátalos a los dos.

Tigre Juan se desligó de la vieja, la restituyó con suavidad al suelo, dio media vuelta, descendió las escaleras, retornó al mercado, recogió y envolvió su puesto del aire, y quedó mirando a Nachín de Nacha, el de las monteras; todo ello, despaciosamente, concienzudamente, con manos y pies seguro, en voz bisbisada, dijo:

—Si estoy más tiempo en esta villa, acabaré cediendo a Lino. Su cariño me mata. No quiero casarme con él, y que un día él, o sus padres, me echen en cara mi pasado. Tengo dispuesto escaparme esta noche, noche de San Juan. Es la ocasión. La dueña y las chicas saldrán de jolgorio...

—Iré contigo.

A poco, hizo su aparición la mujerona tripuda.

—Si viene Polisón, ¿qué le digo, neña?

—Que vuelva mañana. Mañana será otro día. Me acostaré en seguida. Y que no intente acercarse a mi puerta. La tendré cerrada por dentro. No abriré a nadie, ni al juez.

—¿Al juez? ¿Qué tiene que hacer aquí el juez? ¡Joasús! No nos metas miedo.

Salió la mujerona. Poco más tarde, Carmen, la del molino. Hermina se dejó caer en el lecho, después de cerrar la puerta. Tendía el oído, incorporándose, sobresaltada, a todos los ruidos, que le sugerían, en la imaginación, escenas corpóreas. Un portazo. Un grito. Pasos precipitados. ¿Sería Tigre

[367] *Matute* = 'introducción de géneros en una población sin pagar el impuesto de consumo' (Academia, p. 856). Por extensión, equivale a engaño.

ros; sin alterarse un solo instante. Pero, al cabo del pescuezo desmesuradamente adelantado, su rostro era, como algunas gárgolas, perpetuación del furor y el dolor. Dijo al de las monteras, que también había desarmado su tenderete:

—Voime contigo al Campillín.

—Asperábate. Arrea p'alante. ¡Pobre jabalino perseguido! Cada mirada que te arrojan es un dardo para tu corazón.

—¿Sabrán ya?

—Proclamólo la tu suegra a trompetazos y tambor batiente, como la bula [370].

—¿Qué proclamó?

—Que la tu muyer escapárase con el mozo majo de las ñalgas * gordas.

—¿Eso dijo?

—¿Cuálo; lo de las ñalgas? Eso, dígolo yo. A mí, todos esos homes ** de mucho promontorio en salva la parte, danme mala espina. Son traidores como muyeres. Juan? Carcajadas. Canturreos [368]. Dejaba desplomarse la cabeza en la almohada. ¿Cuándo, cómo, se habría enterado Tigre Juan? [369] Acaso la noticia le mató, como un tiro a bocajarro... sin ella pedirle perdón, sin decirle que le quería, más todavía, y que le había querido, ciegamente. Sonó un tiro, ahogado. Otro; otros, precedidos de un chichisbeo. Eran cohetes. En la calle se oyó la copla lacerada, del enamorado de Carmen, la del molino. "Yo la quiero con delirio." "Mi querer es su martirio." Revuelo en la casa. Taconeos. Crujir de cerrojos. Silencio. Un grillo. ¿Qué hora era? ¿Había pasado el tiempo a la puerta. La voz de Carmen, la del molino:

—Estamos de suerte. Salieron todas a cenar fuera. Me disculpé. No cayeron en malicia. Arriba y andando, Herminia.

Las dos mujeres corrieron a la calle. Allí se les juntó Lino.

* Posaderas.

** Hombres.

[368] Otro caso de enumeración escueta, dramática. Unas líneas más abajo, en la misma columna, vuelve a usar este recurso.

[369] Otro paralelismo entre las dos columnas: ella se está preguntando cuándo se enterará Tigre Juan, a la vez que eso sucede.

[370] Se proclamaba públicamente la bula de la Cruzada, concesión pontificia a la nación española de muchos privilegios, debiendo dar cada uno de los usufructuarios una pequeña limosna. Recuérdese el episodio del buldero, en el *Lazarillo*.

—Quiero morir en la espesura del monte, igual que bestia traspasada de parte a parte por una lanza emponzoñada.

—¿Morir? Si juera de un atragantón del estógamo, pase. Pero ¿por el atragantón de un desgusto? Estaría guapo...

—Calla, Nachín; tus palabras son como hiel, vinagre y sal sobre una llaga.

—Duelen, pero sanan.

—No quiero sanar. Vea yo mi llaga siempre abierta, como mordedura rabiosa. No se me apague este fuego, hasta que haya castigado a quien así me llagó.

—Ya los castigará Dios.

—¡Dios! Y a mí, ¿por qué me castiga?

—No te castiga. Levantóte el castigo, que castigo era estar casado con una mocina correntona. Acordóse Dios de ti a tiempo. Lo que te sucede hoy había de sucederte algún otro día. Fegúrate que fuese más tarde, teniendo ya un fío *. Casarse con una mala muyer, cualquiera tiene esa desgracia. Arréglase con un "abur, y que te diviertas". Ser fío

—¿Estabas aquí todavía? Vamos a un recado. Aguarda que volvamos, Lino; por tu querer... Aguarda. No me sigas.

—No me separaré de ti —declaró Lino.

—Ven con nosotras —dijo Herminia—; necesitamos quien nos guarde.

—Herminia; nos pierdes para siempre, a él y a mí —gimió Carmen, la del molino.

—Algún día me lo agradecerás—dijo Herminia.

Los tres, unidos, buscaron la salida del pueblo, tierra adentro. A la hora de marcha, hacia las diez de la noche, llegaron a una aldea, llamada Mañas [371]. En una explanada, junto a la iglesia, los aldeanos hacían ancho corro, alredor y a distancia de algo o alguien que, al pronto, no se veía. Los tres vagabundos se aproximaron al corro [372]. Algunos aldeanos exclamaban: "es cosa de magia." "El diaño anda por medio." "Aquí hay brujería." "Yo, por un si acaso, hago la cruz, con desemulo." Dentro del corro había cuatro aventajados palos, con manojos de ramasca embrea-

* Hijo.

[371] *Mañas*: ¿puede referirse a Monteana, muy cerca de Gijón, en el camino hacia Oviedo?

[372] La escena recuerda algo de la actuación de los titiriteros en la plaza del pueblo, en *Tinieblas en las cumbres*.

de una mala muyer, eso sí que no tiene arreglo en toda la vida. Es como heredar lepra.

—Cierra esa boca pestilencial. Manas pez y azufre por ella y los viertes sobre el fuego que me consume.

—Esa es mi intención, consumir toda esa broza de artos [373] que te ataraza [374] las entrañas, y volverte en tu ser de endenantes.

—Vuelto estoy en mi antiguo ser, que yo mismo me asusto y apenas me reconozco. Pues qué, ¿piensas tú también que soy un manso y me hostigas, dudando que me enfurezca?

—Manso te quisiera ver yo, y no dando coces al aguijón. ¿Qué consigues con eso? No te desbordes.

—Si se desbordase el cuajado mar de verde atrabilis [375] y negra cólera que por dentro me ahoga, había para con él inundar el mundo y anegar al género humano.

—¡Madiós! [376] Ese es ya otro cantar. Entóncenes, desahoga, hom; gomita * y esda ardiendo, al cabo; una mujer pelirroja, con los ojos vendados, sentada en una silla; un joven, con barbilla de estopa y pata de palo, que iba de un lado a otro, alongado de la mujer, mostrando en lo alto un objeto blanco, como un papel.

—Esto, ¿qué es? Dime. Piénsalo bien —interrogaba el joven.

—Un sobre—respondió la mujer pelirroja.

Herminia reconoció la voz de Colás y la de Carmina. Quiso huir. Sus dos compañeros la retuvieron, preguntándole de qué provenía su terror súbito. Ella forcejeaba, sin acertar a hablar. Intervinieron algunos aldeanos. Se levantó rebullicio. Colás miró de aquella parte, y luego, con los brazos extendidos hacia Carmina, como si a ella se dirigiese, clamó, imperativo:

—No te muevas, que será peor. Quieta. Quieta. Sosiega.

Herminia, comprendiendo que aquello iba por ella, quedó paralizada. Colás, gi-

* Vomita.

[373] *Arto* = 'cambronera'. Por extensión, 'nombre que se da a varias plantas espinosas que se emplean para formar setos vivos' (Academia, p. 127).

[374] *Atarazar* = 'morder o rasgar con los dientes' (Academia, p. 137).

[375] *Atrabilis* = 'cólera negra y acre' (Academia, p. 140).

[376] Otro eufemismo.

cupe fuera los malos humores. Así, quedarás limpio como una patena. Mucha nausia y congoja te cuesta. Yo te ayudaré, metiendo los dedos hasta facerte cosquiellas en el campanín *.

—¡Insensato! ¿Osarás introducir tu mano en la boca del tigre, herido y furioso?

—Hablaba por feguras y al respetive de lo que tú decías. Lo que quise sinificar es que con mis razones hágote mover la tarabica **, lo cual es tan saludable como mover el estógamo cuando hay empacho. Por el canal de la lengua vacíase el corazón [377]. Téngote oído, sinfinidad de veces, que no hay otra cura que la purgación [378]. Púrgate de malos pensamientos.

—La purgación por el hierro y por el fuego. Sangrías y cauterios. Soy un volcán. Reventaré. El fuego amontonado dentro de mí escupirlo he como la maldición del cielo sobre Sodoma y rando hacia los circunstantes, prosiguió:

—Ya está tranquila la durmiente. Ahora, atención.

Colás, con prolijos circunloquios, pidió a Carmina que averiguase lo que decía el papel, y ella recitó de corrido la inscripción del sobrescrito. Pasmo del concurso. Colás añadió que la hipnotizada podía leer asimismo el contenido de la carta, dentro del sobre. A esto, el mozo que se la había entregado a Colás, acudió a impedirlo, arrebatándosela. Todos dedujeron ser carta de su moza, que estaba sirviendo en Pilares. Algazara general. Algunas voces: "Que la lea." Colás desvendó a Carmina, y, con amplios y precavidos ademanes de taumaturgo, hizo como que la despertaba. Carmina fue pasando por el corro un platillo de estaño, en tanto Colás tocaba el acordeón, cantando tirolesas en falsete, interpoladas con imitaciones del gruñido del

* Galillo.

** Lengua.

377 D. A. Igualada Belchi señala la función contrastiva que posee, en este caso, el lenguaje de los dos personajes y recuerda una frase de Bergson en *Le rire*: "On pourrait d'abord distinguer deux tons extremes, le solemne et le familier. On obtiendra les effets le plus gros par la simple transposition de l'un dans l'autre" (art. cit., p. 72).

378 Creo que Pérez de Ayala se divierte poniendo en boca de un rústico esta alusión a la catarsis aristotélica.

Gomorra [379], y no quedará bicho viviente.

—Cuspe, cuspe [380].

Llegaron a la casa rústica de Nachín. Tigre Juan fue a acorralarse en un rincón sombrío. Allí permaneció toda la tarde y prima noche. El escéptico y malicioso Nachín consideró lo más prudente dejarle a solas, que su furor se agotase, devorándose a sí propio, como una pira que, habiéndola atizado hasta enardecerla toda, se la deja luego sin alimento. Oyendo a Tigre Juan bramar a la manera del fuego [382] cuando acelera su extinción, Nachín sonreía cazurramente, pensando: "bufa, bufa, que cuanto más bufes más aína el fuego será humo y el humo será nada". Noche cerrada ya, le sacó a la corraliza de la casa. Sentáronse en sendas tajuelas [383]. Los ojos de Tigre Juan eran de alucinado.

cerdo, el cacareo de la gallina y el rebuzno del asno, que a todos provocaban a la risa.

Ya los mozos habían hacinado la leña para las hogueras de San Juan. Algunos blandían en el aire despeinadas antorchas. Tremolaba en la noche el largo y agrio gallardete de un "ijujú" [381]. La turba labriega se dispersó.

Colás corrió hacia Herminia; la agarró reciamente de las muñecas, sacudiéndole los brazos; le clavó la mirada, sin atreverse a pronunciar la primera palabra.

—Te lo contaré todo, todo. Más tarde. Vamos a un lugar retirado. Estos que vienen conmigo son dos buenos amigos—dijo Herminia.

Se encaminaron a un robledo, los cinco. Sentáronse al pie de los árboles, en la linde del bosque: Herminia, con Colás y Carmina; Lino y Carmen, la del molino, em-

[379] La corrupción y destrucción de Sodoma y Gomorra la relata la Biblia en el Génesis, caps. XVIII-XIX.

[380] *Cuspe* = 'escupe' (lo atribuyen a asturianismo Reinink y Rato).

[381] Comenta esta palabra y su relación con *quiquiriquí,* con muchos ejemplos de Pérez de Ayala, González Calvo (pp. 111 y 117). Dos páginas después insiste en ella y la comenta literariamente el narrador.

[382] Armonía del personaje con la naturaleza: Tigre Juan es como el fuego que arde en la noche de San Juan. Y esas hogueras aparecen, a la vez, en la otra columna (un nuevo paralelismo).

[383] *Tajuela* = 'banquillo rústico de madera' (Academia, p. 1238).

Pululaban ya las hogueras. Parecía que el fuego oprimido en el seno del orbe, desgarrando la dura corteza, estallaba en una erupción de menudos cráteres, innumerables. Cada hoguera, una simbólica llamarada apasionada, declaraba el oculto sentido de la tierra; ansia infatigable de destrucción y de reproducción. Saltaban los mozos sobre las hogueras, con prodigiosos saltos elásticos, como desafiando por juego la lumbrarada, apasionada y devoradora. Derretíanse un instante fugaz en la trémula lengua del fuego, y en este punto proferían un ijujú delirante, alarido de amor, que sonaba a la vez como dolor insufrible y como gozo sobrehumano. Salían por último con el semblante trasfigurado, ahumada la piel, lúcidos los dientes y resplandecientes los ojos, no se sabría decir si como ángeles parejados, un trecho más allá. Herminia, con voz firme, desnudó su corazón. Mientras hablaba, sobre los campos azul topacio de la noche, perfumados de menta y flor de saúco, se abrían las grandes amapolas de las hogueras, infinitas. Con acento de plata. cantaban las fuentes ocultas [384]. Y cantaban las sedeñas gargantas femeninas, en una cadencia de suspiro caricioso [385].

Que tráela, mi vida,
que tráela, tráela.
Que tráela, mi vida,
la flor del agua [386].

Y los pechos masculinos cantaban, derramando su afán escondido, como un vino añejo:

A coger el trébole,
el trébole y el trébole,
a coger el trébole
la noche de San Juan.

[384] Sobre el fuego y el agua en la noche de San Juan, puede verse lo que dice Julio Caro Baroja en *La estación del amor,* Madrid, ed. Taurus, 1979, caps. XVIII, XIX y XXI.

[385] Paralelismo antitético entre las dos columnas: el bufido de Tigre Juan frente a la suave canción femenina.

[386] *La flor del agua*: "En todo el norte de España, desde Santander a Galicia, existe la creencia de que el día de San Juan, a la madrugada, se puede recoger 'la flor del agua'" (Julio Caro, p. 183). Refiriéndose en concreto a Asturias, escribe Rogelio Jove y Bravo: "La flor del agua que brota en el cristal de las fuentes en el instante de romper el alba de la mañana de San Juan, y que no dura más que un instante, hacía feliz en sus amores al que lograra cogerla en ese momento" (*Mitos y supersticiones de Asturias,* Oviedo, 1903, p. 69).

buenos o como ángeles malos. En tanto los mozos obedecían al sentido de la tierra, atraídos por el fuego, también las mozas, inocentes, como empujadas por una sed abrasadora que no habían de saciar, buscaban el agua misteriosa y cristalina, en los escondrijos de los bosques. Cada una llevaba una rosa escarlata, de ofrenda para la fría divinidad del agua.

Cargada de perfumes a menta y a flor de saúco, y de cánticos, la brisa danzaba con deleitación morosa.

La criba del cielo cernía polvo de oro, que, flotando en la atmósfera, se adhería a la ondulada cabellera de las tonadas errantes.

Las hogueras se iban mitigando, trasegado ya su fuego a las robustas venas de los mozos, que, ahora, se despegaban de la luz hacia la sombra. De los manantiales recónditos, las mozas retor-

A coger el trébole,
el trébole y el trébole,
a coger el trébole
los mis amores van [387].

Una vez, hubo Herminia de interrumpir su confesión, porque se oyeron, no lejos, golpes secos, rítmicos y retumbantes. Era un mozo, que hacheaba por la base un eminente tronco. Derribado el árbol, el mozo enfloró su cima con rosas, cintas y adornos de papel, que al efecto había traído consigo. Este "ramo" [388] gigantesco, que luego iba a plantar frente la casa de su amada, lo levantó livianamente en las manos, al modo de un pequeño ramillete, y echó a andar ligero, con él al hombro, como si el amor le infundiera fuerzas de gigante. Herminia había sentido aquellos hachazos en la raíz de su vida, como la ejecución de una sentencia de muerte. Cuando Herminia,

[387] Esta canción popular ha sido recogida modernamente en Asturias (Martínez Torner), Burgos (Federico Olmeda), Cáceres (Curiel Merchán)... Señala su antecedente clásico Margit Frent Alatorre: "Supervivencias de la antigua lírica popular", en *Estudios sobre lírica antigua,* Madrid, ed. Castalia, col. Literatura y Sociedad, 1978, p. 79.

[388] Se ocupa de "las fiestas del ramo" Julio Caro, limitándose a Extremadura y Salamanca, relacionadas con la conclusión del laboreo de las viñas: "al crepúsculo vespertino, iban con uno de ellos a la cabeza que llevaba, a modo de estandarte, cualquier ramo florido". Como en esta novela, "seguía el clásico grito campesino *Iijijú*" (*obra citada,* p. 16).

naban con el corazón de cristal. Se desgranaba el tropel de mozos. El rosario de mozas se desgranaba. Aislados, cada mozo se unía con su moza. Manteníanse en pie, silenciosos, distanciados y cara a cara enganchadas las manos por el dedo meñique en guisa de anzuelo. Poco después, los contrarios elementos, tierra y aire, fuego y agua, se penetraban y trasfundían en amoroso consorcio; la tierra se evaporaba y el aire se adensaba; el fuego se atemperaba y el agua hervía [389].

Tigre Juan, lanzado, por la violencia del dolor, desde la realidad hasta la alucinación, contemplaba ahora, *sub specie aeterni* [390], la realidad como un sueño evanescente. Como si de sus ojos emanase un agente corrosivo, Tigre Juan, mirando al mundo exterior, percibía que, involucrados unos en otros los elementos, el mundo se desintegraba y fluía, fluía, con fu- aliviada de la pesadumbre de la verdad, concluyó su confesión, Colás, enfurecido, se puso en pie y dijo:

—Me esperáis aquí.

—¿A dónde vas?—preguntó Carmina.

—A Regium, en busca de ese marica.

—¡Ay, de mí! —sollozó Carmina, en su siempre espontánea sinceridad—. Estás enamorado todavía de Herminia.

Colás quedó perplejo un instante. De pronto, se abalanzó sobre Carmina, en un impulso de gratitud y efusión, y abrazándola ahincadamente murmuró:

—Bendita sea tu divina sinceridad, luz inmaculada que penetra los últimos recovecos del alma y disipa las sombras más insidiosas. Si, hace un momento, había en mí una reliquia de sombra del pasado; ya no la hay. Quiero a Herminia como lo que es, la mujer de un hombre bueno; mujer digna, ¡digna!, ¡¡digna!! de él

[389] Recuérdese que los elementos son el esqueleto del amplio proyecto poético de Pérez de Ayala: la tierra (*La paz del sendero*), el agua del mar (*El sendero innumerable*) y del río (*El sendero andante*), el fuego (*El sendero ardiente*)... Y anunció su intención de componer otro poema sobre el aire (*O.C.*, II, p. 79). A la vez, esta frase expresa uno de sus máximos ideales: la armonía lograda mediante la reconciliación de los contrarios.

[390] Tema importante en Pérez de Ayala, que reaparecerá al final de la novela.

gitivas mudanzas, de tal suerte veloces que a Tigre Juan le causaba vértigo.

Nachín de Nacha.—Noche de encantos. Como fierro e imán, apégase lo más enemigo, que son home y muyer. Probinos *. Con los primeros rayinos del sol, desfaráse ** el encanto. Todo fuxe *** [391].

Tigre Juan.—Lo fugitivo es lo eterno [392]. Sí: todo cambia, huye, se aleja de mí. Yo permanezco a solas [393], como una roca, sin alteración y sin existencia. ¡Qué solo me he quedado! ¡Qué muerto estoy, Dios mío!

Nachín de Nacha.—¿Solo? Pues ¿soy yo costal de paja?

Tigre Juan (reviviendo unas frases del "Otelo", que había representado alguna vez en el Teatro de la Fontana). "Tan pronto como dejo de amarla, el mundo se convierte en un caos." [394].

—aquí, Colás alzó la voz y el rostro, encarándose con el firmamento impasible. Herminia, sin habla, a causa de la emoción y tortura que estas palabras le causaban, con un gesto desesperado suplicó a Colás que se callase. Pero él, sin haberla mirado, proseguía:—Si el cielo no le devuelve la fama, del cielo procede el origen de toda iniquidad—y en una brusca transición:—Y a ti, Carmina, te quiero, como lo que eres; mi vida entera; mi amor, por entero... ¿Me crees?

—Te creo.

Unieron los labios, olvidándose el uno en el otro, como anegados dulcemente en una sima encantada. También Lino y Carmen, la del molino, se estrechaban, enajenados, en un abrazo, pegadas las bocas. Era la mágica noche de los enamorados. Todas las criaturas mortales, acopladas, se eter-

* Pobrecitos.

** Se deshará.

*** Huye.

[391] Nótese la reiteración de los más ilustres "tópoi" clásicos, disimulados por el lenguaje dialectal.

[392] Recuérdese el verso de Quevedo: "Sólo lo fugitivo permanece y dura."

[393] Otro paralelismo: a la vez, Tigre Juan y Herminia sienten que se han quedado solos.

[394] "But I do love thee; and when I love thee not / Chaos is come again" (acto III, escena 3).

Nachín de Nacha.—Ruede a sus anchas el mundo. El mundo no tiene igua * [395].

Tigre Juan.—"Si todo un ejército, del gastador al ranchero, hubieran gustado su dulce cuerpo, ignorándolo yo, sería feliz todavía."

Nachín de Nacha.—Ojos que no ven, corazón que no siente. Más duro es deprender que olvidar.

Tigre Juan.—Hay cosas que una vez sabidas no se olvidan jamás, ni en un millón de vidas. (Poniéndose en pie, aterrado.) ¿Ves?

Nachín de Nacha.—Veo pantasmas **. Homes y muyeres abrazándose. Pantasmas.

Tigre Juan.—¿Oyes?

Nachín de Nacha.—Oigo el sapo, como una flauta de cañavera [396]. Oigo las tarrañuelas *** de la culiebra. Oigo los blincos **** del trasgo y la risada del diablo burlón.

(Tigre Juan ve, delante de sí, la imagen de Engracia, desolada y exangüe, que mueve quedamente los labios.)

nizaban, por el amor. Herminia se veía tan sola, en el centro de aquella noche paradisíaca, de fuera, y en la noche infernal de su conciencia; sufría de un dolor tan patético, que el corazón y las sienes se le despedazaban. No pudo reprimir un gemido. Colás, volviendo en sí, se inclinó hacia Herminia:

—¿Sufres? Y nosotros, egoístas, te hacemos sufrir más... Perdónanos.

—Enorme ha sido mi pecado. Mi penitencia no es menor—murmuró Herminia.

—Desecha esos negros pensamientos. Haz por distraerte de ellos. ¡Eh, vosotros! Basta por hoy. Tiempo tenéis. Acercáos.

Lino y Carmen, la del molino, acudieron. Se reunieron los cinco, sentados en la hierba.

—¿Y es verdad que usté, con los ojos tapados, adivina las cosas?—preguntó Lino a Carmina.

Carmina se echó a reír. Colás explicó:

* Arreglo.
** Fantasmas.
*** Castañuelas.
**** Saltos.

[395] Lo da como asturianismo Reinink (p. 146). Rato incluye la forma *iguao* = 'compuesto, arreglado' (p. 152). La Academia registra como anticuado el verbo *iguar* = 'eguar, igualar' (p. 730).

[396] *Cañavera* = 'carrizo, planta' (Academia, p. 248).

Tigre Juan.—¿Qué dices? ¡Habla!

Nachín de Nacha.—Lo que digo, digo. Desatapa les oreyes.

La voz de Engracia (sonando dentro de Tigre Juan).—Segunda vida tomé, para que me hicieras justicia. Presto olvidaste lo aprendido. ¡Justicia! No te engañé. Te engañaste. Te engañaste porque no supiste amarme bastante. ¡Justicia!

Tigre Juan. — Engracia... Engracia. Y ahora, ¿me engaño también?

Nachín de Nacha.—Esta es otra. Xuán, tú sufres hechizo.

(La sombra de Engracia se va mixtificando insensiblemente. Ahora, ya es la imagen de Herminia.)

La voz de Herminia (resonando dentro de Tigre Juan).—¡Justicia! Anda, valiente.

Tigre Juan.—¿Qué justicia he de hacer en ti? Mi amor te adora [398].

—Es una combinación sencillísima de palabras, al hacerle yo la pregunta.

—Vaya; una trampa, un engaño...

—Claro.

—¡Colás!...—reprochó cariñosamente Herminia—. Y luego, en pago de un engaño, les sacas el dinero.

—En primer lugar, no les saco el dinero, ni apenas se lo pido. El que quiere lo da, el que no, no; y santas pascuas. En segundo lugar, no hay dinero más lícito que el que se gana proporcionando a los hombres un engaño que maraville, haga pensar y a nadie dañe [397]. La vida está entretejida de sutiles engaños. No hay sino una gran verdad, así para el bien como para el mal, porque en ella se encierra la mayor dicha y la mayor desdicha.

—¡El amor!—afirmó Herminia.

—Sí, el amor — repitió Colás.

—El amor—hizo eco Lino.

[397] Vuelve a aparecer el tema, ya anotado, de la mentira consoladora. Recuérdese el comienzo de "Plenilunio", la cuarta parte de *Las novelas de Urbano y Simona*: "Los cuentos de hadas son mitad verdad y mitad mentira. Lo triste de los cuentos de hadas encierra una verdad de la experiencia cotidiana, una verdad vulgar; la parte maravillosa, todos sabemos que es mentira, pero es una mentira dulce, más preciosa y saludable, y, en resolución, más verdadera que la misma verdad" (p. 285).

[398] Otra vez repite la frase del billete de don Gutierre, en *El médico de su honra.*

La voz de Herminia.—Mátame... si te atreves.

Tigre Juan. — Engáñame. ¿Todo el ejército, desde el gastador al ranchero, han gustado tu dulce cuerpo? Engáñame. Que yo no lo sepa. Seré feliz todavía. Una sola palabra de excusa; una mentira piadosa. Te creeré.

(Cuando Tigre Juan concluye, no ve sino la sombra de Engracia, nuevamente.)

Nachín de Nacha.—Nunca tal oí, que el mi cuerpo es dulce y del gusto de rancheros y gastadores[399]. ¿Por quién me tomas, Xuán?

La voz de Engracia.—El teniente ha escapado por la ventana de mi alcoba. Todas las pruebas me condenan. No puedo hablar. No te engañé. Te engañas tú. Soy inocente. No me mates. ¡Justicia!

Tigre Juan (enrojecidos los ojos cual si manasen sangre).—El honor te aborrece. Hombres como yo basta que imaginen, que sospechen, que...[400]

(Tigre Juan se interrumpe, porque advierte que está

—El amor es también un engaño—declaró Carmen, la del molino.

—¿Cómo? Por mi parte, no acierto a entenderlo—entró a decir Colás.

—Cuántas mujeres hay, engañadas por el amor—añadió Carmen, la del molino, como si hablase para sí.

—Y hombres — completó Colás—. Quiere usté decir que una persona enamorada se deja engañar de la persona amada; esto ocurre todos los días. Es verdad. Pero quien engaña es porque no ama; si no, no engañaría. Luego no es el amor el que engaña, sino el desamor. El amor está del lado de la persona enamorada, que no engaña al amado. En todo caso, el amor no es el engañador, sino el engañado.

—Se engaña una misma; es igual—insistió Carmen, la del molino—. Y si el amor fuese el mayor engaño de esta engañosa vida...

El diálogo procedía por intuiciones profundas, que sólo se producen en las crisis de tensión emocional[401].

[399] Típico de Pérez de Ayala es este contrapunto de lo grotesco junto al lirismo profundo.

[400] Otra vez los recuerdos de *El médico de su honra* se unen a los de *Otelo.*

[401] Pérez de Ayala utiliza a veces este tipo de acotaciones, que hoy suenan algo ingenuas, pero que responden a su firme convicción y que determinan su manera de narrar.

hablando con la sombra de Herminia.)

La voz de Herminia.—¡Justicia! ¡Mátame! ¿No te atreves?

Tigre Juan.—Antes, sacara con mis manos mi corazón y luego lo comiera a bocados; mi sangre me bebiera... ¡Mi amor te adora! ¡Engáñame! Sin ti, moriré. (La imagen de Herminia comienza otra vez a transformarse. Tigre Juan se precipita a retenerla, abrazándola; pero a quien abraza, frenéticamente, es a Nachín.) No te vayas. No te vayas. Si dejo de amarte, el mundo es un caos. Mi amor te adora.

Nachín de Nacha (entre malhumorado y socarrón).—Arre allá, coime. Desaparta. ¿La noche de los encantos fízote asina perder el seso, que atropellas con los mis pantalones como si fueran faldas moceriles?

La voz de Engracia.—Curandero de tu honra: purga tu propia sangre. Purifícate.

Tigre Juan se vuelve hacia la voz de Engracia, y nada ve.

La voz de Herminia (a espaldas de Tigre Juan).—No quiero un hijo de tu sangre. Asesino de mujeres.

—De todas suertes, la dicha o la desdicha que este gran engaño ocasiona son las únicas verdades de la vida—dijo Colás.

—Por miedo a su desdicha, yo quisiera desengañarme y desengañarle — dijo Carmen, la del molino.

—No parece sino que padece usté un engaño penoso.

—No lo sabes bien—terció Herminia.

Entre Herminia, Carmen, la del molino, y Lino, por frases breves, que abandonaban rápidamente, como quien coge un ascua en la mano y la deja caer a seguida, fueron contando a Colás y Carmina la historia de los dos tristes amantes. Al final, Colás, dirigiéndose a Lino, dijo:

—Usté es joven; el mundo es ancho. En este país las ideas están viejas, caducas, deterioradas, prostituidas todas ellas. Hasta las ideas de más respetable traza son alcahuetas de algún propósito indecente. Vaya usté con su compañera a un país lejano, de ideas vírgenes, donde el sol de la verdad no sea satélite del negro orbe de la mentira, sino centro de gravitación de las almas [402]. Con

[402] Recuérdese lo que piensa Teófilo Pajares: "Tendría que escaparse de Madrid y acaso de España. Era lo mejor; emigraría con Rosa a un país en donde ganarse la vida no fuera en detrimento de la dignidad. ¡Adiós, maldita España, para siempre! Se

Se vuelve Tigre Juan, y nada ve. Suena ininteligiblemente, alternativamente, siempre a su espalda, la voz de Engracia y la de Herminia. Tigre Juan gira, enloquecido. Da consigo en tierra. Nachín le alza en vilo.

Nachín de Nacha.—En esto tenía que parar. Vámonos a la cama.

Tigre Juan.—¿Qué hijos de mala madre se ríen de mí, con burla sigilosa, que se extiende, se extiende y cubre la tierra?

Nachín de Nacha.—Son los grillos. Anda pa casa.

Tigre Juan.—El clarín de un arcángel parte por mitad el silencio. Una espada de luz increada rasga el velo del firmamento, como toldo de seda crugiente.

Nachín de Nacha.—El gallo cantó. Media noche.

Tigre Juan.—El cielo se abre en una grieta de fuego helado, de hielo ardiente [403]. ¡Qué blancura deslumbradora! El rayo de nevada lumbre celestial recorre mis entrañas, hasta la cañada de mis huesos. Don Sincerato la nueva luz verá a su amada como lo que es; un corazón virgen. Ahora durmamos todos. Mañana, tempranito, ustedes salen hacia el ancho mundo de la libertad; nosotros, con Herminia, volveremos a otro mundo no menos ancho, ni menos libre, el del deber voluntario.

—No, Colás, no—balbució Herminia, temblando—. Me matará.

—Eres inocente.

—Tú me juzgas desde fuera. Yo me juzgo en mi conciencia. No es que rehuya la expiación. Deseo la muerte. Pero, en su hora. Cuando pueda decirle: me entregaste tu vida; aquí te la devuelvo, en este hijo, que es mi vida también; ya no tengo para qué vivir más; mátame—dijo Herminia, exaltada, con ojos que despedían destellos calenturientos.

—Ahora, duerme, Herminia—aconsejó Colás, acariciándole la mano.

—Trata de dormir, Herminia—rogó Carmina, besándole la frente.

iría a América" (*Troteras y danzaderas,* pp. 180-181). Y, por supuesto, en *Luz de domingo*: "Luego nos vamos a vivir a América. Tú eres inteligente y honrado. Te enriquecerás allí. Balbina olvidará al fin. Vamos a otro mundo, a otro mundo distinto de éste; vamos lejos, lejos, lejos, lejos..." (*Prometeo,* pp. 153-154).

[403] El uso de términos religiosos ha desembocado en las antítesis propias del lenguaje místico.

entra en el paraíso. Se sienta a la mesa de Dios. El Señor tiene, sobre una esquina, una baraja, para jugar con él al tute, de sobremesa. Unas migajas del festín, chispas de granizo, gotas de diamante, descienden hasta mi corazón y me lo agujerean como una criba. Por los agujeros, escapa toda mi sangre impura. Engracia: mira, mira, Herminia, amor mío: ven, ven...

Nachín de Nacha (arrastrando a Tigre Juan dentro de la casuca).—¿Habrá que ponerte camisa de fuerza, o un acial[406] en el focico *, para que no relinches?

Tigre Juan (con risa ensordecedora).—Já, já, já.

Nachín de Nacha (que, como escéptico, es supersticioso).—Tú sufres hechizo. Aquí está el agua, que dexé en una escudiella, al sereno de San Xuan, hasta el canto del gallo. Con esta agua, desfácense los hechizos. Agacha la chola, que te escancie el agua por el cogote. Si no quieres por las buenas, como quiera que te pongas te he de remojar.

—Ha huido el sueño de mis párpados, hasta que el sueño eterno los cierre.

Las mujeres se tendieron sobre el césped, entreverado de trébol florido.

En lo alto del firmamento, quiquiriquíes e ijujúes[404] eran como tirones acompasados para levantar el telón de la aurora.

Las tres mujeres parecían dormir. Lino y Colás, sentados a unos pasos de ellas, cuchicheaban.

—Si yo pudiera hacer de nuevo a mi Carmen, con carne intacta y limpísima...[405] No tanto por mi, cuanto por ella, que siente su cuerpo, sobre su alma, como una túnica pestilente—dijo Lino.

—Con no menos facilidad cambiamos de cuerpo como de camisa.

—¡Oh, no! Es absurdo.

—Lo afirma la ciencia, y es de sentido común. Suponga usté que tiene una mesa. Se le rompe una pata y usté la sustituye con otra igual y de la misma madera. Se le rompen después, una a una, a intervalos, las otras tres patas, que usté reemplaza idén-

* Hocico.

[404] Nótese la unión de los dos términos, señalada antes.

[405] Al fondo de todo este capítulo está la idea paulina —secularizada, claro está— del "hombre nuevo".

[406] *Acial* = 'instrumento con que, oprimiendo un labio, la parte superior del hocico, o una oreja de las bestias, se las hace estar quietas mientras las hierran, curan o esquilan" (Academia, p. 15).

Tigre Juan (en cuclillas, inclinando la cabeza).—Já, já, já.

Nachín de Nacha (derramando el agua)—.Vis bautizare volo. Afuxi, afuxi *, Xuan Cabrito. Afuxi a tierra de Egito. Esconxúrote **. Escampen [407] estos sesos escurecidos. Ahí viene San Xuan, con el caballo ruán. La figa***[408] pa la mociquina falduda. Xuan; la Virgen te ayuda.

Tigre Juan (en pie, con talante normal, apacible).— ¿Acabaste?

Nachín de Nacha.—Siénteste otro, ¿verdá?, dimpués del agua de ensalmo.

Tigre Juan.—Necio. Otro me sentía ya, antes de que me rebautizaras. Bonito nombre me pusiste: Juan Cabrito.

Nachín de Nacha.—Xuan Cabrito non eres tú, es el Nuberu ****.

Tigre Juan (sacrificando una sonrisa a las gracias).— Tanto me da que me digan Juan Cabrito, como Juan Búfalo o Juan Carabao. Ya ves ticamente. Por último se le rompe el tablero, y usté pone otro, exacto al anterior. Todo esto ha sucedido a lo largo de cinco años. La mesa, en todo momento, sigue siendo la misma mesa. Sin embargo, a los cinco años no conserva materialmente ni un átomo de su madera primitiva. Pues otro tanto sucede con nuestro cuerpo. Los elementos constitutivos de nuestro organismo se están renovando sin cesar. De tiempo en tiempo, un lapso de algunos años, no hay en nuestros tejidos una sola célula antigua. Hemos cambiado de cuerpo. Y sin embargo, el espíritu persevera en su unidad, con la memoria del cuerpo ya desechado y la conciencia del cuerpo flamante. Lo cual demuestra que el espíritu no es una función del cuerpo. Debemos habituarnos a considerar el cuerpo humano como una cosa que fluye y no permanece, al modo de un arroyo. No hay cuerpos puros de continuo, ni cuerpos para

* Huye.
** Te conjuro.
*** Higa.
**** Personaje borrascoso de la mitología astur.

[407] *Escampar* = 'aclarar' (Reinink, p. 146).

[408] Nachín le propone a Tigre Juan que haga la higa. Así aparece claramente en el manuscrito, por otra parte. Sin embargo, la primera edición puso, por errata evidente, *hija,* y así se mantiene en las tan descuidadas *Obras Completas.*

si estoy cambiao... No puedo decir si estoy absuelto o disuelto. Contemplé el cielo por una rendija, y volvíme del revés. El rayo de la revelación hendió mi carne [410]. Como las ratas salen chillando de una casa incendiada, así, los gritos que me oíste eran las sabandijas que escapaban de mi alma, ya esclarecida. Sé lo que tengo que hacer.

Nachín de Nacha.—¿Puede saberse?

Tigre Juan.—¿Por qué no? Al riscar * el alba, volveré a mi lar. Allí, sentado, y tan sentado, esperaré a mi esposa, hasta que vuelva. Volverá.

Nachín de Nacha.—Felicidades, hom. Por tu santo, que es hoy, y sobre todo porque sembraste en tu huerto semilla de olvido. No te importa apagar la sede en la fuente aonde todos van a beber, nin que tu candil alumbre dos aposentos, nin ser plato de segunda mesa. Güesiempre impuros. El agua que corre, si hoy va turbia, mañana, o pasado, será inmaculada. No se diga, de esta agua no beberé [409].

—Cómo me conforta oírle.

—Durmamos.

Herminia se agitaba en sueños y exhalaba débiles vagidos. Colás se acercó a tocarle la garganta, con el dorso de los dedos. Herminia tuvo un sobresalto y murmuró, sin despertar:

—La cuchilla...[411] Gracias, Dios mío, ¿Descansaré ya?

—Pobre Herminia—balbució Colás—. Tiene fiebre. ¿Cómo amanecerá?

De tiempo en tiempo, Colás, incorporándose, tentaba las sienes y la garganta de Herminia. La fiebre subía. Al despertar, Herminia declaró sentirse muy enferma. La estación de Verdiña [412] estaba allí cerca. A las seis de la mañana, pasaba un tren para Pilares. Entre Colás y Lino, condujeron a Herminia a la estación, y los cinco toma-

* Despuntar.

[409] La presunta explicación científica sirve en realidad a un concepto de la moral en que predomina la intención sobre lo externo. En ese sentido, he comparado alguna vez a Ayala con los erasmistas.

[410] Nótese la abundancia de términos religiosos para esta experiencia, cercana a la mística de la "segunda conversión".

[411] Otro paralelismo de las dos columnas: rayo/cuchilla.

[412] *Verdiña*: parece clara la referencia a Veriña, la estación siguiente al apeadero de Monteana (véase nota 371), en el camino de Oviedo a Gijón.

no. Creí que mamaras leche de lloba. Equivoquéme. Corazón aleonado, dime: ¿quién te aborregó?

Tigre Juan.—Sé lo que he de hacer. Durmamos ahora.

ron el tren mañanero. Llegados a Pilares, Colás dijo:

—Despidámonos como hermanos; todos hijos del mismo Padre.

—Pero yo soy la oveja negra. Llevadme al matadero —suspiró Herminia.

De un lado Lino con Carmen, la del molino, de otro, Colás, con Herminia y Carmina, se dijeron adiós, mojados los ojos.

EN la estación de Pilares, Herminia, Carmina y Colás subieron a un coche de alquiler; una carretela de mimbre, con toldo y cortinas de gutapercha, las cuales extendieron y cerraron. Colás dio al cochero la orden de llevarles a una callejuela afluente en la Plaza del Mercado. Allí dejó a las dos mujeres dentro del carruaje, y él, confiado en la justicia y nobleza de la causa que había desposado como valedor, fue en busca de Tigre Juan. No hallándole en su puesto, se turbó, juzgando de mal augurio la ausencia. Hasta entonces no se había acordado de sí mismo, ni por tanto de doña Iluminada, cuya protegida le había raptado. Aumentó su turbación al observar que el comercio de la viuda estaba cerrado también. Colás decidió subir al piso de la señora. Los golpes de su corazón eran más sonoros que los de sus nudillos en la puerta. Salió a abrir la misma señora:

—Colás, Colás, hijo... —exclamó la de Góngora—. ¿Otra desgracia? Tu rostro me la denuncia. No necesitas hablar. ¿Y Carmina? ¿Qué ha sido de ella? La adversidad se ceba en todos vosotros, y a mí, la autora de tanta tragedia, egoísta maese Pedro de este aflictivo retablo,[413] monumento de nubes, tan presto levantado como venido al suelo, a mí me castiga con el mayor castigo, que es el desprecio; me deja de lado, a solas con mi desesperación, como una paralítica que contempla y no puede poner remedio a los infortunios que ella misma ha desatado.

—Señora; no se trata de Carmina ni de mí. Hasta la fecha, somos felices.

—Dios te lo pague.

—Tenemos, sí, una deuda que cancelar con usté. Ojalá sea a mutua satisfacción.

—Cancelada, hijo, cancelada. Dejemos eso. Pero ¿sabes Colás, sabes?...

—Sí, señora. Lo de Herminia. Herminia ha venido con nosotros. La hemos traído Carmina y yo.

—¡Jesús! ¿A qué la habéis traído? ¡Ingrata! Mejor estaba por allá, donde nadie supiera de ella. La Herminia de antes, la Herminia de Tigre Juan y nuestra Herminia no existe ya; no puede existir. Esa que viene con vosotros es otra Herminia.

—Sí, señora.

—Pues, repito, ¿a qué la habéis traído? Lleváosla, lleváosla de nuevo. ¿No conocéis a Tigre Juan? Y cualquiera otro hombre en su caso... A mí misma se me enciende la sangre, mi sangre, que siempre ha sido dulce y espesa como leche, y considero que no hay en la tierra castigo bastante para su crimen. ¿Qué va a suceder? Tiemblo. Me da pavor. Lleváosla. Eso que traéis son los manchados restos y despojos de Herminia. ¿Qué quieres que Tigre Juan haga con ellos? Ponte en lo más favorable. Los rechazará; no querrá siquiera verlos. Hará muy bien. Estoy de su parte. ¿Merecía él esa inicua traición? ¿Quieres condenarle a que se esté mirando, para siempre, en el despedazado espejo de su deshonra, que será como un sin cesar partirle en pedazos su propio corazón? Hay desgracias irreparables, Colás, y ésta es una. El cristal, una vez roto, no tiene compostura. Eso es la honra de la mu-

413 Referencia al episodio del *Quijote,* II, 26.

jer: espejo de cristal finísimo que sólo con el aliento de quien no es su señor legal se quiebra. No otra cosa habéis traído que un espejo despedazado y sin lustre. Cada uno de sus trozos puede producir una cortadura mortal. Lleváos de nuevo a esa desdichada.

Bien advertía Colás que el añejo y generoso amor de doña Iluminada a Tigre Juan era lo que ahora le borbotaba de los labios, en frases de inconsciente vehemencia. Respondió:

—Nunca, señora, le había oído a usté hablar con pasión.

—¿Pasión? —cortó la de Góngora—. Veo un verdugo, el más pérfido y refinado. Veo una víctima, la más tierna e inofensiva. No pido sanción para el verdugo. Sólo suplico misericordia para la víctima. ¿A esto llamas tú pasión? Sea. Pasión por la verdad; pero pasión caritativa.

—Señora; como de ordinario, no hay aquí una víctima y allí un verdugo. Las cosas no son tan evidentes como separar el grano de la paja y el trigo de la cizaña.[414] Víctima y verdugo, ahora como casi siempre, lo son de una pieza; cada cual, víctima y verdugo de sí mismo.[415]

Doña Iluminada dejó caer la cabeza. Colás prosiguió:

—Decía usté que Herminia vuelve despedazada... Sí, señora. Despedazada de dolor, de remordimiento... de amor.

Doña Iluminada, irguiéndose, replicó:

—¿Lo ha dicho ella? Mentira. Mentira. Mentira. Su corazón acuña falsa moneda, que su lengua pone en circulación. No la volveré a creer jamás. Jamás. Si estaba enamorada de Tigre Juan, ¿por qué se fue con otro? ¡Y qué otro! Cruces me hago todavía.

[414] Recuerdo de la parábola bíblica de la cizaña (Mateo, XIII, 24-31).

[415] Así es, para Ayala, el verdadero arte, la verdadera tragedia, frente al melodrama, que falsea la realidad con su tajante división en buenos y malos. Además del fragmento, ya citado, en que Verónica oye la lectura de *Otelo,* en *Troteras y danzaderas,* léase también la conferencia sobre "El liberalismo y *La loca de la casa*", incluida en *Las máscaras* (en *O.C.*, III, p. 51).

—Se fue, porque estaba de Dios.

—También eres tú de los que cargan todas las culpas sobre la Providencia, que tiene espaldas harto anchas para cuanto le echen encima...

—No, señora. Estaba de Dios que Herminia hallase su amor cuando lo dio por perdido, porque el amor del cual vivimos, como del aire, no se siente sino a manera de privación, al echarlo de menos y asfixiarnos sin él. Herminia debía pensar que no estaba unida a Tigre Juan por libre amor, sino porque a ello la habían obligado.[416]

—Nadie la obligó.

—Todos ustedes la obligaron.

—En todo caso, nos engañamos de buena fe, suponiendo, como era lógico, que ella era la más voluntaria, puesto que nada en contra dejó traslucir.

—¿De qué le hubiera valido? Al lado de Tigre Juan se le hacía la vida insufrible, porque se figuraba odiarle. El odio, muchas veces, es la coraza defensiva del amor. Herminia quiso despojarse de aquella coraza que la oprimía y sofocaba. Y entonces, quedó su amor, su gran amor, al desnudo.

—Colás, Colás; con toda el alma desearía yo decirte *amén,* así sea. Eso mismo que has hablado, y casi con las mismas palabras, pensé yo tantas veces... Pero era antes. Ahora, es ya inadmisible. Ha ocurrido algo irreparable. ¿Por qué ha huido con otro?

—La dura prueba era necesaria. Además, no ha huido con otro. Ha huido sola, enloquecida por su amor ciego.

—¿Te lo ha dicho ella? Mentira. Mentira. Mentira. No la creeré jamás.

—Yo soy quien lo sostengo. Ella, por el contrario, mantendrá que ha huido con otro. Escuche, señora, que Herminia está acaso muy enferma y no hay tiempo que perder en tiquismiquis de casuística. Sobre poco más o menos, todos sabemos lo que está bien y lo que está mal, aunque

[416] Exactamente igual que le sucede a Urbano con Simona, en *Las novelas de...*

el tole tole[417] de la necia y liviana opinión dispute tal vez lo malo como bueno y viceversa. Con el mundo entero enfrente, no renunciaré a pronunciarme abogado de aquello que entiendo que está bien. Escuche.

Y Colás refirió la conversión y penitencia de Herminia, junto con las peripecias y daños amenazadores que el día anterior había corrido. El efecto de la narración de Colás sobre doña Iluminada era visible para el narrador. Al final, dijo la señora:

—Tu aliada soy. No es que me hayas convencido. Más, mucho más que eso. En mi corazón había un tumor de malquerencia, un punzante guijarro. Tú lo has resuelto. Mi corazón es ya un cantarillo que rebosa miel. El regusto de la miel, ¡ay, Dios!, es áspero. Ahora, ¿has meditado lo que hemos de hacer?

—Ni ahora ni nunca medito lo que he de hacer. Me dejo llevar de mis impulsos. Lo que ha de ser, será. Soy fatalista, así para el bien como para el mal, supuesto que el mal exista, a no ser en forma transitoria, como purgatorio o incómoda y oscura antesala del bien. No creo en el infierno. Purgatorio o paraíso; y cuando no, el limbo.

—Hijo, déjate de credos, que no es ocasión de creer, sino de prevenir y de evitar. Tigre Juan desapareció ayer mañana, con Nachín de Nacha. La casa está sola. Llevemos allí a Herminia. Pero, ¿y luego? Tigre Juan volverá. Ayer llevaba semblante justiciero y espantoso, como cielo de tormenta. La tormenta descargará sobre Herminia. Tiemblo. Tiemblo. ¿Qué hemos de hacer nosotros?

—No nos separaremos de ella día y noche.

—¿Y qué? Tú, cojo; Carmina y yo, dos briznas de hierba; Tigre Juan, un torrente enfurecido. ¿Qué vamos a hacer nosotros?

—Le diré la verdad.

—El tumulto de su alma no le permitirá oírla. ¿Persuadirás al torrente a que en el aire suspenda su arrojo?

—El amor, al punto da crédito a todo lo que le lisonjea y satisface. Tigre Juan está enamorado de Herminia. Más

417 Típica formación de Ayala, comentada antes.

fácil es concluir con la rabia de un enamorado que con la rabieta de un niño.

—Pero, antes que tú hayas concluido con su rabia, habrá concluido él con su venganza.

—Primero que toque a Herminia, tendrá que matarme a mí, y su furor quedará así saciado. Vamos, vamos de prisa.

La viuda y Colás fueron en busca de Herminia, a fin de conducirla al domicilio conyugal. Doña Iluminada abrazó con maternal ternura a Herminia.

—Más que todas mis penas, que yo misma he buscado, me lastima la vergüenza de volver a verme entre ustedes —balbució Herminia.

—No tienes de qué avergonzarte. Soy capaz hasta de decir que debes enorgullecerte. Estoy enterada de todo. Te hallaste, como Daniel, en el pozo de los leones; [418] peor aún, en una caverna sin salida, cercada de criaturas repugnantes y con una víbora irritada en torno a tu garganta. Y, sin embargo, has defendido tu virtud. Milagro parece. Cierta vez te dije: eres una mujer. Y a la mujer, a la verdadera mujer, Dios la ha hecho invulnerable.

—Soy una mujer digna de desprecio —replicó Herminia, con voz sumergida—. Más bien me harían ustedes diciendo la verdad de lo que piensan, como personas honradas, que alimentándome con mentiras misericordiosas, que mi alma rechaza, porque no sanan ni alivian. Para mí, no cabe curación, sino por la verdad. La verdad.

Estaban ya los cuatro en el interior del coche. Herminia, reclinada sobre Carmina, con los ojos cerrados. La de Góngora pudo cuchichear al oído de Colás:

—Parece una muerta. Algo, sin lo cual la vida no se sostiene, se le ha roto dentro del cuerpo. ¿Tú crees, Colás, que es mal pasadero? ¿Habrá esperanza?

Colás no respondió. Habían llegado a la puerta de Tigre Juan. Trabajosamente, cuidadosamente, entre los tres subieron hasta el último piso a Herminia, que no daba pie ni mano. La puerta estaba abierta de par en par. Avan-

[418] Libro de Daniel, VI, 16-25.

zaron por el pasillo. Al desembocar en el comedor, dieron de cara con Tigre Juan, sentado en un sillón frailero, cruzados los brazos, mirando de hito en hito hacia la entrada, como si estuviera aguardando desde el origen del mundo, efigie de la justicia inmanente. Los que venían se detuvieron, sobrecogidos al pronto. Tigre Juan se puso en pie. Colás, con disimulo, se llevó un dedo a los labios, como ordenando a Tigre Juan silencio y precaución. Pero Tigre Juan no miraba a Colás. Desde el rostro inmovilizado de Tigre Juan, la mirada de acero se prolongaba en derechura a los ojos de Herminia. Y los ojos de Herminia, color aceituna, manaban una mirada dolorida y como oleaginosa [419] que se extendía hasta los ojos de Tigre Juan, a la manera de un rayo de luz ambarina. Los que conducían a Herminia, prosiguieron hacia la alcoba nupcial. Conforme avanzaban, Herminia y Tigre Juan iban volviendo la cabeza, que mantenían frente a frente, atados por la mirada, como si los ojos de entrambos se hallasen sujetos, por una soldadura, a los dos polos de un eje rígido. A cada paso que daban los portadores de Herminia, Tigre Juan, arrastrado, daba otro paso, conservando siempre la misma distancia, que parecía fatal, como si nunca pudiera ya ser más dilatada ni más breve. Cuando depositaban a Herminia en el hecho, Tigre Juan ocupaba el umbral de la alcoba. En tanto iban las dos mujeres a desnudar a Herminia, Colás, al salir, tomó a Tigre Juan del brazo, para apartarle de allí. No era que Tigre Juan se resistiese, sino que, aun queriendo retirarse, no se lo consentía la atadura de sus ojos a los ojos de Herminia; sujeción que al fin hubo de desgarrar con violencia, sintiéndolo, igual que Herminia, como una mutilación en carne viva, que a ella le hizo arrojar un grito y a él rugir por lo sordo. Ce-

[419] Doble tic narrativo de Pérez de Ayala. Los enamorados se miran a los ojos (ya anotado). Y el cariño va unido a imágenes de suavidad oleaginosa. Por ejemplo, en *Troteras y danzaderas*: "La voz de Rosina era escasa; pero tenía densa transparencia de óleo y se insinuaba dentro del espíritu con insidiosa suavidad" (p. 110). "—Tenemos que hacer muchas cosas, Alberto —decía, y su corazón rezumaba caricioso óleo de esperanza" (p. 185).

rrada la puerta de la alcoba, quedaron en el comedor Tigre Juan y Colás.

—¡Juro que es inocente! —dijo Colás, besando una cruz formada con el pulgar y el índice de la diestra—. La voluntad desconocida que gobierna los destinos humanos me atravesó en el camino de Herminia de suerte que yo pudiera dar a usted cuenta exacta de su vida, minuto por minuto, durante estas veinticuatro horas, que para usted han sido de tenebroso eclipse.[420] Todos los sucesos de aquí abajo están encadenados y regidos por una razón misteriosa. Muchas veces me he preguntado a qué razón o finalidad, tanto tiempo impenetrable, obedecía el hecho, sin motivo y arbitrario por las trazas, de que usted me hubiera recogido y criado como hijo; por qué luego creí, ilusoriamente, estar enamorado de una mujer, de la cual estaba escrito que llegase a ser la esposa, la esposa irreprochable, de mi protector y padre; por qué, contra mi voluntad y pasando por ingrato, me hallé alistado en el ejército de ultramar; por qué fui herido y cercenado en la hora precisa, y en la ocasión oportuna estuve de vuelta bajo el techo que abrigó mi infancia y mocedad; por qué, segunda vez prófugo, y ahora ladrón, aunque ladrón de la compañera que el cielo me tenía atribuida, volé hacia los azares del mundo, sin saber a dónde iba... Todo, todo estaba enderezado a una finalidad, desde el principio, ineluctable; que yo pueda jurar a usted, por mi salud, por mi amor, por mi conciencia, que Herminia es inocente. Oígame, y sabrá, como yo sé.

Tigre Juan escuchó esta parrafada con su máscara verdosa de monstruo bufo, que así era espantosa como apiadable, y a ratos risible.[421] Quería de continuo interrumpir a Colás, pero no podía. La voz se le apelmazaba en la garganta, incitándole a unos estiramientos y contracciones de pescuezo semejantes a los de un pavo al que hacen

420 El mismo símbolo de *Tinieblas en las cumbres.* Aquí, Tigre Juan y Herminia han tenido que pasar por la oscuridad (la "noche" de los místicos, de San Juan) para renacer a la verdadera luz.

421 Una vez más, lo tragicómico.

engullir nueces a la fuerza; como si Colás le obligase a comulgar con ruedas de molino. Consiguió eyacular [422] algunas palabras:

—Si yo supiese... de cierto, de cierto... Entonces, ¿qué mérito tendría?...

—Qué mérito tendría, ¿quién? ¿Ella? Sí, señor; ha de saber usted qué mérito, ¡qué mérito!, tiene.

—¡Calla, chiquillo! —bramó por lo bajo Tigre Juan, tapándole a Colás la boca—. Sé lo que debo hacer. [423] Eso me basta.

Cuando Tigre Juan le retiró la mano de la boca, Colás, con firmeza y sin alarde, dijo:

—No se acercará usté a Herminia, mientras yo tenga un soplo de vida.

Se abrió la puerta de la alcoba y apareció Carmina.

—¿Que no me acercaré a Herminia? Aunque se interpusieran los ejércitos de Nabucodonosor, y los de Atila, y el cuerpo de alabarderos, y la guardia civil, y los bárbaros del norte, y los diablos del infierno, los apartaba de codo con sólo hacer así —y dando un codazo bajo las costillas a Colás lo envió tambaleándose un gran trecho, y él, corriendo, entró en la alcoba.

En recobrando Colás el equilibrio siguió, con Carmina, a Tigre Juan, quien, con los brazos cruzados, erguida la cabeza, el rostro impasible, apretadas las cejas, se plantó de pie a la cabecera de Herminia, mirándola de arriba abajo, en actitud de supremo juez. Suspensa la respiración, entrabiertos los labios, Herminia, de abajo arriba, miraba a Tigre Juan, como si viese sobre ella la arquitectura del universo desplomándose, desplomándose, [424] sin concluir de aplastarla.

422 Uso típico del estilo de Pérez de Ayala, como he señalado en todas mis ediciones anotadas de sus novelas.

423 El obsesionado Tigre Juan condensa en sentencias su talante, como es frecuente en la comedia clásica española. (Recuérdese, por ejemplo, el "¡Tan largo me lo fiáis!" del *Burlador de Sevilla.*) Aquí, repite la frase final que le dijo a Nachín.

424 Nótese la repetición, como una escena en cámara lenta o una foto fija en medio de la película.

Aparte, en un espacio reducido, doña Iluminada, Carmina y Colás, anhelosos, algo adelantadas las manos y un pie, parecía que, merced a un encantamiento, habían quedado inertes en el movimiento inicial de la carrera. El tiempo había detenido también su andadura; si pasaba, era como si no pasase. Todos permanecían en una estática relación trágica; grupo escultórico de un paso de Semana Santa, que perpetuase diferentes escorzos, inestables y patéticos.

Otra vez, aunque separados Tigre Juan y Herminia, los ojos del uno y de la otra establecían entre sí un contacto que se dijera material y sólido, si bien no parecía que fuese por buscarse mutuamente, sino por rechazarse, como dos antagonistas que, aferrados a los remates de una lanza, empujan, hasta agotar su energía, por ver quién derriba a quién.

Fuera, en la calle, en la ciudad y en el resto de la tierra, el tiempo seguiría deslizándose con ritmo invariable. En aquel silencioso aposento, donde no se oía ni respirar, se acumulaba, represado, un remanso presente del tiempo pasado, que, en un instante, rompería el dique y se precipitaría, desenfrenado, a recobrar el terreno perdido. Pero aquel instante no llegaba. ¿Cuánto tiempo había transcurrido fuera? ¿Qué hora señalaban ya los relojes de sol en las altas torres?

Tigre Juan, que no acertaba a hablar[425], querría que sus pensamientos fuesen legibles en sus ojos, lo mismo que en un cristal empañado se escribe con el dedo. Pensaba: "cuanto más el honor te aborrece, tanto más te adoro yo. Acállate, honor

Herminia, que no acertaba a hablar, querría que sus pensamientos fuesen legibles en sus ojos, lo mismo que en un cristal empañado se escribe con el dedo. Pensaba: "más grande que el amor que me tenías es el que ahora te tengo; ahora, que soy tu

[425] La crítica no suele señalar que Pérez de Ayala recurre por segunda vez a la técnica de la doble columna. Ahora, los paralelismos entre las dos son continuos, no hace falta pormenorizarlos.

exigente. ¿Qué honor más honroso que amar de esta suerte, desafiando la pública deshonra? Herminia; nada quiero saber. La imaginación pudo llenar, durante unas horas, con patrañas innobles el hueco abierto por tu ausencia y mi ignorancia. Nada quiero saber. No me sonroja la vergüenza de lo que digan de mí, sino la vergüenza de haber imaginado lo que no alcanzaba a saber. No me has deshonrado. El mundo entero no es capaz de deshonrarme [426]. Yo me he deshonrado, egoísta y soberbioso, con pensamientos impuros y sentimientos vengativos. ¿Soy yo Dios, a quien corresponde, de sus criaturas, obligación de amor? Si no me tenías, ni me tienes amor, ¿qué culpa hay en ello? No me has deshonrado. Yo me he deshonrado. Honor; te daré satisfacción cumplida. Con un hombre como yo no hay titubeo. El curandero de su honra; bien lo pregona la fama. Pero antes, Herminia, quiero decirte que te adoro, que te adoro. deshonra y tu aborrecimiento. Justo castigo a mi ofuscación de antes es este amor que he de esconder como una vergüenza. Si lo manifestase, ¡qué desvergüenza! dirías y dirían todos. Con razón. Júzgame culpable. Culpable, sí. Este amor, en el cual no puedes creer, sería para ti el sarcasmo sobre la ofensa. ¡Oh, qué dolor en el alma, de donde nació, este pobre amor mío, condenado a vivir ciego y a morir mudo! A Dios ofrezco este dolor de mi alma en pago del dolor de la tuya. Con los ojos de la mía, veo tu alma, siempre hermosa; más hermosa que nunca ahora, que ante mí se yergue serena, acusadora y justiciera. Muerte merezco: yo misma me la hubiera dado. Mi hora no ha llegado todavía. Aguarda, Juan. Tus ojos me están comenzando a matar, adelantándose a que el brazo cumpla su oficio de justicia. No quiero morir. No debo morir todavía. ¿Cómo te lo diré, si mi boca y mi lengua son de bronce? No quiero morir.

[426] La desautorización de la opinión pública desemboca en esta declaración tajante de independencia respecto de lo externo. Recuérdense las frases finales de Maxi Rubín, enamorado siempre de Fortunata: "No encerrarán entre murallas mi pensamiento. Resido en las estrellas. Pongan al llamado Maximiliano Rubín en un palacio o en un muladar... Lo mismo da" (Pérez Galdós: *Obras Completas,* V, 4.ª ed., Madrid, ed. Aguilar, 1965, p. 548).

Siento que mis ojos te están matando. Veo que tu alma va velándose, como una estrella entre neblina. Mi lengua está enjuta y pesa como una montaña. Te adoro. Quiero alejarme. Mis ojos te matan. Te adoro. No puedo hablar ni separarme de ti. Te adoro." Estos pensamientos angustiosos giraban dentro del cráneo de Tigre Juan, afanándose en vano por salir a través de los ojos, como un moscardón que choca y vuelve a chocar contra el cristal de una ventana.

No por mí; por tu hijo. Tus ojos me están matando. Tus ojos me están matando. Mi hijo... Tu hijo... Me matas." Estos pensamientos angustiosos giraban dentro del cráneo de Herminia, afanándose en vano por salir a través de los ojos, como un moscardón que choca y vuelve a chocar contra el cristal de una ventana.

Se oyeron fuera campanas doblando a muerto.

—Llevan a enterrar a don Sincerato —murmuró doña Iluminada—. Recemos por su descanso eterno.

—¿Cómo? —inquirió Colás.

—Ayer noche falleció. [427]

Se arrodillaron la viuda, Carmina y Tigre Juan. Colás no podía, a causa de su pata de palo. Inclinó la cabeza. Herminia cruzó los dedos, en ademán de plegaria. Oraban todos fervorosamente, con lo cual cedía la tensión del espíritu y el alma se les evaporaba unos instantes. Cuándo éste, cuándo el otro, dejaban escapar un suspiro, que más que de consternación sonaban como de desahogo. Saliendo de sí mismas y expansionándose mediante la oración, las almas gozaban una libertad momentánea.

Tigre Juan fue el primero en ponerse de pie. Abrió los brazos en cruz. Echó atrás la cabeza. Como si el techo de

[427] Típica de Pérez de Ayala es la obsesión por mostrar la unión de vida y muerte, el niño que va a nacer junto al entierro. Recuérdese, por ejemplo, el poema final de *La caída de los limones* (en *Prometeo,* p. 255).

la estancia fuese traslúcido, fijó los ojos en un punto remotísimo, cual si contemplase el empíreo de los bienaventurados. Así, y boquiabierto, estuvo largo rato. Luego se llevó una mano detrás de la oreja, como para mejor oír una voz muy distante. Luego asintió por tres veces, como mostrando conformidad con algo que le ordenaba no se sabe quién. Luego, con los brazos todavía en alto, amenazadores, y horrorosa faz, miró a Herminia. Colás avanzó un paso, apercibido a estorbar una agresión de Tigre Juan. Pero Tigre Juan retrocedía, de espaldas hacia la puerta, sin dejar de mirar a su mujer. Se detuvo en la puerta. Desapareció.

—Temí que intentase estrangularla —bisbisó Colás a doña Iluminada.

—Eso mismo creí yo. Anda, hijo; vete a hacerle compañía. Háblale. Ponle al tanto de la verdad. Esclarece su razón congestionada y devuelve la paz a su corazón. Después de Herminia, sólo a ti ama en el mundo.

—No ha querido oírme. Es demasiado pronto, quizás, para que acepte la verdad. Sospechará que tratamos de aplacarle con halagüeñas falsedades. Más vale dejarle a solas algún tiempo. Le conozco. Su furor es repentino y pasajero. De león rugiente, en un punto se trueca en tórtola quejosa.

—¡Plegue a Dios que así suceda ahora!

Doña Iluminada se acercó a Herminia. Pasándole mimosamente la mano por las mejillas, dijo:

—El riesgo mayor, que era el encuentro, ya lo hemos salvado felizmente. El resto vendrá por sí, poco a poco o de golpe. Mediando el amor, nada hay imposible, y Tigre Juan te idolatra.

—Me odia. Me mata. No quiero morir todavía. No debo morir todavía. No es mi vida la que quiero conservar. ¡Favor! —gimió Herminia, deshecha en llanto, agarrándose convulsivamente a las manos de doña Iluminada, como al último asidero de la vida.

—Llora, llora, pobrecita mía; con las lágrimas se te derretirán fuera las zozobras sombrías.

—Me mata. Me mata. No debo morir todavía.

—¡Qué disparatadas ideas! Así ha tenido él jamás la intención de matarte, como yo de subir en globo. Vaya. Si te idolatra... No tardarás en verle que vuelve todo enternecido a prosternarse ante ti y a cuidarte, como una hermana de la Caridad, por que te pongas buena cuanto antes. Hija mía querida, procura reposar tus pensamientos.

—Que no vuelva. Moriré. Sus ojos son los que me matan.

—Bien, bien. Pues que no vuelva hasta que tú digas. El hará todo lo que tú digas.

—¿Dónde está? ¿A dónde ha ido?

—Déjale sosegar, que buena falta le hace también.

—¿Dónde está? ¿A dónde ha ido? —repitió Herminia, mates los ojos y mudos de luz, esforzándose por enhiestarse en el hecho.

—Herminia de mi alma, cálmate. Carmina, vete a ver dónde está Tigre Juan y qué hace. Vuelve a decírnoslo.

Carmina salió, y volvió diciendo:

—Está encerrado en el cuarto de las hierbas y las medicinas.

—¿Qué hace allí? ¿Qué hace allí? Quiero saberlo. Iré yo misma —gritó opacamente Herminia, en un conato de arrojarse fuera del lecho.

Doña Iluminada la sujetó.

—Por la vida delicada que llevas en tu seno, tranquilízate, Herminia. Nos contagias tus aprensiones. Carmina, vete, llama a la puerta con dulzura, pregunta a Tigre Juan, como si fuese por tu cuenta, qué hace.

Salió Carmina y volvió, balbuciendo:

—No responde.

Colás se apresuró hacia el cuarto donde Tigre Juan se había encerrado. Con la pata de palo dio una gran arremetida contra la puerta, que no se abrió.

—¡Tío! ¡Tío! —llamó Colás.

Nadie le contestó. Colás, de costado y haciendo ariete con el hombro, descargó insistentes embestidas contra la puerta, hasta que saltó la cerradura. Doña Iluminada, Carmina y Herminia, arrebujada ésta en un chal y desnuda de pie y pierna, estaban no lejos de Colas, atónitas, poseídas de pavor genuino, como ante la puerta de un sepulcro. Las tres mujeres rompieron en un alarido unánime. Tigre Juan yacía supino sobre el tillado. Sin ropa de cintura arriba, mostraba el torno hirsuto de jabalí. A su lado tenía una pequeña sangradera, de porcelana blanca y azul, ya casi promediada de sangre densa y humeante. Sobre la sangradera descansaba el brazo izquierdo, por el cual se desangraba. Como excelente sangrador, de que alardeaba, siguiendo las ordenanzas de su recetario, se había abierto "la vena común del brazo; sirve para quitar el dolor del corazón". En la mano izquierda retenía un papel arrugado, que doña Iluminada le arrancó y leyó en voz alta: "Dejo heredera universal de mis bienes a mi esposa Herminia Buenrostro, a quien adoro. Ella decidirá libremente si le es hacedero ceder una pequeña parte de su hacienda a mi muy amado hijo adoptivo Colás. Que a nadie se culpe de mi muerte, ni a causas ajenas a mi propia voluntad. Muero por crímenes míos, de que nadie sabe ni presumir puede. Quiero que me entierren como un perro, que eso soy. *Juan Guerra y Madrigal.*"

Herminia, de rodillas y sentada sobre los talones, teniendo ya levantado y abrazado el cuerpo de Tigre Juan, unía su boca a la del desfallecido esposo, como para transmitirle su vida con su aliento. De vez en vez, apartaba la boca y profería frases elegíacas:

—¿Me querías, a pesar de todo? Toma mi vida, dueño mío. Toma mi vida, que es tuya. ¿Cómo viviré sin ti? ¡Socorro! Salven a mi señor, que es todo mi amor. Saquen la sangre de mis venas y viértanla en las suyas...

Tigre Juan abrió los ojos, que elevó, acuosos y suplicantes, hacia los de Herminia.

—¿Me... quieres...? ¿Me quieres...? —susurró Tigre Juan, desemblantado.

—¡Vive! —gritó Herminia.

Tigre Juan, haciendo pinzas con los dedos de la mano derecha, contuvo la hemorragia del otro brazo. Ladeó la cabeza, a fin de examinar y calcular la sangre que había en la sangradera. Dijo:

—Vivo y viviré. Mala cosa es una sangría de los brazos, en el solsticio de estío y bajo el signo de Géminis. Gracias que la sangre perdida no es mucha, y esa era mala, que estaba de más en mi cuerpo. Si con ella se hiciesen morcillas, reventaría como un triquitraque quien las comiese. [428] ¿No ven ustedes que es sangre negra, como galipote [429] de las calderas de Pedro Botero? Vivo. Y viviré. ¡Qué a tiempo han llegado ustedes!... Y ahora que recuerdo, me han fastidiado y voy a quedar como un grosero. Ya no puedo acudir a una cita urgente que tenía, allá en el sotabanco de las nubes, con mi amigo don Sincerato. ¿Qué dirán de mí él y el Padre Eterno? Pero, ¿es verdad que estoy aquí, en los brazos de...? ¿No es una ilusión? ¿No voy volando ya por el aire? Siento que mi cuerpo no pesa. La cabeza se me disipa. Los ojos se me enfangan. Pero, ¿de veras ha sido verdad lo que he oído? ¿No serán fantasmagorías de agonizante? ¿Eres tú, Herminia? Herminia, Herminia... ¿es verdad que me...? —no se atrevió a concluir la frase.

Herminia, por la emoción, reía y lloraba. No pudo contestar. Asumió esta misión doña Iluminada, con singular brío:

—Sí, hombre, sí. Es verdad que le quiere. No le han mentido sus oídos. Le quiere. Le quiere. Iba a decir que más de lo que usté merece. ¡Vaya con el susto que nos ha dado! Bueno, pongamos tanto como usté merece.

—¡Ay, Dios! ¡Qué dicha! —exclamó Tigre Juan, dejando desmazalada la cabeza. Prosiguió, como para sí: —Realmente, mayor dicha ya no me la puede deparar la vida, aunque viviese tanto como el rey portugués don Sebastián, del cual aseguran los lusitanos que todavía anda por ahí coleando. [430] Lo mejor es que me deje morir man-

[428] Pérez de Ayala resuelve humorísticamente la tensión lírica de la escena.

[429] *Galipote*, en marina = 'especie de brea o alquitrán que se usa para calafatear' (Academia, p. 649).

[430] Don Sebastián, rey de Portugal, fue derrotado con su ejército en Alcazarquivir el 4 de agosto de 1578 y murió en la batalla. Pero su vida novelesca, el que nadie le viera morir y el recaer la

Don Sincerato Gamborena. Dibujo de Pérez de Ayala.

124

Aquí

Andaba Vespasiano a gatas todavía, quejumbroso, cuando Tigre Juan, arrepintiéndose de su pasada vehemencia, acudió a solevantarlo:

—Perdona, Vespasiano. Fue un movimiento involuntario. Perdona. Seamos amigos. Vamos a casa. Saludarás a Herminia. No te guarda rencor. Tomarás una copita de Rueda y unas mantecadas de Astorga. Vamos.

Vespasiano rehusó:

—Gracias. Lo que voy es a que me bizmen. Por lo demás, tan amigos siempre. Gracias.

Última página del manuscrito de *El curandero de su honra.*

samente. ¡Qué dicha! —y soltó los dedos con que sujetaba la vena. Manó otra vez la sangre.

—¡Juan, Juan! ¿Quieres matarme? —gritó Herminia, con desvarío.

—¡Ataje usté la sangría, imprudente! —ordenó, enojada, la de Góngora. Tigre Juan obedeció—. ¿Cree usté que se puede gastar chanzas con la propia vida y menos con la ajena? ¿No ve que la vida de Herminia, y algo más que la vida de Herminia, pende de usté? ¡Ah, simple, obcecado, egoísta! Hay que reñirle como a un chiquillo. ¿Que no puede alcanzar mayor dicha? ¿Quién se lo ha dicho?

Tigre Juan, que necesitaba sangrar y descongestionar su alma, más todavía que su cuerpo, y aunque mucho trabajo le costaba hablar mayores eran las ganas que tenía de hacerlo, replicó:

—¿Quién me lo ha dicho? La Biblia, señora. ¿Pues no afirma el Santo Espíritu que la dicha mayor del hombre mortal es la compañía de una esposa amante y perfecta? [431] Cristiano rancio soy. Ahora, si fuese mahometano o muslim, con veinte mujeres y otras tantas concubinas, todas ellas compañeras perfectas y amantísimas, claro que mi buena suerte se multiplicaría por cuarenta; pero mi amor a cada una de ellas, y por ende mi gozo y mi dicha, se dividirían por cuarenta. Total, pata.

Todos se echaron a reír.

—Perfectamente —repuso la viuda—. Colás, corre en busca de Higo Paso, el barbero y sangrador, que venga a ligar la vena a tu tío.

---

corona de Portugal en Felipe II crearon en el pueblo portugués el mito del sebastianismo, es decir, la creencia de que el rey no había muerto y que cualquier día regresaría para ocupar nuevamente el trono (*Diccionario de Historia de España,* Madrid, ed. Revista de Occidente, tomo III, 2.ª ed., 1968, p. 627). Como tema literario, ha sido tratado por multitud de autores: Jerónimo de Cuéllar, Patricio de la Escosura, Zorrilla, Fernández y González, Francisco Ayala...

[431] Puede referirse a muchas sentencias bíblicas; sobre todo, quizá, a Proverbios, XXXI, 10-31, y Eclesiástico, XXVI, 1-35.

—La ligadura yo mismo me la haré en un periquete, a poco que Colás coopere. Lo que sucede es que usté, tan lista, nada ha podido oponer a mis razones.

—¿Qué razones?

—Que para mí no habrá dicha mayor que en estos instantes.

—Déjese ahora de eso y no me hurgue ni me tire de la sin hueso.[432] Hágase la cura cuanto antes.

—No me da la gana, y perdone la franqueza. Quien me tira de la sin hueso es usté. No haré otra cosa que preguntar y preguntar, hasta que usté se explique.

—¡Por Dios! Basta ya —rogó Herminia, ocultando el rostro ruborizado.

—La respuesta más elocuente se la está dando a usté la pudorosa timidez de Herminia —dijo la de Góngora.

—Herminia... Señora... Por caridad, declárense. No acierto a discurrir. El pensamiento se me huye. No me malogren la dicha con esta ansiedad —quejiqueó Tigre Juan, como un niño caprichoso en la convalecencia.

—Debió usté retrasar la insinuación de la noticia para más tarde —advirtió Colás a doña Iluminada.

—¿Qué noticia? Acabemos, que no lo aguanto —refunfunó Tigre Juan.

—Está usté en el secreto, como nosotros, pero quiere que se lo digan, por el gusto de oírlo —dijo doña Iluminada, sonriendo.

—Yo lo diré, en resolución —se apresuró a anunciar Colás, impaciente.

—Eso sí que no —atravesó la viuda pálida—. A mí me toca ese privilegio. Vamos a ver, señor mahometano o señor muslim: si usté tuviera veinte mujeres y otras tantas concubinas, ¿para qué las querría?

—Señora, me causa usté escándalo. En presencia de dos jóvenes candorosas e inexpertas, me está vedado res-

[432] *La sin hueso* = 'la lengua'.

ponder. Pero yo no soy un gallo, ni un secuaz del fingido profeta.[433]

—No es por ahí, amigo. Lo que yo sostengo es que una mujer, ni cuarenta, no se traen a casa como un mueble, o una pieza de vajilla, o una vianda apetecible, por comodidad, necesidad o placer, puesto que, para un hombre, la mujer le satisfaría mejor la necesidad, el placer y la comodidad teniéndola fuera de su casa. La mujer se trae a casa para algo más digno e importante.

—Para... constituir... una familia —bisbisó Tigre Juan, con labio trémulo.

—Pues ya está usté al cabo de la calle. ¿Tan olvidadizo es usté, y somos todos, que se nos ha pasado que es hoy día de San Juan? Felicidades y parabienes, señor don Juan. ¿No recuerda nuestra conversación de ayer? ¿No le pronostiqué que para hoy, día de su santo, Hermi-

[433] *El fingido profeta*: debe de referirse a Mahoma. La lascivia de los hombres musulmanes era ya un lugar común en nuestro Siglo de Oro, como documentó Miguel Herrero García (*Ideas de los españoles del siglo XVII,* Madrid, ed. Voluntad, 1928; nueva edición en Biblioteca Románica Hispánica de ed. Gredos). Además de las conocidas referencias en las comedias de cautivos de Cervantes —mantenidas en el brillante "collage" de Francisco Nieva sobre *Los baños de Argel*— recuérdense, sólo, dos testimonios del *Viaje de Turquía*: "Quísele decir que tomase una ayuda, y no se lo osaba el intérprete decir, porque lo tienen por medio pulla, y todos, aunque bujarrones, son muy enemigos de ellas (...) porque son celosos; y como creo que os dije otra vez ayer, todos, desde el mayor al menor, cuantos turcos hay son bujarrones, y cuando yo estaba en la cámara de Cinan Baxa los vía los muchachos entre sí que lo deprendían con tiempo, y los mayores festejaban a los menores" (edición de Serrano y Sanz en Nueva Biblioteca de Autores Españoles, pp. 44a y 117b).

Todavía hoy, la Enciclopedia Espasa explica el éxito del islamismo "por haber dejado amplia libertad a las pasiones de sus fieles, para quienes es Dios exclusivamente misericordioso, y como encargado de satisfacer todas sus concupiscencias en un cielo de que no forma parte la realización de los deseos razonables del hombre, sino que sólo se compone de los objetos que solicitan las más bajas pasiones" (*Enciclopedia Universal Ilustrada,* Barcelona, Hijos de Espasa, S. A., tomo 32, p. 288).

nia le reservaba una gran sorpresa? ¿Cabía o no cabía mayor dicha que la que usté experimentaba poco ha?

—Pues repito lo de ayer. ¿Qué me importa morir, si soy ya inmortal? Herminia, amor mío, déjame morir. Muero de amor por ti. Muero ahogado en la felicidad con que me anegas. Todos los hombres envidiarán mi suerte. —Tigre Juan dejó manar nuevamente su vena, habiéndole acometido un breve síncope. Herminia, doblándose sobre su marido, acudió a detener la sangre con los labios.

Ya se reanimaba Tigre Juan. Doña Iluminada le dijo:

—Don Juan, el Tigre, ha muerto. Bien muerto está. Ha renacido otro don Juan, que no sé cómo le llamaremos, sin molestarle.

—Llámenme, si quieren, Juan Cordero, y a mucha honra.

CODA[434]

[434] Coda, en música es la 'adición brillante al período final de una pieza' (Academia, p. 315).

HERMINIA dio a luz felizmente un rollizo varón, el mes de febrero. En el trance del alumbramiento, se comportó con admirable fortaleza; devoró su tortura y no se le oyó exhalar un quejido. El que parecía estar padeciendo los auténticos dolores del parto fue Tigre Juan.

En las fragosidades de Traspeñas, de donde Tigre Juan era nativo, existía una costumbre curiosísima, milenaria, prehistórica. Así que la mujer penetraba en la agonía creadora del alumbramiento, el marido se metía con ella en cama, como si él fuese en realidad el parturiente. Lo mismo los procreantes como los testigos, nada escasos, del acto, aceptaban la solemne simulación de que el padre era quien había parido a la criatura. Este raro rito, llamado la *covada,*[435] ingenuo y humano simbolismo, aunque al parecer *contra natura,* encerraba alto sentido y social tras-

[435] "Se llama *covada* a la costumbre que aparece en algunos pueblos primitivos de que el marido, después del parto de la mujer, guarda cama algunos días, asistiéndole ella como si fuese aquél quien hubiese dado a luz. Esta costumbre existió, según Estrabón (*Geografía,* III, 4, 17), entre los cántabros (...) y en muchos pueblos salvajes de Asia, Africa y América. Se ha querido ver en esta práctica una prueba de las teorías de Bachofen sobre la evolución de la comunidad familiar, considerándola como una consecuencia del heterismo o etapa primitiva de la familia en que existía una promiscuidad sexual y la covada era un medio de atribuir maternidad, o del matriarcado, fase sucesiva en que la autoridad familiar era ejercida por la madre" (*Diccionario de Historia de España,* ed. cit., tomo I, p. 1020).

cendencia; afirmar la línea de varón y trasmitir al descendiente el apellido paterno, con que la contada prole legítima se diferenciaba de la innumerable cría anónima, pues la mayor parte de los habitantes en aquella serranía eran hijos de madre soltera y padre desconocido.

Recordando esta costumbre de su tierra, Tigre Juan, mientras duró el doloroso misterio permaneció encerrado en el angosto desván que le servía de laboratorio para sus drogas, allí donde ocho meses antes había intentado quitarse la vida. Se revolvía furibundo entre las cuatro paredes, rugiendo a lo sordo, por ahogar la necesidad que sentía de expandirse en aullidos bestiales. Con cada ahogado aullido se le figuraba como si hubiese estrangulado a su hijo, antes de nacer. Su padecimiento era de orden moral, a causa de sentirse impotente para aliviar los sufrimientos físicos de su mujer, apropiándose una parte de ellos. "Señor y Dios mío —mascullaba entre dientes—: tu creación es una obra maravillosa, sin duda, si no hubiera que ponerle un feo lunar y grave reparo en eso del parto. En ese punto me atrevo a opinar que has acumulado complicaciones y dolores superfluos. ¿Por qué no ponen un huevo las mujeres; un huevo color rosa, o azul pálido, por ejemplo? Sería cosa preciosa. Luego, lo empollaríamos, por turno, el marido y la mujer, como sucede entre algunas aves. Envidio a los palomos, a los cuales permitiste que se pusiesen cluecos, lo mismo que las palomas. ¿Qué papel hacemos los hombres, ahora? Un papel vergonzoso, depresivo. Nosotros tan campantes, en tanto ellas sufren congojas de muerte. ¿Está esto bien, ni medio bien? Al menos, pudiste haber dispuesto, por equidad, que al padre, dondequiera que se hallase, le acometiese un cólico de padre y muy señor mío, al tiempo que la madre pasa lo suyo. No es que quiera enmendarte la plana, Señor del cielo y de la tierra; pero no puedo aguantar que Herminia esté sufriendo sin yo sufrir. No puedo. No puedo. No puedo."

Tigre Juan puso lumbre a un hornillo de carbón de encima y colocó en la brasa las tenacillas con que hacía obleas y sellos. Se despojó luego de las polainas de paño.

Cuando las tenacillas estuvieron al rojo las aplicó repetidas veces a la molla de entrambas pantorrillas. La voluptuosidad del dolor voluntario insufló en su alma una sonrisa de ángel, y en su rostro una sonrisa de antropófago que se alampa y regodea con el husmo de carne humana tostada. Su felicidad era ya completa.

El niño nació muy bello. Semejaba a la madre, salvo que sus ojuelos mongólicos, grises, tirantes y en hechura de ojal, acreditaban, a modo de indeleble marchamo, el origen paterno.

Tigre Juan no se hubiera separado un instante del hijo. Propuso, en serio, tenerlo siempre consigo, en un cuévano a la espalda, como cuna, a usanza de pasiegos; y añadía que la vida a la intemperie, todo el día en el puesto del aire, sería la más higiénica para la criatura. No poca dialéctica pusieron en juego todos hasta disuadirle de este proyecto. En lo que se salió con la suya fue tocante a los nombres de pila de su heredero. Fueron padrinos Colás y la de Góngora. El chico se llamó Iluminado [436] Herminio. A poco, por contracción, el nombre quedó reducido a Mini.

Cuando Mini tuvo poco más de un mes, Tigre Juan, celoso de la salud y hermosura de Herminia (después de la maternidad, en la piel trigueña y nacarada de Herminia había brotado un vello de argentina tenuidad, como la aureola que efunden las perlas), [437] exigió compaginar la lactancia maternal con el biberón. El mismo, a horas precisas, venía del puesto a preparar los biberones; [438] y él se

[436] Se continúa en el niño el nombre significativo de doña Iluminada.

[437] Tic frecuente en Ayala. Recuérdese, por ejemplo, que los brazos de Rosina tenían "así como el cuello y los hombros, una suave floración de vello entre rubio y nevado, a través del cual se metía la claridad de manera que trazaba en torno a los miembros un doble perfil, como si estuvieran vestidos de luz" (*Troteras y danzaderas,* p. 66).

[438] Recuérdese que hace lo mismo el padre adoptivo de Angustias: "Belarmino recogió a la niña, apenas nacida, y la crió él mismo con biberón", porque la sentía literalmente como "hija de mis entrañas" (*Belarmino y Apolonio,* p. 127).

los daba a succionar a Mini, colocándole extendido sobre sus rodillas. A veces, el mamoncillo se atragantaba. Dedujo Tigre Juan que esta postura no era racional ni cómoda, e inventó otra más verosímil. Se encajaba el biberón debajo de un sobaco, con el chupadero hacia delante; luego sostenía trasversalmente, contra su pecho, al niño, como hacen las amas de cría. Herminia, y en menor grado doña Iluminada, Carmina y Colás, hallaban tiernamente ridícula [439] esta ingeniosidad de Tigre Juan, en función de ama seca; y no podían impedir que tales veces les provocase risotadas. Tigre Juan no se cuidaba de las burlas. Se encogía de hombros, como si afianzase más recio el biberón bajo el brazo; o bien, cual si pensara: "parece mentira que vosotros, ¡vosotros!, no comprendáis. Lo que me desconsuela es no poder nutrirle con sustancia de mi propia vida. Pelícano quisiera ser, del cual dicen [440] que se abre el pecho con el pico, para alimentar con la sangre a sus polluelos".

Haciéndosele intolerables las horas que pasaba separado de su mujer y de su hijo, en el puesto del aire, resolvió traspasar el negocio a otras manos. Como el puesto estaba muy acreditado y él era bastante ducho, sacó buena tajada del traspaso.

Le apesadumbraba poner para siempre fin a las cháchTaras sabrosas con Nachín de Nacha, jueves y domingos, días de mercado. Y como no podía pasarse sin ellas, acudía a darle compañía, sentado en una silleta, junto al tinglado de las monteras; luego, le remolcaba a comer a casa, resistiéndose Nachín, a causa de que Herminia y él, radicalmente, no hacían buena liga, puesto que Nachín incorporaba una pura voluntad de naturaleza, donde la hembra es un animal inferior, o cuando menos secundario, en tanto el alma de Herminia era como un ciego anhelo

[439] Otra vez la unión de sentimientos contrapuestos.

[440] Se ha considerado al pelícano símbolo del amor maternal, de la caridad cristiana y hasta de la Redención, por creerse legendariamente que alimentaba a sus polluelos rasgándose el pecho con el pico.

hacia la sociedad culta y urbana, donde la mujer recibe adoración de ídolo. Este antagonismo [441] se mantenía latente, sin visible manifestación.

Decía, a menudo, Tigre Juan:

—He metido mi vida en la colada y ha quedado limpia, limpia como la nieve de las cumbres. Todas las suciedades y manchones antiguos se han lavado...

Pero no era así por entero. Perseveraba en su alma una sombra diminuta, una reliquia de desazón para consigo mismo. Esta leve aprensión de malestar y descontento era debida a la injusta acometividad de que antaño había hecho víctima a su vieja y fiel criada la Güeya, despidiéndola de su servicio, luego de arrojarle un plato al cogote y denostarla de bruja, aojadora y barragana de Lucifer. Si la trajese de nuevo a casa, con soldada mayor, reparaba la injusticia, y de paso resolvía el arduo problema de la servidumbre, ya que su mujer persistía en no hallar criada lo bastante entendida y de fiar para su tranquilidad. Sin embargo, Tigre Juan vaciló sobremanera, antes de adoptar una determinación, porque, a su pesar, creía en el mal de ojo, y recelaba que la tuerta, con su mirada unilateral, le acarrease infortunio. Por fin, sobreponiéndose a esta flaqueza vulgar y arrostrando el imaginario riesgo, tomó otra vez de sirvienta a la Güeya, con notable beneplácito por parte de Herminia. En cuanto a la vieja, verse de arribada en casa de Tigre Juan, terminado el destierro, después de no pocas borrascas y peregrinaciones a través de hogares inhóspitos, fue para ella algo así como el retorno de Ulises a la dulce Itaca: se le quitaron veinte años de encima. ¿Quién como ella percibía el secreto entrañable, la emoción cordial de aquellos penumbrosos aposentos? [442] Para ella todos los an-

[441] Otra vez, los personajes como manifestación de principios generales y contrapuestos.

[442] En el poema "Almas paralíticas", de su primer libro, *La paz del sendero,* escribe Pérez de Ayala: "Hay casas inanimadas / donde hemos vividos horas felices, sosegadas, / que admiramos cubiertos con sayal de amarguras / anímanse de pronto, toman gestos, posturas / dolientes, y nos muestran tan protector cariño /

tiguos objetos de la casa tenían alma, y mirada, y acento. Los vasos, tan heterogéneos de forma, calidad y tamaño, alineados en el aparador, como trompetas de órgano, despedían de sí suaves músicas diáfanas, lo mismo que otrora, al producir Colás sobre ellos el *Vals de las Olas*, golpeándolos con el mango de un tenedor. Al entrar la anciana en la cocina, los bruñidos cobres de las cacerolas prorrumpieron en unánime grito de luz, como clarines que entonasen una marcha triunfal.[443] Hasta las planchas de castaño del tillado, no menos viejas y nudosas que la Güeya, suspiraban al ella pasar, y la saludaban con una vocecita flébil y ronca: "Bienvenida, hermana." La Güeya era el espíritu tradicional de la vivienda, y al tomar de nuevo posesión y restaurarse en sus dominios diríase que Tigre Juan, Herminia y Mini se convertían en huéspedes. Como en virtud de tácito convenio, la vieja asumió el gobierno interior de la casa.

La Güeya adoraba en Mini. Con frecuencia lo sostenía largo tiempo en el enfaldo, brizándole, contemplándole en arrobo, cantándole tonadas de la época de Maricastaña y dirigiéndole desesperados requiebros de amor —amor a la vida— que parecían dilatarse, en un eco inextinguible, desde la noche de los siglos. La vieja rugosa y el tiernísimo infante formaban un grupo comparable al pámpano y el sarmiento; o bien la vida naciente en el regazo de la tradición.

Herminia nunca salía, sino los domingos, a misa. Le empavorecía la calle; exhibirse a la pública mirada reprobatoria, remover y soliviantar comentarios de difamación, menosprecio y burla grosera. Según caminaba, abatida la cabeza y el velillo tapándole el rostro,[444] se figu-

---

que parecen sirvientes viejos cuando uno es niño. / Y las casas son las más dulces criaturas, / porque tienen espíritu tolerante, de abuela, / porque saben secretos de muchos corazones, / y al acudir a ellas en las tribulaciones / hablan con una voz tácita que consuela" (*O.C.*, II, p. 84).

[443] Analiza esta frase Reinink y encuentra en ella tantos elementos de expresionismo como de impresionismo lingüístico.

[444] Así la dibujó Pérez de Ayala.

raba ser una basura, expuesta en mitad del arroyo, que todo el mundo escupía o pisoteaba con la intención. No lo sentía tanto por ella como por Tigre Juan. A Tigre Juan, por el contrario, le hubiera gustado sacar y lucir a su mujer muy a menudo, altaneramente y en son de desafío a la maledicencia calumniosa. En un principio, Herminia declaró que no saldría ni a misa, como no fuese la de alba. Tigre Juan le respetó este antojo. Pero, más tarde, obligó, como marido, a Herminia a ir con él a misa de doce en San Isidoro, la más concurrida de todo Pilares. Llevaba a su mujer del brazo, pausado y majestuoso el andar, los riñones muy hundidos, y en correspondiente proporción sacado el pecho afuera, tenso y enhiesto el pescuezo hasta su máxima longitud de más de un palmo, y al cabo de él, como en el hierro de una lanza, clavada la cabeza, rotunda e implacable, desparramando en torno belicosas ojeadas. Si presumía que alguien osaba examinarles, a él o a Herminia, con sorna o desacato, Tigre Juan, dando agresivo rostro al supuesto ofensor, se despojaba de su gran chistera, en una bonetada y reverencia irónicas, impertinentes, como si le dijese: "ya está mi frente al aire y sin tapadera. ¿Qué nota usté: los cuernos? Cuernos imaginarios. ¿Y qué? También Moisés los llevaba, cuando dictó la ley. [445] ¿Estamos? ¡Cuidadito conmigo! A ver quién es el majo que se pone al alcance de mis divinos cuernos. Lo fulmino. ¡Rediós! La honra de esta mujer es inaccesible, y evidente, y gentil, como un árbol sobre un promontorio, bajo el pabellón del cielo". Pero Herminia, aunque orgullosa de su marido, no dejaba de sufrir, más por su Juan que por ella misma, en presencia de la gente; en sus oídos zumbaba el rumor elástico

[445] Después de haber pasado Moisés cuarenta días y cuarenta noches en el monte del Sinaí, bajó con el rostro resplandeciente y despidiendo rayos; la Vulgata tradujo esto por "facies cornuta", de ahí la costumbre de representar a Moisés con cuernos. Recuérdese, por ejemplo, la estatuta de Miguel Angel en la iglesia de San Pietro in Vincoli, de Roma.

de la murmuración anónima, como de resaca escondida entre peñas adustas.

Una noche, en el lecho conyugal, a favor de la sombra, reclinada la sien en el cabelludo seno de Tigre Juan, que era como una almohada de crin, y atusándole maquinalmente con una mano el frondoso bigote, Herminia se decidió a decir:

—Juan: el peor enemigo de la mujer es el hastío. Antes de quererte, Juan, estaba hastiada de este rincón miserable donde nací. Veíame presa en él, para toda la vida. Soñaba con la libertad. Para mí, llegó a ser una necesidad realizar mi sueño, algún día. Tal fue la razón, y no otra, por que... ¿Comprendes?

La almohada de crin se infló desmesuradamente, y luego se desinfló con sonoridad. Tigre Juan había comprendido. Herminia continuó:

—Del hastío estoy curada, Juan. No lo dudes, ¡por nuestro hijo! No así del ansia de realizar mi sueño. Encerrada en casa, contigo, con Mini, puedo vivir feliz hasta mi última hora. No me hagas salir, no me hagas salir, a no ser que me lleves lejos, muy lejos, a conocer cosas distintas, y más gratas, de las que siempre tuve delante. Dentro de algunos años, cuando Mini sea mayorcito, prométeme que haremos un viaje que valga la pena. A Madrid, por ejemplo. Yo preferiría a Lourdes. Prométemelo, aunque no abrigues propósito de cumplirlo. Con esto me tendrás satisfecha, dándome pasto para la ilusión.

—Mujer idolatrada —respondió Tigre Juan—, soy de tu opinión. Prometo lo que me pides. Iremos a Madrid; y de Madrid, a Lourdes, cuando Mini sea mayorcito y esté en condiciones de viajar, que calculó que será... psss... será en el mes de mayo, cumplidos ya los tres meses.

—Juan, Juan... —sollozó Herminia—. ¡Qué bueno eres!

—Si a mí viajar me gusta tanto como a ti, boba... Y, además, hay que adquirir experiencia. Ya aprenderás. Aprenderás cómo la propia casa es lo que con más alegría se abandona y a lo que se retorna con más alegría; y eso que nosotros, como beduinos, decirse pudiera que conducimos la casa a cuestas, porque llevaremos también a la Güeya, que se ocupe a ratos de Mini y nos consienta algún vagar para juerguearnos tú y yo a solas.

Este coloquio nocharniego ocurrió a fines de marzo. Sobrevino mayo como en un abrir y cerrar de ojos. Tigre Juan fijó para la partida las vísperas de San Isidro,[446] aprovechando los billetes a mitad de precio. La Güeya, antes de aventurarse en jornada tan peligrosa, confesó, comulgó e hizo testamento, dejando a Mini heredero universal de todos sus bienes, que consistían en unas arracadas de aljófar y un chal de Cachemira.[447]

Bajaron a la estación doña Mariquita, doña Iluminada, Carmina y Colás, ya casados. Carmina insinuaba la curva tímida de la maternidad incipiente, y Colás mostraba la petulancia del autor primerizo. Doña Mariquita, como si se tratase de un viaje a las antípodas, chillaba:

—Ya no os volveré a ver. Cuando volváis, habré ido a juntarme con don Sincerato —y se enjugaba los ojos con un pañuelo del tamaño de un sello de correos.

Doña Iluminada sonreía, con su faz casta y triste.

YA están en el tren, en un módico departamento de tercera. Ya están embarcados en la aventura. Ya llevan de viaje una hora, dos horas. "Faltan todavía otras catorce horas", piensa la Güeya, sobrexcitada y arrepentida:

446 El 15 de mayo.

447 Se dice que los chales de Cachemira fueron introducidos en Europa en 1798 por los soldados franceses que hicieron la expedición a Egipto y que los recogieron en el campo de batalla, pues los mahometanos los llevaban como turbantes y fajas. Desde entonces, comenzó un comercio muy activo de importación de chales de Cachemira, los más apreciados y costosos. Recuérdese el título de la obra de Ana Diosdado: *Y de Cachemira, chales.*

"¿Por qué habré venido?" Aunque la velocidad es más bien irrisoria, a la vieja le produce vértigo. Teme que van a chocar con los árboles, con los postes del telégrafo, con las casas aldeanas, o que se precipitarán desde los puentes sobre los ríos. El primer túnel —estrépito ensordecedor, absoluta tiniebla— le ocasionó tal pánico, que le embargó el resuello y no pudo gritar hasta que salieron otra vez a la luz. "¡Virgen Purísima! ¡San Apapucio!", exclamó, santiguándose: "Creí que caíamos en un pozo, abajo, abajo, sin nunca acabar." Tigre Juan y Herminia y los otros viajeros, hasta cuatro, celebran divertidos los sobresaltos, aspavientos, visajes y santiguadas de la vieja. Uno de los viajeros es Cipriano Mogote, el vinatero, que va a comprar vino a Bembibre, tierra de León. Sin embargo, el regocijo de Mogote no es natural ni espontáneo; en su risa afectada, en su manera de mirar alternativamente a Tigre Juan y a Herminia con ojos entornadizos hay un no sé qué de malicioso e insultante. Tigre Juan, por consideración a Herminia, hace como que no se da cuenta, pero principia a ponerse nervioso, a verdecer y sacudir las orejas; amenazadores presagios. Paciencia, Juan, paciencia —dice para sí—. León está cerca. Suceda lo que suceda, repúdrete; mas calla, que Herminia, ¡inocente!, no entienda." Herminia, con femenina intuición, ha entendido antes y mejor que Tigre Juan, pero, por amor a él y temor de un desaguisado, finge no parar atención en el vinatero befador y camorrista, si bien sufre desmayo de agonía en su corazón, y asoma la cabeza a la ventanilla, a fin de hurtar el rostro, porque siente que tan pronto la sangre de la vergüenza sube a sus mejillas como se las abandona a la palidez mortal. Igual que la Güeya, piensa: "¿Por qué habré venido? ¡Ah, loca! Bien empleado me está. Yo me lo busqué. Jamás podré mezclarme en el mundo. Habré para siempre de vivir recoleta dentro de mi casa, en compañía de mi soledad y de las moscas. No deploro por mí esta situación angustiosa, mientras Juan, ¡bendito de Dios!, no advierta las indirectas de ese hombre."

Se detiene el tren en una estación.

—¿Por qué no quedamos aquí a pasar una temporadina? —pregunta la Güeya—. Parece un sitio muy guapo. Los manzanos están en flor.

Mogote y los otros viajeros desconocidos descienden a estirar las piernas, paseando por el andén. Mogote les refiere algo muy interesante. Los otros le escuchan golosos, con gesto de estupor, de incredulidad. Luego, coinciden todos en una risa satírica, a tiempo que, por involuntario impulso, se vuelven a mirar hacia el departamento donde están Tigre Juan y Herminia. Marido y mujer, aunque nada han oído, barruntan. Cada cual piensa para su fuero: "están hablando de nosotros". Un mozo de estación recorre, a grandes patadas, la techumbre de los coches, encendiendo los fanales de aceite.

El tren comienza a subir la dura rampa del Puerto de Pinares. [448]. Lleva una máquina a la cabeza y otra a la cola. Se las oye resoplar, jadear, ahogarse; se presume estar viéndolas, trémulas, obstinadas, humillado el testuz, como yunta de bueyes tardos que conduce una carga superior a sus fuerzas. El tren, poco a poco, sube, sube. Los valles apacibles van sumiéndose, asombrándose. Ya es noche en ellos. Las pedregosas cumbres refulgen con un barniz cristalino, color azafrán. El cielo es de amatista.

—¡Qué fatigosamente sube el tren! —exclama Tigre Juan. Añade, sentencioso y alusivo—: Siempre, y en todo caso, exige harta fatiga el elevarse sobre las miserias y bajezas humanas, crecer de estatura moral—. Y, dirigiéndose a Mogote, piensa para sí: "chúpate ésa, cerdo".

—Muchos modimaneras hay de aumentar la alzada —replica el vinatero—. Verbo en gracia, con un buen par de cuernos, una vara de largos. Yo, por mí, en santa hora lo diga, no sé si cuesta trabajo o no esa clase de crecedera. Usté lo sabrá.

Tigre Juan traga un buche de saliva que tiene sabor de jugos gástricos. Sin inmutarse responde:

[448] Igual que en su primera novela, *Tinieblas en las cumbres.*

—Yo estoy ignorante, amigo. Tú lo sabrás, tú. Y no lo digo en descrédito de la señora Mogota, en cuya vida privada no me entrometo; dígolo por ti, porque, como demonio encarnado que eres, recordarás si te dolió echar los cuernos, a no ser que hayas nacido ya cornamentado y con la bellota cuajada. Pero a mí no me hacen el *bu* los demonios. Huyen de la cruz y del agua bendita. Al primero que me tiente, crúzole el morro con estos cinco dedos y riégoselo luego de sangre con este hisopo que aquí ves —y Tigre Juan adelanta hacia la faz de Mogote su mano, primero abierta, el puño cerrado después.

Uno de los viajeros (vestido con traje de pana verde ciruela; cara roma, atlética; barba de cinco días; una sola ceja, pero que le corre, en trazo enérgico, de sien a sien) acude a interponerse, amonestando:

—Señores...

—No hay cudiao, buen hombre —conte Mogote—. El señor Xuan y yo conocémosnos abondo. No hay cudiao. Mucha parola... ¿pa qué? Pa ná.

La Güeya, absorta en la temerosidad que el tren le infunde, no atiende a nada. Herminia, con el hijo en brazos, está agarrotada por el terror. En esto, Mini rompe a berrear. Tigre Juan, olvidándose de todo, coge al niño de brazos de la madre; lo acuna en los suyos, le besa, le dice ternezas. El niño no cesa de berrear.

—¡Ah, pillete! —murmura Tigre Juan, hablando con su hijo—. Razón tienes. Nos habíamos distraído en futesas. Sois como relojes los críos. Es tu hora, sí; es tu hora. Claro; quieres chupar. El que no llora no mama. Ahora mismo, lucero.

Tigre Juan coloca a su hijo debajo del sobaco, como un vaquero la garrocha. Con el brazo que le queda libre, saca de una cestita un infiernillo de alcohol, un cazo, una botella de leche; y se aplica a preparar el biberón. De tanto en tanto, mete un dedo en la leche, por comprobar la temperatura. Finalmente, él mismo da el biberón a Mini, conforme su procedimiento habitual, ridículo y tierno, a imitación de una nodriza; como si le estuviera dando la teta.

La insolencia y burla de Mogote suben de punto. Los demás viajeros no pueden menos de acompañarle en la hilaridad. Tigre Juan no se percata. Tigre Juan está ausente de cuanto en torno suyo acaece. En estos momentos, para Tigre Juan nada existe en el mundo, sino su hijo; toda la vida es la vida, pequeña y quebradiza, de su hijo.

Herminia, por su parte, desearía no estar con vida. Una ola de suprema aflicción le invade la garganta.

La tensión tragicómica[449] de la escena no cede, antes se acrecienta. Cuando Mini ha dado fin al biberón, Tigre Juan, luego de introducirle la mano en los pañales, entiende que el mamoncito necesita algún otro cuidado. Siempre ausente de los espectadores y comentaristas, Tigre Juan va desfajando a su hijo; le quita las bragas sucias; le limpia, con amoroso escrúpulo, el trasero, y a seguida sacude sobre las nalguitas, bermejas, escocidas, una brocha con polvos de talco de arroz; por último, le pone pañales nuevos.

—Nunca tal vi —ha dicho Mogote—. Hay hombres pa todo. Admírome. ¿Qué hombre de verdá haría otro tanto, ni siquiera con el hijo propio? Cuanto más...

No concluyó. Herminia, agotada la resistencia, tapándose la cara con el pañuelo, se quiebra, como vaso de fino cristal, en agudos sollozos, que hieren. Tigre Juan sale fuera de sí, hacia la realidad, con ojos estupefactos, desenfocados todavía. En sus oídos reside el eco distinto de las últimas palabras de Mogote: "ni siquiera con el hijo propio. Cuanto más...".

Tigre Juan deposita blandamente a su hijo en el regazo de la Güeya. A continuación, toma a Mogote por una muñeca; acerca la mano del otro hasta su nariz, como si fuera a olérsela.

—Esta es mi nariz. Agárrala. Recio; agárrala, recristo —ordena Tigre Juan, oxidada la voz—. Haz por arrancármela. Recio. Más recio. ¿Puedes? ¿Es mía la nariz? Pues tan mía como es mi nariz, tan mío es mi hijo. Y aho-

449 Aquí se menciona expresamente el adjetivo, al que he aludido tantas veces en mis notas.

ra, a ti, tan cierto como eres hijo de raposa, te voy a estrellar contra la vía.

Diciendo así, Tigre Juan levanta en vilo a Mogote, voluminoso y liviano, como un colchón de pluma. Con él en alto tantea abrir la portezuela. Gritan las mujeres. Intervienen los viajeros; y aquel de cara roma y atlética logra salvar a Mogote de ser arrojado en el fuliginoso [450] Tártaro. [451] Vuelve cada cual a acomodarse en su asiento.

—Caballeros... —dice uno, que enarbola una bota de vino—. Lo pasado, pasado. Para un minuto que hemos de vivir... Dense las manos, sin rencor. Y echemos un trago a la salud de los presentes.

Tigre Juan, noblemente, se apresura a tender la mano:

—Perdona, Mogote. No sé si perdí por mi culpa la cabeza o si tú me la hiciste perder; ello es que la perdí. Quise castigarte a ti y ultrajé a tu madre. Perdona, Mogote. Respetive a tirarte por la ventanilla, nada malo podía ocurrirte, con el paso que lleva el tren, y hasta lo hubieras alcanzado otra vez, de una carrerina, a pesar de lo gordo que estás.

—Perdonao —masculló Mogote—. Sólo que usté no tiene correa pa aguantar bromas de los amigos. Y eso que usté saca cada broma... Pero, una cosa son las bromas de palabra y otra las de obra. Venga un trago. Va por ustedes.

Noche cerrada. El tren, con su bamboleo y baraúnda, rueda por la altiplanicie leonesa. Tierra rasa, horizonte circular recortado, como un mar de brea. Cielo transparente, cóncavo, duro; una redoma de cristal. Innumerables gotitas de líquido, pegadas al vidrio; tiemblan y brillan las estrellas. Minúsculas chispas rojas de la locomotora vuelan fugaces.

—¡Animas del purgatorio! —suspira la Güeya.

Un silbido dilatado, como lamento de alma en pena.

¿A dónde va el tren, perdido en la noche?

450 *Fuliginoso* = 'denegrido, obscurecido, tiznado' (Academia, p. 641).

451 El infierno, en la mitología clásica.

Todos se aperciben al descanso. Tigre Juan tiene a la esposa reclinada sobre su pecho, y al hijo abrazado. Todos duermen ya. Mogote ronca: "parece que rebuzna", observa Tigre Juan.

Tigre Juan vela. Su conciencia se amplifica, se infiltra y diluye en las cosas, se confunde, con un escalofrío sagrado, en la conciencia cósmica.[452] Piensa y siente por manera emotiva e inefable. Contagiado por el ritmo pertinaz del tren, también él siente y piensa con un ritmo arbitrario. Sus pensamientos y sentimientos, cada vez más inefables, no se podrían traducir en palabras, a no ser aproximadamente. Y ya se sabe que cuando hablando del alma se dice aproximadamente, quiere decirse remotamente.

> ¡Padre nuestro, que estás en los cielos!
> ¡Hijo mío, que éstas en mis brazos!
> !Mujer mía, que estás a mi vera
> y en mi tuétano estás impregnada, y estamos,
> alma y cuerpo, tú y yo, en este hijo de entrambos!
> ¡Oh, Mini; hijo nuestro!
> ¡Celestial Padre nuestro!
> ¡Padre! ¡Padre! ¿A dónde vamos?
>
> ¡Oh, vida! ¡Oh, vida! La noche
> es un agujero negro,
> enorme.

[452] Comentando a Lucrecio, escribe tajantemente Ayala: "el hombre... es la conciencia cósmica" (*O.C.*, II, p. 451). En un poema: "Que tu conciencia se halle tan alerta, / tan vasta y tan plural, / que al fin encierre, por manera cierta, / la vida universal" (*O.C.*, II, p. 221). Y en 1942, en Buenos Aires, en el prólogo a sus *Poesías completas*: "El verbo poético es un a modo de conato hacia la conciencia universal" (*O.C.*, II, p. 77). Enlaza así con un texto juvenil, básico, de *La pata de la raposa*: "Me parecía que usted había dado conciencia a mis ojos, a mis oídos, a mi corazón y a mi cerebro. Y ¿qué otra cosa es un escritor sino la conciencia de la humanidad?" (p. 256).

Así pues, en este momento adquiere Tigre Juan la plenitud de la conciencia humana, que es también lo propio del escritor. Por eso concluye Ayala su relato con el poema que sintetiza los pensamientos de su personaje.

Va el tren, perdido
en la tiniebla, corriendo.
¡Oh, vida! ¡Oh, vida! ¡Cuál corres,
sin saber qué derrotero
llevas! Ciega te apresuras,
lejos, cada vez más lejos.
No sospechas que tienes la ruta trazada.
Y Dios ha sido el ingeniero.
¡Padre nuestro, que estás en los cielos!

¡Oh, estrellas infinitas!
¿Qué importa que viváis milenios de milenios
si sois mortales, como los humanos; [453]
como yo, como Herminia,
como Mini? ¡Hijo mío; lucero!
¡Padre nuestro, que estás en los cielos!

¡Hijo mío, sobre mi pecho;
leve espuma, naciente onda,
en el curso del río eterno
de la vida! [454] La vida... ¡Oh, vida!
A ti te la he dado, como a mí me la dieron.
¿A dónde vamos? ¿De dónde venimos? [455]

[453] Para Pérez de Ayala, la muerte es "la verdad suprema" (*O.C.*, II, p. 23). Y, con técnica de opósitos: "Muerte, madre de la vida" (*O.C.*, II, p. 284).

[454] Imagen clásica que abre el poema inicial de su primer libro, *El sendero andante*: "He ahí la vida, ese río" (*O.C.*, II, p. 141). Y en otro poema: "Un río fluyente, sonoro y fantástico, / siempre henchido, / siempre vario, / —la vida comparó con un río / el lacrimoso Heráclito" (*O.C.*, II, p. 195).

[455] Recuérdese el conocido verso de Rubén Darío: "Y no saber adónde vamos ni de dónde venimos" (*Cantos de vida y esperanza,* en *Poesías completas,* Madrid, ed. Aguilar, 7.ª ed., 1952, p. 760). He tratado de demostrar la influencia directa de este poema, "Lo fatal", sobre uno de los de *El sendero innumerable* (*La novela intelectual*..., p. 52). En *La pata de la raposa,* el protagonista autobiográfico, Alberto Díaz de Guzmán, ha anotado entre sus papeles esta cita de Heine: "Was ist der Mensch, / Woher ist der Kommen, / Wo geht er hin?" (p. 73). Y en los "Escolios" a la 3.ª edición de *La paz del sendero*, reproduce unos versos de "Hn" que se inician así: "¿De dónde vienes? ¿A dónde vas?" (*O.C.*, II, p. 137).

Medroso estruendo colma el silencio del universo;
el retumbo del torrente de la vida,
en el vacío inmensurable,
repercutiendo...
¡Padre! ¡Padre! Tengo miedo.
Tengo miedo.

Hijo mío, que estás en mis brazos,
impalpable lengua de fuego,
delicada lumbre de vida;
un débil aliento,
un suspiro, pudiera apagarte.
¡Padre celestial!; consérvamelo,
sano de alma,
sano de cuerpo.
Mas si no ha de ser robusto,
como si no ha de ser bueno...
¡Dios mío!, consérvamelo.[456]
Vivir es adolecer.
Lo torpe guía hasta lo honesto.
El dolor desemboca en la alegría.
La fealdad empuja hacia lo bello.
¿Qué importan el de dónde ni el a dónde,
si el hombre nunca alcanzará a saberlo?
Por qué ni para qué, ¿qué importan?
Sólo Tú, Padre, estás en el secreto.
De Ti se origina la vida,
como el agua del manadero;
el caudal de la vida, que fluye
llorando y riendo.
¡Don divino de la vida!
Vivir. Vivir. Arrobo supremo.
¡Qué placer el de la vida!
La vida, ¡qué sufrimiento!
Gozar... Penar... Vivir.[457]
Goces y penas huideros.

[456] Lo contrario del ideal nietzscheano del superhombre, que expresó en *Prometeo.* (Véase Gonzalo Sobejano: *Nietzsche en España,* Madrid, ed. Gredos, Biblioteca Románica Hispánica, 1969.)

[457] En *El sendero ardiente*: "Sin ninguno alcanzar dicha completa, / goza y sufre. Y espera. Es que está vivo" (*O.C.*, II, p. 280). Para el vitalismo pesimista de Pérez de Ayala, es esencial la aspiración a resolver en armonía las contradicciones. Y, en definitiva, "un instante vivido / es compendio de siglos" (*O.C.*, II, p. 207).

Todo huye y se desvanece.[458]
Vivir. Soñar. La vida es un sueño.
No soñamos los hombres mortales.
Nosotros mismos somos un sueño.
El mundo es el sueño de Dios.
Sueño de amor. Sublime misterio.
¡Hijo mío, que estás en mis brazos!
¡Mujer mía, impregnada en mi tuétano!
¡Padre nuestro, que estás en los cielos!

AQUI TERMINA LA HISTORIA DE TIGRE JUAN
Y CURANDERO DE SU HONRA

[458] En *El sendero andante*: "todo es fugitivo, / todo es efímero frente al infinito" (*O.C.*, II, p. 206).

PARERGON[459]

[459] *Parergon* = 'aditamento a una cosa que le sirve de ornato' (Academia, p. 978). Recuérdese que, en *Pepita Jiménez,* Valera añade a las "Cartas de mi sobrino" unos "Paralipómenos".

ALGÚN lector curioso y exigente echará de ver un vano, un vacío narrativo, en el lapso de tiempo que media entre el frustrado suicidio de Tigre Juan y el alumbramiento de Herminia. ¿Qué pasó entretanto?, se preguntará aquel lector exigente y curioso. Nada pasó, digno de la historia externa, durante aquellos meses; meses de reposo, en que las almas, tan agitadas anteriormente, se fueron serenando, posando más y más. Tras de la acción absorbente, el espíritu, por ley de equilibrio y necesidad de conciencia, apetece recobrar la quietud, la claridad, la transparencia de su divina sustancia, iluminada ahora con una nueva luz vivísima: la luz de la experiencia dolorosa. La historia externa de los sucesos dramáticos está siempre encinta de una historia interna, y esta historia interna es un complexo, generador de sentimientos y meditaciones que al fin se truecan en normas de conducta. [460] Las pasiones se eliminan, decantan, purifican y alquitaran, mediante una alquimia psicológica o manera de evaporación, que las trasmuta en ideas diáfanas e incólumes. Pero las ideas no logran esta integridad diáfana, a no ser que adquieran expresión y tomen cuerpo en la palabra reveladora. Una confesión no es otra cosa que una liberación. Los per-

[460] Las "normas" son el tercer período de su obra poética, según el prólogo de la edición argentina de *Troteras y danzaderas.* Concede gran importancia a este concepto Julio Matas.

sonajes de la tragicomedia[461] de "Tigre Juan y Curandero de su honra" hubieron de atravesar un período de eliminación de las pasiones y reflexión sobre sí mismos. En este lapso de tiempo, que en la antecedente historia externa no se narra, se habló mucho y no pasó nada, o casi nada. Los personajes, buscando su propia expresión, y enardeciéndose en exprimir su quintaesencia, se deleitaban en el placer lenitivo de infatigables coloquios; coloquios que ya no eran choque y polémica de emociones, sino contraste de ideas. La trascripción de estos coloquios hubiera constituido materia superflua para el común lector de historias.[462] Sin embargo, en atención al lector exigente y curioso de la historia interna, se reproduce, en este Parérgon (o documento accesorio), lo más importante y característico de aquellos coloquios.

DESPUÉS de la anagnórisis[463] y tentativa de suicidio, en menos de ocho días, Herminia había restaurado su salud, aunque de cuando en vez le aquejaban vahídos del estómago, anejos a su estado; y en menos de un mes, Tigre Juan había regenerado la derramada sangre, gracias a que, de la mañana a la noche, ingería hemoglobina, yemas de huevo, magras de jamón y vino blanco de Rueda, en cantidad copiosa. Volvió Tigre Juan a pasarse el día en su puesto del aire, y ahora, con la testa altiva, como un toro encampanado, desafiaba provocativo el "qué dirán".

[461] Nótese que, aquí, titula formalmente así la novela.

[462] Advertencia semejante a la que figura al comienzo de los "capítulos prescindibles", que son frecuentes en las novelas de Pérez de Ayala. Por ejemplo, en *La pata de la raposa*: "El autor aconseja al lector que deje de lado este capítulo y vuelva sobre él, si así le place, en concluyendo la novela" (p. 72).

[463] *Anagnórisis* = 'reconocimiento'. En la novela bizantina, hace posible el final feliz.

Chiquillos ni mozalbetes ya no le daban matraca, adivinando que era más peligroso que nunca. Herminia, en la casa, había comenzado a deparar ropilla primorosa para el heredero futuro. La abuela venía, con frecuencia, de palique. Nunca se dolía bastantemente la vieja por no haber sido siquiera actriz partiquina,[464] ya que no *deus ex machina,* en el desenlace feliz de la tragedia amorosa entre Tigre Juan y Herminia.

—Todo salió bien, en fin de cuentas —decía doña Mariquita, con saliva pastosa, de almíbar de caramelos—. Pero no concluyó como el rosario de la aurora o en un campo de Agramante,[465] porque Dios no quiso. Si yo estoy aquí, con la mano que tengo para aventar lejos catástrofes, tu marido no llega a hacer uso de la lanceta y las cosas se hubieran arreglado de una manera más bonita.

—Lo que me preocupa —decía Herminia— es el corte de las bragas. ¿Qué será; niño o niña? En cada caso, la hechura debe ser diferente. Me refiero a la hechura de las bragas.

—Me pasma cómo, sin mi asistencia, no ocurrió aquí una de Dios es Cristo. Pero yo estaba en el entierro de aquel buenazo de don Sincerato. El Señor le tenga en su gracia. ¡Qué hombre tan sencillote!... Pecaba de un poco descortés con las damas, por falta de costumbre. No tener una mujer al lado, siempre se echa de ver en la sociedad y en la salud. Estaba en los huesos, por carecer de buen trato de mesa; y esto le mató. Soy de opinión que una mujer hubiera hecho otro hombre de don Sincerato.

—¡Abuela!... Que era un sacerdote...

—Pues eso digo, pequeña. Le mató ser sacerdote. No todos nacen para sacerdotes, por ejemplo, ni para mozos

[464] *Partiquina* = 'cantante que ejecuta en las óperas parte muy breve o de muy escasa importancia'.

[465] *Campo de Agramante* = 'lugar donde hay mucha confusión y en que nadie se entiende'. Agramante es un personaje del *Orlando furioso* (Academia, p. 239).

de cuerda. Para cargar un baúl, como para ayunar, vivir en abstinencia y mortificarse el cuerpo, sin enfermar, se necesita estómago de avestruz y unos lomos de ahí me las den todas. Y el infeliz don Sincerato era no más corpulento que una hormiga... Lo que digo es que si, en vez de tomar las sagradas órdenes, se casa, otra hubiera sido de él.[466]

—No me gusta oírle hablar así, abuela.

—Hablo así, niña, por la simpatía que me inspiraba el difunto.

Colás y Carmina vivían con doña Iluminada. Un día, la viuda les dijo:

—Ya conocéis mi criterio. Esta casa es una jaula abierta. Cuando os pete, os largáis, como hubisteis de hacer primeramente. Cuando se os fatiguen los alones de revolotear, aquí está el nido dispuesto, para el reposo. No diré esta boca es mía. Pero, como estoy tan contenta con vosotros y me sabe a poco el tiempo que aquí lleváis, yo quisiera, si no es indiscreción, preguntaros qué pensáis hacer.

—Lo que quiera Colás —dijo Carmina.

—Lo que Carmina quiera —dijo Colás.

Y de esto no salieron.

—Puesto que ninguno de los dos tiene voluntad propia, cosa que me place y me complace, porque demuestra que los dos os sentís verdaderamente libres, me permitiré expresaros mi deseo, ya que no mi voluntad. Quedaos por ahora. Vuestra felicidad me hace tan feliz...

—Como quiera Carmina —dijo Colás.

—Como Colás quiera —dijo Carmina.

Y, de pronto, los dos a una:

—Como usté quiera.

Otro día se reunieron, en la tienda de la de Góngora, Tigre Juan y Colás.

—Celebro, Colás, poder hablarte en presencia de doña Iluminada, que es más aguda que Lepe, Lepijo y su hijo,

[466] Muchos críticos han señalado el irónico anticlericalismo de estos párrafos. Sobre el tema, véase el libro de M. F. Avello.

y nos ilustrará con su parecer. Mi cielo está despejado como nunca, pero no puedo disfrutar enteramente de esta clara visión, porque llevo una paja en el ojo y no acaba de salir. Esa paja eres tú. Tus relaciones con Carmina no deben proseguir; no estoy dispuesto a permitir que prosigan, sin santificación y legalización. Son indecorosas. ¿No lo juzga usté así, señora?

—Por lo pronto, mi techo las cobija. Si fuesen indecorosas... Pero no quiero prejuzgar la cuestión. Que hable Colás —dijo la viuda.

—Ni la santificación la proporciona el sacramento, ni la legalización el contrato civil —respondió Colás—. Matrimonios canónicos hay que luego resultan continua discordia, infierno permanente. ¡Cuántos! ¡Cuántos! ¿Se atreverá usté a decir de estos matrimonios que están santificados? Sorprendente contrasentido: el odio santificado; santificado el infierno. Tocante a la legalidad y al contrato, un contrato es contrato sólo en tanto se apoya en la voluntad libre; y si no, no. ¡En cuántos matrimonios, la secreta voluntad, y aun la voluntad manifiesta de cada parte, es contraria a la permanencia del contrato! Absurdo increíble: un contrato que se mantiene contra la voluntad de entrambas partes.

—¡Qué novedades! ¿Crees que esos argumentos tan de bulto se te han ocurrido a ti por primera vez? La Humanidad es muy vieja, Colás, y más sabe el diablo por viejo que por diablo.

—Eso no es refutar, don Juan —terció doña Iluminada.

—Pues a ello voy —añadió Tigre Juan—. Concedido todo lo que Colás ha dicho; que hay malos matrimonios, o lo que tanto monta, matrimonios desgraciados. En lo que se debe hacer hacer con ellos yo no me meto, por lo pronto. Pero me concederán ustedes que puede haber matrimonios concordes y dichosos.

—Lo dudo —declaró Colás.

—¿Cómo que lo dudas? ¿Y me lo dices a mí, en mis propias narices? ¿Qué mal espíritu te posee? —exclamó Tigre Juan, cejijunto.

—No pensaba en usté. Una golondrina no hace verano, ni un caso establece regla —elucidó Colás.

—Continúe —dijo doña Iluminada.

—Me concederán ustedes que un hombre puede enamorarse de una mujer, y una mujer de un hombre, y ser fieles toda la vida. ¿Me lo conceden?

—En lo que respecta a la mujer, concedo —dijo la viuda.

—¿Callas, Colás? Más digo: el hombre que no fía en la constancia de su amor y sin embargo solicita amor de mujer, es un canalla.

—Según —interrumpió Colás—. Pensar que el amor que de presente se siente será invariable y eterno es una manera de espejismo común a todos los enamorados.[467] Supongamos, por ventura, un enamorado que dice a su amada: estamos ahora seguros de que nos hemos de querer siempre, pero como no mandamos en nuestro futuro, si a nuestro pesar algún día descubres que has dejado de quererme, o echo yo de ver que ya no te quiero, el que esto sienta será libre de abandonar al otro. Con esta condición, sabiendo que nada ni nadie me obliga a seguir queriéndote, si no es la exigencia del amor mismo que me mueve, y temiendo perder tu amor, lo cual me tendrá en todo instante atento a cuidarlo y conservarlo como el objeto más precioso de toda mi vida; de esta suerte, imagino que como ahora te quiero te seguiré queriendo sin cesar. Pero, desde el momento que un compromiso, superior a nuestra voluntad libre, nos amarrase el uno al otro de por vida, no pudiendo perderte, tampoco podría apreciarte, y convertido el amor en deber, ya que no se me hiciese enojoso, se volvería, para mí, de entusiasmo y ardor, en un sentimiento apático y en una norma refle-

[467] Recuérdese lo que escribe en un poema de *El sendero innumerable*: "Para siempre. Juramos amarnos para siempre, / locos de eternidad, sedientos de infinito, / presumiendo, insensatos, detener la avalancha / de las horas con nuestro puño frágil y efímero (...). Por siempre, te juraba. Por siempre, me juraba. / Por siempre, nos jurábamos. Por siempre... ¡y lo creíamos!" (*O.C.*, II, p. 242).

xiva de conducta.[468] A un hombre que se porta y se sincera así usté le llama canalla. Yo le llamaría un hombre honorable.

—Yo, no —insistió Tigre Juan—. Tus sofismas no me seducen. ¿Qué es el honor? El honor es la suprema libertad, que no le ha sido concedida nada más que al hombre, y no a las bestias ni a las cosas sin ánima. ¿Y qué es la libertad? La potestad de obligarse, que sólo al hombre le ha sido dada, pues los seres sin libertad no se obligan, sino que son obligados. ¿Y en qué consiste esta potestad de obligarse? En la facultad de disponer del futuro de uno mismo, facultad que no poseyéndola el propio Dios, con ser autor del Universo, se la ha otorgado al hombre. El honor es sentimiento de la propia responsabilidad, que no comezón y prurito de aquilatar responsabilidades ajenas y enderezar entuertos que a nuestra vanidad vidriosa se nos antoja que alguien ha hecho. Esos a quienes no se les cae de los labios el puntillo de honra y por un quítame allá esas pajas claman haber sido ofendidos gravemente, esos tales no son hombres de honor, sino farsantes y vividores del honor. El honor es fidelidad para con uno mismo. El honor es bravura en arrostrar las consecuencias de los propios actos. Síguese que el honor, que es vestidura de gala del alma, no se debe sacar a relucir sino los días que repican gordo, como si dijéramos que el honor sólo se pone a prueba en aquellos actos solemnes, de donde se han de derivar consecuencias innumerables y desconocidas, cuando ante nuestra vida se despliegan muy contrarios rumbos y derroteros, de los cuales hemos de elegir uno, obligándonos nosotros mismos, libremente, a seguirlo hasta el final, suceda lo que suceda, fieles a nosotros mismos, árbitros y dueños de nuestro futuro, en lo que atañe a la palabra y compromiso empeñados; empeñados, no para con los demás, antes para con nosotros mismos. Esos que de boquilla y a crédito sobre su honor, que es tesoro íntimo como el

[468] En sus primeros frutos poéticos, Ayala menciona "la prosa / conyugal, cotidiana, árida, fría" (*O.C.*, II, p. 46).

depósito en oro del Banco de España, a cada tres por cuatro y con ocasión de actos de ningún momento ni consecuencia alardean de la magnitud de su tesoro y se apresuran a extender este pagaré que se llama palabra de honor, esos tales suelen girar en descubierto y son tramposos y falsarios del honor. Vamos al caso del hombre que tú, con tanta argucia y oblicuidad, has defendido. Este hombre dice a su amada: mucho te quiero, hoy; de mañana, no respondo; si dejo de quererte, seré libre de abandonarte; y viceversa: ¿quedamos en eso? ¡No respondo! ¡Seré libre! ¿Y esto entiendes tú por libertad? ¡Libertad, sin responsabilidad! ¿Tengo sed? Bebo. ¿Estoy saciado? Me aparto del agua. Este género de libertad no les ha sido negado a los animales. ¿El amor me empuja hacia ti? Me dejo arrastrar. ¿La falta de amor me retrae de ti? No me resisto. Me someto a la fuerza de las circunstancias; me abandono al flujo y reflujo de mis humores y apetitos. El hombre que así obra no es más libre que una rama en la corriente de un río. Ese hombre que, en el acto más solemne y trascendente de su vida, como lo es el de unirse a una mujer, abdica de su libertad suprema, potestad de obligarse y facultad de disponer del propio futuro, no repetiré, como en un principio dije, que es un canalla, pero sostengo que no es un hombre honorable. Por lo visto, para ese hombre imaginario que tú nos describías, tanto dura el amor cuanto el deseo subsiste. Acabóse el deseo; *requiescat in pace* al amor. Pues no, señor. ¿Son acaso deseo y amor como el fuego y la luz, que mellizos nacen y juntos, de una vez, mueren? Nacen deseo y amor como mellizos, cierto. Pero, más tarde, a medida que el deseo se agota, el amor va medrando y haciéndose independiente. El amor tiene la satisfacción en sí mismo. No así el deseo. Quiso Dios que amor y deseo anduviesen confundidos los primeros pasos, porque amor sin deseo sería estéril y el género humano daría fin de sí muy presto. Satisfecho el deseo, el hombre cumple su destino de propagar la vida, que él graciosamente recibió de sus padres, y desde este punto, lejos de carecer de motivo y fundamento, el amor recibe redoblado impulso y es atraído por duplicado objeto; la persona amada y la prole. Pero nos hemos salido del tiesto. Doña Iluminada, en nombre de su sexo, concede que una mujer puede ser fiel a su amor hasta la muerte. Yo atestiguo que el hombre, a quien le cupo la fortuna de penetrar la verdadera esencia del honor, permanecerá fiel a su amor, en las más crueles vicisitudes, y si su amor fuese escarnecido o lo viese en riesgo de trocarse en odio, espoleado del falso honor y la flaca vergüenza, antes que tomar venganza sabrá despedirse serenamente de la vida. Pues bien; bastaría la posibilidad de un caso único de unión entre hombre y mujer como estos que yo digo para que exista una ley divina que la santifique y una ley humana que la enaltezca, como si Dios y los hombres todos fuesen testigos de este sublime paso honroso.[469] No otra cosa es el matrimonio. ¿Que el resto de los matrimonios, bajo la capa del cielo, menos aquél, son infierno declarado y contrato mendaz? Y eso, ¿qué importa? La mayor parte de los que asisten a los oficios de nuestra catedral basílica están allí distraídos, como los perros en misa, o quizás peor aún, maquinando fechorías para en saliendo. ¿Qué culpa tiene la catedral? ¿Hemos de derruirla por eso? Con una sola alma que en la sombra de sus naves se sienta más próxima a Dios, basta para justificar la necesidad de la catedral. Voy más lejos todavía. Si en la ciudad hubiera un solo judío, un solo turco, un solo luterano, y éstos de corazón, sería suficiente para que asimismo hu-

[469] *Paso honroso*: alusión a la hazaña del joven caballero Suero de Quiñones (recogida en el libro del mismo título, redactado por Pero Rodríguez de Lena): con nueve amigos se comprometió a defender durante un mes el paso por el puente de San Marcos de Orbigo, para lo cual se envieron carteles de desafío a muchas partes, invitando a los caballeros. Pelearon sesenta y ocho contra los diez mantenedores, que quedaron heridos, y se celebraron unos setecientos combates. Al final, los jueces declararon que Suero de Quiñones podía quitarse la argolla de hierro que llevaba los jueves al cuello, como promesa amorosa.

biera una sinagoga, una mezquita y un templo protestante. No nos ocupemos del uso que los demás hacen de las cosas del mundo y de las instituciones de la sociedad. Cada cual debe pensar que todo lo que hay sobre la tierra ha sido creado exclusivamente para él.

—Le habrá quedado seca la boca, camarada —comentó la de Góngora.

—Lo que me ha quedado es mucho por decir. Ahora le corresponde a usté la mano de hablar. ¿Estoy en lo firme? ¿Sí, o no?

—Conforme, punto por punto, sin poner ni quitar, con todo lo que usté ha dicho —confesó doña Iluminada.

—Colás, ya estás enterado. Doña Iluminada, al fin, reprueba, como yo, tus relaciones. De manera que espero que, a la mayor brevedad, adoptarás una situación decente y harás que se te perdone el mal ejemplo que ahora estás dando, con abominación de las personas honestas.

—¿De dónde ha sacado usté eso, camarada? —inquirió la viuda—. Conforme, con lo que usté ha dicho. Desde luego. Pero, no dejo de comprender que lo dicho por Colás se asienta sobre respetable cimiento. Veo su carácter de usté como una encina. El huracán la hace bramar, pero no la mueve. Se romperá, antes que desarraigarse. Colás es una palmera. Se doblará por el viento, hasta dar con la frente en el polvo. Pero tampoco se desarraiga. Ni se rompe.

—Señora... —exclamó Tigre Juan, estupefacto—. Si yo digo blanco, y Colás dice negro, ¿cómo puede ser que usté diga?...

—¿Qué he de decir yo sino blanco y negro? Porque exista lo blanco, ¿dejará de existir lo negro? Y al contrario. Colás me señala lo negro, y dice negro. Conforme; respondo. Y usté, señalándome lo blanco, dice blanco. Conforme; tengo que responder.

—Pero lo mío es lo blanco, y lo de Colás lo negro.

—*Pecata minuta.* Lo blanco y lo negro existen, y entrambos son verdad. Dejemos a cada cual con su verdad, siempre que sea de buena fe, aunque nuestra verdad sea más noble y más bella.[470] Para mi gusto, su verdad de usté es más hermosa que la de Colás, y por tanto se añade verdad sobre verdad; que la hermosura es también verdad.[471] A lo que usté aspira es un ideal. El ideal es una verdad rarísima, que apenas se compadece con la realidad. La verdad de todos los días es más modesta y acaso menos peligrosa, menos expuesta a equivocaciones irremediables.

—Le demostraré a usté que está en un error vitando —ofreció Tigre Juan.

—Por hoy basta de demostraciones —se excusó la viuda—. Dejemos las cosas, provisionalmente, como están.

—¿Y el mal ejemplo?

—Ahí estoy en la acera de enfrente. Colás da un ejemplo, digno de imitación, a los mal casados. El caso de Colás es, en otro orden, semejante al caso del señor Marengo. El señor Marengo no pone los pies en la iglesia. Dicen de él que es un hereje, un impío, un ateo, un masón, y por ahí adelante; lo peor de lo peor, en materia de ideas. Pero lo cierto es que el señor Marengo se conduce como un santo de los altares. Marido fidelísimo, padre amantísimo; no habla mal de nadie, ni siquiera de sus numerosos e injustos maldicientes; mucho menos hace mal a nadie, antes por el contrario son públicas sus caridades y su amor a los humildes; para coronación de todo esto, es un sabio catedrático, a quien rinden pleitesía los otros sabios, en los papeles de fuera de la ciudad y de lejanos países. Y aun corre la voz que el señor Marengo da mal ejemplo, siendo así que con su vida irreprochable parece edificar silenciosamente a los fariseos e hipócritas, como si les amonestase: aprended de mí, vosotros que os envanecéis de profesar los sanos principios y la religión verdadera.[472] Obras son amores... Pues

[470] Frases fundamentales para entender el perspectivismo y el liberalismo de Pérez de Ayala.

[471] Respuesta interna a lo que dijo antes Tigre Juan: “Vamos a ver si es verdad tanta belleza”. (Véase nota 200.)

[472] Pérez de Ayala había presentado ya un personaje así: Gonzalfáñez, el ateo desengañado y tolerante de *A.M.D.G.* Al fondo

así como el señor Marengo viene a ser la acusación muda de los devotos simulados, Colás y Carmina, con su amor sin tilde y sumisión gustosa, son al modo de la conciencia reprobadora de los malcasados. Dejemos, provisionalmente, las cosas como están.

En esto, Colás marchó, sin decir palabra. Entonces, la viuda declaró a Tigre Juan:

—Ya se casarán, bobo; ya se casarán. Llegará un punto en que sentirán la necesidad de dorar, solemnizar y remachar la argolla de amor en que están aherrojados. Pero si esta argolla les oprimiese y se les hiciese insufrible algún día; siendo así, más vale que no se hayan casado antes. Y ahora, saltando desde el altar al fogón, dígame, señor don Juan; ¿todavía tiene Herminia la criada que tomó anteayer, o la ha despedido ya?

—Calle, por Dios, señora. En quince días, nueve criadas despedidas. Con la particularidad que Herminia admitió cada una de ellas después de rechazar otras quince o veinte solicitantes. Aquello es una romería criaderil. Caprichos y manías, que yo atribuyo al estado de Herminia.

—Pero, ¿cuál es la causa del despido? ¿Que no cumplen?

—Quiá. Eso no cuenta. Todo es cuestión de si son o no son bastante guapas.

—¡Ah, demontre! —exclamó la viuda, riéndose—. ¿Qué; a Herminia le ha entrado la vena de estar celosa de usté? Pero, ¡señor don Juan! Vaya. A la vejez, virue-

---

me parece que está el recuerdo de don Pompeyo Guimarán, el único vetustense que piensa en Dios, en *La regenta.* Comentando la tradición anticlerical asturiana, escribe Juan Cueto con su habitual agudeza: "El *ateo oficial* fue siempre una institución en la vida de nuestras ciudades" (*Guía secreta de Asturias,* 2.ª ed., Madrid, ed. Al-Borak, 1976, pp. 52-53). Y añade la anécdota de que, paseando Adolfo Posada con Leopoldo Alas por Oviedo, encontraron al titular de la cátedra de ateísmo militante y le dijeron, para tomarle el pelo, que se murmuraba por todas las tertulias que ya creía en Dios. El hombre no les dejó terminar y con gran indignación exclamó: "Esas son voces que corren los Urías para desacreditarme."

las. ¿Ahora nos sale usté con esas inclinaciones licenciosas hacia el ramo de las menegildas? [473]

—Señora: pare usté el carro. Si es cabalmente al revés de lo que usté barrunta...

—A ver, a ver. No es que Herminia esté celosa porque usté denota afición a la menegildas, sino porque las menegildas no disimulan que les gusta usté. ¿Es eso?

—Ya le he dicho que al revés. Me pone colorado tener que decirlo. —Y, en efecto, la piel de Tigre Juan cobró un tinte verde lorito—. Es que a Herminia (a nadie en la tierra sino a usted sería yo capaz de confesarlo) le ha entrado la manía de que a mí, para ser un hombre completo y como es debido, sólo me hace falta que me gusten algo todas las mujeres bonitas, además de la propia, y que de vez en cuando me encandile por ellas, y que las requiera de amores, y hasta que cometa algún pecadillo que otro. Por lo cual, en esto de las criadas, de cada veinte solicitantes escoge la más linda. Al observar, en los días siguientes, que no me hace tilín su hermosura y que yo continúo fresco como el besugo por diciembre, planta en la calle a la pobre chica. Nada, que aquello de que yo haya de cometer algún pecadillo lo ha hecho cuestión de amor propio, y dice que no será del todo, del todo feliz hasta que yo le sea infiel; claro está, en materia parva y menospreciable. Caprichos y manías que yo atribuyo a su estado.

—¡Pobrecita! Comprendo... —murmuró doña Iluminada, distanciando las pestañas de las cejas.

—Permítame, señora. No comprende usté ni palotada; como yo no lo comprendo, ni nadie lo puede comprender. Cada mujer es un enigma. Adivino por dónde va usté. Usté piensa que, aunque Herminia es inocente como una garza, con todo y comoquiera que apartó demasiadamente el vuelo del nido y estuvo en un tris de caer en las garras del gavilán, no puede por menos de sentir cierto leve reconcomio, desasosiego o remordimiento, que le estor-

473 *Menegilda* (familiar) = 'en Madrid y otras regiones, criada de servicio' (Academia, p. 865).

baba para ser del todo feliz, y el cual se le pasaría si yo incurriese en algún modo de culpa leve, conque, hallándonos los dos iguales y siendo tal para cual, si alguna vez malhumorado le echase yo en cara su pasada ligereza, ¡no lo permita Dios!, ella tuviese el derecho de responderme que más había faltado yo. ¿Es eso lo que usté piensa y cree comprender?

Doña Iluminada adelantó los brazos, palmas arriba las manos, como si sostuviera y manifestara una verdad sólida, evidente. Con el gesto, a la vez, quería decir: "¿qué otra cosa puede ser?".

—Como usté creí yo, en un principio. Pues, no, señora; no es eso. A Herminia se le ha metido entre ceja y ceja que yo sea algo Tenorio y un poquito calavera. Según sus ideas, un tanto desmandadas al presente, alguna tenoriada y calaverada oportuna es lo único que a mí me falta para ser un marido ideal, y a ella le falta para ser una esposa perfectamente feliz. Pero, señor: mire usté que es capricho, que yo, sin ninguna gana, haya de remedar y contrahacer picardías e infidelidades. Preguntará usté ¿a santo de qué, pretende tal cosa Herminia? A usté se le puede hablar como a un padre espiritual. Herminia, a solas conmigo, se suele expresar así: el sufrimiento desesperado de aquellas veinticuatro horas en que te di por perdido (es Herminia quien habla) me ha dejado un vacío tan triste y tan negro... En tan corto tiempo, el sufrir se convirtió en una necesidad para mi alma. Me gozaba en mi tormento; lo paladeaba como un elixir de dicha, porque sufriendo por ti empezaba a merecerte. Mi pesar era mi ídolo. Pero, no me dejaste sufrir lo bastante. Tengo hambre de ser humillada por ti. Enamórate, Juan, de otra mujer. Con amor liviano y pasajero. Yo imaginaré que es amor para siempre. Te daré por perdido, de nuevo. Sufriré por ti. ¡Qué orgullo! Cuando vuelvas a mí, viviré de continuo con la zozobra de perderte; y mi felicidad será colmada. ¡Humíllame, Juan, hazme sufrir! Es Herminia quien habla, y por lo regular arrasada en llanto. Ahora hablo yo. ¿No es manía enfermiza? ¿Lo comprende usté ahora, como antes?

—Ahora lo comprendo mucho mejor que antes.

—Cosa enfermiza, ¿verdad?

—Si usté lo desea...

—Una temporadita al lado del mar le sentaría muy bien. Pero, ¿cómo? Aunque hay escaso movimiento durante el mes de agosto, yo no dejo mi puesto.

—¿No habíamos quedado en que Herminia iría a Telanco[474] con Colás y Carmina?

—Eso dije, supuesto que antes Colás y Carmina se casasen. ¿Pretende usté que abandone mi esposa legítima a la tutela de dos abarraganados,[475] que eso son mi sobrino y su protegida? Tanto valdría como si yo sancionase el abarraganamiento. ¿Qué concepto formaría de mí la sociedad?

—¿No se ha curado usté todavía del qué dirán? Recuerde usted que esos dos abarraganados fueron quienes...

—Sí, sí, sí. Chitón. No hay para qué hablar de ello.

—Lo celebro. Quedamos en que Herminia, con Colás y Carmina, irán a la playa de Telanco. Cuanto antes mejor. El dinero para los chicos, yo lo proporciono.

—En mi casa mando yo.

—Pues, a sus órdenes. ¿Qué dispone?

—Lo pensaré. Si bien, siempre termina usté saliendo con la suya que...

Da manera que, a los tres días, Herminia, Carmina y Colás salían para Telanco, alejado de Pilares como cosa de hora y media, parte en tren y parte en carruaje. Los sábados por la noche Tigre Juan se trasladaba al pueblecillo costeño, y el lunes, muy temprano, retornaba a su puesto del mercado. Los veraneantes prolongaron su estancia en la playa hasta el cordonazo de San Francisco, última decena de setiembre. Como Tigre Juan esperaba, el aire marino probó ser muy saludable, así para el cuerpo como para el espíritu de Herminia. De vuelta en Pilares,

[474] *Telanco*: puede referirse a Luanco.

[475] En *La pata de la raposa,* escribe Alberto: "Para él, mejor parece la hija bien abarraganada que mal casada" (p. 169).

Herminia dio una vuelta en redondo al problema de la elección de servidumbre. Antes, ninguna criada le parecía lo bastante guapa. Ahora, ninguna le parecía lo bastante fea. Espiaba de reojo a Tigre Juan, por si las miraba con atención y apetencia. Este recelo, ingenuo e inverosímil, de Herminia producía en Tigre Juan alegría y orgullo.

Otra gran alegría recibió Tigre Juan en aquellos días finales de septiembre, y fue que, estando sólo de sobremesa (Herminia estaba durmiendo la siesta), se presentó Colás y dijo:

—Vengo a darle una noticia que le agradará. Esta mañana, tranquilamente, sin que nadie se enterase, Carmina y yo nos hemos casado.

—¡Abrázame, hijo! ¿Por lo civil, o por lo canónico?

—Lo uno y lo otro. No lo íbamos a dejar a medias...

—¡Abrázame! Bien sabía yo que acabarías obrando razonablemente.

—¡Quiá! Si el matrimonio fuera lo razonable, no me hubiera casado. Sigo juzgando el matrimonio como el mayor disparate. Por eso me he casado. No puedo resistir el hechizo que sobre mí ejerce todo lo irrazonable y disparatado. Un hombre estúpido se casa creyendo realizar un acto razonable y natural. Cuando ya no hay remedio, se le abren los ojos; y es un desesperado. Yo no soy de esos. Me place, me fascina lo absurdo, y hacia ello voy, pero a sabiendas. La vida es un absurdo delicioso. Y lo más absurdo de la vida consiste en que llevamos dentro de la cabeza un aparato geométrico y lógico, la inteligencia, que no tiene otra función que la de registrar y poner de evidencia ese absurdo radical de la vida. Sin ese aparato registrador, viviríamos del todo como los irracionales, sintiéndonos vivir, pero sin saber que vivimos, lo cual no es vivir ciertamente. Somos irracionales y racionales a la vez. ¡Qué contradicción! ¡Qué absurdo! Irracionales, en cuanto somos seres vivos, pues el vivir es una actividad irracional. Racionales, en cuanto sabemos que vivimos y que no podemos por menos de vivir irracionalmente. Razonamos sobre lo pasado, y aun sobre lo presente, bien entendido que el presente vivo no existe sino como forma próxima y umbral del pasado; pero no es posible razonar sobre el porvenir. Digo, los hombres inteligentes. El porvenir es siempre irracional. Si no lo fuese, tampoco sería porvenir, ni llegaría a cobrar vida. Dos y dos son cuatro. Lo han sido en el pasado. Lo serán en el porvenir. Sólo que esto de que dos y dos son cuatro nada tiene que ver con la vida; pertenece a la razón y a la matemática. La razón será lo permanente, si usté quiere. Y la vida es lo mudable; por eso es irracional. La vida, lo que vive, no obedece en cada caso a otra razón que su razón de ser; y esta razón de ser es en cada caso la razón de la sinrazón.[476] Sólo el error es vida. El reconocimiento es la muerte. Yo, por fortuna, he acertado a distinguir entre la Razón, con mayúscula, que es simplemente la inteligencia, o aparato registrador de la realidad, el cual llevamos dentro de la cabeza; y de otra parte la razón de ser de cada criatura viva y cada movimiento de la vida,[477] la razón de su sinrazón. La realidad tiene dos mitades; una, lo que no vive; otra, lo que vive. Se conoce lo que no vive. Lo que es vivo se vive. Aplicada a lo que no vive, la Razón propende a proclamarse soberana, y así se suele decir que el hombre es el rey de la Naturaleza; porque, como quiera que lo que no vive no muda de condición, o si cambia es conforme modificaciones regulares y siempre idénticas, la Razón atenta echa de ver ciertas pautas o leyes fijas, permanentes, cuyo conjunto se distribuyen las ciencias naturales, de donde se deduce, con aturdimiento

[476] Al comienzo del *Quijote,* al criticar el caballero el estilo de los libros de caballerías, se detiene en los de Feliciano de Silva, autor del *Amadís de Grecia*: "Ningunos le parecían tan bien como los que compuso el famoso Feliciano de Silva, porque la claridad de su prosa y aquellas entrincadas razones suyas le parecían de perlas, y más cuando llegaba a leer aquellos requiebros y cartas de desafío, donde en muchas partes hallaba escrito: 'La razón de la sinrazón que a mi razón se hace, de tal manera mi razón enflaquece, que con razón me quejo de la vuestra fermosura'" (*Don Quijote,* I, 1). Es también el título de una obra dramática de Galdós, que Pérez de Ayala comentó en *Política y toros*: ésta es "la fórmula más perfecta y humana" (*O.C.,* III, p. 410).

[477] Nótese la cercanía a la "razón vital" de Ortega.

orgulloso y pueril, que la Razón del hombre señorea la materia y es, en algún modo, árbitro del futuro de las cosas sin vida. Gran simpleza. El hombre es un simio atacado de megalomanía. Si la piedra cae, no es porque se doblegue a una ley, la de la gravedad, dictada por la Razón, sino que la razón, a fin de explicarse este fenómeno, lo registra con una fórmula que ha llamado gravedad. Lo mismo que si la Razón vaticina que, dentro de un milenio, dos y dos serán cuatro, no se debe a que la Razón penetre o determine el futuro, sino porque lo que no vive carece de pasado y futuro y es siempre en el mismo estado. Ahora; la vida se define por su potencialidad, por su futuro. La vida pasada ya no es vida. Pero el futuro de la vida es necesariamente irracional, y la Razón no puede anticiparlo, ni, mucho menos, regirlo. La función de la Razón, respecto a la vida, está limitada a actuar sobre el pasado, o sea, sobre lo inmóvil; esto es, la vida que ya no es vida. Como que la Razón es lo contrario de la vida. La vida es lo que muere, porque la vida es lo individual. La Razón es genérica, y no muere. La vida no se puede partir ni repartir. Se dice dar la vida *por* la patria, o *por* una mujer; mas no se dice dar la vida *a*. Dar la vida significa que uno la pierde, sin que otro la reciba; por lo tanto, no es en rigor una donación, antes bien un *sacrificio*, palabra que literalmente quiere decir ejecutar un acto sagrado, o lo que es lo mismo, misterioso, irracional en suma. Sólo hay una forma de dar la vida a otro: engendrar. En cambio, la Razón es mostrenca, de todos y de nadie, de suerte que no perece con el individuo; se da y se comunica, sin que por eso padezca merma el donante. Yo no puedo transferir a la vida individual de ninguna otra persona ninguno de los inseparables componentes de mi vida; mis miembros, mi pulso, mis emociones, mi perfil, el color de mis ojos. Pero sí puedo compartir con otros muchos individuos mis principios de Razón y mis ideas, sin que dejen de subsistir en su integridad ideas y principios, para ellos y para mí. Como que mi Razón no es mía, sino que pertenece a la especie, al hombre en general, *pro indiviso*. Lo único que es mío, inalienable e intransferible, es mi razón de ser, la razón de mi sinrazón. Si hay algunas ideas mías que los demás no comprenden ni *sienten* en su plenitud (digo sentir, adrede), y que, en consecuencia, no comparten, esas tales no son ideas de Razón, sino ideas vivas; mi arquetipo congénito, la idea original, el ideal de mi existencia, mi irracionalidad, mi vida. Pues bien, la Razón superior está para eso; para admirar, para admitir humildemente y con reverencia lo irracional. El hombre es tanto más inteligente en la medida que acierta a *justificar* fuera de sí, en los demás hombres, el mayor número de vidas individuales, el mayor repertorio de razones de la sinrazón, la cantidad más extensa de irracionalidades; así como el hombre es más artista en la medida que acierta a sentir y hacer sentir, o sea, expresar, con la mayor intensidad, su irracionalidad, su vida propia, y otras irracionalidades y vidas ajenas, cuantas más mejor, que viene a ser como multiplicar para los demás hombres las dimensiones y goce de su respectiva vida, la de cada cual.[478] He dicho, también adrede, justificar el mayor número de vidas individuales. Justificar: reconocer la justicia que a la vida le asiste, en cada caso y momento, para ser como es, infinitamente diversa en su irracionalidad. Repito que lo irrazonable y en apariencia absurdo me fascina. Por eso, además de haberme casado, he decidido concluir este invierno mi carrera de Derecho, o de Leyes, como dicen otros. ¿Hay algo más absurdo que la profesión de abogado, o jurisconsulto? Todo hecho consumado ha obedecido a una razón suficiente; encerraba, pues, un derecho a la existencia, una ley fatal e intrínseca. Lo que llamamos ley es la explicación inteligible de que un hecho se haya producido. Las leyes han nacido de los hechos, de la vida. Las leyes van a retaguardia, a remolque de la vida y de los hechos. Esto es archievidente. Y, sin embargo, se entiende por lo común (los abogados son los primeros en intoxicarse de esta ilusión), que las leyes son imperativos para

[478] Frases claves para entender el liberalismo de Pérez de Ayala, que determina su oficio de escribir.

lo futuro, en cuya racionalidad inanimada y geométrica (la de las leyes) deberá encuadrarse por fuerza la fluyente irracionalidad de la vida por venir. Pero la vida es vida porque está de continuo engendrando nuevos hechos, que *a posteriori* se explicarán conforme nuevas leyes. Conque, como no sea como curiosidad superflua, ¿para qué sirve el estudio de la carrera de Leyes? ¿Me lo quiere usté decir?

—Te he estado escuchando, Colás, como quien oye llover; y no es burla ni desdén, sino encarecimiento. Verás. Empieza a llover con gana; y pensamos que no concluirá nunca; que hay todavía agua en las nubes para fecundar toda la tierra. Asimismo creí que no ibas a acabar y que en la cabeza almacenabas pensamientos para tres días de cháchara. El murmurar de la lluvia nada distinto nos dice, pero hace que nos reconcentremos; y nos despierta mil vagas reflexiones. Finalmente, como a la lluvia, te he escuchado con una especie de melancolía. Luego sabrás en qué se funda mi melancolía. Por lo pronto, me gusta oírte hablar así conmigo, como en otro tiempo, que éramos tú y yo solos; hablar por lo culto y elevado, cual si discurrieses en voz recia, sin importarte que yo, con mis cortas luces y más cortas letras, no sea interlocutor digno de ti. Si te asegurase que he comprendido tu doctrina, faltaría a la verdad. No he comprendido cabalmente, pero he adivinado. En las estampas de los libros de medicina he advertido siempre una gran analogía entre el burujo y revoltiño que hacen los sesos y los que hacen las tripas. Y no es sólo en estampas y a la vista. Me parece también que en sus operaciones guardan estrecha semejanza el vientre y la cabeza. Sobrio y nutritivo alimento garantizan la sanidad, así del uno como de la otra. Caso de empacho, conviene acudir presto a la vía catártica o purgativa. Temo, Colás, que sufres de una gran indigestión de la cabeza. Barre y limpia tu cabeza, Colás.

Colás se echó a reír.

—No te rías, Colás —dijo Tigre Juan—. Menudeas razones, que te sobran; y te falta razón. Es harto corriente que el huérfano de razón anda sobrado de razones.

Quien mucho aspira a demostrar, sólo una cosa demuestra: que no sabe a qué carta quedarse.

—Exacto, exacto. La cordura se cifra en no saber a qué atenerse. Lo demás es ligereza o presunción. Veo que usté me ha entendido.

—Pues yo soy tan ligero cuanto presuntuoso. Yo sé a qué atenerme.[479] Me has dicho, con mucha solemnidad, que todo lo que existe y sucede tiene su razón de ser. Vaya un invento, hijo. Para dar con ese hallazgo no es menester asistir a las aulas. Las setas venenosas tienen tanta razón de ser como las comestibles. ¿Comerás por eso de las unas y de las otras indiferentemente? La enfermedad y la salud tienen su razón de ser. Pero investigamos la razón de ser de la enfermedad... ¿Para qué? Para suprimir con la causa el efecto. Una cosa son las causas y otra cosa los fines hacia donde cada criatura tiende. Yo, como menos instruido que tú, quizás hablo con más propiedad, porque el lenguaje lo establece el vulgo, que no los cultos, por cuanto para el vulgo pertenece al vivir y al obrar, y para los hombres cultos pertenece al pensar; de manera que así como los cultos emplean las palabras según su origen y para esclarecer las causas de las cosas, nosotros, los vulgares, enderezamos el habla a expresar los anhelos y propósitos de nuestra voluntad. Una interjección, un ajo, un taco, un reniego, son para mí más propios y expresivos que un apóstrofe ciceroniano o castelarino.[480] Dígote que una cosa son las causas y otra los fines. Y yo no llamo razón de ser a las causas, sino a los fines. No porque todo lo que existe tenga una o varias

[479] El racionalismo de Ortega aspira también a "saber a qué atenerse". Véase Julián Marías: *Ortega: I: Circunstancia y vocación,* Madrid, ed. Revista de Occidente, 1960; por ejemplo, en pp. 175 y ss.

[480] Frase citada muchas veces, sobre todo por los críticos que han estudiados la expresividad del lenguaje de Ayala. También en el caso de Verónica, oyendo la lectura de *Otelo,* "sus interpelaciones y glosas habían sido más sucintas y espaciadas que en los comienzos de la obra, y propendían a la interjección o grito emotivo sin contenido lógico" (*Troteras y danzaderas,* p. 161).

causas, tiene a la par una razón de ser. ¿Qué razón de ser tiene la enfermedad? Como no sea para que haya médicos... ¿No es esto risible? La razón de ser de cada criatura es su perfección,[481] la cual sólo la Razón, con mayúscula, la puede definir y apreciar. En la distancia que cada criatura se aproxima más o menos a la perfección, encierra, al respetive, más o menos razón de ser. ¿Cuál es la razón de ser del hombre? Hacerse lo más hombre posible. Tú mismo has dicho que tu Razón no es tuya, sino que pertenece a la especie, al hombre en general. Será, por tanto, lo razonable en el hombre particular todo aquello que redunda y trasciende en beneficio de la especie. Todos los hombres somos iguales, en cuanto a la causa suficiente de nuestros actos; lo mismo los del santo que los del pecador, han sido producidos por alguna causa; pero nos distinguimos los hombres según nuestros actos corroboren o contraríen la razón de ser del hombre. He aquí mi dictamen; debemos ser tolerantes para luego poder ser justos.[482] Cuando yo comprendo, con la cabeza y con el corazón, la causa poderosa de un ajeno maleficio, y me apiado sinceramente del malhechor, y, más aún, llego a sostener que no pudo por menos de obrar de aquella suerte, y que cualquiera otro, reunidas todas sin excepción e idénticas circunstancias, hubiera hecho otro tanto; en este caso yo soy tolerante. Pero, a seguida, cúmpleme ser justo, porque mi Razón me muestra de modo palmario que aquel maleficio merma la razón de ser del hombre que lo ejecutó, hasta el punto de justificar

[481] Recuérdese lo que escribió en *Las máscaras*: "El supremo ideal de la virtud para los griegos se llamó *kalokagathia,* palabra que en castellano suena bastante mal, y que aunque intraducible, viene a querer decir la perfección del cuerpo, la máxima eficacia del hombre para sí propio, no para el prójimo. Era una moral física. En su preceptuario, la lascivia, por ejemplo, no se consideraba vicio; la cojera, sí. Para los romanos, virtud, *virtus,* significaba valor, poder, facultad, fuerza, mérito; en suma, eficacia. *Virtus verbi,* dice Cicerón para expresar la fuerza de una frase" (*O.C.*, III, p. 250).

[482] Afirmación importante dentro del liberalismo profundo de Pérez de Ayala.

en ocasiones la pena capital; y de otra parte perjudica y ofende la razón de ser de los demás hombres. Con esto de la pena capital no me refiero al castigo impuesto por los tribunales de justicia, sino al que impone la misma naaturaleza; como si dijéramos, el hombre que se mata por temeridad, el que revienta de una comilona, el que se anquila o enloquece de tanto beber. Debemos ser justos, por caridad hacia el malhechor y en merecido tributo al hombre que se esfuerza en aproximarse a su plena razón de ser. Por lo demás, bien sé yo que los defectos de los hombres, y por algo se llaman defectos (y de aquí se originan los excesos; como en las crecidas y desbordamientos de los ríos, que sobrevienen por fluir demasiado caudal en cauce limitado y angosto), tienen por causa haber tomado como total razón de ser de la vida lo que no es más que una parte de ella; y así unos creen que la razón de ser de la vida es su conservación, y no hacen otra cosa que comer, beber y vegetar; otros, que su propagación, y andan siempre encalabrinados detrás de las mujeres; éstos, que el goce del coraje y de la fortaleza, y son pendencieros, camorristas y matones; aquéllos, que la adquisición y acrecentamiento de riquezas, y son avariciosos y usureros; quiénes, que el poderío sobre los semejantes, y son ambiciosos de los cargos públicos y esclavos de sus ambiciones; cuáles, que una vida ideal de la imaginación, más bella que la vida real, y son unos fantasmas perezosos e inofensivos, que componen versos y escriben otras amables tonterías; los de más allá, que la vida eterna, allende de esta vida perecedera, y profesan en una orden religiosa. Así, sucesivamente. ¡Oh, vida! ¡Oh, vida!

—¡Oh, vida! ¡Oh, vida! —repitió Colás, con la cabeza baja.

—¿Estamos conformes?

—Estamos conformes en el fondo. ¿Y ahora?

—Ahora, ¿qué?

—Prometió usté decirme por qué me había escuchado con melancolía.

—Porque propendes a filosofar con abuso, y tus filosofías propenden a ser desconsoladoras; de donde infiero que no eres feliz, hijo mío.

Colás rió nuevamente, y dijo:

—La mayoría de los filósofos pesimistas han sido hombres felices; desdichados, la mayoría de los optimistas. Y es natural. Si yo soy el más rico del mundo, todos los demás me parecerán pobretes y miserables. Si no tengo sobre qué caerme muerto, veré ricos por donde quiera y un duro se me antojará un capitalazo. ¡Qué tedioso, qué mezquino es el mundo!, exclama el potentado venturoso. ¡Qué hermoso y abundante es el mundo!, exclama, con envidiosa tristeza, el infeliz.

—Puede, puede...

—Y ¿por qué son desconsoladoras mis filosofías?

—Psss... Tu filosofía consiste en salir, en huir de ti mismo, dejando el timón de tu vida en manos del azar, y, al propio tiempo que haces dejación de tu destino, te recreas en compenetrarte con las más absurdas y disparatadas maneras de obrar, a fin de entender, demostrar y justificar lo que tú llamas razón de ser, y también irracionalidad, de la vida. Quien abandona un paraje, es porque allí no se halla a gusto. De sí propio trata de huir el infeliz.

—Quiá. Yo desearía, sí, desearía vivir a la vez millones de otras vidas diferentes de la mía. Y si lo deseo es porque en mi vida ya he logrado cierto modo de felicidad segura y apacible, la cual me proporciona el ocio indispensable para vivir imaginariamente otros modos de vida. Así como el pájaro no abandona el nido hasta que vuela, el espíritu y la inteligencia no salen de sí mismos hasta que les han crecido las alas de la felicidad. Usté que ha sido infeliz, desesperadamente infeliz...

—Colás, hijo...

—En aquellas horas de infelicidad suprema, ¿podía usté salir de sí mismo?

—Pude, sí; y eso me salvó.

—Entendámonos. ¿Salía usté de sí mismo a ponerse, por ejemplo, en el caso de los convecinos de la Plaza del

Mercado, que en aquellos instantes estarían comentando lo sucedido?

—¡Cristo! Así que salía de mí mismo para pensar en ellos, al volver, precipitadamente y cubierto de oprobio, a recogerme dentro de mí, en lugar de mi propia alma encontraba en mi pecho el alma de un asesino. De haber seguido pensando en ellos, yo sería ahora un criminal y estaría en presidio.

—Pues ¿cómo salió usté de sí mismo?

—Salí de mí mismo para ponerme en el caso de Herminia. Dejé de existir por propia cuenta, para que ella, sólo ella, existiera dentro de mí.

—O sea, que lejos de salir de usté mismo, se padeció, se sumió, con los ojos cerrados, en lo más profundo y vivo de usté mismo, en su pasión, en su irracionalidad, en su razón de ser, en el amor a Herminia. En llegando al fondo de sí mismo, uno ya está liberado, y comienzan a crecerle las alas de la felicidad.

—No me vengas con más argucias, metafísicas y líos. Estaríamos hablando así siete años y medio. La única verdad del mundo es una faz sonriente. Lo que me importa, hijo, es que te sientas feliz. ¿De veras?

—De veras. ¿Y usté?

—Yo... Hombre... Si lo dudas, me afrentas.

—Esa es una palabra demasiado gorda y desproporcionada. A mí me reporta un placer delicado ponerlo todo a prueba, porque de todo dudo.

—Más íntimo placer reporta poner a prueba aquello de que no se duda.

—Luego ¿pondría usté a prueba su felicidad?

—A la prueba del hierro y del fuego, si aplicarse pudiera para aquilatar la buena ley de la felicidad. ¿Qué prueba quieres que haya de la felicidad, a no ser la propia certidumbre? A mí no se me ocurre ninguna.

—La felicidad del alma es como la hermosura del rostro; una cicatriz las estraga.

—En mi alma no hay cicatrices.

—Cicatrices del alma son el resentimiento y la comezón de venganza.

—Pues, por mi parte, ni comezones ni resentimientos.

—¿De seguro, de seguro?

—¿No lo estás oyendo? ¿Me tomas por un papagayo, que no sabe lo que se dice?

—¿Qué hará usté el día que se dé, cara a cara, con Vespasiano?

Tigre Juan se puso verde. Pasado un rato, respondió:

—Ese es mi secreto. ¡Ah, Vespasiano, Vespasiano! —exclamó, dirigiéndose idealmente al amigo traidor—. Tu castigo va a ser espantoso. Me da lástima de ti; predestinada víctima.

Colás, suplicante, asió entrambas manos de Tigre Juan:

—¿Qué mal pensamiento, qué negra intención le poseen? ¡Por Dios! ¡Por todos nosotros! ¡Por usté mismo! No pierda la serenidad, llegado el caso. Para un tipo de ese jaez, la mejor sanción es el desprecio. Si por él se pierde ahora, él, que en varias tentativas no consiguió ser autor y artífice de la deshonra y la desdicha de usté, se saldrá en resolución con la suya.

—Suelta, niño —dijo Tigre Juan, desasiéndose de las manos de Colás—. ¿Crees que necesito esposas en las muñecas ni freno en la boca? ¿De dónde sacas que he de perder mi serenidad? Mírame a los ojos. Tómame el pulso. Si lo que he hecho, por obra de este pobre Vespasiano, ha sido encontrarme a mí mismo, ¿cómo recelas que por él haya de perderme?

—No me atrevo a darle crédito.

—O lo que tanto monta; te atreves a no darme crédito. ¿Qué concepto haces de mí?

—No en balde ha sentenciado usté como su víctima a Vespasiano. Usté lo ha dicho.

—Mi víctima, no. Víctima de sí propio.[483] Por eso le compadezco.

—¿Y el castigo espantoso con que usté le amenazaba?

[483] Aplica a Vespasiano lo que dijo unas páginas antes: "no me refiero al castigo impuesto por los tribunales de justicia, sino al que impone la misma naturaleza".

—Yo, no. Dios. O si lo prefieres, el orden natural de las cosas. Atiende. Vespasiano es un don Juan.

—Un Don Juan de la clase de viajantes de comercio, ramo de pasamanería, sedería y novedades.

—Todos los Don Juanes vienen a ser viajantes de comercio, y precisamente del ramo de pasamanería, sedería y novedades. Atiende. ¿Cuál es el castigo de Don Juan? Discurre. Recuerda la obra de teatro.

—No caigo.

—Don Juan, sin dejar de estar vivo, vio su propio entierro.[484] Este es el castigo de Don Juan; verse muerto en vida. Todos los Don Juanes llegan a verse muertos en vida. ¿Hay castigo más espantoso? ¿Comprendes, Colás, comprendes? Y todo, porque Don Juan equivocó su razón de ser. Don Juan es hombre a medias. Hace algún tiempo, charlando, charlando, como ahora, me sostenías que Don

[484] Es el famoso tema del estudiante Lisardo, narrado por Cristóbal Lozano en sus *Soledades de la vida y desengaños del mundo* (1658), dramatizado luego por Lope, Vélez de Guevara y Rosete Niño. En la época romántica, da también lugar a obras de José Joaquín de Mora y José García de Villalta, a romances recogidos por Durán y, sobre todo, a las versiones de Espronceda (*El estudiante de Salamanca*) y Zorrilla (*El capitán Montoya,* embrión del *Tenorio* según su propio autor).

En el *Tenorio,* aparece en la parte II, acto III, escena 2:

JUAN: ¿Conque por mí doblan?
ESTATUA: Sí.
JUAN: ¿Y esos cantos funerales?
ESTATUA: Los salmos penitenciales
que están cantando por ti.

(Se ve pasar por la izquierda luz de hachones, y rezan dentro.)

JUAN: ¿Y aquel entierro que pasa?
ESTATUA: Es el tuyo.
JUAN: ¡Muerto yo!
ESTATUA: El capitán te mató
a la puerta de su casa.

(Edición de José Luis Varela, Madrid, ed. España-Calpe, col. Clásicos Castellanos, 1975, p. 165).

Juan es poco hombre. Me escandalicé. Me irrité contra ti. Estabas en lo cierto. Hube de reconocerlo, más tarde y a mi costa. ¡Verse muerto en vida!... Ningún hombre, a no ser Don Juan, ha sido predestinado a tan espantoso castigo. Todo lo que hace Don Juan es falso; y la falsedad no perdura. Don Juan no deja en el mundo hijos ni obras que perduren y le sobrevivan; [485] por eso, llega un punto en que él mismo se sobrevive, muerto en vida, y ve su propio entierro. ¡Qué horror! ¡Qué desolación!

—Pero concluye subiendo al cielo; al menos, en la obra de teatro.

—Porque Dios es, además de infinitimamente justo, infinitamente misericordioso. Creo firmemente que, en el Juicio Final, todas las criaturas de Dios serán salvas.

—Si tan largo me lo fiais... [486]

—Lo que te fío es que estamos hablando de la semana de tres jueves. Vespasiano es algo mandria, [487] según conviene a su condición, y no volverá a posar el vuelo en Pilares.

—En Pilares está desde ayer noche.

—Me la envaino. Pues no volverá a presentarse ante mis ojos.

—Tío; Vespasiano es inconsciente, como el común de las mujeres; audaz y reincidente, como los gorriones. ¿No ha observado usté a una pandilla de gorriones en torno de una pelota de estiércol? Tira usté una piedra. Escapan, sorprendidos. Repuestos de la sorpresa, ya están donde estaban antes. Tira usté otra piedra. La misma historia. Y cuarenta piedras. Y un cañonazo. Los gorriones insistirán en volver a picotear el estiércol. O bien, un espantajo en un campo de centeno. Ningún caso le hacen los gorriones.

[485] Nótese la cercanía a la creencia de Unamuno: los hijos y las obras como remedio contra la muerte.

[486] Ahora toma Colás, irónicamente, el famoso lema de *El burlador de Sevilla y convidado de piedra,* de Tirso de Molina, elevado al título de la otra versión, cuyas relaciones con la más famosa son tan discutidas.

[487] *Mandria* = 'apocado, inútil y de escaso o ningún valor' (Academia, p. 835).

Y usté perdone; usté, para Vespasiano, es un espantajo.

—Quizás aciertes. Si así fuera, impulsos me entran de mostrarle que este espantajo da cada guantada que tiembla el misterio.

—Pues eso es lo que me inquieta. ¡Por Dios! Por Herminia. ¿Qué creería la gente? Maltratar a Vespasiano equivaldría a darle beligerancia de rival. Eso, no. Indiferencia. Desprecio.

—Descuida.

Esta conversación entre Tigre Juan y Colás se verificó a prima tarde. Al oscurecer, Tigre Juan recibió una carta de Vespasiano. Decía: "Amistad tan arraigada y simpatía tan sincera como la nuestra no deben deshacerse por un error pasajero. Yo le juro que Herminia no le ha faltado a usted. Y juro que jamás he tenido intención, ni siquiera deseo, de robarle a Herminia. De seguir mis consejos amistosos (amistosos hacia usted y hacia ella), Herminia no se habría alejado de su casa ni cometido aquella inocente locura. A seguro quise guardarla, en tanto retornaba a su señor legítimo. Estoy dispuesto a darle todo género de explicaciones. Indíqueme sitio y hora. Aguardo respuesta por el mandadero. Su fiel, *Vespasiano.*" Tigre Juan pensaba: "¿Habrá cínico?" Al pronto, corrigió: "Ello es que en su carta se las arregla para engañar con la verdad misma.[488] Luego dirán que es un trapacero, un costal de embustes..." Contestó, por escrito: "Aquí le espero, a todas horas. Yo estoy siempre en mi puesto.[489] *Juan Guerra Madrigal.*"

Apenas leída la carta, Vespasiano, con la avilantez y confianza en sí mismo, entre infantiles y femeninas, que eran los rasgos capitales de su idiosincrasia, se encaminó, tan ufano, al puesto de Tigre Juan. Sin embargo, al llegar sintió frío y desmadejamiento, cual si se hallase en el vestíbulo de un dentista. Era ya noche. Tigre Juan se puso en pie. Abrió los brazos. Parecía gigantesco, en la sombra.

[488] Como ya he anotado, recurso frecuente en la literatura del Siglo de Oro.

[489] Nótese el doble valor (literal y simbólico) de la frase.

Vespasiano quiso retroceder. Pero ya Tigre Juan le tenía abrazado, o por mejor decir, preso y opreso, levantándole en el aire.

—Querido Vespasiano; mi querido Vespasiano —cuchicheaba Tigre Juan, en el tono de voz con que los criminales hablan a quien van a rematar—. Lo que he ansiado tenerte así, entre mis brazos, amantes y robustos... Y perdona que te trate de tú.

Vespasiano, pataleando en el espacio, balbucía, sin resuello:

—¡Por la gloria de su madre! No estruje más. Me ahoga. Escuche. Yo no le he robado a Herminia.

Tigre Juan continuaba apretando, apretando.

—¿Qué habías de robarme, Vespasiano? Si tú eres quien me ha hecho el regalo de Herminia. Antes de tú traérmela, y me la trajiste llevándomela, Herminia no era mía. Ahora, sí; ahora, sí. Vete a verla. Te la dejo un mes, un año, y una eternidad. Como si no. No hay miedo que deje de ser mía. Tú la has hecho mía. Por eso te abrazo con toda mi fuerza. Por gratitud.

Tigre Juan continuaba apretando. Crujían ya las costillas de Vespasiano y el bofe se le subía a la boca. Dudaba si Tigre Juan se expresaba en serio o con maligno sarcasmo. En hálito congojoso, sollozó:

—¿Qué quiere hacer conmigo?

—Meterte dentro de mí; y meterme yo dentro de ti. Eres una parte de mí mismo, que me falta; como yo debiera ser una parte de ti. Te echo de menos; te echo de menos. Quisiera exprimirte como un limón, e inyectar en mis venas porción de tu zumo ácido. Pero, tal como eres, deficiente y castrado,[490] te desprecio —y diciendo esto, lo arrojó a tierra.

Andaba Vespasiano a gatas todavía, quejumbroso, cuando Tigre Juan, arrepintiéndose de su pasada vehemencia, acudía a solevantarlo:

[490] Me recuerda la expresión con que concluye el poema dedicado al gato Calígula, desde la segunda edición de *La pata de la raposa*: "mono del tigre y además castrado" (p. 78, nota 174).

—Perdona, Vespasiano. Fue un movimiento involuntario. Perdona. Seamos amigos. Vamos a casa. Saludarás a Herminia. No te guarda rencor. Tomarás una copita de Rueda y unas mantecadas de Astorga. Vamos.

Vespasiano rehusó:

—Gracias. Lo que voy es a que me bizmen.[491] Por lo demás, tan amigos siempre. Gracias.

Riaza (Segovia), septiembre 1925.

FIN

[491] *Bizmar* = 'poner bizmas', que son 'emplasto para confortar, compuesto de estopa, aguardiente, incienso, mirra y otros ingredientes' (Academia, p. 185).

APÉNDICES

APÉNDICE I

VARIANTES

Los números que preceden al punto remiten a la página, y los que figuran a continuación a la línea. En la narración a doble columna, además, se añade *a* para referirse a la columna de la izquierda y *b* a la de la derecha.

M=manuscrito.
T=tachado en el manuscrito.
RO=artículo publicado en la *Revista de Occidente*.

94.10. *T*: que se adherían
94.19. *M*: Memorialista y amanuense
95.17-18. *T*: con alternativa rapidez
96.12. *T*: lustrado
97.1. *T*: mostró
97.3. *T*: no de plumas ni garzotas sino de
97.14. *T*: monas
97.21. *T*: feroz
98.7. *T*: usaba
98.9. *M*: rapacín
99.7. *T*: alguna
99.8. *T*: un archivo
99.10. *T*: insospechadas
99.11-12. *T*: apellidos enfrentados entre sí como dos adversarios en un duelo. La astrología judiciaria supuso que el curso y derrotero obligados de cada vida.
99.12. *T*: desconocidos
99.14. *T*: verdadero nombre
99.17-18. *T*: aldeanos
99.25. *T*: puesto

100.1. *T*: ¿Tenía Tigre Juan algo de donjuanesco, algo de sediento amoroso, algo de apasionado? Si era así, bien lo ocultaba.
100.4. *T*: apetito
100.4. *T*: edad nada escasa, pues pasaba de los
100.5. *T*: extraña
100.6. *T*: inspiraba
100.6. *T*: hombres
100.10. *T*: Los apellidos, Guerra y Madrigal, tan irreductibles y así atraillados, ¿delataban hombre zorro, que blasona y se aprovecha de su reputación de ladino, o bien, por el contrario, como en el hombre gallina que quiere pasar por zorro, una simulación, un ideal negativo, pues lo que mayormente se apetece y admira, por imposible, es aquella personalidad de todo punto antípoda a la de uno mismo? Tigre Juan, vanidoso de su apodo, ¿se creía un verdadero tigre? O bien, ¿se avergonzaba de ser un cordero?
100.24. *T*: en venganza
100.27. *T*: era menester buscarla
100.28. *T*: permanente
100.31. *T*: como fiera enjaulada
100.34. *T*: distraída y paciente
101.4. *T*: burladores
101.11. *T*: los chiquillos
101.26. *T*: un día, un día de estos
102.1. *T*: devoro
102.6. *T*: deshacían
102.12. *T*: enfadándose
102.24. *T*: malicioso
103.1. *T*: solo
103.2. *T*: contiguo al
103.9. *T*: del vulgo necio
103.10. *T*: un
103.12. *T*: inventadas
103.22. *T*: continua
104.15. *T*: a lo que él imaginaba
106.10. *M*: consumaba
106.11. *T*: homicidios o
106.16. *T*: bestia
106.18. *T*: me ha concedido
107.4. *T*: afecto

107.8-9. No aparece en *M*: trashumante Tenorio de menor cuantía
107.21. *T*: oscura
115.1. *RO*: temer
115.6. *RO*: de Eurípides
115.7. *RO*: de semejante amor
115.10-11. *RO*: alcanzaba elocuencia frenética
115.22. *RO*: menuto
115.24. *RO*: isperiencia
116.13. *RO*: allá donde
116.15. *RO*: brincan
117.4. *RO*: embaranzadas
117.7-8. *RO*: dulce corazón
117.13. Estas dos frases no aparecen en *RO*.
117.17. *RO*: rojez
118.5. *RO*: uno de tantos crímenes pasionales
118.23. No aparece en *RO* todo este párrafo, desde: Por primera vez, entre tío y sobrino...
118.26. *RO*: un joven elegante, un caballero había matado, a tiros por la espalda, a su novia, en mitad de la calle. Causa del crimen: que la muchacha, hastiada de aquel joven elegante, había roto con él y estaba para casarse con otro.
119.1-2. *RO*: desarmado el homicida, algunos testigos presenciales, disipado el primer estupor, intentaron lanzarse sobre él. El detenido, con grande y severa dignidad, había dicho:
119.3. *RO*: una coqueta, una infiel
119.11. *RO*: o trabuco debajo del brazo
119.22. *RO*: de españoles heroicos
119.24. *RO*: ahogadamente
119.25. *RO* incluye aquí, a pie de página, la siguiente nota: Alguien murmuraba que Tigre Juan, años atrás, había asesinado a su mujer por celos, poco después de casado. Esto debió de acontecer en la misteriosa mocedad de Tigre Juan, transcurrida en las islas Filipinas.
120.2. *RO*: de ese... desdichado
120.5. *RO*: solo
120.13. *RO*: feguras
121.9-10. *RO*: imperficiones
122.7. *RO*: sotil
122.14. *RO*: humana

122.33. *RO*: oprobiosa
123.11. No aparece en *RO*: sacudiendo las orejas
124.32. *RO*: en que la decantada hombredad
124.34. *RO*: se acredita
124.36. *RO*: logró
125.2. *RO*: en el mayor repertorio
125.9. No existe en *RO* todo este párrafo, desde: Tigre Juan se santiguó
125.10. *RO*: sacie
125.13. *RO*: que le falla el deseo
125.15. *RO*: le compadezca, toma la huida
125.18. *RO*: colabore
125.20. *RO*: extraordinarias hazañas
125.21. *RO*: y atonía
126.4. *RO*: flojo
126.10. *RO*: a poseerlo
126.22. *RO* no incluye las frases anteriores, desde: Un cielo radiante
126.24. *RO*: admiración ni amor
126.28. RO: únicamente por su hermosura, este amor sería un amor platónico
126.33. *RO*: la goce
127.8. *RO* incluye esto: "Continuó: —Ese es un hombre. Si de mí dependiera, hacía que el librito donde se contiene esta noble y triste historia de Werther fuese texto obligatorio, de lectura y comentario, en la educación masculina del pueblo español. —¡Atiza! Vaya un modelo. Ese mocito era el más grande majadero de que tengo noticia." Así concluye el artículo publicado en *Revista de Occidente.*
136.3. *T*: huracán
136.9. *T*: cual si se ahogase en un piélago
136.11. *T*: tan fuerte
136.11. *T*: muchacha
137.11. *T*: aína
137.13. *T*: me encumbre *T*: levante de cascos
137.19. *T*: un humillo
138.19. *T*: estúpida
138.30. *T*: como
140.30. En vez del párrafo que comprende desde "Doña Iluminada, por su parte", dice M: y doña Iluminada, por su parte, retrasándose en la pausa, meditaba: "¿Me habría comprendido? ¿Cómo dárselo a entender? Parece metido

en sí, asombrado y vacilante, como si se hubiera percatado del alcance de mis palabras. ¿He pecado de indiscreta? ¿Lo habré ahuyentado? ¿Debo insistir y jugar mi última carta? ¡Dios mío, en tus manos coloco mi esperanza! Adelante, y sea lo que Dios quiera"

149.9. *T*: bien
149.15. *T*: estarás
149.24-25. *T*: tan afectada
149.38. *T*: y encomendaros
149.39. *T*: intermediario
150.4. *T*: considero
161.18. *T*: de fruta
167.23. *T*: arrojarse
167.35-36. *T*: cubil peligroso
168.21. *T*: aturdido y
168.22. *T*: cortos
169.2. *T*: es decir
169.4. *T*: aína
169.13. *T*: tocaron a difunto
169.17. *T*: a la comitiva
170.2. *T*: infeliz
170.3. *T*: tendió
170.5. *T*: Carmina besó en la mejilla a Tigre Juan, el cual creyó desvanecerse, con una manera de dicha jamás sentida.
170.18. *T*: una milagrosa rosa roja, invisible para todos. Iba radiante, luciéndose, contoneándose con pueril petulancia y sonriendo, lleno de sí mismo.
170.21. *T*: juicio final
170.22. *T*: sucios
191.6. *T*: dándome
191.7. *T*: remordimiento y penitencia
191.8-10. *T*: alas de águila. Tu esclavo seré de aquí adelante. Hazme sufrir de lejos, Colás, corazón de paloma, hombre cabal, que por desamor de mujer no quisiste echárselo en cara, y antes que lastimarla volaste herido a donde nadie te viera ni compadeciera. En tanto yo... ¡Pobre Tigre Juan!
191.11. *T*: el propio dolor
191.12. *T*: quién soy yo
191.17. *T*: perdones
191.18-19. *T*: de que Dios me absuelva y ella desde el cielo me perdone
191.24-25. *T*: esquelético

191.32. *M*: pues, por inopia, no llevaba calcetines
192.2. *T*: sin apenas usar verbos ni conjunciones
192.9. *T*: la carcajada
192.21. *T*: diminuta
207.20. *T*: tocante
207.22. *T*: y concluyó insinuando
208.6. *T*: ese paso en el abismo
208.11-12. *T*: garantizándole
208.13. *T*: natural y
208.17. *T*: producía
208.23. *T*: como si fuese a misa
208.25. *T*: llegó azorada, temblorosa, tartamuda.
208.35. *T*: animó
209.8-9. *T*: Con imponente seriedad, dijo
209-12. *T*: para reanimarse
209.18. *T*: de voluntad
209.19. *T*: afirmo
209.23. *T*: ladina
209.31. *T*: nos sustentamos, en nuestro mísero ser, si a esto se llama ser algo.
210.1-2. *T*: con voz enérgica y pecho enternecido
210.16. *T*: prosiguió
210.16. *T*: insinuando *T*: esbozando
210.20. *T*: ¿Habla
210.24. *T*: amplia
210.26. *T*: desconcertada
210.27. *T*: tramposa
210.29. *M*: salú
210.35-36. *T*: No me da la gana
211.9. *M*: representar
211.13. *M*: moría
211.16. *T*: a las narices
211.20. *T*: incrédulos
229.32. *T*: la víctima
230.9. *T*: mejor
230.22. *M*: a quien ella quería
230.29. *T*: daban satisfacción a
230.31. *T*: sería reina absoluta
230.33. *M*: Al
231.12. *T*: repulsa
231.24. *T*: la fascinaba
232.20. *T*: ambicionaba ser

232.20-21. *M*: se deslizaba
232.27. En *M* no figura: aunque inocentes.
232.28. *T*: oportunidad
233.1. *M*: más bien pasión
233.3. *T*: podría
233.7. *M*: marido
233.10. *M*: cogían
233.18-19. M: replicó airado Tigre Juan
233.25. *T*: qué barba y bigotillo
241.2. *T*: tuviera que
241.7. *M*: todo ello
241.26. *T*: desvanecido en
242.7. *T*: existía
242.11. *M*: asidos
243.10. No aparece en *M*: anteriormente.
244.13. *T*: considera
244.14-15. *M*: antes señora, y reina, y diosa
244.19. *T*: levantar
244.20. *T*: subrayando
245.3. *T*: su voz es soplo del
245.9-10. *M*: que escuchaban boquiabiertas
246.2. *T*: la última baza
246.4-5. *T*: aceptaba que todo aquello era el
247.10. *T*: como se dicen
247.13. No figura en *M*: en una manera de hostilidad
247.15. *T*: adivinaba
247.20. *T*: Encargó de
247.32. *T*: ya que ella
248.24. *M*: como fresa
248.29-30. *M*: por mucho que lo domaba tanto más
249.1. *M*: tacto
249.26. *M*: picarón
250.15. No aparece en *M*: ideal
250.15. *T*: querido
251.1. *M*: rígida
251.15. *M*: religioso
251.21. *M*: pinza
251.23. *T*: Me hago cruces *M*: como un mareo
252.3. *T*: dar gusto
253.3. *M*: y
253.6. *T*: que no había escuchado a Vespasiano hasta el final
253.9. *T*: hacia delante

253.10. *M*: preciosas
253.11. *T*: de sugestiva
253.14. *T*: corrupción
253.19. *T*: invisibles
253.30. *T*: del todo
254.13. *T*: que así se trastorne
254.28-29. *T*: ahora es cuando comienza
255.4. *T*: y escupirle su
255.8. *T*: bruñidos
255.10. *T*: momento
255.27-28. *M*: criaturita
260.24. *T*: cuál era
261.8. *M*: petrificado
261.30. *T*: ofuscada
262.2. *T*: con quinientas
262.8. *T*: no le ofendas
262.10. *T*: sanguinario
262.13-15. *M*: se fue resoplando, braceando y dando alaridos de pregonero
262.16. *M*: berbiquí
262.34. *M*: viles
263.16. *T*: bufa
263.16. *T*: burgueses
263.26. *T*: con gesto de dolor
264.11. *M*: arrogante, provocativo
266.8. No figura en *M*: Entonces...
266.14. *M*: un estrépito infernal
267.3. *T*: paisano
267.14-16. *M*: Herminia estaba todavía pegada a la pared, abiertos los brazos, como crucificada, los ojos espantados.
268.1. *T*: una tumba
268.8-9. *T*: amorosamente
268.9. *T*: resplandor
268.11. *T*: hecho
268.18. *T*: recoge
268.20. *M*: aire
269.12. *T*: que cuida
269.14-15. *T*: llena de emoción e inspirada por espíritu
269.34. *T*: dorado y oloroso
270.17. *M*: se presentó perniquebrado y
271.9-10. *T*: disipa
271.12-13. *T*: y que admirase

272.17-18. *T*: amarillo
272.28. *M*: Colás, indiferente
272.29. *T*: fue
273.24. *T*: bonita
274.1. *T*: novedad
274.16. *T*: puede ser
274.28-29. Esta frase no figura en *M*
275.14-15. *T*: echan a correr
276.6. *T*: temiese
276.11. *T*: el superávit
276.22. *M*: como la cortadura
276.23. *T*: artificial
276.26-27. *T*: Pero le agradecía la compaña, como un prisionero a quien le viene a visitar en la celda
277.14. Falta en *M*: bigardeando
277.17. *T*: hacer
277.29. *T*: irrisorias
278.20-22. En vez del último párrafo, dice *M*: ojos que no ven, corazón que no siente, tontina
278.29. *T*: aterido
278.29. *T*: aterido
278.30. *T*: como grano de incienso en un incensario
279.2-4. *M*: murmuró: —El día no quiere morir. La luz desea ser eterna.
281.7. No está en *M*: satisfacción de volver a vivir a solas, con su mujer
281.9. No está en *M*: otra boda
281.18. *T*: razón de ser
281.20. *M*: todo salú
281.21-22. *M*: canallería
281.22. *T*: cobarde
282.3. *M*: canallada
282.27-28. En *M* no aparece desde "la ajena opinión" hasta aquí.
283.3. *M*: dormido
283.6. *T*: como una
283.10. *T*: desaparecía
283.13-14. *T*: volvería a reaparecer
283.18. *T*: ella sola
283.29. *M*: insalvable
283.34. *T*: fascinaba

284.1-2. No aparece en *M*: de ensembladura y unión con Tigre Juan
284.4. *M*: hundiéndose *T*: se hundiera
284.11. *T*: veinte
284.36. *T*: pensó
284.38. *T*: de cinco días o
285.6. *T*: la semana de tres viernes
285.23-24. *T*: una babosa
285.24. No aparece en *M*: lustre
286.3-4. *T*: besando las manos de Herminia
286.24. *T*: andar
289.15. *T*: presente
290.4b. *T*: conservó
290.13a. *M*: si llegase a perder
290.38a. No aparece en *M*: en un hijo
291.6a. *T*: asomándose
291.14-15a. *T*: hacer
291.15b. *M*: preciso y urgente
291.25. *T*: es lo mismo
291.37. *T*: reina
292.14-15b. *T*: por si volviese
292.17a. *T*: seca
292.24a. *M*: meditabundo
292.25b. *T*: causarás
292.30b. *T*: antes
293.1b. *T*: enterado
293.14a. *T*: arcilla frágil
293.18-19a. *T*: amasada con barro blanco
295.7b. No aparece en *M*: ¡tu sino!
295.10b. *M*: grandilocuencia
296.2-3b. *M*: como quien oye llover
296.25b. *T*: bobo
297.9-10b. *T*: crédito a mis orejas
297.13b. *T*: diafanidad
298.1a. *T*: razón
298.7a. *T*: picotear
298.10a. *T*: el heno
298.13-14b. *T*: envolventes
298.15b. *T*: capitales
298.23-24b. *T*: instante
299.34-35b. *T*: recogida
299.37-38a. *T*: historias

300.1b. *T*: te figuras como
300.18a. *T*: ¿Y el qué dirán los vecinos del concejo? —Muevan la su boca lo que quisieren, llevándome en lenguas, que no por eso ha de sentir los sus dientes en la mi carne. Otro negocio es que muevan la su boca, comiendo de lo mío. Malaño pal pecao, eso non lo aguanto. —No se fíe de apariencias. Las apariencias, aun las más evidentes, engañan. Pongamos que ha encontrado usté a su mujer de forma que su traición no ofrece duda, pues, aun así y todo, cabe que sea inocente. —Dale. Qué traición ni qué ocho cuartos.
301.19-20b. *T*: despertó de nuevo
301.24b. No aparece en *M*: como un clavo
302.10b. *T*: enderezando
302.12-13b. *T*: amor propio
302.15b. *T*: viborilla
302.16a. *T*: aldeana
302.27a. *T*: pensando
304.26b. *T*: de lugar en lugar
305.10a. *T*: aciagas
305.12-13a. *T*: de pronto
306.14a. *T*: visto
307.14a. *T*: dio
307.18-19a. *T*: como las
307.30a. *M*: de ella
308.7a. *T*: a la cabeza
308.15a. *T*: a una pobre animalilla
309.7b. *T*: responsabilidad
309.19b. *T*: tontería
309.33a. *T*: comenzaba
310.2-3b. *T*: traído
310.12-13b. *T*: cantaré claro a la policía
310.14b. *T*: estando inocente
311.11-12a. *T*: de compunción
311.12-13a. *T*: hacerse
311.25a. *T*: te apiades de
311.28a. *T*: algo como
312.2-3a. *T*: darme la despedida
312.6-7a. *T*: del asilado
312.10a. *T*: pasillos
312.30b. *T*: algo
312.33-34b. *T*: desagradable
312.33a. *T*: el esqueleto

313.5-6b. *T*: que hubieran hecho esclava
313.6a. *T*: mirándose
314.5-6b. *T*: los malos lugares
314.7b. *T*: vaga
314.22a. *T*: los pájaros
314.28a. *T*: dios
314.30b. *T*: no la entiendo del todo
314.32b. *T*: para con él
315.8a. *T*: hiciste
315.9b. *T*: diré
315.22-23a. *T*: creyeron
316.6b. *T*: Ni siquiera
316.15-16a. *M*: (pues ella se sentía, en algún modo, culpable de lo ocurrido
316.17a. *T*: se dio cuenta de lo que había ocurrido
317.16b. *T*: Vespasiano
317.19b. *T*: estoy indispuesta
317.33a. *T*: levantó
318.2-7a. *M*: Pero su rostro era, como esas máscaras de guerreros nipones, perpetuación inmóvil de la ferocidad en su grado supremo.
319.4b. *T*: cariño
319.24-25a. *T*: acordóse de ti
319.29b. *T*: decían
319.36b. *T*: cuatro altos palos, con haces de leña
320.11b. *T*: preguntaba
320.29-30a. *T*: ahogar
320.30b. *T*: tranquilízate
321.7b. *T*: adivínase
321.9b. *T*: las señas
321.17b. *T*: recobrándola
321.24b. *T*: encantador
321.25-26a. En *M* no existe: sangrías y cauterios
322.14-15a. *T*: hasta hacerla arder toda ella
322.24-25b. *T*: bosque
323.6-7b. No aparece en *M*: perfumados de menta y flor de saúco
323.16a. *M*: Llamarada
324.20b. *T*: como si fuera
324.21a. *T*: el aire
324.22b. *T*: que es como una
324.23a. *T*: canciones

325.3b. *M*: airado
325.8b. *M*: a buscar a
325.8a. *T*: un poco aparte
325.21a. *T*: hasta la perspectiva de la
325.24a. *M*: contemplaba ahora, en una perspectiva delirante, la realidad como una pesadilla
325.30-31b. *T*: de mi padre
326.1b. *T*: levantó
326.3b. *T*: cielo
326.3a. *T*: *Tigre Juan;* Tierra, aire, fuego y agua: parte sois también de mi carne y de mi espíritu, pero encontrados y firmes, con que me mantengo en mi ser. Resolved vuestra natura dentro de mí, como por defuera. Inclinaos los unos hacia los otros, caed, en montón amalgamado, como columnas y arcos del templo de un falso ídolo. Deshaceos y deshacedme. Mandadme. Dadme el olvido. Renovadme.
326.22a. *T*: acordándose
326.23b. *T*: anegados en un abismo de amor
326.28-29b. *T*: del amor
326.30b. *T*: emparejadas
327.1a. *T*: a su gusto
327.10b. *T*: quejido
327.14a. *T*: después de aprendidas
327.25b. *T*: obedecieron
327.28a. *T*: Recucerdos, pensamientos y pasiones irreconciliables, que pugnan en un cuerpo a cuerpo desesperado dentro del espíritu de Tigre Juan, ahora toman corporeidad exterior, ante los alucinados ojos de su mente.
328.12-13a. No aparece en *M*: porque no supiste amarme bastante
328.19b. *T*: un engaño divertido, curioso, útil y que
328.26b. *T*: desgracia
329.20a. *T*: saltado
329.27-28a. No aparece en *M*: enrojecidos los ojos, cual si manasen sangre
330.6-7b. *T*: por eso mismo
330.16-17b. *T*: dejaban caer
330.18-19a. *T*: Sin ti
330.19b. *T*: suelta
331.1-2b. *T*: mujer
331.2-3b. *T*: alma
331.6a. *T*: da vueltas

332.2a. *T*: al festín
332.4b. *T*: todos
332.5b. *T*: cuajado
332.10a. No está en *M*: como una criba
332.22b. *T*: inmunda
333.15b. *T*: El pelo y las uñas, por ejemplo. Su pelo y sus uñas de usté, ¿son los mismos de hace dos meses? Sí y no. La forma es la misma. La materia es totalmente nueva.
333.20a. *T*: agua milagrosa
335.21. *M*: de que se había constituido
336.2. *M*: arquitectura
336.6. *T*: cansado
336.28. *T*: sucios
337.2. *T*: legítimo
338.8. *T*: ahogarnos
338.14. *T*: decidida
338.24. *M*: Antes
338.27. *T*: imprescindible
338.28. *T*: cegada por su amor loco
339.3. *T*: ser
339.26. *T*: cara
340.33. *T*: pasajero
341.4-5. *M*: como si estuviera aguardando, desde siglos
341.18. *T*: cada cual
342.6. *T*: colocó
342.23. *T*: designada
342.32. *T*: coagulaba
343.1. *T*: tragar
344.6-7. *T*: inmóvil
344.7-8. No está en *M*: de un paso de Semana Santa
344.14. *T*: extremos
344.20. *T*: estacionaba
344.24. *T*: era ya en
345.2-3b. *T*: ceguera
345.30a. *T*: que dudar
346.2a. *T*: vida
346.3-4b. No está en *M*: Mi hijo... Tu hijo... Me matas.
346.5-6b. *T*: repetidos e insistentes
346.7b. *T*: alma
346.12a. *T*: alma
346.24. *T*: dejó caer
347.5. *M*: remota *T*: distante

347.17. *M*: ofuscada
348.14. *M*: vidriosos los ojos
349.1. No está en *M*: poseídas de pavor genuino
349.7. *T*: derecho
349.11. *T*: sostenía
349.18. *T*: culpas
349.25. *M*: desoladas *T*: desgarradas
349.36. *T*: izquierda
350.15. *M*: anublan
350.28. *M*: desmayada
351.1. *T*: dulcemente
351.2. *T*: Brotó el chorro de
351.5. *T*: insensato
351.5-6. *M*: airada
351.18. *T*: declara
351.20. *T*: viejo
352.13. *T*: ruborizándose
353.1. *T*: falso
354.14. *T*: don Juan
357.5. Todo el párrafo que sigue fue intercalado posteriormente.
357.7. *T*: extrañísima
358.10. *T*: frenético
358.12. *T*: alaridos
358.13. *T*: alarido
358.16. *M*: tomándose
358.28. *T*: humillante
359.3. *T*: infundió
359.7. *T*: tiraba
360.1. *T*: de beber
360.4. *T*: metía
360.15. *T*: alimentarle
360.18. *T*: crías
360.21. *T*: trasladar
360.28. *T*: traía
360.31. *T*: un puro instinto
361.15. *M*: Trayéndola
361.18. *M*: lo bastante fea y lo bastante vieja
361.31. *T*: conocía
362.1. *T*: voz
362.12. *M*: débil
362.22. *M*: repercutir

362.28. *T*: exponerse
363.5. *M*: altivamente
363.21. *M*: y reverencia sarcásticas
363.23. *M*: Bueno, ¿y qué?
363.24. *T*: estableció
363.31. *T*: infinito
364.6. *M*: caudaloso
364.8. *T*: mayor
364.21. *M*: hasta tanto que no
364.26. *M*: tengas intención de
364.37-38. *M*: placer
364.38. *M*: placer
364.39. *M*: como el caracol
365.3. *M*: alguna libertad
365.6. *T*: el viaje
365.8. *M*: temorosa
365.13. No aparece en *M*: ya casados
365.18. *T*: había muerto
365.21. *T*: modesto
366.6. *T*: susto
366.18. *M*: de malicioso, provocativo
366.27. *M*: mofador
366.29. *M*: ocultar
366.31. *M*: Como
366.33-34. *T*: asomarme al
366.36. *T*: lo que pasa
367.7-8. *M*: boquiabiertos
367.12. *M*: adivinan
367.14. No figura en *M*: a grandes patadas
367.19. No figura en *M*: humillado el testuz
367.22. *T*: hundiéndose
367.24. *M*: con un resplandor
367.26. *M*: filosófico
367.27. *M*: harto trabajo
367.32. *M*: en buen
367.36. *M*: de rejalgar
368.5. *M*: encornado
368.20. *M*: medrosidda
368.22. *M*: paralizada
368.23. *T*: llorar
368.35. *T*: a fin de
369.3. *M*: irrisión

369.6. *M*: la vida toda
369.6. *M*: débil
369.11. *T*: el faldón
369.31. *T*: le trae
370.4. *T*: fofo
370.17-18. *T*: hubiera pasado
370.28. *M*: de tinta china
371.6-7. No figura en *M*: con un escalofrío sagrado
373.21. No figuran en *M* estos cuatro últimos versos.
374.5. *T*: la vida mortal
377.14-15. *M*: un genitivo complexo
378.16. No figura en *M*: Después de la anagnórisis y tentativa de suicidio...
379.6. No figura en *M*: siquiera
379.9. *T*: a la postre
379.13-14. *T*: para conjurar tempestades
379.26. *T*: de menos
380.5. *M*: que un gorrión
380.24. *T*: quiere tener
380.36. *T*: más sabia que Sócrates.
381.35. *T*: felices
381.38. *T*: barbas
382.2. *T*: un caso excepcional
382.10. *T*: perseverancia
383.27. *T*: preñados de
385.24. *T*: persona
385.24. *T*: soledad
386.3. *T*: historia
386.4. *T*: en la tierra
386.21. *T*: en un fundamento respetable
386.37. *T*: son verdad porque tienen su razón de ser
387.14. *T*: Ahí sí que soy de opuesto dictamen
387.30. *T*: reprochar *T*: amonestar
387.31. *T*: dijese
388.10. *T*: presos
388.19. *M*: un jubileo
389.20. *T*: como una lechuga
389.25. *T*: despreciable
389.29. *T*: ni jota
390.2-3. *T*: estando
390.18. *T*: Y lo peor del caso es que, dado el empeño que en ello pone y el estado interesante en que se halla, que cual-

quier contrariedad puede estar preñada de consecuencias desastrosas y males sin medida ni fin, no me queda otro remedio, aunque lo repugno, que decidirme y lanzarme en la sombra de los pasillos a dar pellizcos, abrazos y besos a mis sirvientas. Reconozco que algunas de ellas son verdaderas preciosidades. ¡Qué cutis mantecoso! ¡Qué ojos, de brillo metálico y mirada de revulsivo, como la mosca cantárida! ¡Qué labios de fuego! ¡Qué busto agresor, de mírame y no me toques! Y por ahí abajo. Es disculpable que algunos hombres pierdan la cabeza. Ahora que si yo me resuelvo a arremeter contra esas beldades es en holocausto a la paz y felicidad de mi casa: lo juro. Tanto placer me dará tenerlas entre mis brazos como si abrazase a ese granuja hediondo de Mogote, el vinatero.

—No diga, camarada, que a nadie amarga un dulce.

—Al confitero. Y si no le amarga, le empalaga. Con mi adorada mujer, me basta. Todo lo que no sea ella, se me resiste.

390.30-31. No figura en *M*: Tengo hambre de ser humillado por ti.
391.34. *M*: resultó
392.5. No figura en *M*: ingenuo e inverosímil
392.9. *M*: y fue que estando de sobremesa con Herminia
392.30. No figura en *M*: radical
393.26. *T*: compone
394.18. *T*: razón suficiente de existencia
395.29. *M*: leyes y derechos
396.2. No figura en *M* la frase entre paréntesis.
396.15. *T*: palique
396.15. *T*: clavo
396.18. *T*: oído
396.33. *T*: lo primero
397.6. *T*: como presumido
397.18. *T*: lo hace y perfecciona
398.14. No figura en *M*: a la causa suficiente de
398.17. *T*: se ajusten
399.13. *M*: se ocasionan
400.30. *T*: el alma
401.1. *T*: precisos instantes
401.3. *T*: Cada vez
401.26. *T*: proporcionan
402.9. *T*: Me da lástima de ti

404.2. *T*: Tenías razón
404.13. *M*: porque Dios es justo y bueno
404.21-22. *T*: en mi presencia
405.2. *T*: ganas
405.25. *T*: saco
405.33. *T*: le entró
405.35. *T*: en cruz
406.15. *M*: regalado a *T*: traído a
406.27. *T*: eres la otra mitad
406.27-28. *M*: como lo lo debiera ser *T*: como yo lo soy
406.30. *T*: parte

APÉNDICE II

UNA VERSIÓN PRIMITIVA DE LA NOVELA

pp. 2-5 El puesto de Tigre Juan se distinguía de los otros por varias particularidades. No estaba en el hueco de la plaza sino en un ángulo, entre dos columnas cuadradas de granito, mitad bajo los porches, mitad al descubierto. Era permanente; todas las horas del día y todos los días del año. En vez de toldilla de lona, como los demás, formaba a manera de un caparazón con tres enormes paraguas; uno morado, color del estandarte de Castilla; otros dos, rojo y gualda, color del pabellón nacional. La selección de colores era obra de la casualidad, y no proclamación patriótica. Debajo de los paraguas se alineaban en arco de ballesta unos cestos colosales, o maconas, abarrotadas con diversidad de granos; garbanzos de Fuentesauco, lentejas y titos mejicanos, judías del Barco, maíz argentino y de la tierra, guisantes secos. Luego, varios barriles, con los abanicos de las sardinas arenques, de plata sobredorada, desteñida a medias. Había también unos cajones, convertidos en estantería, con libros usados; y un comodín de muchos cajoncitos, rematado en pupitre, donde campeaban dos plumas verdes de ganso, espetadas en un tintero frailuno de loza. De uno de los paraguas colgaba un cartelón, con este anuncio:

"TIGRE JUAN. Memorialista. Se escriben cartas a las aldeanas y sirvientas para novios o familia en Cuba y Ultramar. Se redactan solicitudes y últimas voluntades. Oficina de cambio. Se negocian cheques y letras del Banco. Libros de lance. Obras de texto y novelas de alquiler. Amas de cría, a elegir. Las mejores nodrizas, a elegir. Especialidad en esta industria. Leche garantizada. Médico homeopático. Consulta gratuita y medicamentos económicos. Tinturas, extractos y atenuacio-

... ...

pp. 55-58 ¿Ha de haber por eso en mi casa una persona de menos? No, sino una de más, por el pronto. Y dimpués, los gorgojos que salgan; cuantos más, mejor. ¿Explícome? Reconcho... ¿Y quién es la moza? ¿Vecina nuestra?

—Paso, don Juan, no se me encumbre. Tenemos que hablar, y eso no es hablar sino desvariar. Algo y aun algos de lo que atosiga a Colás conozco. ¿Y quién no? Las cosas del amor siguen la condición del humo en muchos respectos, entre otros, que no cabe mantenerlas tapadas. Usté, con el humo ante las narices, no le ha dado en el olfato un humillo siquiera.

—Concedo que el olfato no es mi virtud saliente, sino otras que estimo más honrosas y hombrunas. Tocante a prendas del alma y del sentido, aténgome a mis proverbios. Fato y pazguato, antes que agudo y con olfato. Bruto, antes que astuto. Incivil, antes que servil. Llamáranme si no Perro Juan, Zorro Juan, Limaco Juan, en vez de Tigre Juan, y a mucha honra—. Diciendo así, descargó un manotazo en el pecho.

—¿Quiere escucharme, don Juan? Para abreviar: lo del matrimonio no viene al caso. El pobre Colás ha recibido unas calabazas como un templo. La moza que él corteja le ha cantado de plano que nones.

—¿Calabazas? ¿Nones?

—Ea, que no le quiere.

—¿Que no le quiere? ¿Que no quiere a Colás? ¿Quién es esa princesa del pan pringao? Y aunque ella no quiera, ¿qué monta eso para que se casen, queriendo él?

—¡Ay! Como gozne y cerrojo en un postigo, que sin el uno no abre, ni cierra sin el otro, así son el querer de la mujer y el hombre. El amor y el matrimonio, si falta el cerrojo, que es la voluntad del varón, es puerta abierta e inútil, y es puerta falsa sin el gozne, que es la voluntad de la mujer.

—La voluntad debe ser sirvienta de la mollera, o no es voluntad. Hágase lo de-

... ...

pp. 88-98 Tigre Juan rechazaba esta hipótesis. Sólo en un instante de ofuscación inconcebible pudo él pensar semejante desatino. Miraba ahora de arriba abajo, afectivamente, a la viuda, porque la compadecía; le daba lástima de ella, lo cual constituye una especie de supremacía. ¿Qué le movía a lástima? No lograba explicárselo. Como por intuición, columbraba, en el más recóndito escondrijo del alma de su amiga, agazapada una elegía dolorosa. "¿Y quién no lleva en el pecho su dosis de rejalgar?" decía entre sí Tigre Juan. Ello es que, a pesar de haberse libertado, en su sentir, de la red invisible con que la viuda le cohibía, las recientes emociones, encontradas y bruscas, después de removidas dentro del espíritu, como una medicina dentro del fracaso, le quedaban sedimentadas en un poco de malhumor, que le era urgente expeler.

En tal estado de ánimo, llegó a la vivienda de Carmona la frutera. Había que atravesar primero una cuadra, con dos mulos díscolos. Tigre Juan avanzó a tientas. La frente se le hundió en una tupida y fofa tela de araña. Al sacudírsela, despertó un zumbido de moscardones. Uno de los mulos le tiró una coz silbante, que no le alcanzó. Tigre Juan encendió una cerilla, y tomando un rodeo por las ancas del mulo, le disparó, con toda su fuerza, un puntapié en la barriga, a tiempo que prorrumpía en improperios denigrantes para el dueño de la bestia. Bufando, penetró en la pieza donde yacía la enferma. Era un cochitril indecente, descascarilladas y humosas las paredes, el piso terrero, sin ventanas, preciso el espacio para una colchoneta, tirada en el suelo, unos capachos, al pie, y una silla perniquebrada, a la cabecera. Ardía una vela de sebo, enchufada en una botella, sobre la silla. En la colchoneta, reposaba Carmona. Carmina dormía en los capachos, enroscada como un gozque.

Hacía meses que Tigre Juan no veía a Carmona, llamada así, en aumentativo, por corpulenta y colorada. Al pronto, no la reconoció. Estaba reducida a los huesos, y en la cara no le quedaba sino ojos, dos grandes bolas de azabache brillador, con una como gota de sangre, allí donde se reflejaba la lumbre roja de la vela. Había oído Tigre Juan que estaba tísica: mal sin remedio en los pobres. No esperaba hallarla agonizando.

Contemplaba Tigre Juan a Carmona, con misericordia infinita, sin osar despegar los labios, que tenía fruncidos por la angustia, así como la nariz, las cejas y la frente, por donde su expresión, en vez de piadosa, se transformó en una carátula aviesa, que, entre los vapores de la fiebre, causó espanto a la moribunda.

—¿A qué vienes? ¿Qué me miras de ese modo? ¿Qué haces ahí, metiéndome miedo? Márchate, cornudo. Déjame morir en gracia de Dios. No me hagas renegar... —gemía convulsa, casi sin voz, la doliente, estirando hacia él unos huesos, envainados en cuero cordobán, que eran sus brazos, y haciéndole con los dedos la cruz, como para ahuyentar a Lucifer.

Aquella mujer iba a morirse muy pronto. Puesto que no cabía otra cosa, Tigre Juan se impuso el deber de infundirle aliento y esperanza, que el trance le fuese llevadero, y nada más a este propósito, calculó, que hablarle en chanza, como si le diese a entender que sanaría en seguida y no tenía motivo sino para estar más alegre que unas castañuelas.

—¿A qué vengo? A soltarte cuatro frescas, redomadísima maula. Me gusta, caracho. Estar, días y días, tumbada a la bartola, como una odalisca... Y todo, por un romadizo de pitiminí, que se quita en un periquete con unas ventosas sobre la tabla del pecho, salva sea la parte, y unos gránulos, que yo mismo te despacharé mañana... ¡Ah, marmota! Poco he de valer, o, como soy Tigre Juan, que te voy a levantar aína de ese camastro, a bailar la giraldilla, en fuerza de azotes, si no te avienes al compás de la gaita.

Tigre Juan se había hecho la ilusión de poder acertar con frases de indubitable sentido humorístico, que pronunciaría con inflexiones cariciosas. Pero, progresivamente, hablando y escuchándose de consuno, advertía que la elocución le salía más bien grosera y aun injuriosa, y que el tono sonaba agresivo y áspero, cada vez más, según se iba irritando consigo mismo. Otro tanto le ocurría cuando intentaba cantar, que, vibrándole, cristalina y plena, dentro del cráneo, la melodía, como el lamento del ruiseñor dentro de la noche, al sacarla a los labios degeneraba en graznido de palmípedo. Habíase esforzado también en componer una sonrisa benigna, melificada, pero le resultó una mueca taimada y odiosa.

—No me insultes. ¿Qué daño le hice? ¿Por qué me maltratas? Jesús, ampárame. ¿Moríme ya? ¿Eres el enemigo malo? No me remates, no me remates, asesino. No soy tu mujer. Aguarda, hasta rayar el día, que venga el cura. La voz, esparcida en intervalos más y más dilatados, se ausentaba, como si hubiesen tapado con un pañuelo la boca de la moribunda. Tremaba toda ella, con un estremecimiento, acelerado y breve, de postrera hoja otoñal, apenas asida al árbol. Dilatábase el eco a la sordina de los martillazos definitivos con que la tos reducía a astillas lo que Tigre Juan había llamado la tabla del pecho.

Furioso, bao su malhadado sino, que siempre, cuando quería brindar a los otros con un sorbo del mosto cálido y dulce que añejaba en su corazón, convertíasele fatalmente en vinagre; y ya que su caritativa presencia lejos de aliviar a Carmona le exacerbaba las congojas y terrores de la agonía, Tigre Juan decidió marcharse de allí. Volviéndose hacia la puerta, echó de ver a Carmina, acurrucada en su capacho. Fue a darle un beso, ahora que estaba dormida, pero cuando se inclinaba hacia ella, la madre, con misteriosa energía, gritó:

—¡Ladrón! ¡Ladrón! Que me la lleva. ¡Hija de mi alma!

Despertó Carmina asustada y rompió a llorar, con grandes clamores.

Tigre Juan, anublado el juicio, salió de huida, mesándose el lanudo cabello y renegando de su suerte. Detúvose en la calle, a recobrarse y reflexionar lo que debía hacer. Acercóse luego a casa de unas vecinas, llamó en la puerta y a voces les dijo que acudiesen cerca de Carmona, a quien venía de visitar y la dejaba en las últimas, abandonado de todos. Retornó a su casa. Era más tarde que de costumbre. Colás le aguardaba para la cena, sentado, con los codos en la mesa y la cara caída sobre las manos. Al oír el golpeteo de los zuecos en el tillado, levantó el mozo la cabeza. Se había afeitado las barbas. Tigre Juan, ante aquella novedad, pensó: Será por probar si se pone más guapo y le gusta mejor así a

… … … … … … … … … … … … … … … … … … … …

pp. 99-115 —No la temo por mí.

—Pues, habla.

—Mañana me marcho.

—¿Acaso eres libre? ¿No me debes obediencia? ¿Me has pedido, por ventura, consentimiento?

—No soy libre, nunca lo he sido, nunca lo seré. Yo quiero una cosa y hago la contraria, sin quererla. ¿Por qué? Es una fuerza contraria, mansa e irresistible que me hace obrar como en sueños. Cuando intento retroceder y despertar, es tarde: todo se ha consumado.

—En este caso, frente a esa fuerza irresistible aquí estoy yo, con mi autoridad y con mi voluntad. ¡Ay de ti, si te rebelas contra ellas! No sabes de lo que soy capaz, puesto en el disparadero. No te permito marchar. Oyelo bien. No te lo permito. Cerrado el debate. Punto en boca. Tigre Juan adoptó una tiesura imponente. Se le sacudía la quijada. Con la garra contraída arrebujaba el mantel. Hallábase en una tensión extremada, próximo a estallar. Hacía mucho tiempo, años y años, que la cólera, ciega y asoladora, no le inundaba las entrañas en una marejada de tanto ímpetu. Colás nunca le había visto así. Otras veces, se enfadaba, se irritaba, se alborotaba, con enfáticos ademanes, vacíos y cómicos, los cuales bien veía Colás que eran involuntarios e inofensivos disfraces de un alma tierna y tímida que no atinaba a revestirse de la expresión apetecida. En cambio ahora estaba verdaderamente terrible, en su continencia forzada e insegura.

—Padre —murmuró Colás.

—Padre, sí. Es la primera vez que me lo llamas. Más que padre, puesto que sin serlo por la sangre, como padre me he portado contigo, liberalmente, no estándote obligado. Son pues mis derechos sobre ti más exigentes en justicia que los de un padre legítimo e incurioso.

—Padre —repitió Colás, con emoción reprimida.

—Padre ¿qué? Habla, que me impacientas, y estoy a pique de irme del seguro. Oyéndose llamar padre, a poco le gana un desfallecimiento sentimental. La onda colérica, que le henchía, había llegado a su plenitud culminante, indecisa entre reventar con violencia o replegarse sosegadamente. Todo dependía de la respuesta y actitud de Colás.

—Padre: todo está consumado —dijo Colás, con entereza.

—No entiendo ese lenguaje por demás conciso y embozado. Háblame como dos y dos son cuatro. Te lo ordeno.

—He sentado plaza de voluntario. Mañana, a las seis, salgo, con otros reclutas, para Valladolid, y de allí, más tarde, para Cuba o Filipinas; he solicitado servir en Ultramar.

Aquí Tigre Juan salió fuera de sí, perdido el seso. Púsose en pie, derribando la silla. Su piel de cobre no era ya amarillo, ni verde, sino rojo escarlata, de metal en fusión. Retraía los labios y mostraba los dientes, como un animal carnicero. Los ojos, muy abiertos y encovados entre el matorral del ceño, le bizqueaban. Sobresalía de sus sienes un haz de venas negruzcas, como sarmientos chamuscados. Se recogía, flexionando en las piernas, los codos pegados a las costillas, adelantadas las cabelludas manos y engarabitados los dedos; como para lanzarse de un salto sobre Colás, su presa. La sombra de su cuerpo, arrancando desde los talones a lo largo del piso y doblándose luego pared arriba y por la techumbre, describía un hiperbólico garabato de interrogación trágica. La voz le brotaba partida, angulosa y punzante en esquirlas, entre resuellos.

—¡Granuja! ¡Hijo de mala madre! Cría cuervos... Qué, cuervos: buitres. Peor. Hiena. ¡Ah, miserable! Aquí mismo te arrancaré la vida. Eres mío, mío. Sin mí ¿qué hubiera sido de ti? Págame lo que me debes, infame. Si no tienes con qué, me cobro por mi propia mano, estrangulándote, traidor. Pero ¡imbécil de mí! ¿qué vale tu vida? Menos que la de una cucaracha. Te aplastaría con el pie; así.

—Cierto ¿qué vale mi vida? Quítemela. No me defenderé —dijo Colás, inclinando la cerviz.

—¿Qué te has de defender tú, blando? Y aunque te defendieras. Te desharé con uñas y dientes. No te defenderás, gallina. Sólo se defienden los hombres que tienen conciencia del deber.

—Conciencia del deber, me precio de poseerla. Usté me la enseñó. No desaproveché la lección. Reconocido le estoy, tanto como por el cariño que siempre me ha dedicado, y más que por ninguna otra cosa de protección material, como casa, alimento, vestidos y dinero, que también le agradezco con toda mi alma, sábelo Dios. Hay guerra en Cuba y Filipinas. Mi conciencia del deber me llama allá, adelantándome a que me toque la suerte, que había de ser muy pronto, no lo olvide.

—¡Ah zorro! Sobre ingrato, insolente: sobre insolente, hipócrita y falsario. ¿Con que te vas, siguiendo la voz del deber? ¿Pues no era tu deber, asimismo, dar satisfacción a los desvelos de quien te sacó de la nada? Este curso no más te faltaba para licenciarte. Los anteriores estudios, mis afanes, mis solicitudes, mis cuidados, mis zozobras, mis gastos, que no fueron flojos, toda la obra de dieciocho años, desde que te recogí; todo lo tiras por la borda en un segundo, porque sí, por tu santísimo antojo, sin encomendarte a Dios ni al diablo, como si fueras señor de tu albedrío.

—Ya he dicho que no lo soy.

—No me interrumpas, o, juro que no respondo de mí. ¡Canalla! —rugió Tigre Juan, exaltado ya hasta el frenesí—. ¿Con que, "adiós, padre; que se divierta; lo perdido, perdido; ha sido usté un papanatas en molestarse por mí; me voy a las Indias, por amor a la patria?" Pero ¿soy yo un idiota? ¿Por quién me has tomado, so pillo? Por amor a la patria... Si así fuera, quizás yo mismo te alentase. Por la patria me cortaría yo un brazo, y aun los dos. Escapas; escapas como un cochino cobarde, porque una mujer no te quiere. Una mujer; lo más vil y despreciable que hay en la tierra. Digo mal; más despreciable y vil es el hombre que, como tú, consiente ser despreciado y burlado por ellas. Ganas me dan de llorar, de rabia y de vergüenza. Pues qué ¿no tienes manos? Y si no te bastasen las manos ¿tan caro cuesta una navaja cabritera que te faltó dinero para mercarla? Te miro y no doy crédito a mis ojos. ¿Eres tú la misma masa de carne, coloradina y pequeñina, que hace dieciocho años tomé yo de la misma calle, donde iba a quedar abandonada, y la traje a mi casa, para hacer de ella, a costa de mi tranquilidad e independencia, un buen hijo y un hombre cabal? Era una mañana de mercado, en invierno. Hacía mucho frío. Llegóse una aldeana a mi puesto, con un crío de pocos meses, casi desnudo. Venía a que la colocase de ama de cría. "El rapacín, dijo, si usté no lo quiere tirar al torno del hospicio, mandarélo a la breña, entre vacas y zagales." Y me lo echó en los brazos. El rapacín mirábame riéndose; con las maninas, tiróme del bigote. ¡Yo no le daba miedo! Entróme no sé qué que me ahogaba y ya no le solté. No te solté. Porque el rapacín eras tú. Y yo fui mandadero del Padre celestial, que da de comer al paxarín desvalido y viste de hermosura a la flor de los campos. —La voz de Tigre Juan era escasa ahora, conmovida y como amasada con llanto. Creyérase que, agotado, se iba a apaciguar. Pero rompió otra vez a rugir, en la más aguda exasperación, despidiendo las palabras a golpes, como se vacía con sacudidas recias una vasija de los últimos residuos que contiene—. Hijo de mala madre. Cachorro de hembra descastado. Descastado. Por otra mala mujer vendes al padre que el cielo te dio. Vendes al cielo mismo. Te repudio. Te maldigo. No te acuerdes más de mí. ¡Apártate! ¡Apártate! ¡Por Dios, vete! —aulló, después de una pausa, exasperado, en un alarido de horror y también de súplica—. ¡Sal de aquí! ¡Enciérrate en tu aposento! ¡Por lo que más quieras! ¡Por la mujer a quien amas! Escapa: que no me puedo contener. No soy dueño de mí. Tigre Juan; tigre, sí. Te mataré a pesar mío. Deprisa, deprisa, escapa.

Colás salió, sin apresurarse. Desde la puerta, volvióse a decir, con talante de melancólica dignidad:

—Sólo me aflige que usté pueda pensar que no soy un hijo cariñoso y agradecido. Perdón. Adiós.

Tigre Juan, de un brinco, se lanzó hacia la puerta, en el momento que Colás la cerraba. Detúvose un instante y retrocedió a sentarse. Se desplomó sobre la silla, abatido, casi exánime.

Después de largo lapso de silencio en la casa, la Güeya penetró en la pieza que hacía de comedor, a recoger el servicio. Tigre Juan se incorporó rabioso y comenzó a tirar platos y vasos a la viejísima criada, al tiempo que chillaba:

—¡Tuerta maldita! Bruja. Desollarte debiera. O quemarte viva. Tú has traído el mal de ojo a esta honrada mansión. Saldrás de mi hogar, cuanto antes, que no te vuelva a ver. Toma, por bruja y aojadora, barragana de Satanás.

Uno de los platos se quebró en el cogote de la vieja, quien, llevándose las manos a la parte contusa y viéndolas luego con alguna mancha de sangre, escapó vociferando:

—¡Salvador de los hombres! Matóme por la nuca, como a una res. Asesino.

Tigre Juan encendió un candil y fue a encerrarse en su dormitorio, atrancado por dentro. Era un camaranchón abohardillado, con un ventanuco cenital. Por la parte en que suelo y techumbre se unían en ángulo, había grandes montones de granos; maíz, trigo, guisantes. El lecho era de monje; unos travesaños, unas tablas, un jergón de hoja. Sentóse Tigre Juan al borde; mas no podía estarse quieto. Vigoroso temblor le agitaba los membros. Ahogábase. Fue a levantar la tapa del ventanuco. Sus pies tropezaron con un montón de trigo. "¿Para qué quiero yo esto? ¿De qué me sirve el caudal ahorrado? ¿Quién lo ha de disfrutar?" En un arrebato, entreveró, a patadas, los diversos montones. Sentóse otra vez en el jergón. "Debiera matarme. ¿Qué fin ni qué utilidad tiene mi vida?" Aumentaba su temblor. Le invadía una angustia mortal. "¿Cómo pude pensar eso? ¿Matarme? ¿Yo, cobarde? ¿Yo, olvidado del cumplimiento del deber? Vivir para sufrir: Dios lo manda. Tantos años, tantos, domando mi alma con el látigo del deber, hasta someterla. En un abrir y cerar de ojos, la fiera se desencadena. ¿Do está el látigo? Vivirás, vivirás, vivirás. ¡Ay, de mí! Dios me castiga, despojándome de la vida. Me siento morir..." Cayó por tierra, retorciéndose en convulsiones.

Cuando volvió en sí, amanecía. Tigre Juan se lavoteó y se acicaló brevemente, como todas la mañanas. Parecía que le habían permutado el cuerpo; tal era el quebrantamiento de sus huesos y la torpeza de sus músculos, mal ajustados todavía a la obediencia de la voluntad. Boca y garganta las tenía tan secas que no eran cosa viva sino materia insensible, y se figuró que

... ...

pp. 146-172 retrasar acogerse a su morada, ya vacía, que tiraba de él y a la par le causaba horror. Al cabo de mucho pasear, hallóse, indeliberadamente, frente a su casa. El reloj de la catedral daba las diez. Cada campanada, casi sólida, cayendo por el aire, era para Tigre Juan como un empellón invisible que recibía en la nuca. "¿Qué haces ahí, hombre? Si a la postre has de entrar... Hala para arriba". Subió. En todo el día no había comido. Cenó pan y queso. Manteníase en pie. Por el influjo de la oscilación de la voluntad, le oscilaba asimismo el cuerpo, como un árbol alto, azotado del viento de la duda. Ya se inclinaba a su dormitorio; ya del lado de la alcoba de Colás. Finalmente, con prisa, por no arrepentirse en el trayecto, penetró en la habitación del mozo. Luego de una inspección sumaria, echó de ver que Colás no había llevada nada consigo. Allí estaban todos sus trajes, toda su ropa interior y su calzado.

"Desnudo le recogí: desnudo salió de mi casa. No ha querido deberme nada. Se ha ido con las manos limpias. Debía de tener aquí, anoche, el uniforme cuartelero rayadillo. Y yo no le vi de soldado. ¡Qué majo estaría! ¿Le volveré a ver?" Por si acaso, Tigre Juan resolvió conservar la habitación intacta, tal como Colás la había dejado, que a la vuelta ensamblase sin dificultad el momento de la partida con el de la llegada, y comprendiese cómo el hueco abierto por su ausencia sólo él lo podía llenar. Entretanto Colás andaba lejos su habitación sería como un camarín de reliquias. Al salir, Tigre Juan echó de ver un papelito, clavado con un alfiler a la puerta. Decía el papelito: "Nuevamente le pido perdón, padre mío. No me culpe de ingratitud. Confío vivir lo bastante para demostrarle mi amor. No desespero que usté, tan bueno y generoso, me ha de perdonar." Tigre Juan besaba, llorando, las líneas de Colás y hablaba en voz alta:

—¿No te he de perdonar, pajarín sin nido, que yo calenté en mi seno hasta que le crecieron las alas? Vuela, vuela, a donde no te alcance el cazador. Tú debes perdonarme, que te quise alicortar. Pero date prisa a matar mambises, reconcho, que vuelvas cuanto antes con galones de general de brigada, por lo menos, y que rabie de celos, porque entonces ya no la querrás, la moza que te despreció. Tentado estoy de sentar plaza y acompañarte. Arrestos me sobran. Siéntome joven como de veinte años.

Tigre Juan se retiró a su camaranchón, con la carta de Colás metida en el pecho, en unión de otras preciosas hojuelas de papel, donde tenía anotados logogríficamente la suma y colocación de su caudal. Los granos confundidos y dispersos sobre el tillado se le presentaron como una imagen de la propia alma. Ideas y sentimientos, definidos, clasificados y valorizados, dentro de la lonja de su alma; la cosecha rica de una larga experiencia laboriosa, todo andaba ahora embrollado, mezclado, desperdigado, después del cataclismo espiritual de la noche anterior. ¡El trabajo y el tiempo que necesitaría, a fin de ponerlo todo en orden nuevamente! Figurábase no echar de menos la energía para este menester, antes bien, de rechazo y por reacción frente a la adversidad, se le insurgía, desde lo hondo del ser, un a manera de torbellino de oscuras fuerzas corporales, que era lo que le hacía sentirse como de retorno en la mocedad, apasionada y obcecada. Siempre se había crecido al castigo. Lo que quizás le faltase era la claridad de cabeza. Con los recientes golpes de la contraria fortuna su cerebro apenas estaba para pensar; le había quedado entumecido, amodorrado, a tal punto que Tigre Juan cayó dormido, sin enterarse del tránsito desde la vigilia al sueño.

Al siguiente día, inició la operosa tarea de poner su alma en orden. Por lo pronto, divisaba en su panorama interior tres acusados perfiles. En primer plano, la obsesión de Colás, que, bajo la mágica alquimia del sueño, de la noche a la mañana se había trasmutado en odio, odio sañudo y vengativo, hacia la moza desdeñosa y desconocida. Por el sentimiento de odio, que desde muchos años atrás no había experimentado, se articulaba el primero con el segundo plano, o sea, sensación de juventud física. Para él, dejarse dominar del odio y ser joven eran realidades equivalentes. El sentimiento de odio se prolongaba en perspectiva hasta el último plano, una como barrera encrespada y medrosa, que cerraba con obstinación la lontananza. Aquel era como el límite máximo a donde Tigre Juan consentía retroceder hacia su inopinado rejuvenecimiento. Más allá de la barrera estaban las memorias sepultadas, el pasado totalmente abolido.

Aquel día, doña Iluminada, dentro de su melancolía irremediable, traslucía, como un resplandor derretido entre niebla, un modo interior de tenue ventura. Tigre Juan entró en la tienda, a saludar a la viuda, y a continuación, para hablar algo, le preguntó por Carmina.

—Ya le dije ayer que todo estaba arreglado —respondió la de Góngora.

—Usté es mujer de discretas iniciativas. Lo que usté haya prevenido será el arreglo mejor. ¿Se puede saber?

—Como que me hace falta su aprobación.

—¿Mía?

—Sí, señor. Si usté me dice que no...

—Hable; estoy sobre ortigas. En el hospicio claro que no habrá pensado. Un asilo, ya es otra cosa...

—Herodes. ¿Dejaría usté a la niña en un asilo?

—¿Yo?

—Determinada estoy en ver a Carmina recogida en una casa particular, como hija. Una persona sola, de posibles, con temor de Dios y caritativa, no faltará. ¿Aprueba usté?

Tigre Juan entendió que doña Iluminada quería colocarle a la niña. En la mejilla, como un rescoldo, se le avivó el calor cordial que le había trasfundido el beso de Carmina. Rosa en el páramo, era el único beso infantil o femenino a lo largo de muchos años áridos. No había dinero que lo pagase, ni sacrificio computable por precio suficiente. A Colás lo había recogido porque le sonrió y jugó con sus bigotes, de guerrero bárbaro, sin asustarse de él. Si doña Iluminada decía otra palabra, se llevaba consigo a la huérfana. Le pondría una maestra. La educaría como una señorita. Rodando el tiempo, quizás se casasen Colás y Carmina. ¿Háse visto jamás cosa como aquella? Dos hijos del mismo padre, dos hermanos que se casan, sin cometer pecado abominable, antes bien los coros del empíreo cantan, "Aleluya: viva Tigre Juan, a quien Dios parecía haber condenado a no tener hijos y luego le regala con dos, como no ha habido otros, y una muchedumbre de pequeñuelos, nietos por ambas ramas, que han heredado de los padres el valor de besar al abuelo". En una gimnástica de desequilibrio imaginativo, Tigre Juan suprimía el tiempo, y así se lanzaba hacia el pasado como hacia el futuro, distantes. Con este pendular, la voluntad se le mareaba y desfallecía. Y, como siempre le acontecía, frente a su propia voluntad desertora, se encorajinaba consigo mismo de manera que, al producirse en ademanes y palabras, eran estos rudos y hostiles, como si estuviera irritado contra los demás.

—¿Por quién me toma? Uno y no más. A otra puerta. Buen hueso que roer. Busque una gallina clueca, que empolla huevos de pata o de pava como propios. —Tigre Juan, a pesar suyo, se iba precipitando, como perro con una lata atada al rabo.

—Eso no es responder acordes. Dígame en derechura si aprueba o no mi plan. ¿Sí o no?

—Me pone un puñal al pecho. De ningún modo. ¡Qué disparate! Habían de ofrecerme un quintal de trigo regalado, y pediría término en que reflexionar, por si era hurtado.

—El caso es urgente.

—Pues recoja usté a la huérfana, y sansacabó —dijo Tigre Juan, sin saber enteramente lo que decía, y expulsando por sus ojos de gato montés un relámpago lívido, que era como el grito de socorro mudo e interminente, que los barcos perdidos envían desde el fanal, en lo alto del mástil.

—De eso se trata; pero, quería contar con su aprobación.

—¡Ah! —A Tigre Juan se le apagaron los ojos y la voz.

—Está por la primera vez que nadie escarmiente en cabeza ajena. Cuando Colás tiende el vuelo y aun resuena el ruido de sus aletazos, me viene a las mientes repetir la misma experiencia desgraciada de usté. Mala ocurrencia enjaular aves de paso ¿verdad? O mueren de tristeza, o huyen así que se les presenta coyuntura. Pues no me importa. Crezca Carmina, fuerte y lozana. Hágase mujer —repitió la viuda, con inusitada vehemencia—. Y si luego me la roba un hombre; entiéndame bien, robar, robar, no casar; y un hombre digo, no un marido, que no siempre los maridos son hombres; si me la roba, aunque luego la abandone, alegrarme hé. Alegrarme hé, por ella, y daré gracias a Dios.

—Me santiguo. Oigola y no doy crédito a mis orejas.

—¡Ay, mi señor don Juan! No lleva usté en los ojos grabado el signo de los zahoríes. Por usté se escribió la sentencia del evangelio, de quienes tienen ojos y ni ven. El mundo, gracias a Dios, está poblado de ciegos, porque si no la mayor parte de los humanos morirían de vergüenza. Si las cosas tapadas so la carne se sacasen a luz, tampoco se les daría crédito.

Tigre Juan, harto empeñado en administrar orden a su alma, no estaba para divertir la atención en descifrar las palabras enigmáticas de la viuda. La idea de adoptar a Carmina había sido como una exhalación pasajera, que no deja traza, pasado el súbito deslumbramiento. Extinguida la luz instantánea, se había acentuado, como una masa negra, el primer plano del panorama interior de Tigre Juan; el odio, que crecía, crecía, hacia la moza desconocida, por la cual Colás penaba.

—¿Sabe usté, por un casual, quién es la moza? —preguntó, verdeciendo.

—¿Qué moza?

—¿Quién ha de ser? La que no quiere a Colás. ¿La conozco yo?

—Ya lo creo.

—Diga —balbució Tigre Juan.

—Herminia.

—Herminia... Herminia... —repitió, esforzándose por colgar esta etiqueta en algún maniquí de mujer, dentro de su memoria, pues las mujeres le producían impresión no tanto de cuerpos animados por un corazón cuanto de hermosas esculturas inertes, con una madeja de víboras dentro, en lugar de entrañas.

—Pero, hombre: si está usté en compañía de ella casi todas las noches.

—¿La nieta de doña Marica Laviada? Esa...

—Esa ¿qué? A ver si dice algún horror.

—Esa... —Tigre Juan perseguía en vano el vocablo apropiado—. Esa... Nada. Esa insignificancia. Que me ahorquen, si sé decir cómo es la tal moza. Y eso que la estoy viendo a cada paso. Pues sí que es para llamar la atención. No sé si tiene los ojos azules, verdes, o colorados; si es gorda, flaca o entremedio; si estiró o quedóse menuda. Vaya, vaya. Bueno, bueno. Viva el salero —dijo, sorbiendo la saliva, con fruición. Aquella mujer era acaso la única de todo el mercado en quien, por caprichosas combinaciones del destino, podía satisfacer su odio de una manera rápida, absoluta y legal.

Tigre Juan salió de la tienda, a su puesto. El resto del día se mantuvo inmóvil, emboscados los ojos entre las cejas, la boca de través, agazapado bajo los paraguas bermellón, gualda y morado, como un genio malévolo de la mitología rústica, al pie de tres enormes setas. Maquinaba su venganza.

Tigre Juan solía ir un rato de tertulia después de cenar a la tienda de pasamanería de doña Mariquita Laviada. Allí jugaba al tute con la vieja y el clérigo don Sincerato Gamborena. Herminia, algo aparte, ya en penumbra, trabajaba hacendosa, pero —esto lo había advertido Tigre Juan— en cosa de vanidad, blusas de colorines, lazos para el pelo, collares de abalorios chillones. Vestíase, además, con pretensiones de lujo, más aparente que de calidad, impropio de la posición económica de la abuela, sobremanera apurada, como nadie ignoraba en la vecindad. Esto bastaba para hacerla antipática a Tigre Juan y que huyese de parar en ella los ojos. Colás iba con su tío muchas noches. Nunca se sentaba al lado de Herminia, sino que se colocaba detrás de los jugadores, siguiendo los lances de la partida. ¿Cómo iba a sospechar Tigre Juan que Colás cortejaba a Herminia? Ni un indicio había. A no ser que le hiciese la corte con miradas respetuosas y rendidas. Esto ya no le podía notar él, porque estaba sin perder ripio a doña Marica, que al menor descuido hacía trampas. La vieja era tramposa como otros son zurdos, por constitución. Aunque no le rindiese beneficio, hacía trampa. Sostenía su comercio trampeando. En la vida le atraía y entusiasmaba todo lo que no iba a derechas y por el carril corriente. A Tigre Juan le debía unos miles de pesetas. El plazo de pago había vencido y el documento donde constaba el préstamo era ejecutivo. Tigre Juan estaba alerta, para acudir y no perder su dinero, tan pronto como otro acreedor se presentase y antes que doña Marica tuviese que declarar la quiebra. Entre tanto, aguardaba. Pero, ahora... Tenía la venganza en la mano, como una dádiva providencial. Instintivamente apretaba el puño, para que no se le fuesen de entre los dedos las riendas del futuro. Ejecutaría, sí, a doña Marica. Pondría a Herminia en la calle, desposeída de todo, pobre de pedir, que se metiese de criada, en servidumbre, o que marchase a vagabundear por los caminos forasteros, ya que había desterrado a Colás y quizás enviado a la muerte. ¿No han de recibir la justa pena estos delitos clandestinos y mansos? Pero ¿y la vieja? Quedaba condenada también a miseria irremisible, a extremo desamparo en la edad caduca, sin otro delito que el de poseer, y no por elección, una cabecita rugosa y liviana como nuez vacía. La vieja no tenía culpa en la desdicha de Colás. Castigarla, sería un crimen. Mas ¿cómo castigar a la moza, indultando a la vieja?

En estas incertidumbres, llegó la hora en que Tigre Juan se retiró a su casa. Cenó parcamente, y él mismo aderezó el yantar. Entró luego en el camarín de las reliquias: la alcoba de Colás. Dentro de aquel recinto, se le reforzaba el odio contra Herminia. Salió de nuevo a la estancia donde había comido. Sentóse, a reflexionar. Hacía tres noches que no iba a la tertulia de doña Marica. ¿Conocería la vieja el motivo de la partida de Colás? Seguramente no. De otra suerte, hubiera obligado a Herminia a aceptar el amor del mozo, siquiera por el señuelo de la hacienda del tío y acaso en la ilusión de hacerse cancelar la deuda. ¿Qué pensarían la vieja y el clérigo de la ausencia reiterada de Tigre Juan? ¿Debía ir aquella noche a la tertulia, como si tal cosa? Le atraía, sobre todo, la ansiedad de observar cuáles pudieran ser los encantos de Herminia, para así perturbar la mente de un enamorado y la vida de un hogar, hasta entonces venturoso. Pero, a la vez, sentía miedo. Miedo ¿de qué? ¿De sí mismo; miedo de arrebatarse, a la vista de la sirena; miedo de aturdirse y salir escapado de pronto, groseramente? Por otra parte, ¿con qué cara iba a entrar en la tienda? Querría entrar con serenidad, aparentando indiferencia, y a pesar suyo le asomaría a la cara un gesto de expresión precisamente inversa. Y aun concedido que pudiese lograr el apetecido aplomo, ¿estaba bien este fingimiento, pensando, como pensaba, exigir al siguiente día, o al otro, la devolución del préstamo y plantar a las dos mujeres de patitas en la calle? No: eso era una indigna hipocresía, que no casaba con su carácter y principios. Lo mejor, pues, era quedarse en casa; que doña Marica le echase de menos, y Herminia, la pérfida, sintiese zozobra; que la inquietud le fuese preparando para el golpe de gracia que él descargaría próximamente.

Al fin, no fue a la tertulia aquella noche. Ni tampoco la siguiente. Dilataba asimismo realizar su venganza, no acertando con el procedimiento verdaderamente dramático. Enviar a un procurador era un ademán mezquino, prosaico, plebeyo. El en persona debía, con su brazo, blandir la espada de la justicia. Y si no está simbólica espada, una de las dos verdes plumas de ganso que allí tenía en el tintero de porcelana, sobre el pupitre. Para eso era memorialista. Escribiría a doña Marica, con mucho ringorrango en el estilo y en el trazo, como se ve en los antiguos pergaminos, donde los reyes daban honras o confiscaban bienes. ¿Haría constar en la misiva la razón que le asistía? ¿No sería más completo despachar para Herminia otra epístola lacónica y contundente, con alguna sentencia como éstas: "el que la hace la paga", "el que a hierro mata a hierro muere", "ojo por ojo, diente por diente"?

Estaba, pues, divagando ociosamente en el primer plano de su alma, sin hacer alto en un punto fijo. Un reloj de torre pasó para las doce del medio día. Bajo los porches solitarios, el pavimento, pautado por la sombra transversal de las columnas de granito, era como una fila de grandes cubetas, que rebosaban con el sol maduro y dulce de otoño. Doblando una esquina de la plaza, se desprendió de la sombra a la luz el cartero: Tigre Juan se estremeció, viéndole acercarse con dos cartas en la mano. En el sobrescrito de una de ellas, campeaba la letra de Colás, nerviosa, entremezclada de zigzags y de combas raudas, como el vuelo de una golondrina. La letra de la otra era de mujer, erizada de nudos y enlaces, como un dechado de labor de aguja; el matasellos, de Madrid: olía a perfume. Ambas cartas le causaban igual recelo. El, que un segundo antes maquinaba ejecutar a dos indefensas mujeres, iba acaso a ser ejecutado primero, por designio divino. Pero ¿qué necesidad tenía de abrir las cartas? Tanto valía beber, por curiosidad, un líquido del cual con fundamento se sospecha que contiene ponzoña. Y si, por el contrario, las cartas encerraban la alegría y

... ...

pp. 173-209 el viaje, el pormenor desde que había subido a bordo en el vagón. Al subir el tren del "monte furado", en cuya cresta anida la ermita del Cristo de las cadenas, Colás sacó el pañuelo, despidiéndose de Pilares y Tigre Juan. Después, durante la jornada, continuó triste, claro; pero, el desfile del paisaje, reanudando a cada paso la fisonomía, le interesaba y atraía ("pensé", escribía, "que lo mejor es viajar a pie, con calma, sorbiendo las cosas que se ven"); y la algazara de otros reclutas —vihuelas, canciones y vino— le aturdían y distraían de sus añoranzas. Ya en Valladolid, la vida de cuartel no se le hacía dura por el pronto, debido tal vez a la novedad. El cielo castellano era maravilloso. Hasta ahora no había sabido lo que era el sol; pero, hallaba el sol más triste que la niebla.

Tigre Juan se apercibía a contestar en el acto la carta de Colás enviándole algún dinero y pidiendo que le dijese si necesitaba más, cuando echó de ver, caída en el suelo, la otra carta. La levantó, la abrió y con ligero corazón penetró en su lectura: "Mi querido Juan: te habrás olvidado de mí. Los hombres sois egoístas e ingratos, tanto como las mujeres somos generosas y agradecidas. Todo lo damos, y esto lo atribuís a frivolidad o algo peor. Nunca miráis dentro de nosotras, por eso sois ingratos. Los favores, apenas os son concedidos, ya les perdéis la estima, y aun a la persona que los concede. En cambio, para nosotras, una sola palabra de simpatía o de afecto no se nos borra de la memoria y quien la pronunció forma parte ya para siempre de nuestra vida. Para nosotras no pasa el tiempo. Es decir, pasa sólo por la piel; ¡qué fastidio! No me conocerías; aunque con unanimidad dicen que me conservo fresca y hermosa, a pesar de los disgustos. Pero ¿quién hace caso de los hombres, que todos sois lisonjeros y engañosos? Estaré bien conservada (quisiera saber tu opinión); pero, la generala Semprún no es lo que era la capitana Semprún, allá en Manila, ayer como quien dice. ¿Te recuerdas? Yo, como si tuviera ante la vista a nuestro asistente Guerra: todo un hombre. Eras además un buen servidor. Muy apegado a tus señores. El capitán Semprún, ¡qué bendito!, te quería como de la familia. Y yo... Si buenos servicios nos hacías (qué manos de curandero las tuyas: un dolor de riñones tuve que me curaste nada más que con examinarme, palparme la espalda, y decir que aquello era aprensión) digo que no fueron menores los servicios que te hicimos. ¿Qué hubiera sido de ti, sin la intervención de mi marido, cuando...? Ya me entiendes. El objeto de estas líneas es que me quedé viuda, va para cinco años, con dos hijas mellizas, Tutú y Popó, mujercitas ya hechas y derechas. La cochina viudedad de general no da para nada. La milicia es la cenicienta, aquí donde todo el mundo vive chupando del bote y tumbado a la bartola. Para eso defendimos a la patria tantos años, arriesgando que nos agujereasen la pelleja. Me he enterado (Dios aprieta pero no ahoga) que eres todo un señor capitalista. Espero que en pago de lo que mi marido y yo fuimos para ti tendrás la bondad de prestarme mil pesetas. De momento me basta. Vivimos en mucha estrechez, por más que las niñas y yo nos perecemos trabajando como unas cualquiera. ¿Quién me lo diría? No abrigo la menor duda que sabrás corresponder a tus deudas de honor y no te sentirás usurero ni roñica. Tu antigua señora y amiga que te aprecia Filomena. Posdata. A las niñas les gustaría conocerte personalmente. Les he hablado tanto de ti... ¿Habían nacido ya cuando tú eras nuestro asistente? Son dos querubines. La cara, algo de chinitas. Las llaman en sociedad *las chinitas.* Tienen un aquel, tan remono..."

Tigre Juan desmenuzó la carta, cuyos trozos, reducidos al tamaño de copos de nieve, arrojó lejos, como si quisiera también eliminar y aventar las imágenes que la lectura le había suscitado. Emperezábase, anteriormente, sin traspasar el plano primero de su alma, el del presente, en rampa hacia el porvenir, y héle aquí, de improviso, trasladado de lleno al plano último, donde yacían los recuerdos, por él mismo degollados, que ahora pugnaban por alzarse, como los muertos en el día del Apocalipsis. Veía a la capitana, con sus ojos grandes y parados, de vaca; su cara estucada, de yeso; sus pómulos entintados en rosicler; su boca redonda, compacta, de vivísimo rojo, como un sello de lacre; sus tenues vestiduras caseras; sus posturas provocativas; sus frases equívocas y seductoras. Desde adolescente, en la aldea, Tigre Juan, que no concebía el amor sino como un derecho de propiedad exclusiva y absoluta, había comenzado a sentir aversión y desprecio por las mujeres campesinas. Suponía, sin embargo, que las mujeres ciudadanas, de clase superior y educada, eran los ejemplares perfectos en el género femenino. La capitana Semprún le había hecho perder la fe enteramente. En el cuartel, los soldados que habían pasado por la casa como asistentes, contaban historias escandalosas. Verdaderas historias, según Juan hubo de corroborar. Cierto que ella y el marido le habían salvado, cuando... Aquí Tigre Juan se llevó las uñas a los ojos, cual si los ojos de la carne fuesen los mismos de la imaginación, resuelto, en un rapto desesperado, a arrancárselos materialmente, antes que contemplar las visiones selladas bajo aquel "cuando". De joven, en ocasiones diversas, habíase hallado por filo, resueltamente, de arrancarse los ojos, si el recuerdo, vívido, plástico, de bulto, continuaba acosándole. Desplazado el pensamiento hacia la voluntad del martirio, las visiones se desmaterializaban. Así, había llegado a relegarlas en una cámara oscura de la memoria. También ahora venció por el terror previo la presunta sedición de sus recuerdos. Quedó después como agotado, la frente vacía, repitiéndose mentalmente, sin cesar, tres frases, hacia las cuales no dirigía la atención: "¿Le enviaré las mil pesetas? ¿No será mucho dinero? Antes es Colás que ella". Esta volatilización del espíritu, que equivalía a perder la brújula de la conducta, el dominio del futuro, y por tanto quedar a merced de las circunstancias, era una impresión frecuente y típica de los años de su juventud, antes de haber llegado a crear severamente el carácter rígido de su madurez, cuya esencia reducíase a un renunciamiento de todo, con excepción del lucro económico y los morigerados goces de la paternidad adoptiva, y de esos dos afanes el primero subordinado al segundo. Porque de joven fue fogoso y tímido, por consecuencia impulsivo y violento; porque sufría de una vasta ansiedad, deseando tanto y no osando nada; porque siempre, una inesperada iniciativa exterior venía de pronto a dejarle en libertad el fuerte resorte de la acción, largo tiempo comprimido, con que salía siempre arrojado, pero sin dirección hacia un blanco final, y al dar en tierra queda maltrecho y corrido; en resolución, por tan escarmentada juventud, se avisó y apuntó para la madurez a un ideal cabalmente opuesto. Un tiránico patrón estoico: en previsión del desengaño, la inhibición del deseo; contra los yerros de la conducta, la abstención permanente. Y así, había labrado su felicidad, o si no, su serenidad, que tanto se le semeja; una llanura trigueña y humilde, como una oración cotidiana, "el pan nuestro de cada día"; un verde roble, en el centro, bien arraigado, Colás; el cielo de Dios, encima; los amagos de tormenta no traspasaban el horizonte: eso había sido su vida, dilatadamente, en la planicie central de la edad. Sobrevino una revolución geológica; el terreno despejado, raso, se desquició, se agrietó, se encrespó, como sierra fragosa, donde querían brotar malezas juveniles. Tigre Juan volvía a sentirse fogoso y tímido, agobiado de una vasta ansiedad por un no sé qué infinito, expectante frente a lo que los caprichos del azar quisieran hacer de él. Tenía el corazón como una gran copa vacía, que de un momento a otro iba a calmarse. ¿Cómo? ¿Con qué?

La noche aquella, después del parvo refrigerio, apoyado de codos en la mesa, Tigre Juan perseveraba en su estado de disipación de espíritu y de anhelo congojoso. No pensaba en nada. No se acordaba de la capitana, ni de Colás, ni de Herminia, ni de doña Marica. Llamaron a su puerta, por tres veces, hasta que le sacaron de la abstracción. Era el clérigo Gamborena. Este señor reía, más que hablaba, con una risa estrepitosa, monotónica y hueca, como el redoble de un tambor. Era bajo de estatura y singularmente esquelético. Su cabeza estaba descarnada, manifiesto el hueso bajo la piel adherida, lustrosa y precisamente de color huesado. Iba vestido de seglar; levita de alpaca, raida en los codos, zurzida y remendada por las manos del propio don Sincerato, deshilazada; el pantalón, digno consorte de la levita; una chistera disforme, calva y parduzca, a causa de su senectud. En conjunto, el clérigo parecía un frasquito de tinta con un corcho de botella de litro. Dijo a Tigre Juan que venía a buscarle, para ir juntos a la tertulia de doña Marica; que se le echaba ya de menos; y que el disgusto por la marcha de Colás no era razón para amilanarse en un rincón de la madriguera, antes para buscar honesto esparcimiento al ánimo afligido. Todo esto lo dijo a su manera, peculiarísima; en un estilo telegráfico, de sentencias desligadas, sin casi usar verbos (era director y fundador de un asilo de sordomudos y ciegos, y en el trato constante de ellos se había acostumbrado a hablar por epígrafes); entre frase y frase, que por cierto no pretendían ser graciosas, metía un redoble de hilaridad, o bien un repique de tos, tan hueca y seguida como la carcajada. Diferenciábase la risa (risa de calavera) de la tos (tos macabra) porque la boca en la risa era el trazo horizontal y en la tos el trazo vertical de la entrada de una sima tenebrosa.

Tigre Juan se dejó llevar por Gamborena. Al verles entrar, doña Marica rompió en joviales gorjeos de bienvenida, meneando en el aire, como una ola, el abanico abierto. Esta señora tenía mondo el cuero cabelludo, sin un solo pelo. Pintábase todas las mañanas con un corcho quemado, que pareciese cabellera partida en dos bandas, y la raya central la sacaba raspando con una aguja de hacer calceta. La boca diminuta, fruncida, un ojal, carecía de labios. Ojuelos de ratón. Toda se volvía dengues y melindres. Así como Gamborena celebraba cuanto él decía, doña Marica creía vislumbrar una intención apicarada a cuanto decían los demás. Con el abanico, golpeaba al interlocutor en el hombro, coquetamente, o en la mejilla, a pesar de sus setenta años corridos. El modismo "cabeza de chorlito" se había inventado para ella.

Herminia saludó la entrada de Tigre Juan con un "Buenas noches" cantarín, levantándose un tanto de la silla, en un esbozo de reverencia, pero sin mover de la costura los ojos. Tigre Juan le había dedicado hasta entonces tan escaso miramiento que ahora no podía, dentro de sí, decidir si aquella era la acogida habitual o si esta noche había algo extraordinario en el saludo de Herminia, algún aturdimiento, un poco más de cortesía, un poco más de desprecio.

Reanudaron la partida de tute la vieja, el cura y Tigre Juan. Tigre Juan pensaba: "Vamos a ver; vamos a ver, señora princesa del pan pringao. Quiero, con calma, sin pasión, acreditar si están en regla tus títulos de empingorotamiento. Has desoído la amorosa queja de Colás. Eso será porque le tienes en poco. Quizás esperas, para que te desposе, al príncipe Pentapolín, del arremangado brazo. O será, tal vez, porque el mozo no te agrade. Tampoco toleras vivir en mi compañía. ¿Pues qué? ¿Soy bestia inmunda? ¿Hiedo? Presuntuosa. Necia. ¿Cuál es tu prosapia? Tu padre, un valenciano, vendedor ambulante, que llevaba la tienda a la espalda, como camello o caracol. Y con sus puntas y ribetes de falso y ladrón, a lo que se murmuraba: que no se te olvide. Tu madre... Familia de tenderos de tres al cuarto, tramposos todos, de padres a hijos; llévanlo en la sangre. Más quiebras hay en tu familia materna que conchas en la esclavina de un peregrino. ¿Entonces? ¿Entonces, señora doña Pelagatos? ¡Ah! Perdón. Se me pasaba que tu apellido, por parte de padre, es Buenrostro. Herminia Buenrostro. Vamos a ver; vamos a ver si es verdad tanta belleza. Vamos a ver ese hechizo irresistible de diosa. Si tanto es, me declaro rendido. Por estúpida, casquivana, vanidosa, inútil, insensible, siempre he de tenerte; pero tales son las prerrogativas de la hermosura. Valiente cosa, las caras lindas. Hermosura, poco dura. Vamos a ver, vamos a ver..." El verbo es freno o sustituto de la acción. Tigre Juan prolongaba el monólogo mental, decíase tantas veces vamos a ver, vamos a ver, porque no se resolvía a mirar a Herminia. Inclinóse hacia la mesa de juego, de suerte que la lámpara le diese más sombra bajo las cejas, y, con los ojos reculados hacia el cogote, precavidamente, fue girando la mirada en semicírculo, como un proyector de luz imperceptible. Tan pronto como con la mirada tropezó con Herminia, la apartó, de rechazo, en veloz fuga. Repitió el intento, varias veces, forzando los ojos a detenerse más y más en el objeto que buscaban. A la postre, los apoyó de lleno sobre Herminia; la enfocó de cuerpo entero, con reposo. Primeramente, atento tanto a la chica como a guardar cautela, por que ni ella ni la vieja ni el cura se percatasen de su investigación. Luego, atento sólo a saciar la mirada y olvidado de que le pudiesen descubrir. Pensó que iba a analizarla; pero no hacía sino contemplarla, en arrobo, a pesar suyo, y sin conciencia de la autenticidad del sentimiento que le domeñaba. Herminia permanecía con los ojos abatidos sobre su labor, por donde, el escorzo de la cabeza y el cuello se doblegaba con laxitud pensativa de sauce. La tez tersa, mate, estaba amasada con pulpa de magnolias, si hubiera magnolias morenas; debía ser fresca al tacto, como lo era para los ojos, y de seguro de ella se desprendía una fragancia exquisita. El cabello, caudaloso, sedeño, de traslúcida negrura con visos amatista; si lo soltara, podría envolverla y arrastrar, como un manto. Tenía la boca fina, levemente entreabierta y por momentos temblorosa, de las personas inclinadas al ensueño. Las manos, más blancas que el rostro, eran gordezuelas por el dorso; los dedos, largos y cónicos, brotaban con independencia, separados por la base, y el meñique, como benjamín de sus hermanos, jugueteaba y se enarcaba en actitudes lindas. Aunque su vestido era púdico, no conseguía disimular la buena proporción y gentileza del cuerpo, ni el relieve de algunas formas, acaso propensas a la exuberancia. Herminia levantó por caso los ojos: ojos de almendra, negros, en esmalte, cuajados, como los de una estatua. Los ojos de Herminia iban enderezados hacia Tigre Juan, el cual sintió un escalofrío mortal. Por la pelambrera lanuda le corrió un espeluzno. Mas no por eso dejó de mirar a Herminia, en los ojos, que le fascinaban. Aquellos ojos de Herminia eran de una virtud cabalmente contraria a los de doña Iluminada. Los de la viuda veían sin mirar: los de Herminia miraban sin ver, como los ojos de un ídolo. Tigre Juan estaba cierto que, aunque al parecer mirándole, o cuando menos mirando en aquel sentido, Herminia no le veía. El no existía para ella, no era un obstáculo, no era nada, en el itinerario ideal de aquellos ojos como ciegos. Y se recreaba en su anonadamiento, porque así podía dilatarse morosamente, y deleitarse, en mirar a Herminia, sin zozobra ni sobresalto. Le empapaba un bienestar absoluto, nuevo en su vida; un bienestar cuya expresión inmediata lo mismo podía ser la risa que el llanto.

—Cuajo, guanajo, cáscaras de ajo —chilló don Sincerato Gamborena, que poseía repertorio surtido de exclamaciones por aliteración o consonancia—, Tigre Juan en Babia, en Coria, en Batuecas. Arrastre de as no hace. Doña Marica, las cuarenta. Dos perras gordas voladas. Ején.

Ején. Ején. Catástrofe. Ruina. Ején. Deseos llorar lágrima viva, dineros perdidos tonto. Ején. Tigre Juan mientes ausentes. Colás lejos, luto riguroso. Tristeza mala, jugada peor. Ején. Animo. Alerta. *Sursum corda.*

A Tigre Juan se le humedecieron los ojos. Los enjugó con un extenso pañuelo verde floreado, que era la estampación en cretona de un prado primaveral. No había escuchado los conceptos, sugeridos más que expresos, del cura, sí sólo oído su voz opaca (nacida de un mísero resto de aniquilados pulmones) que se modulaba en una canturria de lamentación, e incitaba al lloro. La palabra "Colás", incluida en la melopea, había herido a Tigre Juan como una nota falsa, inoportuna.

—Alma de cántaro, o lo que es lo mismo, alma de Dios, es este bendito. Como el pan candeal, de blando y escogido. Fuerte como un roble y el alma un nido de jilgueros. No sé qué me da ver llorar a un hombre tan tieso y recantiplado. Y eso que Colás no era talmente su hijo. Basta, don Juan, que concluyo afalagándole, por consolarlo —dijo la vieja, a modo de trémolo de clarinete. Y a tiempo que, emparejando frase y ademán, extendía con una mano el abierto abanico a la mejilla de Tigre Juan y le tapaba la cara, con la otra mano le sustraía de sobre la mesa una moneda de dos reales.

—¡A ella! ¡A ella! Ja, ja, ja, ja. Doña Urraca, con el hurto en el pico. Ja, ja. Dos realinos. Ratera doña Urraca. Ja, ja. Hacer caja, Tigre Juan. En un santiamén *volaverunt.* Ja, ja, ja, ja. —Gamborena elevaba los brazos y brincaba sobre el asiento, con regocijo alborotado e inocente.

—¡Animas del Purgatorio! Háceme reír sin querer. Ji, ji, ji —doña Marica se santiguaba con el abanico y profería una risita contrahecha, de falsete—. Qué chanzas, en boca de un sacerdote. Usté tiene los demonios en el cuerpo. Ji, ji, ji. Gracias que don Juan, no lo creo. Ríome de todos modos. Ji, ji, ji.

—Testigos oculares. Testigos oculares. Ja, ja, ja, ja —decía Gamborena, sin resuello ya, estirando, con entrambos índices, los párpados inferiores, hasta enseñar el revés, clorótico, en amarillo.

La contaminación de la alegría ruidosa prendió al punto en Tigre Juan, que se volcó en una especie de risa homérica, de metálico retumbo, larga, dijérase que inextinguible.

Reía sin causa, como de mozo, sirviendo al rey, hacía flamear una bandera, o tañía una corneta de cobre, por esparcir fuera de sí un ímpetu que le llenaba. Según reía, tendió la vista hacia Herminia. La muchacha se encogía amedrentada, con un movimiento espontáneo y patético, a la manera de un gesto de la naturaleza, como una paloma bajo el trueno. Y Tigre Juan cesó, en seco, de reír. Herminia recobró su serenidad pensativa. Tigre Juan prosiguió contemplándola, hasta el momento de partir. El cura y él separáronse a la puerta. Tomó, a solas, la vuelta de la casa. Había lluvia de estrellas. Cruzábanse, en la altura, muchedumbre de alaridos estridentes, como si las estrellas de diamante chirriasen al arañar el cristal del cielo. Tigre Juan levantó la cabeza; bailaban los astros, innumerables y luminosos, y bailaban, entre ellos, innumerables puntos negros, en giros vertiginosos, vocingleros y mareantes. Pero Tigre Juan no se mareaba ahora; dentro de sí, como plomada, su corazón era una gran pesa de oro, que le mantenía perpendicular entre el firmamento y la tierra. Acostado ya, se dejó dormir, con dulzura, con suavidad, como si se fuese anegando en bálsamo. Al despertar, estaba purificado, metamorfoseado en un ser leve, venturoso, exento de las cuitas y enojosidades humanas, cual si por su bien le hubieran sumergido un instante en las aguas del Leteo, que proporcionan el olvido. Sentía una benevolencia universal hacia todas las cosas. Todo era bueno, toda era bello, todo era útil. Hasta las hierbas venenosas podían convertirse en medicinales. En puridad, medicina y veneno eran uno mismo; sólo vería la proporción en que han de usarse. Y ¿cómo separar salud y muerte? Un hombre sano es un hombre nuevo cada mañana, que ha matado la noche anterior al hombre viejo. Y la muerte ¿no es la salud suprema? ¡Qué gentil, qué bonita, aquella colina, con su contorno femenino! Apetecía estrecharla entre los brazos, contra el pecho, como una esposa. Su falda, de velludo oro viejo, estaba moteada de flores. Hacia allí fue Tigre Juan, para arrancarlas. Eran flores de belladona; azucenas, con los bordes rosados. Parecían pinceles de pluma de cisne, mojados en luz de aurora. ¡Qué maravilla! Volvió a la Plaza del mercado, con un manojo de flores. Parte de ellas se las ofreció a la viuda de Góngora; las demás las colocó, en un cacharro, sobre su pupitre. Desde el puesto, estaba mirando a su amiga doña Iluminada, allá en el fondo de la tienda, como si la viese por primera vez, pues, ciertamente, era la vez primera que la miraba manteniéndose dueño de sí, sin incomodidad, con aplomo, y hasta imaginaba que con un don de clarividencia, recién adquirido. El ambiente de la tienda era ahora optimista, despejado, casi brillante, como si hubieran vertido dentro un chorro de sol. Camina, vestida ya de luto, iba y venía, sacaba piezas del anaquel, las traía sobre el mostrador, y la viuda le decía el nombre de la tela, y el precio. También la viuda, como él, le parecía a Tigre Juan agraciada con una felicidad repentina y plenaria. O por mejor decir, lo repentino en la felicidad de la señora era su conocimiento por parte de Tigre Juan, quien, de repente, acababa de penetrar y sentir, en la persona de su amiga, la sutileza de un nuevo y raro orden de saber ser feliz. La felicidad de la viuda no era improvisada de pronto, ni provenía de haber injertado poco antes en su corazón a la huérfana, con esperanza de que prendiese y fructificase como hija, nada de eso. La de Góngora era feliz ya de antiguo, abastadamente feliz, a su modo, un modo agridulce, sabrosísimo; lo era a causa de un dolor viejo y constante —Tigre Juan no se detenía en averiguar, ni le interesaba, cuál fuese este dolor— que ella, lejos de procurar ahuyentarlo o suprimirlo, se había complacido en incubar, alimentar, desarrollar, hasta que se vio del todo poseída por él, y transida en el tuétano de los huesos, con deleitoso abandono, no de otra suerte —imaginaba Tigre Juan— que la madre goza desde la raíz última de su maternidad, con sufrimiento placentero, cuando siente que el hijo que amamanta, agotada la leche, le sorbe la sangre. (¿Por qué se le ocurrió a Tigre Juan esta comparación de la madre y del hijo?) La felicidad de doña Iluminada, concluyó Tigre Juan, consistía en la voluptuosidad del dolor. ¡Mundo admirable; intachable orden de las cosas! No hay mal que no redunde en un bien más alto. Bajo las espinas del dolor se esconde un manadero que fluye delicias quintaesenciadas. Pues ¿iba a haber en el universo un solo rincón sombrío y triste; ni siquiera la tienda de la viuda; ni aun el pobre e inútil corazón de la señora?

Al mediodía, Tigre Juan tenía gran apetito. Fue a la taberna de un tal Escipión, y comió y bebió con largueza. Pasó el resto de la tarde soñoliento, en soporífero bienestar.

El sol le rehogaba la espalda, con insistencia blanda, como si unos brazos minuciosos le abrazasen y unos labios tibios le besasen en la nuca.

Por la noche, volvió a la tertulia de doña Marica. Jugaba maquinalmente, y, con los ojos agazapados tras de la celosía de las cejas, contemplaba, sin pestañear, a Herminia. "Herminia Buenrostro, Herminia Buenrostro; fallo que eres inocente de inspirar amor desesperado. ¿Qué culpa tienes tú de tu belleza? Pero no te absuelvo; no te absuelvo todavía. ¿Eres como todas; fingimiento, maldad, vicio solapado? ¿Por qué un vaso tan pulido y precioso contiene licor tan nocivo? Almas de vitriolo, en pomo de alabastro. ¿No seréis como las hierbas medicinales, muerte o vida, según la proporción en que se tome? Pero ¿dónde está, dónde, el Hipócrates o el Galeno que conozca el arte de la medicina por amor? No te absuelvo. No te absuelvo."

Tigre Juan equivocaba las jugadas. Aprovechábase la vieja, generalmente. El clérigo rebotaba en su asiento, se indignaba riéndose, retozaba tosiendo, pronunciaba frases concisas y sin ilación, como si leyese

APÉNDICE III

RAMÓN PÉREZ DE AYALA: TEXTOS SOBRE EL DONJUANISMO (EN "LAS MÁSCARAS")

"DON JUAN"

Estamos en la semana de los Tenorios. Si hay una afirmación clara y concreta en materias teatrales que pueda ser aceptada una unanimidad, es esta: *Don Juan Tenorio,* drama de don José Zorrilla, es la obra más popular y conocida en España. Y, sin embargo, hay otra afirmación, no menos clara y concreta, que acaso no se haya formulado el lector; pero que, en conociéndola, espero que sea aceptada también unánimemente. Hela aquí: *Don Juan Tenorio* es la obra menos conocida en España. Menos conocida, porque el conocer con error, el tomar una cosa por lo que no es, es menos y peor que el completo ignorar. El origen primero de todo conocimiento es la experiencia personal del que conoce. Sin esta condición es difícil alcanzar un conocimiento que sea de provecho.

Cuando el juicio u opinión sobre la cosa se ha adelantado o sido inculcado en la persona antes de conocer la cosa, se la llama prejuicio, juicio prematuro. Un hombre de prejuicios es un hombre que está incapacitado para conocer las cosas. Respecto del *Tenorio,* cada español lo conocía antes de haberlo visto por primera vez, es decir, que no ha llegado a verlo por primera vez. Desde los primeros años, mucho antes de haber asistido a un teatro, hemos oído alusiones, paráfrasis, chirigotas, a costa del *Tenorio.* Esto quiere decir que ningún español tiene la experiencia personal, la experiencia virgen y emotiva del *Tenorio;* que ninguno lo ha visto por primera vez, pues el *Tenorio* que hubo de ofrecérsenos cuando por primera vez se nos apareció en el tablado no podía ser ya el *Don Juan* que Zorrilla sintiera e imaginara, sino la proyección fría del *Don Juan,* un tanto abstracto y otro tanto ridículo, que estábamos avezados a figurarnos de antemano. Recuerdo que, en una ocasión, viendo *Don Juan Tenorio* en una provincia, muy mal interpretado por cierto, me produjo una viva emoción. Y yo pensaba: "Lo que daría por ver el *Tenorio* por primera vez." Éste es el canon estético fundamental: procurar ver las cosas por primera vez. Lo torpe y risible de ese público especial de Madrid que asiste a los estrenos, y nada más que a los estrenos, es que, en general, se compone de personas incapaces de ver una obra por primera vez, permítaseme la paradoja; un público que no busca en las obras sino el parecido con obras anteriores.

A *Clarín,* que si fue un gran crítico fue precisamente porque sabía ver las cosas por primera vez con perfecta ingenuidad y, por decirlo así, barbarie del espíritu, se le ocurrió ensayar la experiencia de ver el *Tenorio,* por vez primera, sirviéndose de un personaje novelesco, la protagonista de *La Regenta.* Es ésta una mujer joven y linda, de rara sensibilidad e inclinaciones místicas, que ha llevado una vida triste, hermética, colmada de sueños; casó con un viejo, y en el momento de asistir al *Tenorio* andaba a punto de caer indefensa bajo el hechizo de un Don Juan moderno. Su nombre, Ana Ozores, de apodo *la Regenta,* por haber sido su marido presidente, o como en Vetusta se decía, regente de la Audiencia.

Las peripecias del drama, dice *Clarín,* "llegaron al alma de *la Regenta* con todo el vigor y frescura dramáticos que tienen y que muchos no saben apreciar, o porque conocen el drama desde antes de tener criterio para saborearlo y ya no les impresiona, o porque tienen el gusto de madera de tinteros." Y más adelante, hablando de la denominada escena del sofá: "Estos versos que ha querido hacer ridículos y vulgares, manchándolos con su baba la necedad prosaica, pasándolos mil y mil veces por sus labios viscosos como vientre de sapo, sonaron en los oídos de Ana aquella noche como frases sublimes de un amor inocente y puro que se entrega con la fe en el objeto amado, natural en todo gran amor. Ana, entonces, no pudo evitarlo; lloró, lloró, sintiendo por aquella Inés una compasión infinita. No era una escena erótica lo que ella veía allí: era algo religioso; el alma saltaba a las ideas más altas, al sentimiento purísimo de la caridad universal...; no sabía a qué; ello era que se sentía desfallecer de tanta emoción."

Lo que estorba a la inteligencia y emoción del *Don Juan,* esto es, lo que le impide verle por vez primera, es su leyenda. Estoy por decir que, no ya nosotros, pero ni aun los contemporáneos de Zorrilla, lograron ver por primera vez su *Don Juan Tenorio,* ni los de Tirso de Molina su *Burlador de Sevilla y convidado de piedra.* Con siglos de anterioridad a Tirso de Molina existía la leyenda del muerto, o estatua, que asiste a un convite, adonde sacrílega e impíamente se le brindó por mofa. Estos sucesos sobrenaturales de la leyenda, traspuestos a aquellas dos obras dramáticas, son los que, sobre todo, enardecen la imaginación del público y le arrastran a presenciar la escandalosa vida y muerte ejemplar de *Don Juan Tenorio,* como lo prueba en qué época del año es uso poner en escena el drama.

Otro elemento que, sin duda, al público sencillo descarría, es la sensualidad picaresca de Don Juan, que no hay hembra que no apetezca ni traza que no se dé para conseguirla, lo que con voz actual se dice sus calaveradas, y en clásico, burlas de amor. Este elemento ha sido introducido en el carácter dramático de Don Juan por Tirso de Molina, padre verdadero y legítimo de *Don Juan Tenorio,* con su nombre y facha ya eternos. Antes de Tirso, el personaje que invita en chanza al muerto, o estatua, era meramente un hombre impío y alardoso de su impiedad.

Tirso crea el tipo de burlador de hembras, le hace bravo y emprendedor, hermoso y gallardo, y le mantiene impío, o, cuando menos, bastante audaz para mirar con altivez y desprecio las cosas santas. Pero, aun cuando toda esa suma de particularidades son de mucha importancia en el carácter de Don Juan, desde luego las más visibles, y tales que sin ellas no se le concibe, con todo no constituyen la verdadera esencia del donjuanismo. Tirso lo adivinó con clarividente sutilidad y elevó el tipo de Don Juan a la categoría de arquetipo, infundiéndole su verdadera característica, un soplo de sustancia sobrenatural e imperecedera.

A partir de Tirso, el *Don Juan* queda completo en todos sus elementos: lo sobrenatural pasa de los actos, como acontecía en la leyenda, al espíritu de Don Juan. Y esta característica, o verdadera esencia del donjuanismo, es el poder misterio de fascinación, de embrujamiento por amor. El verdadero Don Juan es el de Tisbea, en Tirso de Molina, mujer brava y arisca con los hombres, pero que apenas ve a Don Juan se siente arder y pierde toda voluntad y freno: el Don Juan de doña Inés en Zorrilla. Y en lo que aventaja Zorrilla a Tirso es en haber exaltado poéticamente esta facultad *diabólica* de Don Juan. Don Juan no es Don Juan por haber ganado favores de infinitas mujeres con mentiras y promesas villanas, sino por haber arrebatado, aun cuando sea a una sola mujer, por seducción misteriosa; y empleo aquí la palabra seducción en su sentido propio, como enhechizo. De esto se olvidó Molière, o no lo echó de ver, acaso por el medio en que vivió. Su Don Juan es más natural, mas como los seudodonjuanes que conocemos; es frío, voluptuoso e incrédulo. El Don Juan español es un torbellino de pasiones, y, más que incrédulo, tiene algo del mismo demonio. ¡Qué bien ha visto esto Zorrilla, y qué bien lo expresó! Don Juan tiene algo del mal absoluto, con las añagazas gustosas e irresistibles del mal absoluto, que por lo mismo que es mal absoluto anda tan cerca de semejar bien absoluto, y que por tal lo tenemos. Nada hay que tanto se parezca a Dios como el mismo Diablo. Los santos, que son quienes más saben de estas cosas, lo aseguran...

También *Clarín* lo vio claro. He aquí algunas de sus palabras a este respecto: "Ana, clavados los ojos en la hija del Comendador, olvidaba todo lo que estaba fuera de la escena; bebió con ansiedad toda la poesía de aquella celda casta en que se estaba filtrando el amor por las paredes. "Pero ¡esto es divino!" *(tanto valiera decir que era diabólico),* dijo volviéndose hacia su marido, mientras pasaba la lengua seca por sus labios secos. La carta de Don Juan escondida en el libro devoto, leída con voz temblorosa primero, *con terror supersticioso después,* por doña Inés, *la proximidad casi sobrenatural* de Tenorio; *el espanto de sus hechizos* supuestos producía en la novicia, que ya cree sentirlos; todo, todo lo que pasaba allí y lo que ella adivinaba, producía en Ana un efecto de magia poética, y le costaba trabajo contener las lágrimas." Doña Inés no conocía de vista a Don Juan.

De los intérpretes de los muchos Tenorios madrileños nada hay que decir, ni en loanza ni en menosprecio. Con todo, me permitiré insinuar una pequeña observación, *in genere,* a los donjuanes, relativa al ritmo de los movimientos. Citaré, por último, otras frases con que un personaje de *La Regenta,* gran devoto del teatro clásico, comenta los aires y maneras de Don Juan, que lo incorporaba un actor que imitaba a Calvo.

"¡Qué movimientos tan artísticos de brazo y pierna...! Dicen que eso es falso, que los hombres no andamos así... Pero ¡debiéramos andar! Y así, seguramente andaríamos y gesticularíamos los españoles en el Siglo de Oro."

Y añado, por mi cuenta, que sí, que andaban con garbo y airoso movimiento de brazos; por una razón, y es que no llevaban pantalones con bolsillos, ni americanas con bolsillos, ni gabanes con bolsillos. Esta verdad me la ha descubierto el *Guerra,* famoso torero. Cierta vez, este torero me encarecía "lo bonito y *grasioso* que era *Lagartijo,* lo bien que se movía y andaba, que solo verle el paseíllo valía dinero". Y añadía: "Los toreros de ahora tienen tan mal ángel porque andan vestidos siempre de señoritos, con las manos en los bolsillos, no saben qué hacerse con las manos ni cómo mover los brazos." Pues lo mismo les sucede a los actores modernos. Como en la mayor parte de las obras que representan se pasan la noche con las manos en los bolsillos, *con gran naturalidad,* cuando el atavío no tiene bolsillos no saben accionar ni moverse. Todo actor que se estime debe hacer gimnasia a diario, para dar elasticidad y gracia a los movimientos y para evitar el vientre. Porque eso de ver un Don Juan tripudo...

"DON JUAN, BUENA PERSONA"

Con su última comedia, *Don Juan, buena persona,* los señores Álvarez Quintero han dado solución a un problema que hasta ahora se reputaba insoluble: han resuelto la cuadratura del círculo. No se vea en lo que decimos el menor asomo de ironía. Y aun añadimos que los señores Álvarez Quintero no han dado por chiripa con aquella peregrina solución, sino que adrede, en su nueva comedia, persiguieron compaginar lo que parecía irreductible, la bondad moral y el donjuanismo. No hay sino leer el título, que no puede ser obra de la casualidad. *Don Juan, buena persona,* es una antinomia, y viene a ser como decir la cuadratura del círculo. Hacer de un círculo un cuadrado no es cosa del otro jueves. Lo difícil es cuadrar el círculo sin despojarle de su naturaleza circular. De la propia suerte, hacer de Don Juan una buena persona es verosímil, sólo que al hacerse buena persona deja de ser Don Juan. Los señores Álvarez Quintero han querido trasmutar la esencia moral de Don Juan, sin por eso disiparle su legendaria esencia. Ambicioso empeño. ¿Lo consiguieron? Hemos comenzado por conceder que sí.

Recordemos ligeramente la genealogía literaria de Don Juan y algunos de los rasgos sobresalientes y perdurables con qu se ha ido enriqueciendo su carácter. Comienza por apenas llamarse Pedro. La estirpe originaria de Don Juan no es noble, es plebeya, al contrario de Hamlet y Don Quijote, que uno era hijo de reyes y otro vástago de hidalgos.

Y repárese que, dentro de un triángulo cuyos ángulos fuesen estos tres personas, acaso cupiera inscribir la incoercible infinitud y complejidad del tipo humano: Don Juan, la sensualidad, la ambición de conquistas palpables y de fama funesta, representa los sentidos, por eso es plebeyo; Don Quijote, la idealidad, la ambición de conquistas desinteresadas y de fama pulcra, representa el corazón, por eso es hidalgo; Hamlet, el examen crítico y trágico del valor último de cualquier conquista y acción, ya sea palpable, ya sea quimérica, de donde nace el desdén por la fama, representa la mente, por eso es príncipe. Don Juan, antes de llamarse Don Juan, es un ser anónimo que pulula en todas las literaturas populares de la Edad Media; es, simplemente, un hombre impío, alardoso de su impiedad, que por chanza convida a comer a un muerto o estatua. Tirso de Molina toma este individuo anónimo y con él forma su Don Juan Tenorio, burlador de Sevilla. El Don Juan, de Tirso, posee ya las cualidades donjuanescas definitivas.Nos encontramos, desde luego, con Don Juan en su plenitud, a modo de idea platónica, como arquetipo humano. Cada Don Juan posterior al de Tirso nada sustancial añade al arquetipo originario, sino que se distingue y define por la mayor notoriedad o simplificación de alguna de aquellas cualidades con que ya se nos mostró el de Tirso.

El Don Juan, de Tirso, es hermoso, apuesto y arrojado; aunque todavía mozo, ya corrido en años, y los años, colmados de aventuras y experiencia; impío, o lo que es lo mismo, despiadado, así para con lo divino como para con lo profano; es burlador profesional de hembras; mendaz de amor, artimañero, no solicita de la mujer sino los deleites efímeros de la carne, y, en habiéndolos gustado, olvídase de quien apasionadamente se los brindó. A pesar de todas estas cualidades, Don Juan no dejaría de ser un hombre reduplicadamente vulgar, puesto que no se mueve sino hacia la consumación del acto más vulgar de la existencia, acto que Don Juan jamás se cuida de ornamentar con arrequives y sutilezas estéticas ni espirituales; para él tanto monta la amorosa y pulida dama como la bronca y maloliente pescadora. Pero, en este copioso acarreo de vulgaridad, Tirso acertó a desentrañar un agente, un espíritu misterioso. Y así, Don Juan no sólo deja de ser vulgar, sino que representa una nueva interpretación de la vida humana y de las relaciones de los sexos. En otra parte *(Las Máscaras,* libro I*)* hemos escrito: "La verdadera esencia del donjuanismo es el poder misterioso de fascinación, de embrujamiento por amor. El verdadero Don Juan es el de Tisbea, en Tirso de Molina, mujer brava y arisca con los hombres, pero que, apenas ve a Don Juan, se siente arder y pierde toda voluntad y freno; el Don Juan de Doña Inés en Zorrilla. Y en lo que aventaja Zorrilla a Tirso, es en haber exaltado poéticamente esta facultad *diabólica* de Don Juan. Don Juan no es Don Juan por haber ganado favores de infinitas mujeres con mentiras y promesas villanas, sino por haber arrebatado, aun cuando sea a una sola mujer, por seducción misteriosa, y empleo aquí la palabra seducción en su sentido propio, como enhechizo."

En materias de amor, el arquetipo opuesto a Don Juan es Werther. Don Juan domina al amor. Werther es dominado por el amor. Mas no debe olvidarse que Werther no es un arquetipo creado por Goethe, ni representa una nueva interpretación de las relaciones de los sexos opuesta a otra preexistente: Don Juan, sí. El amor de Werther es el amor caballeresco y cristiano de la Edad Media europea, es el amor de Macías y Amadís, el amor sin carnaza, el amor puro, que mata al amador. Antes de Don Juan, era noción comúnmente recibida como evidente que el centro de la gravitación amorosa residía en la mujer; que el enhechizo o misterioso poder de fascinación y embrujamiento dimanaba de la mujer; que el varón iba a la hembra como van los ríos al mar (la Doña Inés, de Zorrilla, dice a Don Juan que se siente arrastrada hacia él como va sorbido al mar un río), y por ende, que el primero el prendarse era el varón, y no aspiraba a ser correspondido sino después de acreditar altos merecimientos y fidelidad sin tacha. Don Juan viene a mudar los naturales términos de la mecánica del amor; el centro de gravitación y el fluido capcioso se oculta en él y de él dimana: Don Juan no ama, le aman. Y así resulta, curiosa paradoja, que el más varonil galán, galán de innumerables damas, pudiera asimismo decirse que es la dama indiferente de innumerables galanes, ya que ellas son quienes le buscan y siguen y se enamoran de él, que no él de ellas.

Ninguna hace mella en su corazón ni en su recuerdo, y así a todas posee como esclavas (la servidumbre y rendimiento que cumple a todo fino amador, según el código amatorio caballeresco, los acoge para sí la dama frente a Don Juan, habiéndose manumitido Don Juan de tales preceptos; la amada pasa a ser amadora); pero de ninguna es poseído. Don Juan es como rey pródigo que va acuñando con su efigie monedas en metales diversos —oro, plata, cobre—, para luego despilfarrar el tesoro y olvidarse de cómo lo ha ido desparramando.

La hermosura y la impiedad, así religiosa como cordial, del Don Juan, de Tirso, se han perpetuado en todos los sucesores, a excepción del marqués de Bradomín, el cual, como se sabe, fue un Don Juan admirable y único: feo, católico y sentimental. Pero del marqués de Bradomín no es lícito afirmar que fue una buena persona, en el sentido corriente en que aplican este calificativo los señores Álvarez Quintero a su flamante Don Juan: *buena persona,* sinonimia de *infeliz.* En el marqués de Bradomín, a pesar de su catolicismo, acaso por eso mismo, lo diabólico del carácter donjuanesco adquiere señalada importancia y significación; porque, para ser diabólico, lo primero creer en el diablo. El marqués de Bradomín en cuanto católico creyente, es mucho más diabólico que el Don Juan de Zorrilla.

Este último se mofa de las cosas invisibles de ultratumba porque no cree en ellas; luego su impiedad es fanfarronada gratuita ante un enemigo imaginario. Por eso, cuando a la postre ocurre que las cosas de ultratumba, abandonando el hermético reposo, vienen hacia él, a Don Juan se le eriza el cabello, cae de rodillas y encomienda su alma a Dios. Este Don Juan, de Zorrilla, con todas sus fanfarronadas y canallerías, en el fondo es un infeliz, una buena persona. Hasta en el *ars amandi* se delata de no muy docto, pues al habérselas por vez primera frente a la feminidad selecta y cándida adolescencia de Doña Inés se entrega como un doctrino, abomina de su mala vida pasada y quiere contraer matrimonio. Si en tal coyuntura el Don Juan, de Zorrilla, no ingresa en el apacible gremio de los casados, es por culpa del Comendador, que es un bruto, y no achaque ni tibieza de Don Juan. En lo que es sutilmente diabólico, aun sin él mismo proponérselo; el carácter de Don Juan, de Zorrilla, es en la facultad de seducción con que enhechiza a Doña Inés, en el encanto irresistible que de su persona se desprende, y que, atravesando de claro los recios muros del convento, llega hasta la celda en donde vive, recoleta, la novicia, y la envuelve, penetra y enamora, de suerte que ya, antes de haberlo contemplado con ojos mortales, Doña Inés se entrega a Don Juan en pensamiento.

"DON JUAN"

I

PROVENZA Y JUDEA

"En sus ojos reside el amor; por lo cual, cuantas mira le parecen hermosas y amables. Por donde él pasa todas las hembras se vuelven a contemplarle y pone miedo en el corazón de aquella a quien saluda." ¿Es esto una pintura de Don Juan? No..., es la pintura de Beatriz por el Dante; claro está, con leves modificaciones, y trocados los géneros:

Negli occhi porta la mia donna amore;
Per che si la gentil ci ò ch'ella mira:
Ov'ella passa, ogni uom ver lei si gira,
E cui saluta fa tremar lo core.

Hay en la declinación de dos siglos medios europeos un menudo, soleado y florido trozo de la tierra, en el cual la visión y conducta de la vida alcanzaron sutilidad y pulcritud insuperadas. "Todas las cosas divinas de la existencia hanse propagado —escribe un poeta inglés moderno, Ford Madox Hueffer— desde aquel paraje en donde se alza el Castillo del Amor, entre Arlés y Avignon. De allí remontaron el curso del Ródano, cruzaron la Isla de Francia y el Paso de Calais, arribaron al puerto de Londres, a Oxford, a Edimburgo, a Dublín, y pasaron también, aunque corto trecho, allende el Rin." Las cosas divinas de la existencia, a que alude el poeta, los adorables ornamentos de nuestros días mortales, la finura y delicada susceptibilidad, así del ánima como de los sentidos, todo eso, que todavía hoy perdura y hace hermandad de cuantos hombres —dondequiera que hayan nacido— en ello fían y hacia ello anhelan, ese ideal supremo en lo humano, se realizó por vez primera en Provenza, jardín dilecto de la sapiencia elegante, terruño de Francia empapado en sustancia italiana, grecolatina. Olvida el poeta inglés añadir —y no es para que nos enojemos— que la sonrisa provenzal, cabalgando la barrera áspera de los Pirineos, divagó, a lo largo de las calzadas romanas de Cantabria, con derrota a Compostela; prendió en los labios líricos del alma galaico-portuguesa, y de allí pasó a Castilla, donde mostrarse con un gesto huidero, acaso mentido, a flor de piel.

¿Y qué fue la Provenza de los postreros años medioevales y los presuntos años renacentistas? Fue el connubio perfecto, largos siglos presentido y a la postre consumado, del cristianismo y del paganismo, del culto del espíritu y del culto de la forma. Cientos de años antes, en Alejandría, cristianismo y paganismo se habían buscado, en cópula frustrada. Mas Provenza fue como una maravillosa trasustanciación; paganización del cristianismo o cristianización del paganismo, tanto monta.

En Provenza, el hombre se coloca al fin en una posición ecuánime frente al Universo. El pagano no veía en el mundo sino las actitudes formales de la materia, su necesidad, su equilibrio, su belleza sensible —*mundus*, en latín, quiere decir limpio y hermoso—. El cristiano desdeñaba la aplaciente corporeidad del mundo, como apariencia engañosa; para él no existía la materia, sino el principio creador, el espíritu arcano, la realidad moral de la conciencia. Funde el provenzal entrambas emociones, y exclama: el mundo es bello, amable y sin tacha, por ser expresión patente del espíritu, de la belleza increada. La Verdad, el Bien y la Belleza son uno y lo mismo, como quería Platón. Pero Verdad, Bien y Belleza, los más altos, los primordiales, residen, como atributos, solo en Dios, y las cosas perecederas de aquí abajo, todas ellas creación y reflejo gradual del espíritu y voluntad divinos, desde la materia inerte hasta la materia más embebida de conocimiento —o sea, la criatura humana—, se van ordenando en una jerarquía ascendente de mayor Verdad, Bien y Belleza, según se aproximan más a su origen eterno y espejan más de cerca el rostro de Dios, incógnito si no es a través de sus obras terrenales. El agente del universo, la energía que todo mueve, propaga y muda, es Amor. Amor de mejores quilates y más subida progenie cuanto más digno es su objeto y más sus actos se emancipan de la tutela y halago de los sentidos. Y aquel último estadio del amor ideal se ha de llamar, a la griega, amor platónico.

La vida, en Provenza, se exalta en su sentido religioso y ritual. La religión es la del Amor. Se codifica el amor y se teologiza sobre el amor. En el Código del Amor (siglo XII) constan estos artículos: *Nemo duplici potest amore ligare,* no cabe entregarse a dos amores; *Verus amans nihil beatum credit, nisi quod cogitat amanti placere,* el verdadero amador nada halla agradable sino en lo que presume que ha de agradar a la amada; *Non solet amare quem nimia voluptatis abundanta vexat,* estorba al amor el hábito de la baja voluptuosidad. Y Dante, gran teólogo de amor, como Petrarca, inicia su alada canción de *La vita nova: Donne, che avete intelletto d'amore.* ¿Por qué el Amor ha de cobijarse ante todo en el entendimiento? Porque el verdadero amor se orienta hacia la hermosura ideal, la cual percibe el entendimiento. En el epistolario de Lope de Vega al duque de Sessa, leemos: "*Amor, definido de los filósofos, es deseo de hermosura,* y de los que no lo somos es deleite añadido a la común naturaleza." Vemos cómo Lope, creador de la dramaturgia hispana, burla discretamente el sentido filosófico del amor y no advierte en él sino el deleite que apetece la común naturaleza.

¿Y cuál era, según la doctrina provenzal, objeto más digno de amor, hermosura más acrisolada y eminente, forma mortal más pareja del inmortal arquetipo: la belleza masculina o la belleza femenina? La mujer. Y así la mujer ocupaba el solio de la belleza visible; era la reina de las Cortes de Amor, y el hombre su rendido cortesano. Dante va más allá: encumbra a Beatriz hasta el Paraíso, para que desde allí declare el orden del Universo.

Tal fue el concepto del amor trovadoril y caballeresco. La almendra de este árbol benigno y perfumado hay que ir a buscarla, centurias hacia atrás, en el sombroso y contemplativo huerto de Academo. Este concepto es una prerrogativa occidental y grecolatina.

Frente al concepto caballeresco del amor se yergue alardoso Don Juan, y desenvainando su espada de gavilanes, éntrase, hazañero y sin escrúpulo, por los dominios en donde la mujer imperaba como soberana, la destrona, la somete y proclama al varón rey del sexo. Don Juan es un revolucionario del sexo. Don Juan es un revolucionario del amor tradicional, sin duda; pero su concepto del amor, ¿es acaso invención personal suya?

Así como el amor caballeresco es de origen occidental y grecolatino, el amor donjuanesco es de oriundez oriental y semita. Ya en la Biblia constan las proposiciones precisamente contrapuestas a los postulados amatorios de la doctrina provenzal, griega y romana. Platón llega hasta Dios por la vía intelectual y se lo representa como idea pura, todo armonía y serenidad. El hebreo necesita ver con los ojos a su Jehová, tremendo e iracundo, y a poco de no haberlo visto se olvida de él por el becerro de oro.

El ser más vil y despreciado de la Biblia es la ramera —sacerdotisa del amor—; es, dice el *Eclesiastés,* como el estiércol de los caminos, que pisan todos los viandantes. Pero la ramera, en Atenas, es la hetaira, la cortesana por antonomasia, la flor de la feminidad, cuerpo adorable y mente deliciosa, solicitada amiga de filósofos y estadistas. El griego decía a la mujer, su esposa (Jenofonte: *Economía*): "Dulcísima felicidad la mía, pues que tú, más perfecta que yo, me has hecho tu siervo." Para el hebreo, la mujer era el vaso paciente de la lujuria masculina, o un pretexto para obtener descendencia (y de aquí el onanismo, o *coitus reservatus*). La Biblia, entre las cosas que pasan sin dejar rastro ni mancharse, enumera la sombra sobre el muro, la sierpe entre la hierba, el hombre por la mujer, significando, por analogía del último término con los otros dos, no que en realidad la mujer permanezca sin rastro (¡vaya si queda rastro!), sino que el hombre ha de entender que ha pasado sin mancharse.

Dos religiones han derivado del judaísmo: la cristiana y la mahometana; una occidental, otra oriental. Con decir que el cristianismo es una religión occidental va presupuesto que su esencia nada tiene de común con el judaísmo. Si en el acto carnal la mujer según el judaísmo comete abominación, en tanto el hombre sale sin mancharse, contrariamente el cristianismo comienza por hacer nacer a Dios hecho carne de una mujer que concibe sin pecado y sin obra de varón. El judaísmo, con su propensión sensual, luctuosa y materialista, se reproduce en su hijuela, el mahometismo exalta la precedencia del varón y exacerba el sometimiento de la mujer. El varón es el núcleo de un sistema; las hembras, innumerables, giran en torno, alampadas por un donativo de amor despectivo o quizás premioso.

Es de protocolo que, cuando un escritor español diserta sobre el tipo de Don Juan, afirme en un ditirambo de patrio orgullo que Don Juan no pudo ser sino español. Y las razones que se aducen son su gallardía, su generosidad, su valor, su vanagloria. Si Don Juan, junto con estas cualidades, no hubiera acreditado ciertos defectos peculiares suyos, cierto que no sería Don Juan. Revilla —un crítico olvidado— escribió: "Como carácter individual, es exclusivamente propio de España. Es la personificación acabada del carácter andaluz." Concebido; lo es, no por alabancioso y alborotado; lo es por su concepto mahometano, semítico, del amor. En efecto: Don Juan no pudo ser sino español, porque de las comarcas occidentales sólo en España dominaron siglos los moros. Es seguro que por las venas de Don Juan corría sangre mora y judía. Como antecedentes literarios del tipo del Don Juan, de Tirso, se indican otros dos atropellados galanes: el Leónido, en *Fianza satisfecha,* de Lope; y el Leucino, en *El Infamador,* de Juan de la Cueva. En cuanto al Leucino, juzgo evidente la opinión de Hazañas la Rúa *(Génesis y desarrollo de la leyenda de Don Juan Tenorio),* y de Icaza (edición de Juan de la Cueva), los cuales niegan todo parentesco artístico entre ambos personajes, Leucino y Don Juan.

Tampoco se echa de ver que Don Juan venga, literariamente, de Leónido. Pero, aunque no literariamente, es notorio que Don Juan se asemeja a casi todos los galanes del teatro de Lope en profesar y cumplir aquella noción semítica del amor que el propio Lope profesaba y cumplía, y que con tan paladina sobriedad formula en su carta al duque de Sessa: amor, antes que deseo de hermosura, es deleite añadido a la común naturaleza. Ese amador medio cristiano y medio mahometano— así como el amador provenzal era medio cristiano y medio pagano—, frecuente e indeterminado antes de Tirso, cuájase, al cabo, con vida propia y rasgos definidos en el Don Juan Tenorio. Y acaso al hecho de ser Don Juan tan distinto y encontrado con todos los demás galanes de las literaturas europeas (Don Juan es, como Beatriz, el que declara un orden del universo) debió su buena fortuna por el mundo el drama de Tirso.

II

DON JUANES

Decíamos que Don Juan, en Tirso, aparece ya con todas sus cualidades características, o, si se nos permite la expresión, con todas sus cualidades biológicas. Y añadíamos que cada Don Juan posterior nada añade al Don Juan originario, sino que se distingue y define por la mayor notoriedad o simplificación de alguna de aquellas cualidades con que ya se nos había mostrado en Tirso.

En este veloz y esquemático análisis que venimos haciendo del carácter de Don Juan, hemos prescindido hasta ahora de sus cualidades llamativas y sobresalientes, entre tanto que parábamos cierta atención en aquella otra cualidad más peculiar y recóndita, de la cual, a nuestro entender, todas las demás se derivan. Buffon explica la extraña apariencia de la tortuga a causa de poseer un corazón de hechura extraña. En zoología, la gran división fundamental —por estribar en el hecho más recóndito y permanente— en animales vertebrados e invertebrados, es la última que aparece en el orden del tiempo. Antes de llegar a descubrirla, eran clasificados los animales conforme ciertos rasgos externos y circunstanciales, que en rigor no denotaban ningún parentesco genealógico ni afinidad de caracteres. Fue menester prescindir de lo más obvio y superficial, de lo que ante todo se echaba de ver, y profundizar hasta descubrir lo que estaba encubierto, lo que no se veía, el esqueleto, lo que realmente diferencia a unos géneros de otros.

Hasta ahora nos hemos detenido a subrayar la cualidad intrínseca de Don Juan, o sea su obsesión carnal y procedimiento con que la satisface. El Don Juan, de Tirso, carece de todos los sentidos superiores: el sentido religioso, el sentido moral, el sentido social, el sentido estético. Los griegos querían que los sentidos estéticos fuesen el de la vista, que percibe la hermosura de las formas y colores, y el del oído, por donde penetra la armonía y el ritmo. Don Juan, huérfano de sensibilidad estética, no cuida si la mujer deseada es hermosa o fea; le basta que sea novia o mujer de un amigo. Es más: Don Juan procura el logro de sus ansias torpes haciéndose pasar por el amado de la mujer, para lo cual busca que al engaño le venga en ayuda la complicidad de la tiniebla, celadora de toda hermosura visible. Si del sentido de la audición se trata, a Don Juan no le hieren los trágicos gemidos de las víctimas ni las imprecaciones de los vengadores. Toda la susceptibilidad musical de Don Juan, de Zorrilla, por ejemplo, se contiene y agota en aquella estrofa inicial del drama:

> Cuál gritan esos malditos;
> pero mal rayo me parta
> si en concluyendo esta carta
> no pagan caros sus gritos.

Y en cuanto al sentido del olfato, es de presumir que Tisbea, zahareña pescadora, no olía a nardos y jazmines. Don Juan, desamparado o desdeñoso de los tres más finos sentidos, compensa la falta con el ejercicio infatigable de los dos que le restan: el del gusto y el del contacto, ministriles acreditados del amor sensual. Don Juan vive para el amor. Pero Don Juan no es encarnación representativa del Amor, tirano de la naturaleza. Cierto que el espíritu que impele al mundo en su fluir perdurable es el amor, puesto que todo tiende a reproducirse. Pero hay jerarquías de amor. En el mundo inorgánico, la formación de los cristales es una manera de reproducción; amor purísimo y asexual. En el reino de los seres organizados, de la cándida cópula de estambres y pistilos en el cáliz de la azucena, o de la contingencia sexual de la palmera macho y de la hembra, por delegación en el viento, al amor y voluptuosas bizarrías de Don Juan, hay notable diferencia.

En el amor de los seres naturales privados de conciencia el acto es inocente y la finalidad notoria: la perpetuación. Don Juan es —enorme paradoja— el garañón estéril. No se sabe que Don Juan haya tenido hijos. Si Don Juan fuese todo esto, pero únicamente todo esto, que es lo externo y derivado, no pasaría de vulgar libertino. Pero Don Juan, esencialmente, es el enhechizo por amor, es una idea absoluta en la relación de los sexos, es la transferencia del centro de la gravitación amorosa desde la hembra al varón. En la idea occidental, la dinámica humana se sustenta en equilibrio alrededor del sol de la hermosura, figurado en la mujer. Pero Don Juan se nos presenta desde su nacimiento como la realización estética de aquel concepto oriental que Heliogábalo quiso importar a Roma desde Oriente con el culto de la sagrada piedra lunar, de cónico perfil, ruda simulación del falo, el cual los semitas imaginaron como eje donde rueda el Universo.

Trasladada la gravitación amorosa sobre el centro masculino, la iniciativa pasa automáticamente a la mujer. Ya no son los hombres quienes buscan la hembra, sino las mujeres quienes persiguen al varón. Sutilizando un poco más en esta interpretación de las relaciones sexuales, se advierte que ya no es la mujer juguete o víctima del hombre, sino viceversa. Dijérase, a lo primero, que Don Juan domeña y hace víctimas a las mujeres; mas si bien se mira, él es la víctima y el domeñado. Por donde ya el Don Juan, de Tirso, es, sin darse cuenta, una buena persona, en el sentido de infeliz, que piensa estar obrando libremente y burlando mujeres, como un terrible y desatentado libertino, cuando el burlado es él y sus acciones le son dictadas por la fatalidad que consigo lleva.

Después del de Tirso se multiplican los Don Juanes. Pero estos primeros y numerosos Don Juanes de los siglos XVII y XVIII no reproducen del Don Juan auténtico sino las cualidades superficiales y derivadas. Son, ante todo, libertinos sin nobleza ni sensibilidad artística. En el Don Juan, de Molière, se manifiestan ya ciertas dotes elevadas: es un filósofo, un hombre refinado, psicólogo penetrante, buen discernidor de belleza.

Pero es menester llegar hasta el Don Juan, de Byron, para hallar la esencia germinal del donjuanismo desarrollada con amplitud y en abundancia florecida. Comienza Byron por afirmar:

His father's name was Jose —Don, of course—.
A true hidalgo, free from every stain
Of moor or hebrew blood.

(El nombre del padre de Don Juan era José —Don, naturalmente—. Un hidalgo cabal, sin veta alguna de sangre mora ni judía.) En este particular Byron se equivoca. No cabe duda que Don Juan estaba inficionado de morería y judaísmo. Mozalbillo, Don Juan es iniciado en los turbios misterios del amor carnal por una amiga de su madre. La primera amante del Don Juan, de Byron, llamada doña Julia, era de oriundez árabe; su tatarabuela, granadina de los tiempos de Boabdil.

Como se supone, entre una dama ardiente y ducha en ardides de amor y un mancebo virgen e inexperto, el hombre es el sometido. Don Juan, en creciendo, conoce *—in sensu biblico—* copioso repertorio de mujeres; pero ya para siempre permanece, respecto de ellas, en aquella situación de inferioridad con que fue iniciado. Los antecesores del Don Juan, de Byron, eran áridos para el amor cordial, no amaban nunca. El Don Juan, de Byron, ama siempre, se entrega todas las veces, adora como un niño, sin por eso dejar de gozarse como un adulto. Muda de amores, no por saciedad de lascivia y concupiscencia de diversidad, sino porque las mujeres se lo van arrebatando unas a otras.

Byron expone en su poema del Don Juan una filosofía amorosa cuyos extremos más simples son estos: la Eva es eternamente débil; su fuerza estriba en su misma debilidad; es sacerdotisa del amor, y nada más; inferior al hombre en todo, le domina por la estratagema amorosa; Don Juan no es ave de rapiña, sino presa ignorante; no conquista, es conquistado; hombre y mujer son adversarios, a ver quién vence a quién; vence la mujer, porque el hombre procede más abiertamente, y, por tanto, con desventaja.
"¡Oh amor! —exclama Byron—, ¿por qué conviertes en caso funesto el hecho de ser amado? ¿Por qué ciñes con guirnalda de ciprés las sienes de tus devotos, y has elegido el suspiro como tu mejor intérprete?" Y más adelante: "En su primera pasión, la mujer ama al amador; en todas las demás, ya no ama sino el amor. El amor se convierte para ella en una rutina, y va ajustándose los amores sucesivos con frágil indiferencia, como un guante holgado. Solo un hombre agitó su corazón en un principio; luego prefiere del hombre el número plural. ¡Oh melancólico y temeroso signo de la fragilidad humana, de la humana locura, también del humano crimen! Amor y matrimonio, rara vez van de concierto, aunque uno y otro descienden del mismo origen; pero el matrimonio sale del amor, como el vinagre del vino.» He aquí la razón de que Don Juan no se case. Don Juan ama; más aún: Don Juan ama a todas las mujeres con quienes ha tropezado. Don Juan, en la pérfida liza del amor, se conduce como una buena persona.

El Don Juan, de los Quintero, es, en el conjunto de todos los Don Juanes, el más próximo al Don Juan, de Byron; así como la Amalia, de *Don Juan, buena persona,* se ajusta al tipo sintético de la Eva byroniana. En el poema de Byron consta —para que nada se eche de menos en el mujeril repertorio— el amor que Don Juan provoca en la mujer intelectual, en la bachillera. También en la comedia de los Quintero, una bachillera (a lo español, claro está), traza su órbita propia entre los satélites de Don Juan. Estas coincidencias, que nada tienen de baja imitación literaria, pueden ser obra, bien de un lícito propósito deliberado, o bien de la intuición artística de los Quintero. Si lo primero, demuestran maduro talento; si lo segundo, revelan rara sagacidad humana. En uno y otro caso, merecen admiración.

Proseguiremos examinando más Don Juanes célebres, y su reflejo o correspondencia en la última comedia de los Quintero.

III

LA DRAMATURGIA DE BERNARD SHAW

Hemos dicho que la idea vertebral de Don Juan, la fuerza interior que le sustenta tan arrogante y erguido frente al mundo, la recóndita médula que se alberga en sus duros huesos, es aquella noción semítica de que el centro de gravedad sexual reside en el varón y no en la hembra. Presentábamos, como noción exactamente contrapuesta, el devoto culto grecolatino y occidental por la mujer, cuya liturgia más rica y poética se canonizó en la doctrina amatoria provenzal. Y atribuíamos la boga y pronto suceso de nuestro sevillano burlador al contraste insolente que ofrecía junto a los acostumbrados donceles caballerescos.

Hasta ahora nos hemos estrechado a describir la línea genealógica de aquellos Don Juanes que muestran, sobre todo, acusada la cualidad hereditaria más característica, o sea la de atraer el amor, en lugar de sentirse atraídos por el amor. Y de esta línea genealógica señalábamos como vástago conspicuo el Don Juan, de Byron. Pero en Byron, inglés y romántico, la médula de los huesos era caballeresca, que no semítica, y así, el Don Juan que engendró, aunque más Don Juan que casi todos los anteriores, siente bullir en sus entrañas el atavismo occidental y cae, no pocas veces, en flaquezas sentimentales a lo Amadís. El Don Juan, de Byron, aspira hacia el amor puro, platónico; se pasma, dolorido, de que amor y matrimonio no se compadezcan, porque el matrimonio se origina del amor, como el vinagre del vino. Así pensaban los exégetas y teólogos de amor en Provenza. Los testimonios que permanecen de las Cortes de Amor provenzales, compuestas y presididas por damas donosas y honestas, como la condesa de Champaña, hija de Leonor de Aquitania, y la vizcondesa Ermengarda de Narbona, determinan que el amor verdadero no cabe entre casados, y así, se recuerda que un tal Perdigón rehusó tomar en matrimonio a Isoarda de Roquefeuille, por temor a dejar de amarla, caso extraordinario de amorosa determinación, aunque no tanto como lo acaecido a Pons de Capdeuil, que perseveró en amar a Blanca de Flassens a pesar de haberse casado con ella.

El Don Juan byroniano, mestizo de inglés y andaluz, se purga de toda reliquia occidental y caballeresca; y aunque del todo inglés en lo episódico, es al propio tiempo del todo semítico en lo sustancial al rebrotar en uno de los más nuevos retoños del donjuanismo, el Don Juan, de Bernard Shaw.

El Don Juan, de Bernard Shaw, lleva por nombre *Tanner* reminiscencia deliberada del Tenorio español; sólo se llama Don Juan en una expedición soñada que hace al infierno. La comedia en que figuran Tanner y Don Juan se titula *Man and Superman.*

Analizar esta obra dentro de la dramaturgia de Bernard Shaw nos alargaría demasiado lejos. Pero no será inoportuno insinuar lo más preciso acerca de su dramaturgia.

La originalidad de Bernard Shaw en la historia del arte dramático no consiste en una diferencia de manera o estilo, ni en la invención de un nuevo procedimiento, ni en la mayor intensidad de sus creaciones, ni en la asimilación de asuntos y temas que antes de él se reputasen irrepresentables. Es la suya una originalidad de concepto. Expliquemos este distingo. Todas las maneras, procedimientos y asuntos del arte dramático hasta Bernard Shaw, aun los más dispares y contrapuestos, tenían esto de común; el concepto de que la materia estética del arte dramático abarca únicamente la vida emocional de los individuos —sentimientos, afectos y pasiones—. El autor dramático se propone una empresa sobremanera dificultosa: amalgamar lo disperso, infundir homogeneidad en lo heterogéneo, fundir una muchedumbre de personas en una sola persona colectiva, unificar lo vario y discrepante; en suma, hacer de muchas personas individuales una sola persona colectiva, crear y dominar un *público*. Para eso, el autor dramático lo primero que procura es despertar el interés, atraer la atención. Pero el autor dramático sabe, o debe saber, que la atención, en cuanto operación intelectual provocada por estímulos intelectuales, es aptitud rarísima, de que son capaces, por excepción, las inteligencias superiores y cultivadas. ¿Cuántos oyentes consiguen escuchar atentamente el curso de una conferencia, aunque no dure más de media hora? Escasísimos. Por eso, el interés intelectual no puede ser el agente de cohesión de un público. El público de una conferencia no está unificado, como lo está el público de una obra dramática. Si la atención intelectual es rara, la atención emocional es el más espontáneo, raudo y general movimiento de la humana psicología. Trece mil espectadores hay en una plaza de toros —lo mismo da si fuesen ciento treinta mil—; están viendo siempre las mismas cosas, siempre con la misma atención. En una casa de vecindad se oye un grito lamentoso. Al instante, ventanas y corredores se pueblan de rostros expectantes. Se ha suscitado, al proviso, el interés emocional. "Algo grave ha pasado", piensan los curiosos.

Justamente, la atención emocional se designa en el uso común como curiosidad. La curiosidad apetece acontecimientos graves e insólitos. Los sucesos graves e insólitos se engendran, o bien por casualidad, y es una desgracia que apenas sostiene unos instantes la atención de los curiosos, o bien por conflagración y choque de sentimientos y pasiones, como en un crimen, y entonces sirve de pábulo inagotable a la curiosidad. De aquí que el arte dramático, cuya finalidad inmediata siempre será unificar a las muchedumbres mediante el interés emocional, si bien con diversas fórmulas, procedimientos y asuntos, según cada autor, se ha ceñido constantemente a presentar en escena seres humanos muy individualizados que hubieran podido vivir en la vida real tales cuales son en la vida escénica, de suerte que el espectador asiste, como desde dentro de las almas, ya a los acontecimientos sucesivos por cuya virtud e influencia se van desarrollando en algunos de aquellos seres humanos de clara individualidad un sentimiento, un afecto o una pasión, en suma, un carácter, o ya a los acontecimientos insólitos, por lo cómicos o por lo graves, que sobrevienen a causa del choque de los afectos, sentimientos y pasiones con que aquellos mismos individuos se nos dan a conocer desde luego en el principio de la obra dramática como caracteres. La materia estética del arte dramático, hasta Bernard Shaw, encerraba exclusivamente la vida emocional de los individuos.

¿Y el teatro de ideas?, se nos objetará. El mal llamado teatro de ideas es asimismo teatro de emociones, teatro de acción. Recordemos la obra más conocida de Ibsen, *Casa de muñecas.* Sus personajes centrales son un marido y una mujer, Torvaldo y Nora, fuertemente individualizados en su fisonomía y en sus sentimientos. Torvaldo no es el marido en abstracto, entelequia ideal de aquello en que son semejantes todos los maridos, ni es Nora la esposa en abstracto, uno y otro tales como los imaginaría el moralista y el legislador, a fin de persuadir y obligar a las normas y leyes por que ha de regirse la unión matrimonial, en abstracto. Nada de eso. Torvaldo es Torvaldo; Nora es Nora; él es él, y ella es ella; individuos concretos, diferentes de todos los maridos y mujeres habidos y por haber, aunque, como todos ellos, ligados por la atadura connubial, y sólo en este extremo semejantes a los demás matrimonios. Y sin embargo —quizás alguno prosiga objetando—, *Casa de muñecas* es un drama de ideas, encierra una tesis y pretende demostrar un principio de conducta. Es un drama de ideas, sí. Pero ¿cómo? ¿Acaso porque su materia estética son las ideas en lugar de los afectos? No. La protagonista sostiene el derecho de la mujer a emanciparse. Cierto. Pero lo sostiene al final de la obra. En el resto de la obra hemos presenciado una serie de acontecimientos, motivados en la vida afectiva, por cuya virtud e influencia se han ido modificando los afectos de Nora, hasta alcanzar un clímax tan intenso dentro de la conciencia que exigen perentoriamente ser traducidos en una expresión precisa y absoluta, esto es, en una idea o sistema de ideas, y es lógico que en este punto concluya la obra. Así, es obra de ideas, dramáticamente, aquella en que el autor nos inicia en la misteriosa transformación de lo concreto en abstracto, de lo emocional en intelectual; pero la materia estética no por eso deja de ser lo concreto y lo emocional, aunque su finalidad sea de linaje intelectual o ético, como una estatua no deja de perseverar en su naturaleza escultórica, esté destinada a un jardín, a un templo o a decorar un edificio.

Dicho en otras palabras, el drama de ideas legitima las ideas haciéndonos asistir al acto de su nacimiento. El teatro de Shakespeare es, sin duda, un vasto almacén de ideas; pero las ideas aquí no son madres, como en un tratado de filosofía, sino hijas de una poderosa emoción o pasión, y su doloroso alumbramiento nos es visible y sensible porque participamos de aquella misma emoción o pasión. Esto en cuanto a las ideas. ¿Y en cuanto a que una obra dramática demuestre una tesis? Si la materia estética es lo concreto y emocional, el drama no puede demostrar una tesis, porque una tesis se demuestra, o por vía lógica, o por vía experimental: lo lógico contradice lo emocional; y en lo atañedero a lo experimental, la demostración procede por la acumulación de casos idénticos, y la obra dramática se halla circunscrita a uno solo.

Cuando el autor dramático es, además, un pensador, y se inclina hacia una misión apostólica, entonces *muestra* una tesis, pero no la *demuestra*. La tesis es, o de orden moral, o de orden jurídico. La ética no se aviene con la demostración. La demostración viene a decir: "esto tiene que ser así, fatalmente". La ética se conforma con aconsejar: "Esto debiera ser así." La tesis jurídica es tesis por estar en oposición con una ley establecida, pues, de estar en conformidad, nada habría ya que mostrar ni demostrar. La ley sólo es ley exacta y justa en tanto previene y comprende todos los casos, todas las posibilidades que le conciernen. El pensador —sea autor dramático, sea tratadista— *muestra* aquellos casos, quizás aquel caso único, en que la ley, por deficiente, causa quebranto y desdicha. No entra en el ánimo del pensador *demostrar* que aquel único caso se convierta necesariamente en ley general, sino *mostrar* que la ley, en un caso único, es injusta, y, por lo tanto, *debe* sufrir enmienda. Muy profundamente advierte Stuart Mill que en un país en donde todos los habitantes profesan la misma religión basta que uno solo comulgue en otra distinta para que se deba promulgar la ley de la libertad de cultos.

Pasemos ahora a examinar por lo somero el concepto dramático de Bernard Shaw. Este autor, lejos de entender que el dramaturgo persigue la unificación del público por la simpatía emocional, piensa que, por el contrario, la obra teatral cumple mejor sus fines cuanto más acremente diversifica, escinde y opone en varias y litigiosas partes al auditorio, y esto, mediante ásperos estímulos intelectuales. Si las pasiones, sentimientos y afectos engendran ideas, no es menos evidente que las ideas engendran afectos, sentimientos y pasiones. Luego es hacedero, a veces, despertar y mantener el interés de un público por motivos intelectuales, a condición que las ideas sean de linaje tan exaltado que provoquen reacciones apasionadas, ya de adhesión, ya de reprobación. Prueba de que esto es verdad nos la ofrece la vida cotidiana con sus infatigables disputas por cuestión de ideas. Pero no basta una idea cualquiera para ser materia dramática. Han de ser aquellas que Ganivet denominó "ideas picudas", ideas agresivas; las ideas ya desgajadas de la matriz emocional, viviendo por sí mismas y luchando por la vida y el imperio; las ideas en su período de belicosidad, y huelga agregar que serán ideas mozas y robustas. Así como en los demás autores dramáticos la cantera de donde se extraen los materiales artísticos es el corazón, en Bernard Shaw es el cerebro. Cada obra shawiana es una polémica. Los personajes son entes desencarnados de su individualidad, son criaturas genéricas. Si a Bernard Shaw se le hubiera ocurrido escribir *Casa de muñecas,* Torvaldo sería la síntesis de todos los maridos, y Nora la síntesis de todas las mujeres casadas, y ya desde la primera escena comenzarían a discutir el problema del matrimonio: el uno, con ideología masculina; la otra, con ideología femenina. También los personajes de la comedia clásica son criaturas genéricas; Harpagón no es *un* avaro, sino *el* avaro, como Tartufo no es *un* hipócrita, sino *el* hipócrita. De aquí que las obras que produce Bernard Shaw son casi todas comedias, y de ahí la comicidad de su estilo.

Pero repárese que los personajes de la comedia clásica simbolizan un vicio del ánimo, o perversión de afectos, sentimientos y pasiones, en tanto los de Bernard Shaw representan una manera de pensar, más que de obrar, o si se quiere, un vicio o defecto de la inteligencia; el de medir el mundo con escaso rasero. El de Bernard Shaw sí es teatro de ideas. Quizás en lo venidero dediquemos a Bernard Shaw un estudio más circunstanciado. Por ahora excuse el lector este inciso.

IV

EL DON JUAN DE SHAW

Man and Superman, la obra de Bernard Shaw, es una obra de ideas. Son ideas dramáticas, polémicas, activas; ideas sobre la relación de los sexos. No ya sobre la posible armonía o legal convivencia de varón y mujer, que esto sería ya la idea del matrimonio, sino sobre la posición originaria, biológica y fatal del hombre con respecto a la hembra y de la hembra frente al hombre. Y dado el concepto intrínseco de la dramaturgia shawiana, claro está que los dos protagonistas, Tanner y Ann, esto es, Tenorio y Doña Ana, no son dos personajes individualizados, sino dos ideas genéricas: el eterno masculino y el eterno femenino. La acción de la comedia se simplifica así, de suerte que toda ella pudiera condensarse, como corolario de teorema, en términos no diferentes de estos; el eterno femenino sigue, persigue, atosiga y acorrala al eterno masculino. No es Tenorio quien corteja y engaña a Doña Ana, sino al revés.

Los prefacios, a veces muy latos, con que Bernard Shaw acompaña sus obras dramáticas, suelen ser tan interesantes como la obra misma, y desde luego más inteligibles. Se explica. Las ideas que en la comedia se revisten de cuerpo y actúan como personas son ideas fragmentarias, visiones unilaterales del mundo. Pugnan entre sí, acaso una triunfa sobre las otras; mas no por eso triunfa con ellas la verdad absoluta, porque las ideas no son por sí la verdad, antes bien, eslabones de la verdad; no está todo el firmamento en una sola constelación. Y en los prefacios, Bernard Shaw nos ofrece un epítome concertado de aquellas ideas entre sí hostiles. Hojearemos con brevedad el prefacio de *Man and Superman.*

Comienza por indicar que acaso "produzca desilusión una comedia de Don Juan en la cual no sale ninguna de las *mille e tre* aventuras del héroe". Y ya con esto queda dilucidado que para Bernard Shaw la sustancia o idea del donjuanismo no es cuestión del número de aventuras, sino del carácter de una sola de las aventuras.

Señala, a seguida, el autor que "el teatro inglés contemporáneo —y el de todas partes, añadiremos— parece como si estuviera constreñido a emplearse casi exclusivamente en casos de atracción sexual y amorosas intrigas, y al propio tiempo le fuera vedado descubrir los incidentes de dicha atracción o discutir su naturaleza". Por donde se adivina que, según Shaw, un drama sobre Don Juan debe ante todo descubrir los incidentes y revelar la naturaleza de la atracción de los sexos.

"Me he preguntado: ¿qué es Don Juan? Vulgarmente, un libertino." Pero, prosigue Shaw, ese es el lado vulgar de Don Juan, pues no hay carácter humano que adquiera universalidad si no se le compagina y anuncia con cierta dosis y algún aspecto de vulgaridad. El verdadero, el que Shaw busca, es el Don Juan "en su sentido filosófico".

Consagra Shaw un recuerdo al Don Juan de la tradición, tal como quisieron verlo ojos inquietos y superficiales. Comenzó Tirso con una pieza religiosa, cuya intención era mover espanto en los pecadores y persuadirles a arrepentirse con tiempo. El mundo no quiso escuchar el sabio consejo del fraile mercenario, ni acertó a convencerse de la urgencia inmediata del arrepentimiento, escarmentando en la cabeza del Burlador de Sevilla. Por el contrario, la osadía de Don Juan, declarándose poco menos que enemiga personal de Dios, cayó simpática y le granjeó la admiración de los hombres, al modo de un nuevo Prometeo. Sea en uno o en otro sentido, este Don Juan de la tradición lleva consigo una valuación moral y religiosa. Shaw considera al de Mozart como el último de estos Don Juanes tradicionales. Al cabo, en el siglo XIX, Don Juan se define: "ha cambiado de sexo, se ha convertido en Doña Juana". Resultado: "el hombre ya no es, como lo fue Don Juan, el vencedor en el duelo del sexo. La enorme superioridad de la mujer a causa de su posición natural en asuntos de amor se robustece cada día con redoblada fuerza... Así Don Juan nace ahora a la escena como figuración tragicómica de la caza amorosa que del hombre hace la mujer. Don Juan es la pieza, en lugar de ser el cazador. He aquí el verdadero Don Juan. La mujer necesita de él, no es tanto por sí sola capacitada para llevar a cabo la obra más apremiante de la naturaleza".

La misma idea del Don Juan perseguido por sus enamoradas reside en la última concepción de los hermanos Quintero. Al final del acto segundo, el propio Don Juan murmura:

"¡Mísero Don Juan de la Vega! ¡Cuántas veces Doña Inés es Don Juan!"

Reparemos en dos frases del prefacio de Bernard Shaw. Una, tan ingenua en su misma petulancia: "Don Juan, en su sentido filosófico." Otra: "La mujer necesita de él, no estando por sí sola capacitada para llevar a cabo la obra más apremiante de la naturaleza."

Estas dos frases se avienen malamente una con otra. Veamos.

Como el lector habrá comprendido, lo que Shaw significa con el sonoro y alto calificativo de "la obra más apremiante de la Naturaleza", es la perduración de sí misma, a través de la reproducción de las especies. Parece, según el contexto shawiano, como si la Naturaleza poseyese una voluntad, enderezada con acuciamiento e impaciencia hacia ese fin imperioso: que seres y cosas se reproduzcan y perpetúen. No ya que la reproducción de las especies sea la obra más importante o necesaria en la economía natural, ni siquiera la más permanente, sino la más apremiante: como si dijéramos, empleando una locución del Don Juan, de Zorrilla, una obra a "plazo breve y perentorio". ¿Por qué la más apremiante? Este adjetivo nos induce a perplejidad. El apremio que Natura fija a los seres para reproducirse, o sea el período de incubación y concepción, es tan relativo y elástico, que no hay tal apremio, a menos de incurrir en abuso de vocablo. Puesto que tratamos de asunto tan aventurado y propenso a generalizaciones capciosas o antojadizas, no han de holgar del todo algunas cifras que he leído en un almanaque.

Períodos de incubación: Gallinas, de veinte a veintidós días. Gansos, veintiocho a treinta y cuatro días. Patos, treinta y ocho días. Pavo común, veintisiete a veintinueve días. Gallinas guineas, veintiocho días. Faisanes, veinticinco días. Avestruces, cuarenta a cuarenta y dos días.

Períodos de gestación: Conejo, treinta días, Conejillo de Indias, sesenta y cinco días. Gato, ocho semanas. Perro, nueve semanas. Cerdo, tres y medio meses. Cabra, cinco meses. Oveja, cinco meses. Vaca, nueve meses. Yegua, once meses. Jumenta, doce meses. Camella, de once a doce meses. Elefante, dos años.

Evidentemente, la reproducción de las especies no es la obra más apremiante de la Naturaleza, ni es breve y perentorio el plazo que para cumplir en este menester se toman las criaturas, sobre todo la hembra del elefante.

Volvamos a la ninguna avenencia entre las dos frases apuntadas de Bernard Shaw. "La mujer necesita de él (de Don Juan), no estando por sí sola capacitada para llevar a cabo la obra más apremiante de la Naturaleza." Llanamente: la mujer por sí sola no puede tener un hijo, claro está que no. Pero como la mujer se siente constreñida por la Naturaleza a ejecutar esa obra apremiante, busca... a Don Juan. Peregrina consecuencia. Para eso no es menester precisamente Don Juan; basta un hombre cualquiera, en el pleno uso de sus facultades. Y aun iremos más lejos: es menester precisamente que no sea Don Juan, porque ya hubimos de observar en Don Juan la idiosincrasia contradictoria del garañón estéril. Ni Don Juan se sabe que haya tenido hijos de la carne, ni es de presumir que los llegue a tener. ¿Cómo puede, pues, consistir la esencia filosófica de Don Juan en su fecundidad, en ser instrumento de reproducción, subordinado a la concupiscencia femenina?

A Bernard Shaw se le ha echado a veces en cara haberse inspirado demasiadamente en ideas y principios de otros autores famosos: une de ellos. Schopenhauer. Bernard Shaw ha sabido defenderse y justificarse con agudeza, desparpajo y buen sentido. ¿Por qué no se ha de inspirar un artista en ideas ajenas, señaladamente ideas de filosófico nutrimiento?

Sí, el Tenorio y la Doña Ana, de Bernard Shaw; el eterno femenino y el eterno masculino, tales como se nos descubren en *Man y Superman,* buscándose, atrayéndose, persiguiéndose con incidentes varios, son encarnaciones teatrales, vivificaciones palmarias de ciertas ideas y principios que anteriormente conocíamos en un fragmento de Schopenhauer sobre la *Metafísica del amor* y relación de los sexos. Sin duda por eso Bernard Shaw considera que es el suyo un Don Juan, en sentido filosófico.

V

SCHOPENHAUER Y SOCRATES

No por noción repetida y casi lugar común es excusado volver a las teorías de Schopenhauer sobre el amor, siquiera sea con la intención de desglosar de ellas aquello que ajusta con nuestro propósito.

Trató Schopenhauer de la relación y jerarquía de los sexos en dos pasajes: uno en las observaciones complementarias al cuarto libro de su gran obra *Die Welt als Wille und Vorstellung (El mundo como voluntad y representación),* y el dicho capítulo se titula: "Metaphysik der Geschlechtsliebe", o sea, "Metafísica del amor sexual"; el otro, en uno de los ensayos de "Parerga und Paralipomena", acerca de las mujeres, "Ueber die Weiber".

Hojeemos someramente la metafísica del amor.

Por lo pronto, para Schopenhauer no existe sino el amor sexual: "El amor, por muy etéreas que sean sus trazas, alimenta sus raíces en el instinto sexual. Imaginad, por un instante, que el objeto que hoy os inspira sonetos y madrigales hubiera nacido dieciocho años antes, y de seguro no merecería de vosotros una sola mirada." La razón no es muy concluyente. Pero nos abstendremos de señalar reparos. Prestemos atención a la doctrina solamente.

Vaya una definición escueta del amor: "Se trata, en rigor, de que cada Hans encuentre su Gretche." Como si dijésemos: de que cada Juan tropiece con su Juana. Y por si la definición no es bastante expresiva, Schopenhauer añade en una nota: "No he podido explicarme más abiertamente. Puede el lector, si así le place, traducir esta frase en términos aristofanescos."

El amor no es sino "una estratagema de que la naturaleza se sirve para lograr sus fines", o sea la continuidad de la vida, la propagación de la especie.

"El amor del hombre disminuye sensiblemente luego de satisfecho. La mujer, por el contrario, ama más desde el punto de entregarse a un hombre. Resulta esto de los fines de la naturaleza, dirigidos de continuo hacia la conservación, y, de consiguiente, hacia la mayor multiplicación posible de la especie. Por lo tanto, la fidelidad conyugal es natural en la mujer y artificial en el hombre."

"La mujer prefiere el hombre de treinta a treinta y cinco años sobre el adolescente, no obstante representar éste la perfecta belleza humana; y no es que la mujer se determine por su gusto, sino por instinto, adivinando plenitud de virilidad en el hombre que ha franqueado la adolescencia." Esta observación es valiosa para nuestro asunto. En todas sus personificaciones literarias, Don Juan representa un hombre hecho, acaso maduro: jamás un mancebo. A no ser transitoriamente en Byron, que refiere la vida de su Don Juan desde el momento de nacer.

En la metafísica del amor, Schopenhauer inquiere menudamente en el porqué de la preferencia amorosa. "Estudiando el amor en sus grados diferentes, desde la más pasajera inclinación hasta la pasión más violenta, hallaremos que la diversidad resulta del grado de individualización que concurre en la preferencia." Este teorema, un tanto equívoco, recibe más adelante complicada aclaración. "Para que sobrevenga un amor apasionado, es necesario que se produzca cierto fenómeno, semejante a la combinación de algunos elementos químicos; las dos individualidades de los amantes deben neutralizarse recíprocamente como un ácido y un álcali se combinan para formar un neutro. Toda individualidad implica especialización del sexo. Esta especialización es más o menos acentuada y perfecta, según las personas; por donde cada cual se completará y neutralizará con un individuo determinado del otro sexo. Los fisiólogos saben que así la masculinidad como la feminidad se manifiestan a través de innumerables gradaciones. La neutralización recíproca de dos individualidades exige que el grado de masculinidad en el uno corresponde al grado preciso de feminidad en la otra, y de esta suerte las dos naturalezas unilaterales se anulan exactamente. Conforme a este principio, el hombre más viril busca la mujer más femenina, y viceversa, y todo individuo se afana en hallar aquel otro cuyo grado de potencia sexual corresponde al suyo propio."

Esta sutil y sagaz teoría de la especialización individual nos trae a la memoria un recuerdo clásico, en que las mismas hipótesis se revisten de aparato metafórico y mítico. Aludimos al diálogo platónico conocido por el Symposium o Banquete. He aquí su asunto. A fin de celebrar el primer éxito escénico del joven poeta Agathon (año 416 antes de J. C.), un núcleo escogido de amigos, entre ellos Sócrates y Aristófanes, se reúnen en casa del poeta. Dedícanse durante un día a los deleites de la mesa; al día siguiente resuelven, estando congregados todavía, usar con templanza las libaciones y platicar de materias elevadas. Despiden a la flautista, y ya a solas eligen el amor como tema de coloquio. Cada uno pronuncia una breve plática sobre lo que él entiende por amor, y cuál sea el origen de este sentimiento. Tócale la mano a Aristófanes, el cual habla con vena abundante, grotesca y desenfadada. En el principio el género humano se componía de tres sexos: hombres, mujeres y andróginos. Todos poseían cuerpos dobles, y así, por virtud de su forma redondeada, estando provistos de cuatro brazos y cuatro piernas, se movían en todas direcciones con extraordinaria rapidez, como los ángeles, según Santo Tomás. Estaban dotados de fuerza enorme y desenfrenado orgullo, a tal extremo, que amenazaron la soberanía de los mismos dioses. Juntáronse los dioses en conciliábulo, acerca de lo que habían de hacer.

Hubo división de pareceres, porque aniquilar el género humano equivalía a perder para siempre el culto que se les rendía y las ofrendas con que se les brindaba. Entonces Zeus ideó un procedimiento saludable: "Partamos los hombres por la mitad, de modo que sean más débiles, y al propio tiempo recibiremos dobladas ofrendas y sacrificios propiciatorios." Como se verificó. Los hombres fueron partidos por la mitad, "al modo como se cortan con un hilo los huevos cocidos". Desde entonces, cada persona anda hostigada por el deseo amoroso de volver a unirse, siquiera sea momentáneamente, con la que fue su mitad. Y como quiera que en un principio unos hombres tenían doble sexo masculino, otros doble femenino y otros masculino y femenino juntamente (los andróginos), así se comprende que haya en el mundo tres linajes de amor: el homosexual, de hombre a hombre y el lésbico, y el de hombre a mujer y mujer a hombre. Tal es la plática de Aristófanes.

Habla, al cabo, Sócrates, que dice haber sido iniciado en la esencia misteriosa del amor por una profetisa: Diótima de Mantinea. Plutos (el Dinero) y Penia (la Penuria) se encontraron en las fiestas con que se celebraba el nacimiento de Afrodita; se unieron por designio e industria de Penia, hallándose Plutos ebrio de néctar, y aquel mismo día fue concebido Eros, el amor. Eros es un filósofo o perseguidor de la verdad, porque no siendo rico ni pobre se mantiene a igual distancia de la sapiencia como de la insensatez. Y como concebido el día del nacimiento de Afrodita, diosa de la Belleza, enseña a los hombres a desear la hermosura. A seguida se extiende Sócrates a presentar como en una escala ascendente los órdenes del amor, desde el amor físico hasta el amor genuino y celeste, el cual es amor, puro y desinteresado, al arquetipo o manadero original de toda Belleza. La Belleza vive por sí; es un ser eterno que no nace ni perece, no crece ni decrece, sino que se sustenta sin mudanza; y las cosas y seres perecederos son hermosos por participar en algún reflejo nacido de la increada Hermosura, a los cuales el fino amador aprende a amar, no con bajos apetitos, antes por vislumbres e indicios de la oculta e inmortal Belleza. Tal es lo que de entonces acá se denominó "amor platónico", la más sublime poesía metafísica sobre el amor.

Estando en esto penetra en el recinto del Symposium un tropel de alegres mozos, capitaneados por Alcibíades, que conduce del brazo a un flautista, coronado de hiedra y violetas y el cabello sujeto con cintas. Comienza por decorar las sienes de Agathon con las flores y el follaje, y echando de ver que se halla Sócrates presente, traslada, no sin algún desconcierto, las cintas de su tocado a la cabeza de Sócrates. Crúzanse ciertas chanzas sospechosas, referentes al amor y a los celos, entre Alcibíades y Sócrates. Acerca del amor de Sócrates y Alcibíades hay otro pasaje en Platón, al principio del *Protágoras,* y dice: "¿De dónde vienes, Sócrates? Mas qué pregunta. ¿De dónde has de venir, sino de perseguir la belleza de Alcibíades?" De aquí, que este tipo de amor sospechoso (sospechoso para nosotros, pero no para los griegos) se conozca con el nombre de "amor socrático".

Sobre este particular del amor socrático, escuchemos las prudentes indicaciones de Goethe: "Semejante aberración proviene de que estéticamente el hombre es más hermoso y perfecto que la mujer, dígase lo que se quiera. Pero este sentimiento degenera fácilmente en grosero materialismo y animalidad. Está en la naturaleza, aunque es contra la naturaleza; pero el sentido moral del hombre se ha sobrepuesto a este instinto, y lo que la civilización ha salvado de la ceguedad natural, domeñando a la misma naturaleza, debe conservarse por todos los medios."

VI

WEININGER

Repasemos ahora algunas opiniones de Schopenhauer sobre la mujer.

"Al formar a las jovencitas, la naturaleza ha preparado lo que en términos teatrales se llama un *efectismo,* porque les acumula en muy breves años, y con detrimento del resto de la vida, tan llamativa belleza y hechizo, que en este corto plazo fascinen la fantasía de un hombre al punto de hacerle afanarse en tomar a su cargo el mantenimiento de una esposa, ya para siempre; determinación que de seguro el hombre no tomaría si se parase a meditar acerca del trance."

"La naturaleza ha destinado a las mujeres, como sexo débil, a valerse mediante la astucia. De aquí que el disimulo es innato en ellas, igual en las tontas que en las listas, y por eso desenmascaran tan rápidamente el disimulo ajeno."

"En verdad, las mujeres existen solamente para la propagación de la especie, y con esto concluye su destino."

"Únicamente el hombre, cuyo cerebro está enturbiado por el instinto sexual, puede llamar *bello sexo* a una raza achaparrada, hombriangosta, anquiboyuna y piernicorta. Más justo sería llamarle el sexo antiestético."

"Los antiguos y los orientales supieron colocar a la mujer en su puesto, mejor que nuestras viejas ideas francesas de galantería, caballería y veneración, producto refinado de la estupidez cristiano-teutónica."

Basta ya de Schopenhauer, que, dicho sea de paso, se pirraba por las hembras; lo cual en nada menoscaba la sinceridad de sus teorías. Claro está que el polígamo no estima espiritualmente a la mujer.

Gira, pues, la metafísica del amor de Schopenhauer en torno a unas pocas ideas cardinales: la naturaleza está animada de una voluntad constante de perduración; esta voluntad se infiltra en las especies como instinto sexual; y así, genio de la especie vale tanto como voluntad procreante; en la dualidad de los sexos, la mujer es instinto sexual, y nada más que instinto sexual; el varón es instinto sexual y algo más, y, en tanto la mujer sólo vive para procrear, el hombre sólo procrea accidentalmente; la Naturaleza, para inducir al hombre a que procree, le excita con cierto cebo o incentivo, que es atracción carnal de la mujer (y así, "la mujer persigue al hombre, no estando capacitada ella por sí para llevar a cabo la obra más apremiante de la Naturaleza", según las frases de Bernard Shaw); la mujer, como mero instrumento de la voluntad de la Naturaleza, es un sexo inferior en todo al hombre, menos en las estratagemas del amor: como la Naturaleza aspira a la perfección del tipo futuro, se esfuerza en juntar, por medio del genio de la especie, aquellos individuos que cabalmente se completan.

Surge una cuestión: si cada individuo masculino tiene acomodada especificación sexual o complemento en una mujer única, y viceversa; si no cabe que sea de otra suerte, ¿qué hombre es ese Don Juan a quien todas las mujeres desean y buscan? ¿Qué otra cosa será sino la especificación absoluta de la masculinidad y complemento teórico de todas las feminidades?

La filosofía de Schopenhauer nos induce a imaginar un mito del varón: el varón por excelencia. Mas ya antes el arte había creado este mito: el Don Juan. Y últimamente la ciencia tomó por su cuenta el mito, con propósito de convertirle en verdad demostrable.

El año de 1903 se suicidaba un joven doctor vienés, Otto Weininger, de edad de veintitrés años. Poco antes había publicado un libro voluminoso, *Gechlecht und Charakter (Sexo y carácter)*, acogido con extremada admiración y entusiasmo, en términos que hubo quien proclamó al autor como un nuevo Nietzsche.

En *Sexo y carácter* parte Weininger de los dos principios amatorios de Schopenhauer: la especificación sexual y la neutralización recíproca, si bien asegura con ahínco que ignoraba las teorías del alemán hasta mucho después de haber descubierto por su cuenta y profundizado la ley de la atracción de los sexos.

Sostiene Weininger —con acopio de datos extraídos de los trabajos más recientes en las ciencias naturales, disciplina en que era muy docto—, que en ningún individuo (planta, animal, hombre) es completa la diferenciación sexual. "Todas las particularidades del sexo masculino se encuentran en cierta medida, aun cuando débilmente desenvueltas, en el sexo femenino; y asimismo, los caracteres sexuales de la mujer yacen todos, más o menos atenuados, en el hombre." "No hay hombre que sea totalmente masculino, ni mujer totalmente femenina, y entre el varón y la hembra de sexos más determinados se extiende una variedad indeterminable de formas intermedias. La atracción sexual (y para Weininger es atracción sexual hasta la amistad y la simpatía entre hombres) depende de la proporción correlativa con que ambos sexos residen de consuno en dos individuos diferentes." Pues si no existe en la vida la especificación absoluta de la masculinidad, ¿cómo la ciencia le ha de prestar atención? Responde Weininger: "La física habla de gases ideales, que siguen, o deben seguir estrechamente las leyes de Gay Lussac (bien que en la práctica ninguno la sigue) y se parte de esa ley a fin de comprobar la divergencia en cada caso concreto. De la misma suerte, comenzamos por figurar idealmente un hombre y una mujer perfectos, aunque como tipos sexuales en verdad no existan. Tales tipos no ya pueden, sino que deben ser construidos idealmente. El tipo, la idea platónica, no sólo implica el objeto del arte, mas también de la ciencia." Y más adelante: "La manía estadística estorba el progreso de la ciencia por querer llegar al *promedio,* en lugar del *tipo,* sin alcanzar que en la ciencia pura el *tipo* es lo que importa."

La ley de la atracción sexual la formula Weininger expeditivamente: "Tiende siempre a la unión sexual un hombre completo (H) y una mujer completa (M), teniendo en cuenta que H y M se hallan repartidos en proporciones diferentes en cada uno de los dos individuos diversos."

Es decir, que no hay hombre que lo sea enteramente, sino que encierra un tanto por ciento de sexo femenino; por ejemplo: ¾ de varón y ¼ de mujer. El ideal para este hombre será aquella mujer que encierre ¾ de mujer y ¼ de varón; porque, sumados y neutralizados los dos, producirán la unión perfecta del tipo puro H (hombre) y el tipo puro M (mujer): ¾ de hombre, más ¼ hombre de la mujer, igual un hombre completo. Y lo mismo respecto a los elementos femeninos. Weininger se dilata en largas demostraciones matemáticas de esta ley, y aun se apoya en la física y en la química. "Nuestra regla guarda exacta analogía con los fenómenos directos de *la ley de los efectos de la masa.* Un ácido muy fuerte se mezcla especialmente con una base muy fuerte, como un ser muy masculino con otro muy femenino." Se observará palmaria semejanza de las ideas y aun de las expresiones de Weininger con las de Schopenhauer.

Pasemos ahora a examinar cuál es la relación de varón a hembra y cuáles son los tipos científicos del hombre y de la mujer, según Weininger.

"La función sexual representa para la mujer la actividad máxima de su vitalidad, la cual es siempre y únicamente sexual. La mujer se consume íntegramente en la vida sexual, en su doble aspecto de esposa y madre, mientras el hombre es un ser sexual y algo más. En tanto la mujer está ocupada y absorbida por su misión sexual, el hombre se emplea en una muchedumbre de otras ocupaciones e intereses: la lucha, el juego, la sociedad, la mesa, la discusión, la ciencia, los negocios, la política, la religión y el arte. La mujer no se preocupa de asuntos extrasexuales como no sea por hacerse agradable y atraer al hombre de quien desea ser amada. Una afición intrínseca por tales asuntos la falta en absoluto. La mujer es sexual en todo momento; el hombre, con intermitencias. El hombre limita su sexualidad, y es, según su inclinación, un Don Juan o un asceta."

Y ascendemos al peldaño culminante de la síntesis de Weininger: la construcción de los tipos abstractos de hombre y mujer, H y M. El hombre es el bien absoluto; la mujer, el mal absoluto. El hombre es Ormuz y la mujer Arimán. El principio cordial de toda moral sana: "Robustece en ti los movimientos nobles, finos y fraternos, extirpa los apetitos de la materia y las pasiones caóticas", se traduce para Weininger, en estos términos: "Exalta los gérmenes masculinos que haya en tu organismo y ahoga los elementos femeninos."

"El fenómeno lógico y ético, unidos finalmente en un valor supremo de concepto de la verdad, constriñen a admitir la existencia de un *yo* inteligible, o sea de un alma, una esencia que posee suma realidad, realidad hiperempírica. Pero tratándose de un ser como la mujer, que carece del fenómeno lógico y del ético, faltan razones suficientes para atribuirle un alma. La mujer está desposeída de toda personalidad suprasexual."

Y no conforme con lo antecedente, Weininger acarrea en su favor varias autoridades ajenas.

"Los chinos, desde tiempos remotísimos, han negado alma a la mujer. Aristóteles propugna que en el acto de la procreación el principio masculino es la forma, principio activo, *Koyos,* y el femenino representa la materia pasiva. Los padres de la Iglesia, señaladamente Tertuliano y Orígenes, no disimulan la más baja opinión de las mujeres", etc., etc.

Conviene indicar que Weininger era judío, y que de su libro salen los judíos peor parados aún que las mujeres. Yo, como perteneciente a la gran comunión de la estupidez ariocristiana, venero a la mujer y le envío sahumerios desde el ara de mi corazón.

VII

EL SATANISMO

Al elaborar Weininger la tipificación de la masculinidad, no dice que Don Juan sea su canon perfecto; por el contrario, advierte en su obra que rehúye afrontar el problema del donjuanismo. Esto no obstante, nosotros debemos extraer hasta los postreros corolarios de esa ley de atracción sexual que Weininger pretende haber sentado científica y definitivamente.

Cada hombre, según la antedicha ley, no puede atraer sino a una mujer determinada, en virtud de las proporciones recíprocas de masculinidad y feminidad que poseen él y ella. Pues ¿cómo admitir, y de admitirlo, cómo interpretar un hombre, Don Juan, que conviene con todas las proporciones imaginables de feminidad y a todas las mujeres atrae y enamora? Indudablemente este hombre es la masculinidad absoluta, y así como el alcohol absoluto encierra las cualidades y gradaciones diversas de todas las bebidas alcohólicas, así Don Juan resume en sí todas aquellas proporciones de hombredad que engendran la afinidad y atracción de otras tantas proporciones de feminidad, porque, donde hay lo más, hay lo menos. Todas las mujeres le buscan y persiguen fatalmente. Don Juan es el centro de gravitación amorosa para las mujeres. No así las mujeres para Don Juan, pues si bien él conviene en todas las proporciones de feminidad, con él no convendrá sino el tipo absoluto de mujer. De aquí que Don Juan pasa de una a otra, cada vez más desesperanzado y cada vez redobladamente enardecido, como jugador perdidoso, sin hallar su mujer tipo. Jugador perdidoso, sí, que siempre sale perdiendo en el juego del amor. De aquí, asimismo, que Don Juan esté condenado a no engendrar hijos; maldito garañón estéril.

Y de aquí, en resolución, que en virtud del principio indefectible de la fusión de los contrarios, Don Juan, tan hombre aparentemente en los móviles e hitos de su conducta, es femenino. El doctor Marañón escribe en su reciente y admirable libro *La edad crítica*: "La misma atracción activa que el Don Juan ejerce sobre la mujer es un rasgo de sexualidad femenina, pues biológicamente el macho normal es el atraído por la hembra. El rasgo fundamental, la escasa varonilidad del tenorio, me parece muy importante para la comprensión del tipo. El examen objetivo, psicológico y patológico de dos o tres ejemplares muy caracterizados de tenorios me ha convencido de este hecho." [1]

En la tipificación masculina de Weininger es obligado distinguir dos haces: el psicológico y el orgánico.

Psicológicamente, el varón tipo es cifra de perfección espiritual. La masculinidad se manifiesta como la resultante del paralelógramo de todas las fuerzas ascendentes que laten

[1] El párrafo que figura entrecomillado fue interpolado en la segunda edición de *Las Máscaras* (1919). Los capítulos alusivos al donjuanismo habían sido publicados como folletones en *El Sol,* a raíz del estreno de *Don Juan, buena persona,* el año anterior, si mal no recuerdo. Ese párrafo, que transcribo, apareció en una de las apostillas apendiculares a *La edad crítica* (primera edición), que comenzaba, más o menos, así: "Después de escrito este libro, leo los folletones de Pérez de Ayala sobre el donjuanismo, cuyas ideas hallo confirmadas en mi experiencia clínica"; y prosigue con lo más arriba copiado. No se entienda, ¡plegue a Dios!, que al extraer de los libros del pasado este pormenor, o quizás nadería, pretendo atribuirme la paternidad de una determinada doctrina acerca, o en torno, del donjuanismo. Por lo que a mí atañe, no me lisonjeaba de haber formulado doctrina ni teoría alguna en esa serie de folletones; sí, solo, despertar, pulsar y sugerir algunas ideas reflexivas hacia un tema no tanto viejo cuanto a la sazón olvidado en España, terruño donde brotó neófito. No admito la partenogenesia ni la propiedad privada de las ideas. Las ideas son *res nullius:* de nadie y de todos. Somos como trompetas de órgano que hace vibrar y resonar, ya en un solo, ya en un acorde, un amplio pulmón universal; desde la voz angélica hasta el acento *de profundis.* Lo demás es ilusión. Estoy por añadir, platónicamente, que las ideas son innatas; preexistentes siempre. Las ideas se asemejan, en cuanto patrimonio común, a los elementos: aire, luz, tierra y agua, en servidumbre de un ser vivo cualquiera. La cuestión de grado reside en asimilarlas con mayor dinamismo vital y otorgarles más ancha expansión. Con esto, creo que se elimina el posible escrúpulo de por qué traigo aquí aquel pormenor antes mencionado. Se trata, simplemente, de una curiosidad literaria, que ni siquiera cae bajo la jurisdicción de lo que en el género de la historia ideológica se suele denominar "fuentes", y que, por lo mejor, no interesa sino a unos pocos curiosos de las letras. *(Nota de la cuarta edición.)*

en el alma humana: la inteligencia discursiva y creadora, el juicio ético y estético, el ansia de perfeccionamiento, el espíritu de justicia, el amor a la acción y a la especulación, la voluntad de poderío, la libertad, la rebeldía. Sólo el varón es susceptible de genialidad.

Y sucede que, en su evolución artística, el Don Juan se ha ido adornando y robusteciendo con todas esas fuerzas ascendentes del espíritu. ¿Y qué carácter teológico adscribiríamos a esas fuerzas incansables y soberbiosas? Permítaseme que cite un pasaje de uno de mis libros, *El sendero innumerable*. "Coloquio con Sant Agostino":

—Oh tú, diserto prelado,
doctor sapiente,
ardiente africano,
¿qué haces ahí de rodillas?
—Penitencia por un pecado:
el pecado del intelecto,
que es el pecado satánico,
de querer comprenderlo todo
y abarcar los misterios más altos.
—Agostino, obispo de Hipona,
doctor diserto; a lo que alcanzo,
el querer comprenderlo todo
es un anhelo virtuoso y magnánimo.
—Es el pecado de Satanás.
—Y a Satanás, ¿quién lo ha creado?
—Adivinas mi torcedor.
El origen del mal, ¿en dónde hallarlo?
El mal no existe.
....

Alabemos el acto satánico,
sed, nunca ahíta, de saber;
anhelo por cambiar de estado;
ansia de medro, voluntad de conquista,
goce del cuerpo bello y sano,
vehemencia por penetrar del mundo
en los recovecos y arcanos,
concupiscencia sin medida,
ardor inexhausto.

Sin eso, el hombre estaría ahora
como hace dos mil años.
—Tus palabras me dejan suspenso.
Has hecho la apología del diablo.
—Fue Satanás la criatura dilecta
de Dios, según los libros sagrados.
Y entre Dios y sus hombres escogidos
Satanás sirvió de emisario.
Pues qué, ¿hubieras tú sido
de la iglesia el doctor más sabio,
sin la bárbara concupiscencia
con que tus padres te engendraron?
Pues eres escogido de Dios
porque Dios te hizo arrebatado.
Y el querer ser como Dios,
en acercársele en algo,
el amar su proximidad...
eso es espíritu satánico.

Por consecuencia de su espíritu satánico, Don Juan lleva una tara latente que, tarde o temprano, le consumirá: el sentimentalismo. Dios, en su serenidad infinita, es invulnerable al tormento y a la tristeza. Está la quejumbrosa y multitudinosa creación fraguándose perdurablemente dentro del seno de Dios, sin herirle ni lastimarle, como el agua que hierve en la vasija. Pero el corazón de Satanás es la sede del gozo atormentado y del dolor sabroso: gozo de anhelar y de hacer, tormento de no lograr, sino con mezquindad, lo anhelado. Y, a la postre, melancolía sentimental.

En el excelente libro de G. Gendarme de Bevotte, *La légende de Don Juan,* cabe seguir paso a paso la evolución artística del personaje.

España, en el siglo XVII, adivina confusamente en Don Juan "la expansión violenta de la sensualidad, burlando las regulaciones impuestas por la moral y la religión a las pasiones humanas".

Italia ve en Don Juan "la protesta de los derechos del individuo contra el imperio de las leyes estipuladas por la iglesia y la sociedad".

En Francia, por influjo de ciertas doctrinas filosóficas y éticas, se yergue Don Juan como "reivindicación del instinto de naturaleza sobre las restricciones dogmáticas e insubordinación del espíritu humano frente a Dios".

Todos los anteriores son rasgos y actitudes satánicas, si bien el satanismo no está del todo definido. El Don Juan propiamente y deliberadamente satánico es el de los románticos. Las concepciones del *Sturm und Drang,* precursoras del romanticismo alemán, influyen sobre todas las interpretaciones posteriores de Don Juan. Comienza Don Juan esta fase de su evolución el mismo instante que por primera vez se le parangonó con Fausto. Ambos son hombres condenados por haber solicitado de la vida goces imposibles, por haberse obstinado en traspasar, así en la esfera de los sentidos como de la inteligencia, las lindes con que la naturaleza limitó y cercó la penetración humana. Doble rebeldía de la carne y del espíritu.

Gendarme de Bevotte opina que Hoffman es el primero que infunde en Don Juan carácter diabólico. En este autor, Don Juan incorpora en doble ideal de belleza física y moral consumiéndose en una llamarada recóndita, de cuyo ardor no sospecha el hombre vulgar, y solicitando, acezado, con qué ahitar la inmensidad de sus deseos, hasta conocer a Doña Ana, imagen de pulcritud y pureza, destinada por el cielo a realizar el ideal de Don Juan, descubriéndole a flor de alma lo que oscuramente hay de divino en él. Tardío encuentro. Don Juan ya no se satisface sino en el goce diabólico de perder a Doña Ana.

Y el Don Juan sentimental por antonomasia, un Don Juan sensitivo y femenino, es el de Musset.

Para Stendhal, Don Juan es "una víctima de la imaginación y de los deseos burlados por la vulgaridad de la vida. con los impedimentos. Lo interesante no es el objeto hacia el gran arte de vivir, y a lo mejor de su triunfo ilusorio se le escapa la vida".

Pedro Leroux *(Primera carta sobre el furrierismo)*: "Don Juan, alma fuerte que desprecia las supersticiones y rompe con los impedimentos. Lo interesante no es el objeto hacai el cual endereza su carácter, o sea el amor, sino su mismo carácter, mezcla de grandeza y tenebrosidad, de arrojo y cobardía, de virtud y crimen."

Peladan, en *La decadencia latina,* denomina a Don Juan "alquimista de la sensación, caballero de la pasión; consagrado a un gran empeño anímico, busca el crisol en donde depurar su deseo prodigioso".

Gautier *(Historia del arte dramático en Francia)* presenta así a Don Juan: "Pobre inocente que tiene el candor de creer en la duración del deleite; Titán que en vano procura apagar la sed de amor que abrasa sus anchas venas."

Barrière, en *El arte de las pasiones,* exalta a Don Juan: "Admirable producto de la naturaleza, hombre tipo agraciado con las más felices cualidades físicas e intelectuales de la especie: guapo, fuerte, elegante, psicólogo sin par, artista exquisito, maravilloso evocador, *summus artifex.*"

Y Coleridge, en el prólogo al *Don Juan* de Byron, destila el vino embriagador del donjuanismo en un extracto quintaesenciado. Don Juan es, en última síntesis, egoísmo. Sagaz alquimia psicológica. Egoísmo, radical levadura de la materia y del espíritu, sal incorruptible, agente de conservación, sin el cual el orbe caería de pronto convertido en ceniza letárgica.

VIII

EL DONJUANISMO

Don Juan Tenorio, como Palas de la sien flamígera de Zeus, brota de la testa tonsurada de un frailecico de la Merced, con ciertos rasgos peculiares e indelebles que le imprimen carácter. En la vasta dinastía de los Don Juanes se distinguirá el Don Juan auténtico y de pura sangre del Don Juan bastardo y genízaro, según que en el individuo perseveren aquellos rasgos nativos.

La confusión más frecuente es entre el Tenorio y el libertino. Pero donjuanismo no es sinónimo de libertinaje. Don Juan fue sin duda un libertino, pero un libertino *sui generis.* Por otra parte, la mayor parte de los libertinos no son ni siquiera aspiran a ser Don Juanes. La diferencia es notoria. El donjuanismo está con respecto al libertinaje en la misma relación de la especie y el género. El género es la unidad común; la especie es la variedad y oposición dentro de aquella unidad común. Perro, verbigracia, es el género; perro pachón, perdiguero, galgo, mastín, etc., etc., son las especies. Hay, pues, el género canino, y luego la especie de los pachones, la de los mastines, y así sucesivamente, todas las cuales se diversifican y aun oponen entre sí.

Libertinaje es desenfreno, falta de respeto a las leyes y a las costumbres, y sobre todo deseo inmoderado de goces para los sentidos. Pero hay infinitas especies de libertinaje: el crapuloso o borracho, el jugador, el tragón, el tronera, el danzante, todos ellos son libertinos. Los son asimismo, el charlatán o libertino de la oratoria; el poeta hebén, o libertino de la rima; el sofista, o libertino del pensamiento.

El mujeriego es también una especie de libertino. Pero no basta ser mujeriego para ser tenorio. El mujeriego se conforma con la posesión de la mujer. Don Juan Tenorio es bastante más exigente y no se satisface sino con que la mujer se enamore de él. Sin embargo, esta comezón de enamorar mujeres no es sólo por sí uno de los rasgos peculiares del auténtico Don Juan, pura sangre, si bien es suficiente para constituir un Don Juan mestizo y bastardo, de esos en quienes destaca más la nota genérica del libertinaje que la específica del donjuanismo.

El Don Juan, pura sangre (pura sangre frailuna, en cuanto hijo espiritual de Tirso de Molina), cierto que no se satisface sino con que la mujer se enamore de él; pero él no hace nada por enamorarla. La mujer ha de enamorarse de él a la vista, como ciertas letras de cambio, de sopetón, porque sí, de flechazo, como si dijéramos, por obra y gracia del Espíritu Santo; y perdónese la irreverencia, que no es nuestra, sino del propio Don Juan, el hombre más irreverente y sacrílego que ha parido madre. Porque ésta es la pura verdad y aquí reside la esencia del donjuanismo genuino; las mujeres se enamoran de él como por obra y gracia del Espíritu Santo, sólo que es por obra y gracia del diablo. En Don Juan se encierra un agente diabólico, un enhechizo de amor, el diablo es seductor por excelencia, y a la máxima, primieva y sempiterna seducción del diablo se le llama pecado contra el espíritu santo. Por eso, los que más se parecen a los sucedidos por obra y gracia del Espíritu Santo son los sucedidos por obra y gracia del diablo.

En el *Flos sanctorum* rara será la vida del santo que no haya padecido el torcedor de la duda ante ciertas inspiraciones que recibía, las cuales no acertaba a discriminar si provenían del Espíritu Santo o del diablo. ¿Y cuál es la máxima primieva y sempiterna seducción del diablo? No es, no, el "¿qué importa comer esa manzana?"; esto es el pecado de flaqueza, el cual nunca afligió mayormente con remordimientos a los santos. El pecado contra el Espíritu Santo es el "seréis como dioses", la apetencia deliberada y voluntad engañosa de poseer el sumo bien. El hecho de comerse la manzana, por gusto, por capricho, por ligereza, sin conceder gravedad a la desobediencia, es un pecadillo. El pecado contra el Espíritu Santo es el del pensamiento, me han prohibido comer esta manzana porque en su caspia se esconde el sumo bien; precisamente por eso me la como. ¿Quién resistirá a semejante seducción? ¿Quién teniendo la absoluta felicidad al alcance de la mano retraerá el brazo? El hecho de entregarse una o muchas mujeres a un hombre, por gusto, por capricho, por ligereza (y no digamos por vanidad), es mero pecadillo y no eleva al hombre a la categoría de Don Juan, de Don Juan auténtico y pura sangre. Pero si una sola mujer piensa: "Yo no sé si es cosa de Dios o del diablo, mas ese hombre me arrebata; de sus labios manará mi elixir de vida o mi sentencia de muerte; todo mi ser, a despecho de la voluntad, siento que cae y se precipita en el cerco de sus brazos"; entonces sí, se trata del Don Juan pristino e imperecedero, del Don Juan diabólico, que no pudo nacer sino de la cabeza de un fraile español del siglo XVII.

Junto a este Don Juan legítimo y español, el Don Juan francés de Molière, descubre ciertos signos manifiestos de bastardía. En él, lo genérico del libertinaje, si bien libertinaje sutil y estético, aventaja y esfuma lo específico del donjuanismo. El Don Juan, de Molière, persigue que la mujer se enamore de él. Es cumplidísimo psicólogo, y hasta sospechamos que antes se complace en la propedeútica y táctica de la conquista femenina que en su consumación. Es casi un *flirteador*.

En rigor, el arte de este tipo de Don Juan, a lo Molière, no es muy exquisito ni muy dificultoso, siempre que no tercie un marido bravo. Más que el empeño del seductor coopera en el resultado feliz la vanidad de la dama, tanto la vanidad de saberse amada y requerida por un galán afamado o infamado de seductor de infinitas beldades, cuanto la vanidad de confiar demasiadamente en la propia fortaleza y honestidad.

En un libro raro (*Dictionnaire historique des anecdotes de l'Amour contenant un grand nombre de faits curieux et intéressants occasionés par la force, les caprices, les fureurs, les emportements de cette passion,* etc., etc.) hallo un pasaje sobremanera instructivo y revelador, que viene muy al caso:

"El marqués de Anceny tenía una esposa que, por su mocedad y hermosura, bien podía ocasionarle alguna inquietud, y más en aquel tiempo en que la fidelidad de las casadas se consideraba infinitamente inverosímil. Pero fuese que él tenía el talento de agradar a su esposa, o bien que ésta era lo bastante virtuosa para resistir el contagio general, llegó a consolidarse la reputación de la marquesa, de manera que se la mencionaba como modelo de esposas honradas. Era en ocasión que el duque de Richelieu, adorado por las mujeres más jóvenes y lindas, festejado y requerido de continuo, no tenía sino presentarse para triunfar. A pesar de su reconocida inconstancia, las señoras de la más alta prosapia y hasta princesas de la sangre se desvivían por agradarle. La marquesa de Anceny, que sabía todo esto, decía dondequiera, vanagloriosa de su virtud, que aquel hombre de tan brillante nombradía no le inspiraba ningún recelo, pues le conocía sobradamente para saber guardarse contra sus artes y que le desafiaba a que la obligase a sucumbir. Habiendo alcanzado esta fanfarronada los oídos del duque de Richelieu, le indujo a buscar a la dama que tan segura de sus fuerzas se mostraba. La encontró en casa de la mariscala de Villars, y al verla tan guapa se afirmó más en sus proyectos. Muy pronto la marquesa, que se creía tan cierta de humillarle, comenzó sin darse cuenta a tender sus brazos a que se los aherrojase. El duque había adoptado un tono tan persuasivo que él mismo llegó a figurarse que la marquesa podría ser su última y definitiva amante. La marquesa dudó mucho antes de otorgarle crédito. Por fin, el amor propio y la confianza en su belleza fueron la causa de que cayese. Lisonjeábase pensando llegar a ser la primera mujer que hiciese conocer la constancia a un hombre que, hasta entonces, sólo había gustado el cambio, y procuraba no enterarse de que otras muchas, antes que ella, habían acariciado la misma esperanza quimérica. En efecto: a poco, y ante sus propios ojos, Richelieu reanudó de pasada unas viejas relaciones íntimas con la mariscala, la cual le había jurado ser siempre su amiga y confidente; pero, de vez en cuando, quería representar el papel de protagonista." Ante el Don Juan bastardo, lo que principalmente pierde a las mujeres no es el amor, antes la ilusión vanidosa, la infatuación de ser la última y definitiva amante.

La virtualidad diabólica del enhechizo, que es la esencia íntima del donjuanismo, la posee evidentemente el Tenorio, de Tirso, y donde por modo terrible y patético se pone de manifiesto es en el episodio con Tisbea. Asimismo, en la obra de Zorrilla, Doña Inés recibe la diabólica contaminación amorosa de Don Juan, filtrándose a través de las paredes de la celda en donde está recoleta. Pero el autor que más delicadamente y en un pomo más gentil y transparente ha encerrado esta íntima esencia del donjuanismo, ha sido un francés: Barbey d'Aurevilly. Cierto que Barbey fue un magnífico deleitante del satanismo. Aludo a una novelita de la serie de *Las diabólicas,* cuyo título es *El más bello amor de don Juan.* Don Juan está en amores con una casada que tiene una hija apenas púber. La niña, que en su candor no acierta a sospechar aquellos amores, se acerca cierto día a su madre y a vuelta de infinitos balbuceos, rubores y angustias, le confiesa que se halla encinta de Don Juan. La madre, que reputa a Don Juan como hombre capaz de todas las infamias, escucha sobrecogida la confesión. Pero luego va descubriendo poco a poco, según habla la niña, que se trata de ilusiones peregrinas, engendradas por una imaginación inocente y pueril.

La niña, ignorante de los turbios secretos sexuales resumidos para ella en la milagrosa noción, aprendida en sus oraciones y en los libros piadosos, de que María Santísima había concebido por obra y gracia del Espíritu Santo, y viviendo conturbada por la emanación amorosa de Don Juan, refiere así el lance a su madre: "un día que me senté en una butaca, tibia aún del calor de Don Juan, que acababa de levantarse, me transió una emoción angustiosa, un hondo escalofrío, y comprendí que en aquel instante había concebido por obra y gracia de Don Juan". La madre contiene la risa a duras penas, sin penetrar aquel oscuro misterio del donjuanismo, tan cristalinamente revelado por la candorosa niña. (Hace muchos años que leí esta novelita. No respondo de los pormenores con que desarrollo mi referencia; de su sentido y sustancia, sí.)

Los Quintero, en su *Don Juan, buena persona,* no han preterido notar a su personaje con el satánico don del enhechizo subitáneo. Al final del primer acto llega a casa de Don Juan, para alojarse en ella, Amalia, una protegida suya, hija de un antiguo amigo, ausente hace años. Don Juan y Amalia no se conocían. Amalia, apenas entra y a causa, según ella dice, del cansancio y mareo del viaje, cae sin sentido. Hállase presente a todo aquello Ricardita, una solterona bachillera que tiene puesto romántico asedio al corazón de Don Juan. Ricardita, con perspicacia y clarividencia de enamorada celosa, interpretando en solas dos palabras la causa del soponcio, exclama: "La flechó."

[illegible] que [illegible] y [illegible] concamon. [illegible] y [illegible] causa [illegible] de [illegible] y [illegible] del [illegible] [illegible] [illegible] [illegible] [illegible] [illegible] [illegible] [illegible] [illegible] de [illegible] y [illegible] [illegible] la [illegible] del [illegible] [illegible] hecho.

ÍNDICE DE LÁMINAS

ESTE LIBRO
SE TERMINÓ DE IMPRIMIR
EL DÍA 6 DE NOVIEMBRE DE 1980

TITULOS PUBLICADOS

1 / Luis de Góngora
SONETOS COMPLETOS
Edición, introducción y notas de Biruté Ciplijauskaité

2 / Pedro Salinas
LA VOZ A TI DEBIDA. RAZÓN DE AMOR
Edición, introducción y notas de Joaquín González Muela.

3 / José Martínez Ruiz, Azorín
LA VOLUNTAD
Edición, introducción y notas de E. Inman Fox.

4 / Nicasio Álvarez de Cienfuegos
POESÍAS
Edición, introducción y notas de José Luis Cano.

5 / Leandro Fernández de Moratín
LA COMEDIA NUEVA. EL SÍ DE LAS NIÑAS
Ediciones, introducciones y notas de John Dowling y René Andioc.

6 / Garcilaso de la Vega
POESÍAS CASTELLANAS COMPLETAS
Edición, introducción y notas de Elías L. Rivers.

7 / Félix María Samaniego
FÁBULAS
Edición, introducción y notas de Ernesto Jareño.

8 / Villamediana
OBRAS
Edición, introducción y notas de Juan Manuel Rozas.

9 / Don Juan Manuel
EL CONDE LUCANOR
Edición, introducción y notas de José Manuel Blecua.

10 / Lope de Vega. C. de Monroy
FUENTE OVEJUNA
(Dos comedias)
Edición, introducción y notas de Francisco López Estrada.

11 / Juan de Valdés
DIÁLOGO DE LA LENGUA
Edición, introducción y notas de Juan M. Lope Blanch.

12 / Miguel de Cervantes
LOS TRABAJOS DE PERSILES Y SIGISMUNDA
Edición, introducción y notas de Juan Bautista Avalle-Arce.

13 / Francisco Delicado
LA LOZANA ANDALUZA
Edición, introducción y notas de Bruno Damiani.

14 / Baltasar Gracián
AGUDEZA Y ARTE DE INGENIO. Tomo I
Edición, introducción y notas de Evaristo Correa Calderón.

15 / Baltasar Gracián
AGUDEZA Y ARTE DE INGENIO. Tomo II
Edición, introducción y notas de Evaristo Correa Calderón.

16 / Manuel José Quintana
POESÍAS COMPLETAS
Edición, introducción y notas de Albert Dérozier.

35 / Antonio Buero Vallejo
EL CONCIERTO DE SAN OVIDIO.
EL TRAGALUZ
Edición, introducción y notas de Ricardo Doménech.

36 / Ramón Pérez de Ayala
TINIEBLAS EN LAS CUMBRES
Edición, introducción y notas de Andrés Amorós.

37 / Juan Eugenio Hartzenbusch
LOS AMANTES DE TERUEL
Edición, introducción y notas de Salvador García.

38 / Francisco de Rojas Zorilla
DEL REY ABAJO, NINGUNO
Edición, introducción y notas de Jean Testas.

39 / Diego de San Pedro
OBRAS COMPLETAS, II. CÁRCEL DEL AMOR
Edición, introducción y notas de Keith Whinnom.

40 / Juan de Arguijo
OBRA POÉTICA
Edición, introducción y notas de Stanko B. Vranich.

41 / Alonso Fernández de Avellaneda
EL INGENIOSO HIDALGO DON QUIJOTE DE LA MANCHA, que contiene su tercera salida y es la quinta parte de sus aventuras
Edición, introducción y notas de Fernando G. Salinero.

42 / Antonio Machado
JUAN DE MAIRENA (1936)
Edición, introducción y notas de José María Valverde.

43 / Vicente Aleixandre
ESPADAS COMO LABIOS.
LA DESTRUCCIÓN O EL AMOR
Edición, introducción y notas de José Luis Cano.

44 / Agustín de Rojas Villandrando
EL VIAJE ENTRETENIDO
Edición, introducción y notas de Jean Pierre Ressot.

45 / Vicente Espinel
VIDA DEL ESCUDERO MARCOS DE OBREGÓN. Tomo I
Edición, introducción y notas de M.ª Soledad Carrasco Urgoiti.

46 / Vicente Espinel
VIDA DEL ESCUDERO MARCOS DE OBREGÓN. Tomo II
Edición, introducción y notas de M.ª Soledad Carrasco Urgoiti.

47 / Diego de Torres Villarroel
VIDA, ascendencia, nacimiento, crianza y aventuras
Edición, introducción y notas de Guy Mercadier.

48 / Rafael Alberti
MARINERO EN TIERRA.
LA AMANTE.
EL ALBA DEL ALHELÍ
Edición, introducción y notas de Robert Marrast.

49 / Gonzalo de Berceo
VIDA DE SANTO DOMINGO DE SILOS
Edición, introducción y notas de Teresa Labarta de Chaves.

50 / Francisco de Quevedo
SUEÑOS Y DISCURSOS
Edición, introducción y notas de Felipe C. R. Maldonado.

51 / Bartolomé de Torres Naharro
COMEDIAS
Edición, introducción y notas de D. W. McPheeters.

52 / Ramón Pérez de Ayala
TROTERAS Y DANZADERAS
Edición, introducción y notas de Andrés Amorós.

53 / Azorín
DOÑA INÉS
Edición, introducción y notas de Elena Catena.

54 / Diego de San Pedro
OBRAS COMPLETAS, I. TRACTADO DE AMORES DE ARNALTE Y LUCENDA. SERMON
Edición, introducción y notas de Keith Whinnom.

55 / Lope de Vega
EL PEREGRINO EN SU PATRIA
Edición, introducción y notas de Juan Bautista Avalle-Arce.

56 / Manuel Altolaguirre
LAS ISLAS INVITADAS
Edición, introducción y notas de Margarita Smerdou Altolaguirre.

57 / Miguel de Cervantes
VIAJE DEL PARNASO. POESÍAS COMPLETAS, I
Edición, introducción y notas de Vicente Gaos.

58 / LA VIDA DE LAZARILLO DE TORMES Y DE SUS FORTUNAS Y ADVERSIDADES
Edición, introducción y notas de Alberto Blecua.

59 / Azorín
LOS PUEBLOS. LA ANDALUCÍA TRÁGICA Y OTROS ARTÍCULOS (1904-1905)
Edición, introducción y notas de José María Valverde.

60 / Francisco de Quevedo
POEMAS ESCOGIDOS
Selección, introducción y notas de José Manuel Blecua.

61 / Alfonso Sastre
ESCUADRA HACIA LA MUERTE
LA MORDAZA
Edición, introducción y notas de Farris Anderson.

62 / Juan del Encina
POESÍA LÍRICA Y CANCIONERO MUSICAL
Edición, introducción y notas de R. O. Jones y Carolyn R. Lee.

63 / Lope de Vega
LA ARCADIA
Edición, introducción y notas de Edwin S. Morby.

64 / Marqués de Santillana
POESÍAS COMPLETAS, I. Serranillas, cantares y decires. Sonetos fechos al itálico modo
Edición, introducción y notas de Manuel Durán.

65 / POESÍA DEL SIGLO XVIII
Selección, introducción y notas de John H. R. Polt.

66 / Juan Rodríguez del Padrón
SIERVO LIBRE DE AMOR
Edición, introducción y notas de Antonio Prieto.

67 / Francisco de Quevedo
LA HORA DE TODOS
Edición, introducción y notas de Luisa López-Grigera.

68 / Lope de Vega
SERVIR A SEÑOR DISCRETO
Edición, introducción y notas de Frida Weber de Kurlat.

9 / **Leopoldo Alas, Clarín**
ERESA. AVECILLA.
L HOMBRE DE LOS
STRENOS
dición, introducción y notas de
eonardo Romero.

0 / **Mariano José de Larra**
RTÍCULOS VARIOS
dición, introducción y notas de
varisto Correa Calderón.

1 / **Vicente Aleixandre**
OMBRA DEL PARAÍSO
dición, introducción y notas de
eopoldo de Luis.

2 / **Lucas Fernández**
ARSAS Y ÉGLOGAS
dición, introducción y notas de
.ª Josefa Canellada.

3 / **Dionisio Ridruejo**
RIMER LIBRO DE AMOR.
OESÍA EN ARMAS.
ONETOS
dición, introducción y notas de
ionisio Ridruejo.

4 / **Gustavo Adolfo Bécquer**
IMAS
dición, introducción y notas de
osé Carlos de Torres.

5 / **POEMA DE MIO CID**
dición, introducción y notas de
an Michael.

6 / **Guillén de Castro**
OS MAL CASADOS DE
ALENCIA
dición, introducción y notas de
uciano García Lorenzo.

7/**Miguel de Cervantes**
ON QUIJOTE DE LA
ANCHA, Parte I (1605)
dición, introducción y notas de
uis Andrés Murillo.

78 / **Miguel de Cervantes**
DON QUIJOTE DE LA
MANCHA, Parte II (1615)
Edición, introducción y notas de
Luis Andrés Murillo.

79 / **Luis Andrés Murillo**
BIBLIOGRAFÍA FUNDAMENTAL SOBRE «DON QUIJOTE
DE LA MANCHA»
DE MIGUEL DE CERVANTES

80 / **Miguel Mihura**
TRES SOMBREROS DE COPA.
MARIBEL Y LA EXTRAÑA
FAMILIA
Edición, introducción y notas de
Miguel Mihura.

81 / **José de Espronceda**
EL ESTUDIANTE
DE SALAMANCA.
EL DIABLO MUNDO
Edición, introducción y notas de
Robert Marrast.

82 / **Pedro Calderón de la Barca**
EL ALCALDE DE ZALAMEA
Edición, introducción y notas de
José M.ª Díez Borque.

83 / **Tomás de Iriarte**
EL SEÑORITO MIMADO.
LA SEÑORITA MALCRIADA
Edición, introducción y notas de
Russell P. Sebold.

84 / **Tirso de Molina**
EL BANDOLERO
Edición, introducción y notas de
André Nougué.

85 / **José Zorrilla**
EL ZAPATERO Y EL REY
Edición, introducción y notas de
Jean Louis Picoche.

86 / **VIDA Y HECHOS DE**
ESTEBANILLO GONZÁLEZ.
Tomo I
Edición, introducción y notas de
N. Spadaccini y Anthony N. Zahareas.

87 / VIDA Y HECHOS DE ESTEBANILLO GONZÁLEZ. Tomo II
Edición, introducción y notas de N. Spadaccini y Anthony N. Zahareas.

88 / Fernán Caballero
LA FAMILIA DE ALVAREDA
Edición, introducción y notas de Julio Rodríguez Luis.

89 / Emilio Prados
LA PIEDRA ESCRITA
Edición, introducción y notas de José Sanchis-Banús.

90 / Rosalía de Castro
EN LAS ORILLAS DEL SAR
Edición, introducción y notas de Marina Mayoral Díaz.

91 / Alonso de Ercilla
LA ARAUCANA. Tomo I
Edición, introducción y notas de Marcos A. Morínigo e Isaías Lerner.

92 / Alonso de Ercilla
LA ARAUCANA. Tomo II
Edición, introducción y notas de Marcos A. Morínigo e Isaías Lerner.

93 / José María de Pereda
LA PUCHERA
Edición, introducción y notas de Laureano Bonet.

94 / Marqués de Santillana
POESÍAS COMPLETAS. Tomo II
Edición, introducción y notas de Manuel Durán.

95 / Fernán Caballero
LA GAVIOTA
Edición, introducción y notas de Carmen Bravo- Villasante.

96 / Gonzalo de Berceo
SIGNOS QUE APARECERÁN ANTES DEL JUICIO FINAL. DUELO DE LA VIRGEN. MARTIRIO DE SAN LORENZO
Edición, introducción y notas de Arturo Ramoneda.

97 / Sebastián de Horozco
REPRESENTACIONES
Edición, introducción y notas de F. González Ollé.

98 / Diego de San Pedro
PASION TROVADA. POESIAS MENORES DESPRECIO DE LA FORTUNA
Edición, introducción y notas de Keith Whinnom y Dorothy S. Severin.

99 / Ausias March
OBRA POÉTICA COMPLETA. Tomo I
Edición, introducción y notas de Rafael Ferreres.

100 / Ausias March
OBRA POÉTICA COMPLETA Tomo II
Edición, introducción y notas de Rafael Ferreres.

101 / Luis de Góngora
LETRILLAS
Edición, introducción y notas de Robert Jammes.

102 / Lope de Vega
LA DOROTEA
Edición, introducción y notas de Edwin S. Morby

103 / Ramón Pérez de Ayala
TIGRE JUAN Y EL CURANDERO DE SU HONRA
Edición, introducción y notas de Andrés Amorós.